Yn Blwm

hunangofiant

cefin roberts

yn blwmp
ac yn blaen

Cyhoeddwyd gan Wasg y Bwthyn yn 2023
ISBN 978-1-913996-73-4

Cyhoeddwyd gyda chymorth ariannol
Cyngor Llyfrau Cymru.

Cyhoeddwyd gan:
Gwasg y Bwthyn, 36 Y Maes, Caernarfon,
Gwynedd LL55 2NN
post@gwasgybwthyn.cymru
www.gwasgybwthyn.cymru
01558 821275

Cyflwyniad

I'm teulu a'm ffrindiau i gyd
am eu cefnogaeth a'u cyfeillgarwch
ac am wneud bywyd yn werth ei fyw.

Cydnabyddiaethau

Mae Gwasg y Bwthyn wedi gwneud pob ymdrech bosibl i sicrhau caniatâd y gweisg a'r awduron ar gyfer y cerddi a'r ffotograffau sydd wedi eu cynnwys yn y gyfrol hon. Os daw gwybodaeth i law am berchnogion hawlfraint sydd heb eu cydnabod, byddem yn falch iawn o'i derbyn er mwyn cywiro unrhyw argraffiad yn y dyfodol.

I Wasg Gee am ganiatâd i gyhoeddi englyn
   R. Williams Parry i Neuadd Mynytho,
   Cerddi'r Gaeaf (1952)
I'r Lolfa am ganiatâd i gyhoeddi 'Dawns y Dail',
   T. Llew Jones o *Drws Dychymyg* (1994)
I'r Lolfa am ganiatâd i gyhoeddi
   Englyn Cyn Bwyta, W. D. Williams, *Cân ac Englyn*
   (Gwasg Aberystwyth, 1950)

LLUNIAU
Sioe Hanner Munud Ⓗ Lynn Owen-Rees
Dyn y Lleuad Ⓗ Sarah Ainslie
Tri Chryfion Byd Ⓗ Amgueddfa Genedlaethol Cymru
Swmba! Ⓗ Gerallt Llywelyn
Cân Actol, Ysgol Glanaethwy, Eisteddfod Tyddewi
   2002 Ⓗ Tegwyn Roberts
Y Fedal Ryddiaith, Eisteddfod Meifod 2003
   Ⓗ Wyn Jones
Y Dyn Gwyn Ⓗ Cwmni Theatr Bara Caws,
   Kristina Banholzer
Llun Cefin a Rhian a lluniau clawr
   Yn Blwmp ac yn Blaen, Ⓗ Iolo Penri

Diolch

I Meinir a Marred o Wasg y Bwthyn
am eu cyngor a'u harweiniad ar hyd y daith
ac am yr anogaeth i ddal ati er gwaetha
ambell storm go arw.

Rhagair

Fel y dywedodd ffrind yr hen Deio yn y gân werin honno am fynd am dro i Dywyn: 'bûm yn hir yn sad gysidro', felly y teimlwn inna pan ddaeth y gwahoddiad gan Wasg y Bwthyn i sgwennu fy hunangofiant. Wrth fynd yn hŷn mae cof y gorau ohonom yn rhydu ryw fymryn a'r olwynion yn troi'n arafach wrth inni geisio rhoi trefn ar y darnau a'u cael i ddisgyn i'w lle. Fel y darnau jig-so yna nad ydach chi'n siŵr ydyn nhw'n perthyn i'r awyr neu'r llyn, felly y bu hi am rai misoedd arna inna wedi imi dderbyn y gwahoddiad i fentro arni. Agor y bocs a thywallt y darnau yn un pentwr o mlaen ac anadlu'n ddwfn yn gwybod, cyn dechrau didoli'r darnau hyd yn oed, y byddai ambell un ar goll. A does dim byd gwaeth na mynd i'r afael â gwneud jig-so yn gwybod y bydd ganddoch chi ddarnau colledig o'r cychwyn yn deg. Er hynny, mi dwi'n sgut am fy jig-sos!

Un tawedog fuo Nhad erioed, a chyndyn iawn o siarad am ei orffennol; yn wir, doedd o ddim wedi siarad yr un gair â rhai aelodau o'i deulu ei hun ers blynyddoedd lawer. Er iddo symud i fyw i siop groser Stanley House, Llanllyfni, bum drws i fyny oddi wrth ei frawd canol, a byw yno am yn agos i ddeugain mlynedd, does gen i 'run cof iddyn nhw dorri gair â'i gilydd yn ystod y cyfnod hwnnw. Allan o'r tri brawd a'r tair chwaer oedd ganddo, dwi ddim yn credu i mi weld dim ond dau ohonyn nhw'n camu dros riniog drws ein cartref ni erioed. Fel hanes nifer helaeth o deuluoedd dros y canrifoedd, rhyw ffrae bitw dros ewyllys oedd achos y dadlau a'r pellhau. Dyna pam mae mynd i weld unrhyw gynhyrchiad o'r *Brenin Llŷr*, un o ddramâu mwyaf pwerus Shakespeare, yn taro hen nodyn digon amhersain bob gafael; drama ydi hon am rannu eiddo sydd yn hollti teulu cyfan ac yn arwain at ddinistr a'r llanast rhyfedda.

Saer maen, fel ei dad yntau, oedd fy nhad, Thomas Alun Roberts. Yr ieuengaf o saith o blant, ac yn ôl yr hyn a ddeallais yn ddiweddar, roedd yn gannwyll llygad ei fam. Gan i 'nhaid a'm nain Gwyndy (Llanllyfni) farw cyn i mi gael fy ngeni, a Nhad mor ddi-ddeud am ei orffennol, mae chwilio am y darnau colledig wedi bod yn dasg bron yn amhosibl imi. Ond wedi imi ailgysylltu â rhai o'm cyfnitherod ar ochr fy nhad yn ddiweddar, rwyf wedi darganfod ambell ddarn a gollwyd ers blynyddoedd yn llechu dan yr hen garped bondigrybwyll hwnnw yng nghornel bellaf eu hatgofion hwythau.

Roedd fy mam wastad wedi dweud fod fy 'Nain Gwyndy' yn ddynes go arbennig, ac er imi deimlo erioed nad oedd perthynas fy mam a 'nhad yn un esmwyth, fe roddai hi ddarlun go ffafriol imi o'i mam yng nghyfraith bob amser. Flynyddoedd yn ddiweddarach, drwy sawl sgwrs â'm cyfnitherod, y dois i i sylweddoli fod yna lawer mwy i stori Taid a Nain Gwyndy na'r hyn a gefais gan fy mam a 'nhad dros yr holl flynyddoedd. A daeth yn dipyn o sioc imi pan ddywedodd un ohonyn nhw wrtha i nad Taid Llan oedd tad o leiaf dau, os nad tri, o frodyr a chwiorydd fy nhad. Byw tali fu'r ddau am flynyddoedd yn ôl a ddeallais, ond fe fagwyd y cyfan ohonyn nhw ar aelwyd gariadus, Gymreig. Ac ystyried ein bod yn sôn am ddauddegau'r ganrif ddiwethaf, mi greda i fod eu perthynas wedi creu tipyn o waith siarad yn Llan ar y pryd.

Yn berson mwy siaradus na Nhad o beth mwdril, ces gan fy mam lawer o straeon am ei bywyd a'i charwriaethau dros y blynyddoedd. Un o'r hanesion nad wyf wedi sôn gair amdano ar bapur o'r blaen yw'r noson pan oedd hi'n fy nanfon i i Ddeiniolen i ymarfer canu gyda'r band. Fe egluraf eto pam y bu inni alw heibio Penisa'r-waun ar ein ffordd a pharcio'r car y tu allan i fynwent yr eglwys ar gyrion y pentref. Ond yno, a'r glaw yn pistyllio ar do ein Morus-lefn-hyndryd, y dywedodd Mam wrtha i fod gen i hanner brawd wedi'i gladdu yn y fynwent gyferbyn. Deg oed oeddwn i ar y pryd, a fentrais i ddim draw i weld y bedd hwnnw tan oeddwn i'n tynnu am fy nhrigain oed.

Eu cuddio fel llwch dan garped oedd tynged straeon teulu fel hyn yn negawdau cynnar yr ugeinfed ganrif. Roedd yn bwysig celu'r staeniau i gyd rhag y llygaid barcud a'r tafodau llac, a'u cuddio mor dda fel na fyddai'r genhedlaeth nesaf yn gwybod dim oll am eu bodolaeth. Erbyn i genhedlaeth fy rhieni i dyfu i fyny a dechrau planta roedd cysgod yr Ail Ryfel Byd yn dal uwch eu pennau, a doeddan nhw ddim am i arlliw o staen na chraith o'r hyn a fu ddod yn agos at glustiau eu plant. 'O'n i ofn i bry chwthu arnach chi,' fyddai byrdwn Mam yn aml pan oedd hi'n sôn am fagwraeth fy mrawd a finna. Mi roedd o'n fyd newydd, ac roeddan nhw'n benderfynol o neud i bethau weithio er ein mwyn ni, waeth beth fyddai'r gost i'w bywydau a'u perthynas nhw. Roedd y genhedlaeth nesa'n mynd i gael bywyd gwell, doed a ddêl. Os oedd yr esgid yn gwasgu, fe aent i'r lleuad ac yn ôl i sicrhau na fydden ni'n diodde'r un gronyn.

Codi cwr y llen yw hyn i gyd ar gefndir na wyddwn ei fanylion yn llawn hyd nes imi godi'r ffôn ar Marred yng Ngwasg y Bwthyn i dderbyn ei chynnig i sgwennu fy hunangofiant. Rwyf ar fin dechrau fy ymchwil i hanes fy nheulu, ac wrth ysgrifennu hyn o eiriau does gen i ddim syniad i lle bydd yr ymchwil hwnnw'n fy arwain.

Blodau 'nyddiau . . .

Un o'r pethau oedd gan fy nhad a'm mam yn gyffredin oedd fod y ddau'n dod o deuluoedd mawr. Fy nhad yn un o saith o blant a'm mam yn un o un ar ddeg. Mae gen i dros hanner cant o gefndryd a chyfnitherod cyntaf, ac o'r hyn dwi wedi'i ddysgu'n ddiweddar am deulu fy nhad, mae'n bosib iawn fod gen i fwy na hynny hyd yn oed! Ond, ar wahân i gael eu geni a'u magu yn Nyffryn Nantlle i deuluoedd go nobl (a cherddorol), dyna'r unig debygrwydd a welais rhwng y ddau erioed. Fy mam, ar y naill law, yn allblyg ac ar adegau'n uchel iawn ei chloch a Nhad, ar y llaw arall, yn ddyn eithriadol o dawel. Ac fe fentrwn ddweud ei fod, ar adegau, yn swil a mewnblyg hefyd. Dim ond wedi iddo gael ambell ddiferyn y gwelais i o'n tynnu'r mwgwd ac arddangos ei wir ddawn fel tipyn o ganwr a diddanwr. Ond drannoeth pob ffair fe fyddai wedi dychwelyd i'w gragen, a'r llenni, fel bleinds siop Stanley House ar ddyddiau Sul, ar gau am weddill y dydd.

Doedd o ddim yn un da iawn am gofio enwau pobl chwaith. Â 'Jôs' fyddai'n cyfarch pawb bron yn y pentref. Mae gen i gof ohono'n peintio'r siop unwaith a finna'n ei helpu trwy ddal yr ystol yn sad a chyrraedd ac estyn yn ôl yr angen. Pobol yn mynd a dŵad a chwsmeriaid yn galw i'r siop. 'Su' dach chi, Tomooos?' fyddai eu cyfarchiad wrth basio, a'i ateb bob tro fyddai, 'Iawn, diolch, su' dach chi . . . Jôs?' Weithiau fe ychwanegai'r 'Mr' neu'r 'Mrs' pe bai angen. Hyd yn oed os galwai'r Parch Robert Owen, ein gweinidog (tad Syr Wynff ap Concord y Bos), yr un cyfarchiad yn union gâi yntau: 'Su' dach chi, Mr . . . Jôs?' Ceisiai osgoi mân siarad ac os byddai angen pecyn o sigaréts neu beint o lefrith o'r siop i'w baned, Alan, fy mrawd mawr, a finna fyddai'n gorfod mynd i nôl popeth iddo. Ei hunllef waethaf fyddai cael ei gornelu gan lond siop o gwsmeriaid yn trafod y tywydd neu bris petrol. Yn wahanol iawn i Mam, doedd mân siarad ddim at ddant fy nhad o gwbwl.

Elizabeth Wyn Roberts, fy mam, oedd yn rhedeg y siop ar Rhedyw Road, Llanllyfni. 'Beti Wyn' i ambell un o'i chwsmeriaid a 'Bet' i'w theulu a'i ffrindiau agosaf. Fe symudon ni i'r siop, Stanley House, pan oeddwn i'n saith oed. Cyn hynny, roeddan ni'n 'byw yn ddedwydd iawn' mewn tŷ bychan wrth droed Cwm Silyn o'r enw Tyddyn Difyr. Cerddai Alan a finnau ryw filltir dda bob bore i fynychu Ysgol Gynradd Llanllyfni o Dyddyn Difyr ar hyd llwybrau mwdlyd a thros ddwy gamfa a sawl giât mochyn, ein bochau'n cael eu chwipio gan y gwynt. A phan gyrhaeddem yr ysgol ar ddiwrnod stormus, caem fynd o flaen y tanllwyth o dân a geid ym mhob dosbarth ysgol gynradd dros y gaeaf yn y cyfnod hwnnw, a'r stêm yn codi oddi ar ein trowsusau a'r gwrid yn tasgu o'n bochau wrth inni ailddarganfod blaenau'n bysedd a bodiau'n traed. Er mor braf oedd gwres y fflamau, tueddai brethyn y trowsus i galedu wedyn a byddai arogl tamp ein cotiau'n hongian hyd y *cloakrooms* am weddill y dydd.

Yr un siwrne a wnaem i Salem pan aem yn ddeddfol i'r Ysgol Sul a'r Band-o'-Hôp yn ein dillad gorau. Pres casgliad yn llosgi yn ein dwylo a'r adnodau'n prysur ddiflannu o'r cof wrth inni drio cadw'n sgidau gorau'n sych drwy neidio dros y pyllau a cherdded ar y cloddiau simsan yr holl ffordd i'r pentref. Cerddem i bob achlysur heb gwestiynu nac ildio i unrhyw dywydd: i'r ffair a'r tân gwyllt, cyngher-ddau a chárnifal ac eisteddfod. Hel coed tân a berwr y dŵr ar y ffordd adre; madarch, mwyar, llus a chnau yn llenwi'r fasged yn eu tymor a Mam yn canu caneuon inni er mwyn torri ambell siwrne pan fyddai hi'n dywydd mawr. A chael y cysur rhyfedda o neidio i mewn i'r bath sinc o flaen tanllwyth o dân ar ôl cyrraedd adre. Doedd yno ddim diferyn o ddŵr poeth yn y tapiau, a byddai'n rhaid berwi'r dŵr mewn sosbenni mawrion ar nosweithiau felly hyd nes y llenwid y bath, cyn i 'mrawd a finnau blymio i mewn i'r trochion. Roedd pob munud yn antur yn Nhyddyn Difyr, ac yn y fan honno dwi'n cofio Nhad a'm mam ar eu hapusaf. Er tloted oeddan ni, prin yw'r atgofion sy'n gadael blas drwg yn y ceg o'r cyfnod hwnnw . . . 'mond ambell un. Ond rhagor am hynny'n nes ymlaen.

Mae'n debyg inni orfod gwneud ar lai ar sawl achlysur bryd hynny, ond doedd Alan a finnau ddim yn ymwybodol o fod mewn unrhyw angen gan na fu'n rhaid inni erioed fynd heb ddim. Fel y dudodd y dramodydd Wil Sam ryw dro: 'Mi wna i beth o beth ond wna i ddim o ddim.' Felly roedd hi arnon ni gan nad oeddan ni'n ymwybodol o unrhyw gyfoeth arall i lafoerio drosto.

Roedd ehangder llethrau Cwm Silyn a'r bywyd gwyllt ar lan yr afon fechan a redai o'r mynydd yn llenwi'n bywydau ac yn dod â'r naill antur ar ôl y llall bob dydd. A doedd dim modd cymharu dim o'r manteision a gâi plant y pentref gan mai prin y byddem yn eu gweld y tu allan i oriau'r ysgol. A hyd yn oed pe baem ni'n mynd draw i barti pen blwydd neu i chwarae efo ffrind yn Llan, doedd ganddyn nhw na mynydd nac afon na chlogwyn yn ymestyn o'u gerddi nhw. Alan a fi oedd biau'r mynydd, er y byddai'n rhaid inni ei rannu â Dafydd Tir Bach, mab ein cymdogion agosaf, ar adegau. Ond roedd yno fwy na digon o lwybrau a llethrau a thir agored inni eu rhannu rhyngom ein tri. Byddai Nhad yn plannu ei lysiau ei hun ac yn cadw ieir am yr wyau a'r cig. Rhwng hynny a'r madarch a'r mwyar, y llus a'r cnau a'r pysgod a ddaliai Yncl Hêfs, brawd fy mam, yn Llyn Nantlle, toedd ganddon ni ddigon i borthi pum mil pe bai raid?

Weithiau fe fyddai 'mrawd a Dafydd yn fy ngwahardd rhag mynd ar ambell antur hefo nhw. Gan eu bod ryw ddwy flynedd yn hŷn na fi, fe gawn fy ngadael ar fy mhen fy hun weithiau. Falla 'mod innau ddim yn fodlon mentro'n ddigon pell o olwg talcen y tŷ pan oeddwn i'n iau. Roeddwn yn greadur reit ofnus o ambell i beth (llygod a nadroedd yn bennaf) ac os nad oedd Alan a Dafydd am i'r brawd bach lusgo'i draed a swnian y tu ôl iddyn nhw, fyddai dim ond yn rhaid iddyn nhw ddweud fod yna lond gwlad o nadroedd yn cuddio dan y rhedyn yn y fan a'r fan ac mi redwn yn ôl i'r tŷ heb swnian mwy.

Mi awn i'r gors ar adegau felly i wneud cêcs mwd a'u haddurno â blodau menyn a briallu. Roedd gen i fy siop gacennau fy hun yno a chlawdd yn gownter i'w harddangos i 'nghwsmeriaid llygatgraff; defaid ac adar yn bennaf a ddeuai heibio, ac ambell fuwch ddigon busneslyd – ond heb ddima yn ei phwrs i brynu 'run dim.

Gweithio yn y Post Offis yn Llanllyfni oedd fy mam yr adeg honno er mwyn cadw'r blaidd o'r drws, a dwy hogan ifanc o'r pentref, Nancy Parry a Carol Rhedyw House, yn dod am yn ail i'n gwarchod hyd nes y cyrhaeddai Mam o'r gwaith. Erbyn i ni'n dau gyrraedd adre o'r ysgol byddai'r naill ferch neu'r llall wedi paratoi te inni'n dau, brechdan jam a mŷg o lefrith gan amlaf, ac os byddai hi'n braf byddem yn dianc i'r mynydd ar ein hald. Ond os nad oedd croeso imi wneud hynny gan Dafydd ac Alan, roedd gen i wastad fy siop i'w thendio.

Wedi inni symud i'r pentref i fyw, doedd bywyd ddim yr un fath wedyn. Er mor braf oedd cael ffrindiau'n byw ar yr un stryd â mi a chael sbario cerdded byth a hefyd i bobman, roeddwn yn colli'r afon a'r mynydd a'r clogwyn. Hiraethwn am fy siop fach ger cloddiau'r gors, y gwartheg a'r defaid a'r ŵyn.

Roedd fy mam yn siaradwraig heb ei hail, a byddai'r siop yn un cwch gwenyn o sgwrsio o fore gwyn hyd amser cau. Doedd cwsmeriaid Stanley House ddim yn brin o'u straeon hwythau a chanddynt dipyn mwy i'w ddweud am y byd a'i bethau na'r defaid a'r ieir. A thra byddai Beti Stanley y tu ôl i'r cownter yn dal pen rheswm neu'n rhoi'r byd yn ei le efo cwsmeriaid ola'r dydd, byddai Nhad rywle yn yr iard gefn yn tynnu'n ddyfn ar ei sigarét, yn syllu tua'r sêr ac yn dyheu am fod yn rhywle arall. Fe'i cefais un noson yn pwyso ar wal mynedfa'r cae chwarae oedd yn cefnu ar Stanley House, a chwmwl o fwg o'i stwmpyn Embassy yn chwyrlïo uwch ei ben; Gwenno, yr hen gath frech, yn slensian am fwytha ar gefn ei goes dde.

'Weli di'r seran fach 'cw'n fan'cw?' gofynnodd imi unwaith, pan es allan i ddweud wrtho fod Mam yn deud fod swper yn barod.

'Dwi'n gweld *lot* o sêr, Dad,' meddwn i.

'Yr un bella un acw, yli,' medda fo wedyn, gan bwyntio i gyfeiriad un seren oedd yn disgleirio ychydig mwy na'r gweddill. Wn i ddim oeddwn i'n gweld yr un seren â Nhad, ond dwi'n licio meddwl fy mod i.

'Pan fydda i farw,' medda fo, gan wneud sŵn roced yn sbydu tua'r gofod gan fflicio'r stwmpyn olaf i'r awyr rhwng ei fys a'i fawd yr un pryd. 'Ffsssst! Fydda i o fa'ma fel siot am y seran 'na, gei di weld.'

Er y bydda i'n mynd â chi ar sawl trywydd ac ymdaith ymhell o blwyf Llanllyfni a hanes fy rhieni wrth fynd drwy 'mhetha, mae gen i ryw deimlad ym mêr fy esgyrn y bydd eu presenoldeb yn edrych dros fy ysgwydd a thrwy bob un gair fentra i ei roi ym mhob pennod o'r gyfrol yma – yn enwedig fy mam. Ac er 'mod i'n grediniol fod fy nhad wedi'i sbydu hi draw am y seren honno sy'n dal i wincio arna i o bryd i'w gilydd pan mae'r cymylau'n dewis cadw draw, mi sbydith yn ei ôl fel saeth os byth y bydda i'n meiddio gwthio pethau'n rhy bell, dwi'n siŵr. Ond does gen i ddim dowt nad ydi Mam wedi gadael fy ysgwydd dde byth ers iddi groesi i'r byd arall. A ma' hi yma rŵan, fel dwi'n cnoi cil dros y paragraffau agoriadol yma, yn mynnu 'mod i'n mireinio ambell frawddeg ac yn rhoi proc imi bob hyn a hyn efo'i chrib mân i ail-lunio ac ailystyried be dwi'n 'i ddeud.

'Pwy fu'n plannu'r blodau gwylltion?'

Er i 'mrawd a finna gael magwraeth arbennig iawn a roddodd inni fyrddiynau o atgofion melys, drwy'r cyfan oll roedd yna adegau pan fyddai fy mam a 'nhad yn tynnu'n groes a thensiynau'n dew rhwng y muriau. Cerddem adre i Dyddyn Difyr o'r pentref ar adegau, Nhad ac Alan ryw ddegllath o flaen Mam a finna, a dim gair yn cael ei yngan ar hyd y daith. Y mudandod dwi'n ei gofio yn y blynyddoedd cynnar. Wyddwn i ddim ar y pryd am holl gymlethdod eu bywyd carwriaethol. Rhwng y naill gyfnod tawel a'r llall roedd Tyddyn Difyr yn llawn chwerthin a rhialtwch ac anturiaethau nes yr anghofiai rhywun am y tensiynau i gyd. Gall plant roi atgofion cas ymhell yng nghefn y cof yn aml, a doedd Alan a finna ddim gwahanol i'r gweddill.

Roedd ein rhieni'n gariadon ymhell cyn i gysgod yr Ail Ryfel Byd fwrw'i drem dros Ddyffryn Nantlle. Yn wir, roeddan nhw wedi dyweddïo am gyfnod. Ond, fel y cyw melyn olaf, fe arhosodd fy nhad adre i ofalu am ei fam, oedd yn dioddef o'r madredd ac angen ei sylw. Roedd fy nhad yn gannwyll llygad ei fam, yn ôl a ddeallais wedyn, ac fe syrffedodd Mam ar ddisgwyl iddo ollwng godre ffedog ei annwyl fam.

Daeth y rhyfel a hedfanodd fy nhad allan i'r India bell gyda'r awyrlu a threulio, yn ei eiriau o, rai o flynyddoedd hapusa'i fywyd yno. Anodd credu fod unrhyw un yn gallu dweud y fath beth am gyfnod mor dywyll yn ein hanes, ond gan na fu'n dyst i unrhyw ymladd o fath yn y byd, doedd ganddo ddim byd ond atgofion hyfryd o'r cyfeillion a'r croeso a gafodd yn India. Syrthiodd mewn cariad â dynes gefnog iawn yno. Roedd hi fymryn yn hŷn na Nhad ac erfyniodd arno i aros yno a'i phriodi pan ddaeth y rhyfel i ben. Ond roedd godre ffedog ei fam yn ei alw'n daer yn ei ôl a dychwelodd adre i'r Gwyndy, Llanllyfni, i nyrsio'i fam weddw hyd ei marw.

'Hawdd cynnau tân ar hen aelwyd' meddai'r hen ddihareb. Ac er nad oedd hwnnw'n danllwyth o bell ffordd yn achos fy rhieni, dyna fu eu hanes hwythau wedi'r cadoediad hirddisgwyliedig. Daeth fy nhad yn ôl o India ac roedd Mam ... wel ... roedd Mam wedi bod drwy ei rhyfel hithau hefyd.

§

Ond mae hi yma rŵan – Mam. Fydda i'n teimlo'i phresenoldeb hi'n gryfach ar adegau, yn ei chlywed hi'n deud ambell beth: cyngor, sylw neu atgof, weithiau'n chwerthin lond ei bol. Fel y clywn ni weithiau wrth weddïo neu wrth siarad â ni ein hunain. Mi fydda i'n gyson yn sgwrsio hefo Mam. Ond fe glywais ei llais mor glir â chân y gog un prynhawn yn Cynlas.

Mi brynodd Mam y siop dros y ffordd i Stanley House a byw a gweithio yno am gyfnod. Bradford House oedd enw'r siop honno ac mi fuon nhw fyw yno am ryw bedair mlynedd tra bu Nhad yn troi Stanley House yn Cynlas, gan ymestyn y stafell fyw i mewn i hen ofod y siop. Fe arbedodd fy nhad filoedd o gostau ar y pryd drwy wneud y gwaith i gyd ei hun – o'r adeiladu a'r plastro i'r gwaith plymio a'r trydan. Roedd yn dipyn o giamstar! Bu Cynlas wedyn yn gartref cysurus i'r ddau am weddill eu dyddiau, ac roedd yn chwith gen i orfod ei roi ar y farchnad.

Un o'r pethau anoddaf wedi colli'ch rhieni ydi troi'r allwedd a chloi cartref eich plentyndod am y tro olaf. Er bod Rhian a finna wedi clirio'r rhan fwyaf o'r celfi o Cynlas rai wythnosau ynghynt, roedd yna swp o ddillad, ychydig o luniau a thrincets eto i'w casglu. Rhyw bnawn Sul oedd hi pan benderfynais i fynd i glirio'r llwyth olaf o betheuach a doedd Rhian ddim yn teimlo'n dda. 'Aros tan ganol 'rwsos,' medda hi, 'mi fedra i ddŵad efo chdi wedyn.' Gan fod cyn lleied o waith ar ôl, fe ddewisais lynu at fy nghynlluniau gwreiddiol a mentro mynd fy hun i orffen y gwaith.

Mae pawb yn deud fod galar yn eu taro ar yr adegau mwyaf annisgwyl. Mi gytunaf. Roeddwn wedi meddwl yn siŵr mai wrth imi gadw'r dillad oedd yn hongian yn wardrob Mam y byddwn i wedi teimlo'r tristwch mawr yn fy mwrw i: agor y drysau a gweld rheseidiau o ffrogiau a chotiau a hetiau a wisgodd mewn priodasau a phartïon yn ogystal â'i dillad bob dydd. Ond gwenu wnes i o'u gweld. Roedd Mam yn sgut am ei dillad a chlywn fy nhad yn ebychu'n aml os deuai Mam adre â llond ei hafflau o fagiau siopa: 'Jesus Christ, faint warist di tro 'ma?' Yn aml iawn byddai Mam yn galw arna i i'w llofft i weld ambell ddilledyn newydd gan fy siarsio i beidio deud gair wrth fy nhad. Gwyddai Mam yn iawn na fyddai'n sylwi ar unrhyw ddilledyn newydd oni bai ei fod wedi'i weld yn dod allan o'i fag a'r label yn hongian arno.

Ond am ryw reswm, hyd yn oed wrth imi bacio'r dillad a wisgodd i briodas Rhian a finnau, ddaeth yr un deigryn bryd hynny chwaith. Dechreuais ddidoli rhai ohonyn nhw. Hyn a hyn i'w chwaer, hon a hon i'r wardrob yng Nglanaethwy a'r gweddill i siopau elusen a sêl cist car at achosion da. Fe wnes y cwbwl mor fecanyddol â taswn i'n rhedeg ar fatri. Bocs i bob pilyn a label ar bob bocs yn barod i'w dosbarthu. Dim ond pan agorais i'r drôr olaf ond un yn ei *chest of drawers* y gwnaeth y llifddorau chwalu'n llwyr. Cipiwyd yr anadl ohona i'n syth pan welais i fwndel bach twt o'i hofyrôls yn gorwedd yn un pentwr bach taclus yn y gornel. Y rhain fyddai Mam yn eu gwisgo pan oedd y siop ar agor a hithau'n parablu bymtheg y dwsin ac mewn llawn iechyd. Mam dlws a hapus. Mam ar ben ei thomen yn cynnal sgwrs am bob pwnc dan haul. Mam brysur, gariadus a hoffus. Mam dal pen rheswm. Mam ar ei gorau. Codais y cyfan a'u harogli, a beichio crio i mewn i'r neilon a'r polyester lliwgar.

Eisteddais ar y gwely'n gwrando arnaf fi fy hun yn crio fel y gwnawn ni pan oeddwn yn blentyn bach. Nid crio oedolyn oedd hwn. Y galaru dwfn yna wnes i'r diwrnod y gadawodd hi ni am y tro olaf. Galar dyn mewn ysbyty yn gafael mewn llaw oer, ddisymud oedd hwnnw. Ond plentyn bach oedd hwn, yn crio am ei fam a hithau ddim yno – dim ond pentwr o ddillad a fu unwaith mor gyfarwydd o annwyl.

Mi es i lawr y grisiau i wneud paned i mi fy hun gan nad oedd gen i'r nerth i gario mlaen wedi'r holl grio, a dyna pryd y clywais i o, mor blaen â chloch y Llan yn canu yn fy nghlust. 'Mirain!' Llais Mam yn galw o'i stafell wely ar fy merch. 'Mirain!' Rhyw hanner cwestiwn yn codi'n gynffon o oslef ar ei ddiwedd, fel tasa hi ar fin gofyn rhywbeth i'w hwyres. Ond ddaeth yr un cwestiwn – dim ond un gair: 'Mirain!'

Eisteddais ar y grisiau am sbel i drio dirnad yr hyn roeddwn i wedi'i glywed a rhesymu o ble yn wir yr oedd wedi tarddu. Clywais leisiau plant yn chwarae a chwerthin wrth dalcen y tŷ a thybiais fy mod i, yn fy ngwendid, wedi creu rhyw lais dychmygol o'r llofft. A hynny fu.

Wedi gorffen clirio ac estyn am yr allwedd, doeddwn i ddim hanner mor emosiynol ag y tybiais y byddwn i. Roedd môr fy ngalar ar drai am sbel a rhois y goriad yn saff yn fy mhoced i'w anfon i 'nghyfreithiwr cyn diwedd yr wythnos. Erbyn y Sul canlynol, rhywun arall fyddai'n agor yr hen ddrws yma a chychwyn bywyd newydd yn Cynlas.

Hanner awr o siwrne ydi Bangor o Lanllyfni, ac roedd yn ddeng munud ar hugain hir ar y diân. Er bod y dagrau wedi hen sychu erbyn hynny, fe ddaw rhyw bwl o estyn am eich gwynt bob hyn a hyn yn ddiarwybod yn ôl o'ch sgyfaint os ydach chi wedi bod yn crio fel babi blwydd. Rhyw angen am aer fel tai'r enaid ar fin boddi. Roeddwn yn dal i rigian felly pan roddais fy ngoriad yn nrws cefn Cilrhedyn a galw arnyn nhw i ddeud 'mod i adra.

'Fa'ma ydan ni!' galwodd Rhian o'r stafell fyw ac fe es i drwodd atyn nhw: Rhian yn smwddio, Mirain, y ferch, yn gwylio'r teledu a Val, oedd wedi picio draw, yn eistedd gyferbyn â'r ddwy, a'r tair yn fy holi fel corws Groegaidd oeddwn i'n iawn a sut oedd pethau wedi mynd. Dywedais innau fod y gwaith wedi'i wneud a 'mod i'n iawn bellach ond 'mod i wedi cael rhyw bwl o hiraeth ar ôl gweld hen ofyrôls Mam. Roedd y tair yn llawn cydymdeimlad, ond pan 'nes i sôn am glywed llais Mam yn galw 'Mirain' o'i stafell wely fe aeth y tair yn groen gŵydd drostynt. Doedd Val erioed wedi rhoi fawr o goel ar ryw lol felly; mae'n bwnc sydd wedi ein cadw ni'n dau mewn sgwrs a dadl am flynyddoedd yn trafod yr hyn rydan ni'n ei gredu neu ddim yn credu ynddo. Ond roedd hyd yn oed Val mewn tipyn o syfrdan wedi imi ddeud am y llais. Fi oedd yn y niwl bellach.

'Be sy?' holais, gan fethu deall pam y cododd y stori'r fath gryd arnyn nhw. 'Pam dach chi i gyd 'di mynd yn dawal?'

'Faint o'r gloch oedd hi?' holodd Rhian yn 'i hôl.

'O, ryw awr yn ôl,' tybiais, gan ddyfalu faint o amser a gymerodd y baned a'r siwrne adre i mi.

Tawelwch eto.

'Be sy?' holais unwaith yn rhagor.

Val eglurodd beth oedd achos eu rhyfeddod, gan ddeud fod Mirain a hithau'n eistedd lle roeddan nhw tra bod Rhian wrth y bwrdd smwddio: Mirain yn gwylio'r teledu a Rhian a hithau'n sgwrsio. Yn sydyn, rhyw awr cyn imi gyrraedd adre, roedd Mirain wedi troi at y ddwy a gofyn: 'Be?' Er i Rhian a Val ddeud wrth Mirain nad oedd yr un o'r ddwy wedi deud gair, roedd Mirain yn daer fod rhywun wedi galw'i henw yr eiliad honno. Doedd yr un o'r tair wedi rhoi fawr o bwys ar y peth ar y pryd, ond wedi i mi ddeud fy stori i am lais Mam roedd y pedwar ohonom yn fud am ychydig yn ceisio dirnad sut gallai peth felly fod wedi digwydd.

Tybed oeddan ni'n dau wedi clywed yr un llais? Doedd Mirain ddim yn gallu disgrifio'r hyn a glywodd hi mor fanwl â'r hyn glywswn i, ond roedd hi'n bendant fod rhywun wedi galw'i henw. Beth bynnag oedd yr hyn glywodd y ddau ohonan ni, dwi'n eitha saff y byddai Mam wedi mynnu 'mod i'n ei chynnwys yn y gyfrol yma.

Byddai Nhad, ar y llaw arall, wedi wfftio at y fath ramantu dwl. Dychymyg ar *overtime* fyddai ei ddamcaniaeth o, a dyna fydda'i diwedd hi. A dyna ichi hefyd ddau begwn fy rhieni ar ei orau. Mam yn ei helfen yn adrodd straeon fyddai wedi cadw'i chwsmeriaid yn ei siop am allan o hydion a Nhad yn amau'n fawr oedd yna unrhyw werth mewn adrodd stori sy'n profi dim yn y pen draw, heblaw dangos pa mor hygoelus ydi dyn.

'Dyma flodyn bach yn wylo . . .'

Bob gwyliau Nadolig, pan fydda i'n mynd â blodau ar fedd
fy rhieni, fe fydda i'n gwaredu fod yn rhaid imi ymweld â
dau le yn flynyddol. Nid 'mod i'n gwarafun mynd â thusw
i ddau leoliad gwahanol, ond mae galar yn beth cymhleth,
yn tydi? Wedi ymweld â'r naill fedd yn gyntaf, fe deimlaf
'mod i wedi ymlâdd erbyn imi gyrraedd y llall, ac yn
cael fy hun yn holi bob blwyddyn: 'Pam yn y byd mawr
y dewisoch chi gael eich claddu mewn dau le gwahanol?'
Wedi colli deigryn mewn un man, fe'i caf yn anodd
ailgynnau'r un emosiwn gan adael yr ail feddrod yn wag
o'm hiraeth. Ac er mai geiriau'r hen alaw werin honno y
dewisais eu cerfio ar feddfaen Mam: 'Dwedwch, fawrion
o wybodaeth, o ba beth y gwnaethpwyd hiraeth?', nid ar
bob ymweliad y teimlaf eu hangerdd.

Mam ddysgodd bron bob un alaw werin y gwn i
amdani imi, ac fe fyddai 'Hiraeth' yn uchel iawn ar ein
rhestr wrth deithio hyd lonydd bach y wlad i eisteddfota
a chyngherdda. Erbyn i mi ddod yn rhiant fy hun, roedd
tawelwch y car yn fwy tebygol o gael ei ddarfu gan Michael
Jakson yn canu 'Bad' neu hyd yn oed *heavy metal* aflafar,
ac mae'r wyrion yn gallu lawrlwytho pob math o sothach
oddi ar ffôn eu nain i'n byddaru mewn chwinciad erbyn
hyn! A'r iaith, bobol bach! Ond 'Titrwm, tatrwm' neu
'Tosturi Duw' fyddai'n llenwi'r car 'nôl yn y chwedegau,
nodau hen ffefrynnau yn gymysg â mwg y sigaréts a
gipiodd fywydau fy rhieni cyn eu hamser.

Roedd *repertoire* fy nhad o ganeuon fymryn yn fwy cyfyng, ac er bod ganddo lais bas hynod swynol, fedrai o ddim dal alaw dros ei grogi os dechreuech chi harmoneiddio wrth ei ymyl. Ei *party piece* oedd 'Ol' Man River', a gallai ei chanu ar ei hyd heb golli traw, dim ond i bawb arall gadw'n dawel a rhoi rhwydd hynt iddo'i dehongli yn ei ddull unigryw ei hun. Ac fe gawn groen gŵydd ambell waith o'i wylio'n canu: 'I'm tired of livin, and scared of dyin!' â'r fath argyhoeddiad. Tybed oedd o, ambell waith, yn teimlo *fod* bywyd yn ei lethu? Tydi o ddim yma'n edrych dros fy ysgwydd ar hyn o bryd, felly mi ofynnaf iddo'r tro nesa bydd o'n picio draw. Be oedd yn eich llethu chi gymaint, Nhad?

Ond un peth dwi'n hollol siŵr ohono yw mai'r gân 'Ddoi di, Dei?' oedd un o'i ffefrynnau. 'My little Welsh home' yw'r geiriau a glywn ni fynychaf ar yr alaw hudolus yma, ond 'Ddoi di, Dei?' sy'n rhyddhau'r deigryn i mi bob gafael. Dim ond tra oeddwn i'n paratoi fy araith ar gyfer ei gynhebrwng y gwawriodd arna i fod yna fwy i ystyr y geiriau na'r hyfrydwch telynegol yr arferwn fwynhau ei glywed yn eu canu pan oeddwn yn blentyn:

> Dyma flodyn bach yn wylo,
> rhywun hwyrach wedi ei frifo;
> Dagrau aur sydd ar ei rudd o,
> wêl di, Dei?

Yn debyg iawn i'w fam, fu'r capel, mwy na'r eglwys, ddim yn dynfa nac yn noddfa i Nhad. Er na ches i'r cyfle i'w nabod erioed, roedd rhai o 'nghyfnitherod hŷn ar ochr fy nhad yn dweud nad ydyn nhw'n cofio Nain Llan yn tywyllu'r eglwys erioed. Er bod fy nhaid yn glochydd yr eglwys, fynychodd Nain Gwyndy yr un oedfa yn Eglwys Sant Rhedyw. O gywain yr holl wybodaeth, roedd gan fy nhaid a nain Llan briodas liwgar iawn, dybiwn i.

Dwi ddim yn siŵr faint o goel i'w roi ar y stori ddywedodd fy mam fod rhai o drigolion Llanllyfni yn galw Nain Gwyndy yn 'Mrs Robaij Pagan'. Ond os nad oedd hi'n arddel unrhyw ffurf o baganiaeth, mae'n ddigon hawdd credu fod y pentrefwyr yn ei chael yn gymeriad enigmatig iawn.

Fel ei fam, roedd gan fy nhad yntau 'reitiach pethau i'w gwneud' ar y Suliau na gwrando ar bregethau sychion a chanu gwael. Dyna pam, mae'n siŵr gen i, y canai'r ail bennill o 'Ddoi di, Dei?' â'r fath arddeliad: 'Pwy fu'n plannu'r blodau gwylltion, / wy'st ti, Dei?' Roedd fel petai'n argyhoeddedig nad oedd neb yn gwybod yr ateb i anferthedd y fath gwestiwn. Yna fe wenai'n annwyl wrth ganu: "Nhad sy' bia'r rhos a'r pansi, / fo a fi fu yn eu plannu ...'

Ac roedd gan fy nhad fwy na'r border bach arferol o flodau a llysiau pan arferem fyw yn Nhyddyn Difyr. Fe blannai reseidiau o datws a moron a phys, a byddai yn ei seithfed ne' yn palu ac yn chwynnu ar ôl dychwelyd o'i waith fin nos. Ond deuai rhyw gwmwl i'w lais wrth iddo ganu'r llinell: 'Blodau'r ddôl, pwy blannodd rheini, / wy'st ti, Dei?' Doedd o ddim yn siŵr. Hyd ei fedd, doedd gan yr hen Domos Alun ddim digon o brawf na ffydd yn y garddwr anweledig. Ac mae'n gwestiwn nad yw'r gân ei hun yn fodlon ei ateb, chwaith. Pwy fu'n plannu'r blodau gwylltion, tybed?

Pan fu farw Nhad mi ddwedais wrth Mam y byddwn yn gwneud ymholiadau sut i fynd ati i drefnu cynhebrwng i anghredadun, ac fe ges bryd o dafod cyn mentro gair ymhellach: 'Mi geith dy dad 'i gnebrwn yn Salem a dyna'i diwadd hi.' Mi wyddwn nad oedd lle i ddadlau, ond yn fwy na hynny mi wyddwn i hefyd y byddai Nhad wedi dweud wrtha i am beidio trafferthu trio dal pen rheswm hefo Mam. Roedd o 'i hun wedi brathu ei dafod ar sawl achlysur pan fyddai Mam wedi rhoi ei bryd ar rywbeth arbennig. Sawl gwaith y clywais o'n ebychu dan ei wynt:

'Jesus Christ, if ever a man suffered!' A sawl gwaith y bûm innau ar y dỳd o ofyn iddo pwy'n union oedd y 'Jesus' yma a gyfarchai bron yn feunyddiol. Oedd o'n rhywun oeddwn i'n ei nabod?

Erbyn i Nhad farw yn 1993 roedd yr hen gapel Salem wedi'i ddymchwel ers blynyddoedd a'r achos Methodistaidd yn Llanllyfni ar ei anadl olaf. Roedd Capel Moriah, sef hen gapel y Wesleaid yn Llan, wedi bod ar gau ers blynyddoedd a'r ychydig ffyddlon o aelodau Salem wedi symud yno am loches. Yno, yn groes i bob graen ar ei arch, y cynhaliwyd cynhebrwng fy nhad.

Un gweinidog oedd yn Nyffryn Nantlle ar y pryd, un na wyddai ddim oll am fy nhad ond a gytunodd i offrymu'r fendith a ledio un o'r emynau. Fi gymerodd yr awenau am weddill y gwasanaeth, a phan fu fy mam druan farw ddwy flynedd yn ddiweddarach fe wnes yr un peth iddi hithau – fyddai fiw imi beidio!

Ond roeddwn yn benderfynol o fod yn ddidwyll yng nghynebrwng fy nhad er 'mod i, ar y pryd, yn sefyll ym mhulpud capel oedd yn agos iawn at fy nghalon ac a gafodd y ffasiwn ddylanwad arna i yn ystod fy mhlentyndod. Wrth sôn am ei ganu diarhebol fe lwyddais i ganu'r pennill cyntaf o 'Ddoi di, Dei?' yn ddigon del, gan gyfeirio at ei lais swynol a'i glust gerddorol simsan. A ches gyfle, wedi canu'r ail bennill, i ddweud nad oedd Nhad byth yn siŵr pwy yn union a fu'n plannu blodau'r ddôl. Ond mi ofynnais i greawdwr blodau'r ddôl, os oedd o'n gwrando, i watsiad ar 'i ôl o, os gwelai o fod yn dda. Trwy gyfrwng geiriau'r gân, teimlais 'mod i wedi mynegi'r hyn a gredai fy nhad am grefydd heb sathru cyrn neb yn ormodol.

Roeddwn wedi gobeithio cynnwys y pennill olaf i gloi fy araith, ond pan ddois i ganu'r llinell 'cau eu llygaid bach yn dyner', fe gipiodd rhywun fy llais yn y fan a'r lle. Ac erbyn imi geisio canu 'ddoi di adre, nawr yw'r amser', doedd dim un nodyn yn cynnig dod o unman – dim ond rhyw gri fechan yng nghefn y gwddw fel plentyn ar fin torri ei galon. Edrychais ar Mam, ac fel pob mam eisteddfodol werth ei halen, gallwn ddarllen ei gwefusau'n rhwydd: 'Ty'd o'na,' sibrydodd. Ac i lawr o'r pulpud y dois i gan adael i'r gweinidog dieithr ledio'r emyn olaf ac offrymu'r weddi.

Sul y Blodau . . .

Ym mynwent Macpela, ym Mhen-y-groes, y claddwyd
llwch fy mam, hefo'i rhieni a'i brawd hynaf, Goronwy
Wyn. Roedd Goronwy yn beilot yn yr awyrlu, a phan oedd
yr Ail Ryfel Byd yn tynnu at ei derfyn fe ymosodwyd ar
ei awyren a chafodd ei ladd yn greulon o ifanc. A Nain
a Taid Nantlle eisoes wedi colli un o'u meibion, Aled, yn
ddyflwydd oed, ymledodd cwmwl du yr Ail Ryfel Byd
dros eu bywydau pan laddwyd Yncl Goronwy. Roedd
gan fy mam feddwl y byd o'i brawd mawr, a phob tro y
byddai arweinydd unrhyw eisteddfod yn cyhoeddi fod yr
unawdydd nesaf yn mynd i ganu 'Sul y Blodau' gan Owen
Williams, fe gollai ddeigryn cyn clywed yr un nodyn. Pan
ddeuai'r tenoriaid at y diweddglo dolefus, byddai'n gafael
yn fy llaw a'i gwasgu gan geisio mygu ei galar rhag tarfu ar
y canwr:

> Dan y garreg las a'r blodau
> Cysga, berl dy fam;
> Gwybod mae dy dad a minnau
> Na dderbynni gam;
> Gwn nad oes un beddrod bychan
> Heb ei angel gwyn,
> Cwsg fy mhlentyn yma'th hunan,
> Cwsg, Goronwy Wyn.

Mae 'na olygfa hudolus dros Ddinas Dinlle a'r Eifl o'r fynwent ym Mhen-y-groes ar ddiwrnod braf. Ond, 'ganol gaeaf noethlwm', fe all mynwent Macpela eich fferru'n gorn hefyd. A phan nad yw gwres eich hiraeth yn ddigon i'ch cynhesu ar ambell ymweliad, mae gwynt y gogledd yn gallu'ch brathu'n go filain yno. Ar adegau felly fe fydda i'n gosod fy nhorch ar waelod y bedd yn ddigon diseremoni a'i heglu hi 'nôl am y car gynted ag y medra i. Tra bydda i'n ailgynhesu 'mysedd yng ngwres y rheiddiadur mi ddaw Mam a Nhad ata i yn eu tro, y naill yn dod ar ôl i'r llall ymadael. Ar wahân.

Gwasgaru llwch fy nhad hyd y ddôl ddaru ni; dyna oedd cyfarwyddyd Mam. Does ganddo ddim carreg fedd, dim ond bryncyn caregog lle'r arferem fynd ar ambell bnawn go heulog am bicnic fel teulu. Pnawniau dedwydd iawn oedd y rheiny, a'r tensiynau a deimlwn i, hyd yn oed yn blentyn, ym mherthynas fy rhieni yn cilio dros dro. Ac er nad oes ganddo fedd go iawn fel sydd gan Mam, mi a' i'n ddeddfol bob Nadolig i daflu rhosyn neu ddau i'r eithin ym Mhen Glog, sydd wrth dalcen Tyddyn Difyr.

Pan fu farw Nhad roedd Mam, hithau, yn fregus iawn ac eisoes wedi cael trychu (*amputate*) ei dwy goes i fyny at y ben glin. Felly, doedd hi ddim yn bosibl iddi ddringo'r ddwy gamfa hefo 'mrawd a finna i ben y bryn i daenu'r llwch dros yr eithin a'r brwyn, ac arhosodd yn y car i'n gwylio o ddiddosrwydd y modur.

Pan daenais lwch fy nhad i gyfeiriad Tyddyn Difyr, fe gipiodd yr awel o'r gorllewin ei weddillion a'u chwythu'n ôl yn gwmwl i'm hwyneb. Sôn am brofiad rhyfedd: llwch fy nhad ar fy nhafod. Mi fydd hefo fi am byth, meddyliais. Fel fy nhad yn union, roeddwn innau wedi dechrau colli 'ngwallt yn fy nhridegau cynnar, a phan ddychwelais i'r car roedd Mam ar dân isio dweud rwbath wrtha i: 'Feddylis i'n siŵr mai dy dad welis i'n lluchio'i lwch 'i hun yn y brwyn 'na; oeddach chdi 'run ffunud ag oedd o yn dy oed di.'

'Ar sigledig bethau'r byd . . . '

Un o fy hoff emynau ydi 'Dim ond Iesu' gan Eben Fardd ar emyn-dôn enwog Roberts Lowry. Mae'r geiriau dramatig yn sôn am dir yn ysgwyd oddi tanoch a chyfeillion a theulu'n eich gadael yn 'fuan iawn'. Pan es i'r Louvre flynyddoedd yn ddiweddarach a gweld darlun enwog Girodet de Roussy o'r Dilyw yn crogi o fy mlaen, fe ddaeth holl eiriau'r emyn yn fyw imi. Mae'n siŵr na fydd modd cynnwys y llun arbennig hwnnw yn y gyfrol yma ond mae'n bosib gŵglo bron unrhyw beth y dyddiau yma. Chwaraewch Gwyn Hughes Jones yn canu'r emyn wrth edrych ar y llun ar sgrin eich cyfrifiadur i glywed a gweld grymuster y geiriau'n dod yn fyw: breuder dynoliaeth a grym natur yn dod wyneb yn wyneb â'i gilydd ar glogwyn go simsan.

Er imi fynd yn selog i'r oedfaon a'r Ysgol Sul yn Salem, Llanllyfni, hyd nes imi adael am y coleg, ac wedi bod yn hogyn y Band-o'-Hôp, cyfarfodydd gweddi a hyd yn oed y seiat, tydi fy ffydd i ddim wedi 'nghanlyn i'n gyson ar hyd y daith. Mynd a dod mae hi wedi'i wneud dros y blynyddoedd, fel plentyn hefo tegan, weithiau'n cael difyrrwch a phleser a thro arall yn pellhau a syrffedu – rhoi fy 'nhroed y fan a fynnwyf' yn rhy aml o beth mwdril.

Fe ddanfonon ni'n plant, Tirion a Mirain, yn selog i'r Ysgol Sul yn Nhŵr Gwyn ym Mangor Uchaf nes iddyn nhw ddiflasu, fel nifer o'u cyfoedion. Mynychwn innau'r oedfaon yno fy hun yn gyson am gyfnod, gan gael bendith o wrando ar y Parch. Elfed ap Nefydd yn pregethu'n huawdl. Fe wnâi imi wingo yn fy swigen gyfforddus weithiau, ac fel un oedd yn gweithio yn llygad y cyhoedd yn rheolaidd, fe holai fy nghymhelliad i fod ar lwyfan ac yn wyneb cyhoeddus.

Er fy mod i'n gwbod yn union beth oedd ganddo, does gen i ddim amheuaeth nad oes yna le pwysig i'r perfformiwr ym mhob oes a chymdeithas: y reddf gynhenid sydd yn rhai ohonom i ddiddanu ac adrodd straeon a'r awydd yna i wneud i bobl chwerthin yn ogystal â'u sobri a'u syfrdanu. Mae gan y theatrau, fel y capeli a'r eglwysi, ran bwysig iawn i'w chwarae ym mhatrwm bywyd. Yn wir, mae'r theatr yn gallu gwneud hynny'n onestach nag unrhyw grefydd. 'Dal y drych', fel y dywed Hamlet, inni weld ein hwynepryd ein hunain – y da a'r drwg.

Bob tro y bydda i'n clywed rhywun yn morio geiriau 'Cân yr Arad Goch' am ddysgu 'crefft gyntaf dynol-ryw' a 'dilyn yr og ar ochr y glog', fe ddaw awydd drosta i i godi ar fy nhraed ac anghytuno'n chwyrn gan ddechrau dadlau mai actio oedd crefft gyntaf dynol-ryw ac nid ffermio. Hyd yn oed pan aeth Adda i guddio'i noethni yng Ngardd Eden wedi brathu'r afal gwaharddedig hwnnw a dechrau beio Efa am gynnig tamaid iddo, fe fu dyn yn ceisio cyfiawnhau ei gamweddau ar ffurf straeon byth ers hynny.

'Hi ddechreuodd bethau, nid y fi! Na, wir, fyddwn i ddim wedi cyffwrdd pen fy mys yn yr afal 'na 'blaw 'i bod hi wedi'i gynnig o imi yn y lle cynta. Wir, Dduw!'

Dwi'n siŵr fod Adda'n rhaffwr straeon heb ei ail ymhell cyn iddo gael ei anfon o'r ardd a gorfod dechrau palu am ei fwyd ei hun yn hytrach na phalu celwydd o flaen ei well: 'Â chwys dy wyneb y bwytei fara!'

Wedi i Elfed ap Nefydd adael Twr Gwyn fe ddechreuais innau gilio o'r cynteddau a'r mawl. Doedd dim un rheswm pendant dros y dieithrio, ond roeddwn yn cael fy hun yn cwestiynu mwy a mwy ar ffurfioldeb ac undonedd yr oedfaon. Cymaint ag rydw i'n hoffi rhyw dipyn o seremoni a chydganu, roedd holl natur ragweladwy'r cyfarfodydd yn fy niflasu. Yswn am gael mwy o drafodaeth a chyfle i holi a chwestiynu a dysgu, a ches fy hun yn cadw draw yn amlach na chodi fy llyfr emynau a mynd i weld beth fyddai ganddyn nhw i'w ddweud wrtha i. Roeddwn yn mwynhau'r her a'r ddadl a gawn yng nghwmni Elfed ap Nefydd. Mae'n well ichi wingo yn eich sedd na chysgu ynddi, boed hynny mewn theatr neu gapel.

Fel fy nhad, Tomos yw fy enw cyntaf innau. Falla fod yna rwbath mewn enw! Ac er nad ydw i'n cofio pryd y dechreuais gwestiynu ac amau, dwi'n cofio'n union pryd y penderfynais i beidio t'wyllu capel byth eto – ac rwy'n hanner difaru byth ers hynny.

Gwyliau Pasg 1991 oedd hi ac roedd Ysgol Glanaethwy wedi bod ar agor am ryw flwyddyn go dda. Roeddan ni'n gweithio ar y pryd ar sioe o'r enw *Magdalen*, sioe gerdd a luniais gyda Tudur Dylan a Gareth Glyn. Sioe sydd, rwy'n falch o ddweud, wedi cael ei llwyfannu gan nifer o ysgolion a chwmnïau ieuenctid ers inni ei chyfansoddi.

Daeth yn batrwm gennym wedi hynny i gyflwyno sioe bob gwyliau Pasg yn Theatr Gwynedd (coffa da amdani), ac roedd y cynhyrchiad wastad yn uchafbwynt y flwyddyn artistig i ni yn ystod y cyfnod hwnnw. Bellach, mae theatrau mor ddrud i'w llogi fel na allwn fforddio llwyfannu cynhyrchiad ar y raddfa yma mewn theatr mor gyson, ac rwy'n dal i hiraethu am yr amser a gawsom yn Theatr Gwynedd 'nôl yn y nawdegau.

Ond y Pasg cyntaf hwnnw, a'r ymarferion yn eu hanterth, fe ges alwad ffôn gan weinidog yr efengyl, a barodd am bron i awr, yn ei rhoi hi imi'n go hallt am fy mod i'n 'dwyn' rhai o'i aelodau a 'mod i'n eu rhwystro rhag cymryd rhan yng ngwasanaeth y Pasg yn ei gapel. Falla fod y gair 'hallt' fymryn yn ddof, a bod yn onest; roedd o'n gandryll hefo mi! Teimlwn fy nghlustiau'n berwi a 'nhu mewn i wedi codi i'r un tymheredd. Fe'i cefais hi nes 'mod i'n tincian, ac fe arhosais iddo waredu ei hun o bob mymryn o stêm oedd wedi bod yn corddi o'i du mewn ers dyddiau lawer. Disgwyliais am fymryn o osteg cyn gofyn: 'Oes 'na fwy?'

Wedi iddo ryddhau ambell gwmwl bach arall o ager a dweud mai rhieni rhai o'r disgyblion oedd wedi dweud wrtho am y sefyllfa, fe ofynnais oedd ganddo rywfaint o amser i wrando ar fy ochr i o'r stori. Ben bore Sul cyn y Pasg oedd hi ac roeddwn yn poeni braidd y byddai'n colli ei oedfa yn hytrach na'i aelodau. Eglurais 'mod i, cyn dechrau llunio f'amserlen ymarferion dros y Pasg, wedi deud wrth y disgyblion 'mod i'n deall yn iawn y byddai gan rai ohonyn nhw weithgareddau eraill dros y gwyliau a fyddai'n debyg o amharu ar ambell ymarfer. 'Felly,' eglurais wrth y candryll ben arall i'r ffôn, 'mae'r aelodau i gyd yn gwbod ers wythnosau fod ganddyn nhw berffaith ryddid i fynd i unrhyw wasanaeth dros y Pasg 'mond iddyn nhw adael i mi wbod digon ymlaen llaw.'

Mi wyddwn yn iawn pwy oedd yr aelodau dan sylw ac roeddan nhw ill tair wedi egluro'u hymrwymiad i'w capel imi gydag wynebau hirion ychydig wythnosau ynghynt. Beth ddigwyddodd iddyn nhw rhwng hynny a'r alwad ffôn, Duw yn unig a ŵyr, ond roedd yn amlwg fod sawl llinell wedi'i chroesi rhwng pawb. Neu tybed a oedd y disgyblion dan sylw wedi cael eu dal yn y wefr o weithio ar sioe ac wedi ceisio gwingo'u ffordd allan o'u hymrwymiad i'w capel? Pa ffordd bynnag yr edrychwn arni, roeddwn yn dal yn flin wrth geisio egluro iddo na fedrwn i wneud rhagor na hynny i ddwyn perswâd ar y merched i fynd i'w wasanaeth.

Roeddwn yn disgwyl rhyw lun o ymddiheuriad am ei frygowthiad, ond chefais i 'run. Dwi ddim hyd yn oed yn cofio a aeth y merched i'r gwasanaeth ai peidio, ond mae mymryn o'r chwerwedd am yr alwad ffôn honno wedi aros hefo mi hyd y dydd heddiw. Dwi'n prysuro i ddeud mai 'ngwendid i'n llwyr ydi hynny ac nid unrhyw un arall. Dylwn werthfawrogi a sylweddoli, fel hyfforddwr ieuenctid, fod diffyg teyrngarwch weithiau'n beth rhwystredig i bawb, beth bynnag fo'r rheswm dros ei golli. Ond weithiau, pan ydach chi'n dewis mynd yr ail filltir i arbed sathru cyrn pobl eraill, mae'n gallu gadael blas drwg yn y geg.

'Dyddiau difyr iawn . . .'

Ond roeddwn i'n filwr bach ffyddlon iawn ym mlodau 'nyddiau. Ymhell cyn i'r amheuon ddechrau chwarae mig â'r ddysgeidiaeth am gael 'mynediad i'w drigfannau' fe wnawn y siwrne i'r capel drwy'r mwd a'r gwlybaniaeth heb gwestiynu dim. Roedd Siôn Corn yn dod i lawr y simne, Iesu Grist yn Salem, a 'Duw yn llond pob lle, presennol ym mhob man' – bob un ohonyn nhw'n siarad Cymraeg a minnau'n canu ac yn addo i'r tri ohonyn nhw y byddwn yn 'ffyddlon hyd fy medd'. 'Dyrchafwn fy llygaid i'r mynyddoedd' yn ddeddfol bob bore a deud fy mhader ar fy ngliniau cyn mynd i 'ngwely bob nos. Tasa Nhad wedi bod yr un i'n rhoi ni yn y gwely, falla byddai hi wedi bod yn stori wahanol, wrth gwrs. Ond doedd y rhan fwyaf o dadau ddim yn gwneud pethau pwysig felly yn y pumdegau. Eu colled nhw oedd hynny.

Roeddwn i bron yn saith oed pan symudon ni i'r pentref i fyw, ac roedd yn newid byd enfawr i blentyn oedd wedi'i eni a'i fagu 'yng nghesail y moelydd unig'. Ond roedd y newid mwyaf eisoes wedi digwydd yn fy mywyd, ac rwy'n cofio'r diwrnod hwnnw fel tasa hi'n ddoe. Er na wyddwn i be'n union o'n i'n ei ddisgwyl pan ddaeth y gnoc ar y drws ffrynt a Mam yn codi i'w agor a gwadd y dieithryn uniaith Saesneg i mewn. Ond mi deimlis ym mêr fy esgyrn na fyddai bywyd byth yr un fath ar ôl hynny.

Ar wahân i'r dyn catalog a'r boi insiwrans, doeddan ni prin wedi clywed Saesneg ar yr aelwyd cyn y noson honno. Ond roedd y Saesneg yma'n dipyn crandiach peth a'r dysen yn ei geg yn dipyn poethach na'r hyn a glywswn i erioed o'r blaen. A Mam druan yn crafu am ei Saesneg gorau a'i *diphthongs* yn woblo'i llafariaid i bob cyfeiriad pan ofynnodd y dieithryn iddi lle roedd hi am iddo roi'r bocs.

'Oh, ieeeis. Hiiyy, in ddy cowˆny teibywl, pleeis,' meddai, gan gyfeirio'r dyn bach efo'r bocs mawr i gornel yr ystafell.

Fe ffarweliom â'r cariwr a bu'r tri ohonom yn syllu'n fud ar y bocs ar y llawr hyd nes i Nhad ddod adre a'i agor. Doeddwn i rioed wedi gweld y fath focs. Ac wedi i Nhad dynnu ei gynnwys allan a'i roi ar y bwrdd bach a'i gynnau, fe neidiodd Alan a finna i mewn i'r bocs mewn dychryn gan fod yna lond lle o ddieithriaid wedi glanio ar ein haelwyd o'r tu mewn i'r bocs oedd o fewn y bocs, a phob un ohonyn nhw'n siarad yr un fath â'r dyn ddaeth â'r bocs i'r tŷ yn y lle cynta. Oedd mi roedd ganddon ninnau, bellach, delifisiyn.

Roedd hi flynyddoedd yn ddiweddarach cyn y clywis i'r gair 'teledu' yn cael ei ynganu. Ond galwch o be fyw fyd fynnoch chi: *flat screen*, teli bocs, telifisiyn neu deledu, roedd y teclyn newydd yma oedd wedi glanio ar ein haelwyd ar fin newid ein ffordd o fyw – am byth.

Hyd nes y glaniodd y 'bocs', fy mrawd a finna fyddai'n creu'r adloniant i gyd ar aelwyd Tyddyn Difyr. Cuddio tu ôl i lenni'r ffenest yn y stafell fyw a Mam yn chwarae drymiau ar sosbenni hefo llwy bren – y ffanffer gyntaf imi ei chael – a ninnau'n ymddangos o du ôl i'r llen fel 'Lili a Rosie' mewn barclodau, cyrlyrs a net yn ein gwalltiau yn paldaruo am bopeth dan haul. Ond buan iawn y daeth y ddwy i barablu yn Saesneg bob yn ail â pheidio wedi i'r 'bocs' wneud ei ymddangosiad.

'Hyw âr iw, Rôwsi?'

'Ai feri gwd iw nô, Lili. Iw laic mei lisbig, ieeis?'

Mae gen i gof clir ohona i'n gwirioni'n lân ryw noson

yn gwylio rhaglen adloniant ysgafn ar y teledu: Maurice Chevalier yn canu 'Thank heaven for little girls'. Finna'n grediniol ei fod yn diolch i mi'n bersonol gan feddwl yn siŵr mai 'Thank Kevin for little girls' oedd y geiriau a ganai.

Ond symud i'r pentref oedd y llam enfawr tuag at fy nwyieithrwydd lled rugl. Er mai Cymraeg a siaredid ar bob aelwyd bron yn Llan yn y chwedegau, roedd sawl cartref yn agor eu drysau i fisitors erbyn diwedd y pumdegau, a theuluoedd cyfan o'r pentref yn symud i'w carafán yn yr ardd gefn gan agor drysau eu tai i deuluoedd o Lerpwl, Manceinion a Birmingham. Dros yr haf byddai'r pentre'n un gybolfa o acenion amrywiol a ninnau'n bustachu i drio taro ar sgwrs yn ein hacenion gogleddol tew, yn enwedig os byddai 'na ferched ifanc o'n hoedran ni'n llusgo'u traed hyd Rhedyw Road, prif – ac unig – stryd Llanllyfni.

Roedd rhieni Gwyn Roberts, un o fy ffrindiau gorau yn y pentre, yn un o'r teuluoedd hynny fyddai'n symud i'r giari dros yr haf, un go nobl wedi'i pharcio ar y cowt yng nghefn Wellington House. Un pnawn, a ninnau yn ein harddegau cynnar erbyn hynny, fe ymddangosodd dwy hogan ifanc mewn *bell bottoms bottle green* y tu allan i'r siop a ches ar ddallt mai fisitors Wellington House oeddan nhw. Doeddwn i erioed wedi gweld *bell bottoms* yn fy mywyd o'r blaen ac yn teimlo'n syth ein bod ni 'braidd ar 'i hôl hi' yn Llan yn ein *drainpipes* denim. Dwi'n credu fod yr hen Gwyn wedi codi ei obeithion fymryn yn rhy uchel pan fentrodd ar sgwrs hefo nhw yn ei iaith newydd sbon danlli i drio'u hudo i Ben-y-groes am jips. Gan nad oedd ganddon ni'm dau damad o Saesneg rhyngom, fuon ni fawr o dro cyn hitio'r wal gyntaf. Roedd gan Gwyn faen geni ar ael ei lygaid chwith ac mi ofynnodd un o'r fodins o Lerpwl iddo wrth sgwrsio: 'What's that you've got on your eye?'

Mudandod. Edrychiad erfyniol arna i o gyfeiriad Gwyn. Be goblyn ydi'r gair Saesneg am faen geni? Doedd dim golau'n cynnau yn fy 'mennydd i nac ynta, ac felly mi fentrodd Gwyn ar ei liwt ei hun yn ei acen Saesneg orau.

'Erm! . . . It's my mean gaynay.'

Edrychodd y genod yn hurt arnon ni'n dau a rannon nhw 'run jipsan hefo ni tra buon nhw ar eu gwyliau yn Wellington House. Ond buan iawn yr aeth Gwyn a finna allan i brynu pâr o *bell bottoms*! A chyn hir roedd ein hacen Saesneg yn meinhau'n raddol hefyd.

Brawd mawr Kevin Stanley

Alan Roberts oedd fy mrawd mawr go iawn; neu, fel yr ysgrifennai ei gyfeiriad ar y pryd: Alan Roberts, Stanley House, Rhedyw Road, Llanllyfni, Penygroes, Dyffryn Nantlle, Sir Gaernarfon, Gogledd Cymru, Cymru, Great Britain, Europe, The World, The Milky Way, The Universe. Dwn i ddim pam roeddan ni i gyd yn troi i'r Saesneg ar ôl Cymru bob tro y byddan ni'n arfer ymestyn ein cyfeiriad i'w eithafion, ond roedd o'n swnio'n dda ar y pryd. Mae pob plentyn yn ei wneud o ar ryw adeg o'i fywyd, decini: darganfod pwy ydan ni, lle rydan ni ac, yn bwysicach na'r un dim, yn pendroni *pam* rydan ni yma yn rhygnu arni hi yn y gornel fach yma o'r bydysawd. Mae cyfeiriad mawr yn gwneud inni swnio'n reit bwysig ar yr olwg gynta, ond ein rhoi ni yn ein lle mae o mewn gwirionedd. Tydan ni'n 'ddim byd ond smotyn' yn y di-ben-draw anferth yna, nac'dan? Ond roedd gen i frawd mawr arall hefyd. Leonard oedd ei enw o.

Wrth Alan y ceisiodd Mam ddweud hanes Leonard, ein brawd o'i phriodas gyntaf, i gychwyn. Roedd Alan bymtheg mis yn hŷn na fi ac mae'n rhaid ei bod wedi teimlo'i fod o'n ddigon hen, pan oedd o ar fin symud i'r ysgol uwchradd, iddi allu ymddiried ynddo i ddweud ei stori drist. Methodd Alan ddygymod â'r hanes a rhedodd i'r llofft gan ddweud wrth Mam am beidio dweud celwydd. Dyna fersiwn fy mam o'r stori beth bynnag. Dydi Alan ddim yn cofio nemor ddim o hynny hyd y dydd heddiw, er bod ganddo frith gof o ryw hanesyn tebyg yng nghefn ei feddwl yn rhywle. Doedd o ddim am gredu'r stori a llwyddodd i'w chuddio yn ddwfn yng nghysgodion y cof am flynyddoedd lawer.

Wedi imi gyrraedd fy arddegau, fe fentrodd Mam ddweud ei hanes wrthyf innau, ac roeddwn yn glustiau i gyd. Er iddi hi a Nhad ddyweddïo cyn yr Ail Ryfel Byd, fe dorrwyd y dyweddïad cyn i Nhad adael am India i weithio gyda'r awyrlu yno. Wedi ei ymadawiad, fe gyfarfu Mam â'i gŵr cyntaf. Ar ôl beichiogi, fe symudodd at ei mam yng nghyfraith i Lanrug a chafodd fywyd digon caled yno. Dywedodd ei bod yn cael ei churo'n filain yn y cartref gan ei mam yng nghyfraith, a thorrodd ei chalon. Bu farw Leonard o niwmonia yn dri mis oed, a phan ddychwelodd ei gŵr o'r fyddin fe ddaliodd Mam glefyd gwenerol ganddo, a dyna'i diwedd hi! Symudodd yn ôl adre i Nantlle at ei mam. Does gen i ddim llawer mwy o fanylion na hynny am ei dychweliad i Nantlle, ond y bore trannoeth mi dderbyniodd deligram gan ei gŵr yn dweud y byddai'n lladd ei hun os na fyddai hi'n dychwelyd ato i Lanrug. Roedd hi bron â drysu o gael y neges ac ystyriodd fynd yn ôl ato. Ond llwyddodd Nain i'w darbwyllo mai bygythiad gwag a anfonwyd ati ac na fyddai unrhyw un oedd o ddifrif am gymryd ei fywyd ei hun yn anfon teligram i gyhoeddi hynny. Y bore wedyn fe dderbyniodd Mam deligram arall yn gofyn iddi fynd i Gaernarfon ar ei hunion. Roedd ei gŵr wedi marw, ac roedd gofyn iddi fynd i swyddfa'r fyddin i adnabod y corff.

Cythrodd Mam i ddal y bỳs nesaf i'r dre ac aeth yn syth i'r swyddfa i weld y corff. Yn wir, corff ei gŵr oedd yno ond, er mawr ryddhad iddi, wedi cael ei ladd mewn damwain yr oedd o ac nid wedi lladd ei hun, fel y tybiai hi drwy gydol y siwrne hunllefus honno o Nantlle i Gaernarfon. Beth bynnag yw'r ochr arall i'r stori hon, does dim dwywaith nad un o'r miloedd o drasïedïau a ddeilliodd o gyfnod enbyd yr Ail Ryfel Byd oedd y bennod gymhleth yma ym mywyd fy mam.

Un o bedair o siopau groser y pentref, a berchnogid gan Edgar Williams y Post, oedd Stanley House. Ei fam o oedd wedi bod yn rhedeg y siop cyn hynny, ac wedi i'r hen wraig farw fe gynigiodd fy mam brynu'r siop yn syth. Gan ei bod hithau wedi bod yn gweithio i Edgar Williams yn y Post ers rhai blynyddoedd, roedd yn amlwg wedi cael blas ar fân-werthu. Archebodd hi rioed 'run gacan o fy siop fach i, gwaetha'r modd! Ond bellach, fe gawn innau gyfle i werthu cêcs *go iawn*. Buan y dois i ddysgu nad oedd hynny cweit mor bleserus â thrio hwrjio cêcs mwd i'r defaid a'r ŵyn. Doedd fy nghwsmeriaid ar fy libart yn Nhyddyn Difyr byth yn dadla'n ôl. Ceisiai Mam fy nysgu mai'r cwsmer sydd wastad yn iawn. Ond rhyngoch chi a fi, *tydi* hynny ddim yn wir. Roedd y cnafon yn gallu rhaffu celwyddau ar adegau ac yn mynnu eu bod wedi clirio'u llechen yn lân! Ond dysgodd Mam wersi pwysig yn gyflym iawn ac os byddai cwsmer am roi nwyddau ar y llechen, fe wnâi iddynt arwyddo am y 'benthyciad' bob tro. Doedd dim dadlau wedi hynny.

Roedd i bob siop bentref ei selogion ac roedd yn dipyn o her i Mam gychwyn busnes a cheisio denu cwsmeriaid o'r newydd. Mae'n debyg y byddai ffyddloniaid yr hen Mrs Williams wedi edwino wrth iddi hi heneiddio ac roedd gofyn i Mam drio bob tric posib i ddenu cwsmeriaeth newydd i Stanley House. Côt o baent ffres, cownter cig newydd sbon danlli, brand hufen iâ nas gwerthid mewn unrhyw siop arall yn Llan (Midland Counties), cynnyrch lleol a thalu ar y llechen oedd rhai o'r triciau i fyny llawes ei hofyrôl. Ond dwi'n credu mai ei phersonoliaeth fywiog oedd y dynfa fwyaf a feddai i ddenu'r siopwyr i Stanley House. Fel gwenyn i bot jam, fe hudai Mam y pentrefwyr i mewn i roi'r byd yn ei le yn gyntaf. Gosodwyd mainc wrth y ffenest iddyn nhw gael rhoi eu traed i fyny ac fe gaent baned a chlonc yn ei chysgod 'taen nhw'n aros acw'n ddigon hir. Nid fod trafod 'frech goch y plentyn fenga' na'r 'petha iaith 'na ddringodd mast Nebo neithiwr' yn mynd i werthu 'run crystyn iddi, ond roedd cael traed dros y rhiniog yn bwysig ac mi lwyddodd i neud hynny, does dim dwywaith.

Er imi golli byw yn y wlad yn arw, roedd symud i'r pentref yn antur anferth i 'mrawd a minnau. Siop jips bron drws nesa, clwb snwcer yn y Neuadd Goffa reit tu cefn i'r tŷ a chyflenwad hufen iâ wrth law bedair awr ar hugain bob dydd! Nid fod Mam yn caniatáu inni helpu ein hunain fel y mynnem ni; roedd 'na blismona go gaeth ar y cownter da-da a'r rhewgell. Ond fe ddiflannai ambell Fars Bar a *raspberry ripple* yn achlysurol heb iddi wybod, serch hynny. Roedd ganddon ninnau'n triciau!

Tueddai Alan i helpu mwy ar fy nhad os byddai angen ei gymorth arno, ond fi fyddai'n helpu fwya yn y siop. Dwi'n credu mai yno, yng nghanol y sgwrsio a'r mân-werthu, y dechreuais i fireinio 'nghlust i ddeialog a rhythmau sgwrs. Siop y pentref oedd yr ail seiat holi ym mhob pentref bychan, a chan fod fy mam yn sgwrswraig heb ei hail doedd acw byth brinder testun siarad.

Yn cael paned yn y stafell fyw oeddan ni pan fentrais ei holi ymhellach am fy hanner brawd, Leonard. 'Ydi Dad yn gwbod?' oedd fy nghwestiwn agoriadol. 'Fyddwn ni byth yn sôn amdano fo,' oedd yr unig ymateb ges i, a gofynnodd imi beidio crybwyll ei enw yng ngŵydd fy nhad a dyna ben arni. Roedd 'Jesus!' fy nhad yn dechrau dod yn fwy real imi o dipyn i beth.

'Ydi Alan yn gwbod?' holais wedyn. A dyna pryd ces i wbod nad oedd ar fy mrawd isio dim i'w wneud â'r stori – ar y pryd. Ac felly, fi oedd yr unig glust oedd ganddi i hel ei hatgofion am gyfnod anoddaf ei bywyd. A chredwch chi fi, mi oedd hi'n glust agored iawn! Roedd gen i frawd arall! Roedd gen i stori na allai neb arall y gwyddwn i amdano ei hadrodd. Teimlwn rywbeth arbennig iawn am y Leonard yma, a rhyw gysylltiad anesboniadwy.

Ac wedyn fe anghofiwn amdano. Felly mae bywyd. Does ganddon ni ddim amser na lle i gario pob llinyn a chainc ein bywydau rownd y bedlan. Dyna sy'n gwneud casglu atgofion fel hyn yn rhywbeth mor anodd. Lle mae rhywun yn cychwyn a sut mae symud o'r naill gainc i'r llall heb ddrysu'r darllenydd yn llwyr? Beth bynnag, lle roeddwn i? O ia, fy hanner brawd, Leonard.

Mynd i ymarfer hefo Band Deiniolen ar gyfer cyngerdd Nadolig yn Ysbyty Dinbych oeddwn i pan ddudodd Mam wrtha i'r tro cyntaf fod Leonard wedi'i gladdu ym mynwent Penisa'r-waun. Roeddwn yn canu un neu ddwy o emynau i gyfeiliant y band ac roedd ymarfer wedi'i drefnu ddiwedd Tachwedd. Roedd fy Anti Linor, gwraig William Emrys, y brawd nad oedd fy nhad yn gwneud dim ag o, yn nabod Deiniolen fel cefn ei llaw gan mai un o gyffiniau Llanbabo oedd hi. Gwahoddodd ei hun yn ddigon talog i ddod hefo ni i ddangos y ffordd. Roedd fy Anti Linor yn bladres o ddynes a chloch ar bob dant, ac roedd hi wedi trefnu ei thocyn a lifft hefo ni i'r cyngerdd cyn ichi allu dweud 'Rhedyw Road'. Fel Linor Llanbabs y nabyddid hi ar lafar yn Llan, gan mai enw arall ar Ddeiniolen yw Llanbabo. Peidiwch â gofyn imi pam – stori hir.

'Fasat ti'm yn mynd â fi heibio Pisa-waun (Penisa'r-waun) ar dy ffor', Bet?' gofynnodd, wedi inni gychwyn i'r ymarfer ryw nos Wener yn syth ar ôl i Mam gau'r siop. 'Tydi 'nghneithar ddim 'di bod yn dda. Am fynd â dysgliad o jyncet iddi. 'Dan ni'n pasio'r tŷ ar y ffor'.' A mynd heibio Penisa'r-waun fu raid, wrth gwrs. Chewch chi ddim byd yn yr hen fyd 'ma heb ofyn, a fuo fy Anti Linor erioed yn fyr o ofyn. Yn sgut am ei bingo a'i gyrfaoedd chwist, neu os byddai yna gliwiau neu luniau cystadleuaeth tu mewn i baced *cereal* neu dun bwyd a hithau eisoes wedi cael y cliw arbennig hwnnw, byddai ganddi ddigon o wyneb i ddod i ofyn am gael ei newid, er ei bod wedi agor y paced neu rwygo label y tun. Glaniai'r tun neu'r paced oedd wedi'i ddifrodi yn ein cegin ni wedyn, wrth gwrs, ac Anti Linor wedi ennill gwyliau neu beiriant golchi newydd yn ein cysgod.

Wedi iddi hi roi clep ar ddrws y car a chroesi'r ffordd i dŷ ei chyfnither, diffoddodd Mam yr injan. Does dim tawelwch tebyg i dawelwch car pan fydd rhywun go swnllyd wedi gadael a'r injan wedi'i diffodd. Ymgollais yn fy meddyliau fy hun a thrio cofio 'ngeiriau: cyfieithiad hudol Ieuan Gwyllt o 'Abide with me'. Roedd Mam hithau'n dawedog, a dim ond ar ôl imi gofio geiriau'r pennill olaf y dudodd wrtha i beth oedd yn mynd drw'i meddwl hi:

Tyr gwawr y nef, cysgodau'r hwyr a ffy,
Wrth fyw, wrth farw, aros gyda mi.

'Gin ti frawd wedi'i gladdu yn y fynwant 'na.'

Roedd y glaw'n drybowndian ar do'r car erbyn hynny a'r tawelwch wedi hen ddiflannu, a 'chysgodau'r hwyr' yn crynhoi amdanan ni go iawn. Roeddwn i bron â thorri 'mol isio mynd i weld y bedd, ond cyn pen dim roedd Anti Linor yn ei hôl yn sedd gefn y car ac arogl pennog picl mawr arni. 'Fynnodd 'mod i'n cym'yd bechdan hefo'r ogla,' medda hi, torri gwynt a ffwrdd â ni am fandrwm Deiniolen.

Ar wahân i'r siop jips, y siopau groser a'r Post, roedd gan Llan, ar y pryd, siop sgidia, gof, saer coed, tri chapel, eglwys a thafarn. Roedd yna gymdeithas ddrama lewyrchus yno a'r Caban i'r hen bobl seiadu a chwarae cardiau, dominôs a draffts. Roedd yna glwb ieuenctid yn y Neuadd Goffa a'r clwb biliards y drws nesa. Deuai'r ffair heibio bob blwyddyn i'r cae chwarae a chaed cárnifal blynyddol a ddenai freninesau o bob cwr o'r sir i gystadlu am dlysau o bob lliw a llun, a phawb yn cael te am ddim rownd y byrddau blodeuog yn y Neuadd Goffa. Cynhelid cyngherddau cyson yn y neuadd hefyd, *ballroom dancing* a disgos. Ond yr uchafbwynt i mi fyddai'r steddfod, wrth gwrs. Cystadlu hyd oriau mân y bore, ac er y byddai hi wastad yn rhy hwyr i gael y bondigrybwyll jips, fe fyddai Mam yn gwneud brechdan samon inni ein dau i roi Steddfod Llan, y beirniaid a'r byd yn eu lle.

Mae gan rywun dueddiad i ramantu am ei blentyndod, ond dwi ddim yn meddwl fod yr un bwrlwm yn digwydd yn Llan y dyddiau yma. Anaml iawn y bydda i'n mynd drwy Llan erbyn hyn. Unwaith mae rhywun yn colli ei rieni mae'r cwlwm yn datod yn gyflymach os nad ydach chi'n dal i fyw ym mro eich mebyd. Mae'r ffordd osgoi ac amserlen rhy dynn yn golygu mai gwibio heibio Llan-llyfni ar hyd y ffordd osgoi y bydda i'r rhan fwyaf o'r amser erbyn hyn. Ond fydda i byth yn pasio heb gymryd cip ar y stribyn o bentref. A byth yn llwyddo i neud hynny heb deimlo mymryn o hiraeth yn lwmp yng nghefn fy ngwddw.

Mae yno eisteddfod o hyd, diolch i'r drefn, ac mae'r ffair yn dal i alw – hyd y gwn i. Ond chewch chi 'run jipsan o fewn milltir go dda, a dwi ddim yn siŵr sawl siop sy'n dal ar agor yno erbyn hyn chwaith. Dwi'n rhyw ama nad oes yno 'run. Ond mae yno bobl sy'n dal i drio cynnal y gymdeithas ac mae f'edmygedd i'n fawr ohonyn nhw. Yng nghanol yr wythdegau mi ddudodd Margaret Thatcher nad oedd yna'r fath beth â chymdeithas. Her i bob un ohonan ni ydi profi fod y math yna o faldorddi yn gelwydd noeth a bod yna ddigon ar ôl inni ailafael ynddo ar ôl yr holl gawl 'dan ni wedi'i neud ohoni'n ddiweddar. Fel y dywed Guto Dafydd: 'Mae'r coed yn noeth ond ni bia'r awyr!'

A thra 'mod i'n dyfynnu cerddi, dwi am fod yn ddigon hy â chloi'r bennod yma hefo rhan o'r gerdd y bûm i'n ddigon dewr i'w hanfon i'r Eisteddfod Genedlaethol yn 2019. Doeddwn i rioed wedi anfon cerdd i'r Genedlaethol

o'r blaen a chefais gryn sioc pan glywais fy ffugenw'n cael
ei grybwyll ymhlith y dosbarth uchaf wrth i M. Wynn
Thomas draddodi ei feirniadaeth.

'Mewn Drych' oedd y testun, ac ynddi rwy'n edrych
yn ôl ar fy mywyd yn nrych rhewllyd Llyn Nantlle. Er i
un beirniad nodi fod y gerdd yn dywyll iawn ar adegau,
efallai y bydd yr hyn dwi eisoes wedi'i rannu hyd yma yn
taflu rhywfaint o oleuni ar ei chynnwys:

'At-a pwy?'
meddai'r ddeulais pell.

Rwy'n craffu ar y ddau
a nghalon deirmlwydd yn hollti'n ddwy.

'At-a pwy?'

Ydyn nhw o ddifri?
Ydyn nhw, wir, am imi ddewis?

'At-a pwy?'

Rhewi'n fy unfan.
Llygaid yn ymbil.
Lleisiau'n erfyn
a breichiau ar agor led-y-pen.

'At-a pwy?'

Rwy'n oedi,
cyn rhedeg i freichiau disgwylgar fy mam,
gan ddal y siom yn llygaid glas fy nhad.

'At-a pwy?'

*

Weli di'r tyddyn acw
lle mae'r plant yn gwatwar sgrech tylluan wrth y llyn?

A weli di'r ieir dwl yn pigo'n farus hyd yr iard,
heb ddeall fod y Sul ar ddod?
Fan yna,
dan garpedi llaith y tŷ,
mae mhlentyndod
wedi ei fygu.

A'r fan acw, ger y fynwent,
tu ôl i'r clwstwr crawiau llwydlas,
daeth diwedd
chwerthin.

*

'Ddoi di, Dei?' a dois i'th ganlyn;
'wn i'm pam.
'Dagrau aur' a chleisiau duon.
'Babi Mam.'

Pwy fu'n plannu'r blodau
wrth ei fedd?
Nid fy nhad.
Wyddai nhad ddim ei fod yno;
mab fy mam.
Wyddai Mam
ddim
fy mod i
yno.

'Ddoi di adre?'
Es i'm adre.
'Paid â deud.'
Fiw 'mi ddeud.

'Nawr yw'r amser.'

Nes i'm deud.

§

Mae'r gerdd yn cyffwrdd â rhai o'm profiadau anoddaf yn blentyn. Nid yn aml y caf fy hun yn troi at farddoniaeth i fynegi 'nheimladau. Er cymaint o bleser ges i'n mynychu Ysgol Farddol Caerfyrddin a dosbarthiadau cynganeddu Karen Owen yn y gogledd, nid ar ffurf cerdd y daw'r rhan fwyaf o'm syniadau imi. Pwt o ddeialog neu ddarn o ryddiaith ddaw imi amlaf, ac os daw 'na gerdd, bydd mydr ac odl yn mynnu eu lle a chytgan yn bownd o ymddangos o rwla yn y pen draw. Fe dry wedyn yn gân i ryw sioe – a dyna fy hyd a'm lled fel bardd.

Felly, cyn gadael Tyddyn Difyr yn llwyr, dwi am rannu un profiad arall sydd wedi nghanlyn drwy fy mywyd. Darlun o Nhad ydi o, un go drist, ac un sydd wedi dal perthynas fy mam a 'nhad mewn ffrâm yn y cof byth ers hynny.

Noson Guto Ffowc oedd hi, a Nhad wedi bod wrthi ers wythnosau yn creu coelcerth anferth wrth dalcen y tŷ. Roedd Alan a finna wedi cynhyrfu'n lân pan daniodd Dad y fatsien a'r fflamau'n llyfu'r awyr drwy'r brigau brau fel tafodau dreigiau sychedig. Ar ben y goelcerth roedd yna glamp o Guto Ffowc na welais ei debyg na chynt na chwedyn. Gwreichion yn poeri i'r awyr ddu a'r gwres yn llosgi'n bochau. Doedd Mam ddim ar cyfyl.

Yn sydyn fe ddaeth allan o'r tŷ â llond basged o dân gwyllt. Roedd hi'n edrych yn bictiwr. Prin fyddai Mam yn gadael y tŷ heb ychydig o bowdwr a phaent, ond ar iard y tyddyn a'r ieir yn pigo o gwmpas ei thraed edrychai allan o'i chynefin. Falla nad oedd hi rioed wedi dychmygu ei hun yn magu teulu mewn tyddyn tlawd mewn lle mor anghysbell.

'Reit 'ta!' medda hi. 'Dach chi'n barod i fynd?'

Roedd wedi addo y byddai Alan a finna'n cael mynd i weld coelcerth y pentref cyn diwedd y dydd. Ond doedd fflamau'n tân ni ddim wedi cydio yng ngodre trowsus Guto Tyddyn Difyr eto.

'Oes rhaid inni fynd *rŵan*?' holais.

Cawsom aros i weld ychydig rhagor ar y brigau'n llosgi ac anfon un roced i'r awyr tra aeth Mam i'r tŷ i nôl ei phwrs.

'Jesus!' ebychodd fy nhad dan ei wynt.

Fel roeddan ni'n nesu am Fferm Dôl Ifan, oedd rhyw hanner canllath i lawr y llwybr i gyfeiriad y pentref, edrychais yn ôl a gweld silwét fy nhad yn erbyn oren bygythiol y fflamau, y goelcerth yn cyrraedd ei hanterth a Guto'n syrthio i'w dynged gwynias a'r gwreichion yn ei lyncu. Roedd fy nhad yn tynnu'n ddyfn ar ei sigarét ac yn edrych i fyny tua'r sêr. Dwi'm yn ama 'mod i'n gwbod yn union be oedd yn mynd drwy'i feddwl.

'Ty'd, Kevin bach, paid â llusgo dy draed ne' chyrhaeddwn ni byth,' galwodd Mam arna i wrth gamfa Fferm Rhosuman.

At-a pwy?

'A'm llyfyr yn fy llaw . . . '

Fe gaech hanner coron ar ddiwedd pob blwyddyn yn Ysgol Llan os llwyddech i beidio colli diwrnod o'r ysgol yn ystod y flwyddyn honno. Dwi'm yn ama na ches i sawl un ohonyn nhw yn ystod fy nghyfnod yn yr ysgol gynradd. Mi aem yn ddirwgnach bob dydd i fyny Rhedyw Road gan alw'n ddeddfol i weld Yncl Ben ac Anti Bessie ar ein ffordd bob bore. Cefnder i Nhad oedd Yncl Ben, ond gan eu bod yn ddi-blant ac yn byw mor agos roeddan nhw'n fwy fel nain a thaid i Alan a finna.

Fe awn drwy fy nhasgau'n llawen yn yr ysgol gynradd gan ddod i'r brig mewn sawl arholiad. O ddatrys symiau i ddarllen, tynnu lluniau neu sgwennu straeon, fe garlamwn drwy bopeth fel ebol blwydd. Dyna pam, efallai, nad ydw i wedi gallu llawn werthfawrogi metaffor enwog Shakespeare erioed: 'Love goes toward love as schoolboys from their books; But love from love, toward school with heavy looks.'

Dwi'm yn ama na wnes i fwynhau pob munud o 'nghyfnod yn yr ysgol gynradd. Yn sicr, does gen i 'run atgof sy'n gwneud imi wgu o'i gofio. Hyd yn oed y mymryn bwlio a ddigwyddai'n achlysurol pan fyddwn yn cael sylw am ryw lwyddiant ar lwyfan neu mewn arholiad, wnaeth o ddim byd ond tanlinellu y byddai'n rhaid imi 'ddysgu sefyll ar fy nwy droed fy hun' a'i osgoi orau y medrwn i. Cyngor Mam unwaith eto.

Roedd pethau'n wahanol y tu allan i furiau'r ysgol

pan gychwynnai rhyw ffrwgwd rhwng hogia top pentra a hogia Maes Castell. Tueddai Alan i dynnu ambell un o'r hogia caletaf i'w ben yn achlysurol a dwi'n cofio rhedeg i'r cae chwarae, oedd y tu cefn i Stanley House, un diwrnod a gweld arwydd yng ngwaelod y cae yn deud: 'Alan Roberts. Wanted. Ded [sic] or alive'. Roedd pedwar o hogia Maes Castell (tai cyngor yng ngwaelod y pentref) wedi creu giang, ac roedd Alan wedi ochri hefo hogia Bryn Rhedyw, sef y tai cyngor a adeiladwyd yn 'top pentra'. Yn eu tyb hwy, roedd wedi troi'n fradwr a doedd dim dewis ond ei ladd.

A 'ngwynt yn fy nwrn, rhedais yn ôl i'r tŷ i ddeud wrth Alan am ei dynged a bod ei oriau wedi'u rhifo. Fe wyddwn hefyd fod Freddie Hanks yn aros amdano yng ngwaelod y cae chwarae yn barod i gosbi'r bradwr. Fy mrawd. Cododd Alan ei sgwyddau a deud, 'Iawn 'ta, mae o 'di gofyn amdani tro 'ma.' A ffwrdd ag o i'r cae chwarae i wynebu Freddie. Roedd hi fel yr O.K. Corral yno a phlant y pentra i gyd wedi cael achlust fod yna 'ffeit go iawn' yn mynd i ddigwydd. A 'nghalon yn fy ngwddw, dilynais innau 'mrawd tuag at ei dynged.

'Ffeit!' galwodd pawb fel corws Groegaidd, a Freddie ac Alan yn stwyo'i gilydd fel dau lewpart ifanc ymhell cyn iddyn nhw gyrraedd gwaelod y cae ac o olwg Tŷ Plisman, oedd yn ffinio â'r cae chwarae ei hun. Roedd y dyrnu a'r cicio yn ddidrugaredd. Gwelwn ryw styfnigrwydd yn llygaid Alan nas gwelais erioed o'r blaen. Doedd o ddim am ildio, a phan gododd y ddau am ennyd i gael eu gwynt atynt aeth i mewn am ragor o waldio a phwnio. Robert Hanks, brawd hynaf Freddie, benderfynodd ei fod wedi gweld hen ddigon. Falla'i fod o wedi gweld Mr Roberts Plisman yn dod allan o'i dŷ drwy gornel ei lygaid, ond roedd o hefyd yn gweld nad oedd ei frawd yn mynd i gael y gorau ar Alan, a dewiswyd ei galw hi'n 'drô'. Doedd hynny ddim yn digwydd yn aml wrth wynebu'r brodyr Hanks o

Faes Castell a dychwelodd Alan yn ôl am Stanley House yn gleisia byw, yn waed drosto ac yn arwr o'i gorun i'w sawdl. Ac yn fy llygaid bach i, doedd hi ddim yn 'drô' chwaith – ddim o bell ffordd. Fe fyddwn inna'n saff am sbel hefyd. Toedd gen i frawd mawr oedd wedi dal ei dir yn erbyn un o hogia caleta'r pentra?

'Sgidie bach i ddawnsio' . . . a Draig Goch i'w chwifio

Ond waeth pa mor galed yr ystyrid Alan Tyddyn Difyr, fel un o'r rhai 'meddal' yr ystyrid Kevin Stanley. Gwnawn fy ngorau glas i drio cuddio'r sgidiau dawnsio a'r copis canu wrth aros am y bỳs i fynd i 'ngwersi. Rhwng y gwersi piano, gitâr, canu, adrodd, dawnsio, drama, eisteddfota a chyngherdda, buan iawn y ces fy labelu fel un o'r rhai oedd ar y cyrion:

Lle rhyfedd i fod ydi'r cyrion. Yr unigolyn hwnnw sy'n cael ei ystyried ychydig bach yn wahanol i'r gweddill am ei fod yn canu, yn chwarae'r piano a dawnsio. Efallai fod cymdeithas wedi dechrau derbyn y 'gwahaniaethau' yma sy'n rhan ohonom bellach ac yn rhyw lun o dderbyn nad ydi pawb yn 'gwirioni'r un fath'. Ond nid ar lawr gwlad, ar y cyfryngau cymdeithasol ac yn y corneli cudd ar goridorau'r ysgol chwaith. Mae'r llysenwau'n dal i gael eu sibrwd a'r dyrnau'n fwy na pharod i ladd ar y rheiny sy'n gwthio ffiniau a dewis dangos eu hunigolyddiaeth. Mae bod yn wahanol i'r 'norm' yn dal yn lle peryglus iawn i fod. Mae eich pen uwchben y parapet ac felly mae'n ddigon hawdd eich taro.

Fe ddaeth un fam ata i yn nyddiau cynnar Glanaethwy i ddiolch imi am roi cyfle i'w mab gael ei draed dano. Mae bechgyn, yn gyffredinol, yn ei chael hi'n dipyn caletach na merched am fynychu gwersi canu ac actio. Ac felly roeddwn yn meddwl mai dod ata i oedd y fam i ddiolch imi am roi cyfle iddo fagu hyder a darganfod ei gryfder. Ond nid dyna ddudodd hi wrtha i. Diolch imi ddaru hi am roi cyfle i'w mab gael bod yn rhan o dîm. Chafodd o rioed ei ddewis i dîm pêl-droed na rygbi yn yr ysgol; doedd o rioed wedi serennu mewn unrhyw agwedd ar chwaraeon o fath yn y byd. Ond roedd 'tîm' Glanaethwy, yn ei thyb hi, wedi gwneud i fyny am hynny – a mwy.

§

Roeddwn yn aelod blaenllaw o'r côr a'r partïon i gyd yn yr ysgol, yn dawnsio fy ffordd yn ôl yno i'r ymarferion efo Glyn Owen, y prifathro. Chwynais i rioed fod ambell ymarfer ychwanegol ar benwythnosau – fe awn i bob un dan ganu. Cawsom athrawon da ac ymroddgar a digon o gyfle i berfformio drwy gydol y flwyddyn – yn ganeuon actol ac yn ddramâu, cyngherddau a nosweithiau llawen. Cawsom lwyddiant yn flynyddol yn yr Urdd, gyda'r parti cerdd dant yn bennaf, yn canu gosodiadau Selyf, Garndolbenmaen, a Glenys Parry, Eurgain Eames a Glyn Owen yn mireinio pob nodyn ac ystum o'n crwyn.

Ond Miss Evans, Golan, oedd fy hoff athrawes. Hi oedd yr un annwyl oedd yn dysgu Standard One a Two yn ei ffordd ddihafal ei hun. Cymraes i'r carn a gyflwynodd inni straeon a chwedlau dirifedi drwy gydol y ddwy flynedd y bûm i dan ei hadain. A phan ddaeth y Frenhines i ymweld â Thrawsfynydd yn 1963 fe drefnwyd ein bod i gyd yn mynd i lawr at y lôn bost i weld mei ledi'n gyrru heibio'r pentref a chwifio llaw arni. Fel i bob plentyn, roedd unrhyw esgus i gael mynd allan o'r dosbarth o fewn oriau dysgu yn cael ei ystyried yn antur anferth. Ond mae gen i gof clir o Miss Evans yn gofyn inni ystyried dod â baner y Ddraig Goch i'r ysgol yn hytrach na Jac yr Undeb. Roedd hi'n iawn, yn ôl Miss Evans, i'r Frenhines gael gwybod ei bod mewn gwlad wahanol pan oedd yn ymweld â Chymru. Nid pawb ddaru ufuddhau i'w dymuniad, wrth gwrs. Ond fe chwifiais i'r ddraig gydag arddeliad. A dyna dwi wedi'i wneud byth ers hynny – yn fy ffordd fach fy hun. I ba le bynnag yn y byd yr awn ni i ganu, 'dan ni wedi chwifio'r ddraig ym mhob cwr ohono erbyn hyn.

Ond fe ddaeth yr hen ddraig yn dipyn mwy na thestun balchder un tro, pan aethon ni i'r World Choir Games yn Shaoxing, Tsieina, yn ôl yn 2010. Roedd honno'n dipyn o daith ac fe ystyrir y gemau corawl yma fel un o binaclau cystadlu ymysg corau'r byd.

'Chwifiwn ein baneri' medd geiriau'r hen emyn, a dyna'n wir ddaru ni yn Shaoxing. Roedd cynulleidfaoedd o tua 15,000 yn mynychu rhai o'r cyngherddau a phrif strydoedd y ddinas wedi'u cau yn arbennig i'r bysiau gael rhwydd hynt i gludo'r corau o'r naill ganolfan i'r llall. Milwyr ar hyd y strydoedd yn saliwtio wrth inni basio, mintai o fysiau'n ein canlyn a dreigiau am y gwelech chi.

Does ryfedd felly fod cynulleidfaoedd Shaoxing wedi llygadu ein baneri bach ni yn chwifio mewn un cornel o'r neuadd anferth lle cynhelid y cyngerdd agoriadol. Roedd yna hen drafod o'n cwmpas ac ar y pryd doedd gen i mo'r syniad lleiaf pam roeddan ni'n cael y fath sylw. Er mai dim ond ni oedd yn cynrychioli Prydain yn yr ŵyl honno, fe wrthododd y trefnwyr inni gael Draig Goch yn rhan o brif faneri'r canolfannau perfformio. Jac yr Undeb oedd ein baner ni i fod. Er inni gynnig dod â baneri o'r un maint â'r fflagiau eraill oedd yn crogi o'r nenfwd nid felly yr oedd hi i fod, ond roedd rhwydd hynt inni chwifio baner Cymru ar ein bysiau ac o'n heisteddleoedd yn y neuaddau.

Pan oedd y cyngerdd agoriadol yn tynnu at ei derfyn, doedd 'na ddim byw na marw nad oedd rhaid i un o'n cyfeillion o Tsieina oedd yn eistedd y tu ôl inni ofyn o ble yn y byd yr oeddan ni'n dod. Bodlonodd ar hynny am sbel, ond erbyn diwedd y cyngerdd doedd o ddim yn gallu byw yn ei groen a gofynnodd tybed a fyddem yn fodlon rhoi un o'n 'dreigiau' iddo. Mae rhannu yn rhan o natur gwyliau fel hyn, a chafodd ddwy neu dair o faneri gan aelodau Glanaethwy. O fewn dim roedd y cyfnewid rhyfedda'n mynd ymlaen a'r Ddraig Goch oedd y faner fwyaf poblogaidd yn y cyngerdd.

Ond o gornel fy llygad gallwn weld y criw oedd wedi cychwyn yr holl ddiddordeb ym maner Cymru fach yn g'lana chwerthin! Be yn y byd mawr oedd mor ddigri am ein Draig Goch ni? Teimlais dân yr hen ddraig yn corddi o'm mewn, ac roedd nifer o'n haelodau'n holi pam oedd ein baner yn gymaint o destun sbort. Fedrwn innau ddim gadael y cyngerdd heb gael ateb iddyn nhw.

'Excuse me,' holais, 'what do you find so funny in our national flag?'

Roedd y criw yn dal eu hochrau erbyn hyn. Tybed oeddan nhw'n chwerthin am fod ein draig ni yn edrych mor blaen o'i chymharu â'u dreigiau lliwgar a dramatig hwy? Beth bynnag oedd eu rheswm, doeddan nhw ddim yn mynd i gael gadael heb ryw fath o eglurhad.

'Don't you like it?' holais ymhellach, gan geisio celu'r ffaith 'mod i'n dechrau ffromi ryw chydig erbyn hynny.

'Oh, yes!' Daeth yr ateb yn syth. 'We love it. This is the best flag in the festival. We just thought this was very interesting,' medda fo, gan bwyntio at dri gair mewn print mân ar waelod y faner. 'Made in China!' Ymunais innau yn y chwerthin, a bu'n destun hwyl i bawb ohonom am weddill y daith.

Dychwelsom o'r ŵyl gyda dwy fedal aur ac un fedal arian, ond yn waglaw o faneri! Dwi'n credu y byddem wedi gwneud ein ffortiwn tasan ni wedi agor stondin ar ochr y stryd yn Shaoxing y diwrnod hwnnw. Ond rhannu oedd ysbryd yr ŵyl, ac fe ddaethon ninnau adre â llond ein hafflau o anrhegion a chofroddion yn atgof o drip llwyddiannus a fu'n agoriad llygad inni i gyd.

Ond fe chwifiais fy maner gyda balchder y pnawn hwnnw pan aeth y Frenhines heibio Capel Salem ar ei ffordd i'r atomfa yn Traws. Ac er nad oes gen i fawr i'w ddweud wrth atomfeydd na breninesau erbyn hyn, dwi'n dal i gofio'r wên ar wyneb Miss Evans tra oeddwn yn chwifio fy nraig ar yr hen Lusabeth yr Ail. Sgwn i ai yn Tsieina y gwnaed y faner fach honno?

'Yn deulu dedwydd'

Fel pob plentyn, roeddwn yn llawn cwestiynau na ches fyth atebion a'm bodlonai iddynt. Pam fod yna wal anferth wedi'i chodi ar draws iard yr ysgol? A pham y byddai'r babanod a'r genod yn chwarae ar un ochr iddi a'r hogia hŷn yn cael eu hanfon i'r ochr arall? Pam mai dim ond y genod oedd yn cael dysgu gwnïo a gwau? Pam oedd toiledau'r disgyblion y pen arall i'r iard a thoiledau'r staff y tu mewn? Pam mai dim ond rhai plant oedd yn cael tabledi bob lliw bob amser chwarae gan yr athrawes a pham mai 'run rhai oedd yn cael cinio am ddim? Pam oeddan ni'n cael ein rhybuddio i beidio dwyn nythod adar, ond bod dau neu dri ohonyn nhw ar y bwrdd natur bob blwyddyn – a'r wyau hefyd?

Wrth ein desgiau y caem ein cinio bob dydd, nes iddyn nhw godi clamp o neuadd newydd ar ganol hen iard yr ysgol. Dymchwelwyd yr hen wal oedd yn gwahanu'r bechgyn a'r merched, a chawsom fwyta rownd bwrdd yn waraidd a rhoi'n pennau i lawr i ddiolch am ein hymborth:

> O Dad, yn deulu dedwydd – y deuwn
> Â diolch o'r newydd;
> Cans o'th law y daw bob dydd
> Ein lluniaeth a'n llawenydd.
> Amen.

Er na wyddwn i be oedd ystyr hanner y geiriau a lefarem fel poliparots bach ufudd uwch ein cyllyll, ein ffyrc a'n llwyau, fe gydiodd tinc y cytseiniaid yndda i fel gefail, a tydyn nhw rioed wedi 'ngadael i. Roeddan nhw'n swnio fel cân heb nodau, a'r curiadau bron fel band un dyn yn drymio yn fy nghlust. Dwi'n cofio rhedeg adra un diwrnod a'm gwynt yn fy nwrn a'r geiriau'n dal i drybowndian yn fy mhen.

'Mam! Be ma' "casothlaw" yn feddwl?'

'Nefi wen, sgin i 'mo'r syniad lleia, Kevin bach. Lle clywist di'r ffasiwn air?'

'Yn 'rysgol. 'Dan ni'n 'i ddeud o bob tro cyn cinio.'

'Bob dydd?'

'Bron bob dydd. Ond weithia 'dan ni'n deud "Bydd wrth ein bwrdd". Ond llall 'dan ni'n ddeud amla.'

'Be dach chi'n ddeud?'

A dyma adrodd fy englyn cyntaf iddi yn y fan a'r lle, a phob cytsain yn clecian nes dois i at 'casothlaw'.

Gwenodd Mam a 'nghywiro i'n syth.

'Ca*nn*s o'th law, ti'n 'i feddwl, y crinc. Chdi â dy "casothlaw"!'

'O, be ma' "cans" yn feddwl, 'ta?'

'Fatha "canys", 'de. Ti 'di clŵad Mr Ŵan Gwinidog yn deud hwnnw ganwath.'

'Do, ond be mae o'n 'i feddwl?'

'Fathag "achos".'

"Fatha 'dan *ni*'n deud "cos"?'

'Ia, wbath tebyg.'

Wedyn, ymlaen i'r 'dedwydd' a'r 'deuwn' a'r 'lluniaeth'. A byddai gan Mam bob amser yr amynedd i ddiwallu fy chwilfrydedd. Dim ond cloch y siop ddeuai â'n sgwrs i ben yn ddisymwth, weithiau. Gwaith yn galw. Wedyn fe'm cyfeiriai at y Beibl i bori yn hwnnw am fwy o'r 'canys' a'r 'oblegids' a'r 'onids':

Canys llawer un a ddaw yn fy enw i, gan ddywedyd, Myfi yw Crist; ac a dwyllant lawer. Ond pan glywoch am ryfeloedd, a sôn am ryfeloedd, na chyffroer chwi: canys rhaid i hynny fod; ond nid yw'r diwedd eto. Canys cenedl a gyfyd yn erbyn cenedl, a theyrnas yn erbyn teyrnas.

'Canys rhaid i hynny fod.' Waw! Fel tasa fo wedi'i sgwennu ddoe. Pam yn y byd mawr y cawson ni wared o bron bob cystadleuaeth 'Llefaru o'r Ysgrythur' yn y Genedlaethol, meddach chi?

Syr Ifan, Karen a fi

Pinacl y flwyddyn i mi bob amser yn blentyn oedd ein siwrne flynyddol i eisteddfodau'r Urdd. Boed hynny ar lefel cylch, sir neu'n genedlaethol, roedd Ysgol Gynradd Llanllyfni yn fwrlwm o weithgaredd pan ddeuai'n dymor cystadlu. Gwyddwn o'r cyfnod cynnar hwn nad oedd dim a roddai fwy o bleser imi na bod ym merw pob cystadleuaeth roedd posib i mi gystadlu arni. Penllanw'r tymor, wrth gwrs, oedd y Genedlaethol ac, yn amlach na pheidio, fe fyddai'r adran bownd o fynd drwodd ar sawl cystadleuaeth. Ond, yn anad 'run categori arall, ein parti cerdd dant ddeuai i'r brig yn gyson.

Karen Giles oedd fy mhartner ar y deuawdau, a chawsom ninnau'n dau lwyfan ar y ddeuawd cerdd dant ar sawl achlysur. Roedd Karen dipyn talach na fi ar y pryd ac fe ffitiwn reit gyfforddus dan ei chesail wrth inni lapio am ein gilydd cyn canu – arferiad sydd wedi hen ddiflannu gan y deuawdwyr erbyn hyn. Ond roedd gafael llaw neu afael am eich gilydd yn rhwbath digon cyffredin bryd hynny – da o beth i Karen a minnau gan fod gan fy mhartner duedd i lewygu, yn enwedig os bydden ni wedi rhuthro o'r naill ragbrawf i'r llall heb gymryd ein gwynt, heb sôn am anghofio'n bod ni angen yfed a bwyta ac ymlacio. Roedd gennym ormod ar ein plât i wneud pethau pwysig felly.

Eisteddfod Genedlaethol Caergybi, 1966, a Karen a minnau wedi darfod ein rhagbrofion, fe siarsiodd y prifathro, Mr Glyn Owen, ni i fod yn ôl gefn llwyfan erbyn dau o'r gloch gan ein bod wedi cael llwyfan ar y parti cerdd dant dan 15 oed. Crwydrodd Bryn (Fôn) a minnau tua'r maes i hamddena a llowcio mymryn o ginio.

Dach chi'n cofio'r pinsiad halen hwnnw gaech chi mewn pacedi crisps ers talwm, un bach glas tywyll oedd yng ngwaelod y paced? Wrthi'n taenu hwnnw dros fy nghrisps oeddwn i dan gnoi fy mrechdan domato pan welais i Mr Glyn Owen yn rhuthro amdana i o ben arall y cae.

'Lle ma' Karen?' oedd ei gwestiwn swta.

'Dwn 'im,' atebais inna, 'mi ddudodd 'i bod hi'n mynd i'r dre.'

'I'r dre?' ebychodd. 'Ond dach chi 'di ca'l llwyfan ar y ddeuawd cerdd dant. Dach chi ar y llwyfan mewn hannar awr!'

Rhuthro'n ôl i'r maes parcio i gar Mr Owen a thrio dyfalu pa siop y byddai Karen fwya tebygol o fod ynddi. 'Mhen hir a hwyr mi welais i Lisabeth ac Avril, dwy o chwiorydd Bryn, yn sbio drwy rêls o ddilladach mewn *boutique* oedd yn llawn o ffrogiau blodeuog a throwsusau *bell bottoms* lliwgar.

'Dach chi 'di gweld Karen?' holais.

A chyn iddyn nhw gael cyfle i ateb, daeth Karen allan o un o'r stafelloedd gwisgo mewn ffrog felen ac oren a blodau piws yn un sbloets drosti.

'Be ti'n feddwl o hon?' gofynnodd, tra o'n i yno'n syllu'n gegagored arni. Roedd hi hefyd mewn pâr o deits seicadelig a sgidia i fatsio, rhes o fwclis am 'i gwddw a chadwyn o betalau yn 'i gwallt. Ac roedd hyn flwyddyn cyn i Scott Mckenzie fynnu eich bod i roi blodau yn eich gwallt os oeddech chi am fynd i San Francisco!

Rhoddodd Karen ryw dwirl bach cyn sylweddoli fod rhywbeth o'i le. Erbyn hynny roedd Mr Owen wedi glanio a rhoi ordors iddi roi tro ar 'i sawdl a mynd i newid yn syth i'w blows wen, sgert lwyd a'i rhuban coch a'i gwneud hi am y car.

Ddaru 'run o'r ddau ohonan ni freuddwydio y byddem wedi cael llwyfan gan nad oedd rhagbrawf y ddeuawd wedi mynd yn rhy dda, a'r peth olaf glywodd Karen oedd Mr Owen yn deud wrthan ni am fod ar y cae erbyn dau.

Doedd Karen ddim yn un rhy dda am gofio'i geiriau a bu'n rhaid iddi roi sgytwad imi ddwywaith, dair rhwng penillion i'w hatgoffa be oedd yn dod nesa. Dwi'n siŵr i minna lyncu 'mhoeri a thybiodd y ddau ohonom na fyddem yn dod yn agos i'r llwyfan. Ond fe'i cafodd hi nes roedd hi'n tincian gan Mr Owen am fod mor ddi-hid.

Doedd Karen yn fawr o redwraig ond fe wnaeth ei gorau i frasgamu mor gyflym ag y gallai ar draws y maes, ac fel yr oeddem yn nesu at y babell gallem glywed lleisiau peraidd yn dod dros yr uchelseinydd. Dwy ferch yn canu cerdd dant! Deuawd cerdd dant! Oedd, roedd y gystadleuaeth wedi cychwyn a ninnau ddim hyd yn oed yng nghefn y llwyfan!

Pan gyrhaeddom y stafell ymgynnull fe ruthrodd y ddau ohonom i ben y grisiau oedd yn arwain i'r llwyfan a'n gwynt yn ein dyrnau bach nerfus. Doedd dim amser i fynd dros na gair na nodyn gyda'r delyn gan fod honno eisoes ar y llwyfan, Karen yn cwffio am ei hanadl a Huw Jones, y Bala, yn galw arnom i'r llwyfan gan gyhoeddi fod Kevin a Karen bellach yn barod i gystadlu. Mae'n rhaid fod yna hen aros amdanan ni wedi bod gan mai ni oedd i *fod* i ganu'n gyntaf a'n henwau wedi'u galw dros y meic ers sbel go lew. Dwi'n siŵr fod Anti Luned (mam Karen) a fy mam inna'n cael cathod bach yn y dorf yn methu deall lle roeddan ni a pham nad oeddan ni gefn llwyfan fel pawb call.

Ond nid dyna ddiwedd y stori. Fel roeddwn i'n arwain y ffordd i'r llwyfan mi edrychodd Huw Jones yn wirion arna i a gofyn, 'Lle ma' dy bartner di'n mynd?' Edrychais dros fy ysgwydd a gweld fod Karen wedi troi ar ei sawdl yn ôl am yr esgyll. Rhedais innau ar ei hôl. Erbyn hynny roedd fy nghyd-ddeuawdwraig yn eistedd ar y grisiau serth a arferai arwain y cystadleuwyr i'r llwyfan. Roeddan nhw'n risiau eithaf serth ac, os cofia i'n iawn, roeddan nhw'n dal yno pan oedd fy merch, Mirain, yn cystadlu am y tro cyntaf yn Eisteddfod Merthyr yn 1987! Sgwn i pryd y diflannodd yr hen risiau hynny? A'r bwrdd sgorio mawr hwnnw oedd yn gefnlen i'r eisteddfod am flynyddoedd lawer – be ddoth o hwnnw, tybed?

'Dwi'n meddwl 'mod i'n mynd i ffeintio!' meddai Karen mewn llais egwan a'i hwyneb fel y galchen. Ar adegau felly deuai'r byd i stop. Yr eiliadau hynny pan wyddoch chi'n iawn fod hon yn sefyllfa na allwch chi wneud dim ynglŷn â hi. Roedd Karen wedi llewygu sawl gwaith o'r blaen – un ai yn y gwasanaeth boreol, mewn ymarfer neu ynghanol gwers ymarfer corff – ond erioed cyn hyn yng nghanol cystadleuaeth! Erbyn i aelod o'r Groes Goch, Mr Owen, ac un neu ddau stiward ruthro i gario Karen oddi ar y grisiau serth, fe'm cefais fy hun yn eistedd yno'n meddwl be'n union oeddwn *i* i fod i' neud nesa. Oeddan ni'n mynd i gael ein diarddel? Oedd yn rhaid imi ganu ar fy mhen fy hun? Oedd Karen yn mynd i fod yn iawn? Be oedd Mam yn mynd i' neud o'r cyfan?

Os cofia i'n iawn, fe gaed araith y llywydd. Doeddwn i, mwy nag unrhyw blentyn o eisteddfotwr arall, ddim yn ffan mawr o areithiau llywyddion, ond fues i rioed mor falch o gael un y funud honno. Gwyddwn o'r gorau fod areithiau llywyddion yn gallu bod yn bethau go faith ac fe roddai hynny gyfle imi gael fy ngwynt ata i am sbel. Syr Ifan ab Owen Edwards ei hun oedd llywydd y dydd y tro hwnnw ac roedd ganddo ddigon i'w ddweud, dybiwn i, digon i sicrhau fod Karen yn cael digon o amser i ddod dros ei munud wan a chyrraedd y llwyfan mewn pryd i fynd drwy'r ddeuawd. Daethom yn ail agos y diwrnod hwnnw, ond chafodd Karen yr un petal, heb sôn am ffrog, i fynd adra hefo hi o Gaergybi; dim ond tystysgrif ail wobr a blister ar ei throed chwith. A'r profiad unigryw a gaiff pob plentyn o gael perfformio ar lwyfan ein heisteddfodau cenedlaethol, wrth gwrs.

Tŷ bach twt

Yn Eisteddfod Genedlaethol yr Urdd, Rhuthun, yn 1962 y profais i'r llwyfan cenedlaethol am y tro cyntaf. Dod yn fuddugol ar y parti cerdd dant dan 12 oed a roddodd gychwyn ar daith bleserus o gystadlu am flynyddoedd. Ond y flwyddyn ganlynol, Eisteddfod Genedlaethol Brynaman, oedd y tro cyntaf inni fynd i'r de i gystadlu – neu 'south Wales', fel y galwai'n rhieni'r deheubarth y dyddiau hynny. Y rhain oedd y dyddiau da hynny lle caem aros yng nghartrefi teuluoedd o fro'r eisteddfod a phrofi o'u croeso a'u caredigrwydd. Rhoddwyd y gorau i gynnig gwely a brecwast gan garedigion yr Urdd yn ôl yn y nawdegau ac mae hyn wedi bod yn golled fawr i genedlaethau o blant byth ers hynny. Roedd yn gyfle euraid i ddod i nabod pobol, ardal, acenion a rhan newydd o Gymru yn well o beth mwdril nag aros mewn gwesty neu wely a brecwast. Caem ein sbwylio'n rhacs gan bob teulu yn ei dro, ac er fy mod yn deall yn iawn pam y bu'n rhaid newid y drefn honno, dwi'n falch fod yr un patrwm o groesawu plant i gartrefi yn dal i fodoli mewn ambell ŵyl gerddorol y tu allan i Brydain – a hir y parhaed hynny.

Dim ond dau fachgen oedd ym mharti cerdd dant Ysgol Gynradd Llanllyfni y flwyddyn honno – fi a Fred Parry. Roedd Fred ryw ddwy flynedd yn hŷn na fi, a chan ein bod yn cael ein didoli'n ddeuoedd i fynd i'n hamrywiol gartrefi, fe gafon ni'n dau ein paru'n syth. Cwpwl diblant yn eu pumdegau oedd ein gwesteion a thŷ teras bach digon cyffredin oedd ein cartref am y ddwy noson y buom yn aros yno. Er mai Fred oedd yr 'hogyn mawr' ar y pryd, roedd gen i well gafael ar acen y de na'm cyfaill. Eisteddodd yno'n fud tra cynigid pob math o ddanteithion inni a finna'n cyfieithu'r hyn oedd ar y fwydlen i Fred. Roeddwn hefyd wedi deall yn llawer cynt na'm cyfaill pam fod ein gwesteion yn taro'u cotiau amdanyn yn syth ar ôl inni swpera. Roedd y ddau yn mynd i'r *whist drive* am gwpwl o oriau! Cawsom wybod lle roedd y te a'r bisgedi tasan ni'n llwglyd, ac os oeddem yn flinedig am inni fynd i'n gwlâu cyn iddyn nhw ddychwelyd o'r yrfa yn y neuadd i 'lawr yr hewl'.

Gyda chlep ar y drws roedd y ddau wedi'n gadael i dendiad arnom ni ein hunain. Roedd Alan a finna wedi hen arfer â bod yn y tŷ ein hunain ond daeth yn amlwg i mi ar ôl dipyn fod hyn yn beth dieithr iawn i Fred. I ddarllenydd yr unfed ganrif ar hugain, mae'n siŵr fod meddwl am adael dau blentyn eu hunain mewn tŷ dieithr yn beth go annoeth i'w wneud, ac mae gen i gof i'n rhieni a'n hathrawon gael trafodaeth am hyn y bore trannoeth pan glywsant am ein hantur. Erbyn heddiw, mae'n bosib y byddai'r stori wedi hitio'r penawdau newyddion a choblyn o strach i'w chanlyn.

Ond yn ôl at Fred a minnau yn y tŷ dieithr, wedi cael y lle i ni ein hunain. Dwi ddim yn ama inni fynd drwy'r rhan fwyaf o'r bisgedi a helpu'n hunain i'r lemonêd oedd i fod ar gyfer ein pecyn bwyd y bore trannoeth hefyd. Daeth Huwcyn Cwsg heibio i'r ddau ohonan ni yr un pryd, ond erbyn inni fynd i'n gwlâu doedd Fred ddim cweit yn barod i ddiffodd y golau.

'Be am ga'l *pillow fight*?' holodd. 'Dwi'm yn siŵr dwi isio cysgu cyn bod rhein yn 'u hola.'

Doeddwn inna ddim chwaith, taswn i wedi bod yn gwbwl onest. Doedd y syniad o syrthio i gysgu mewn gwely dieithr mewn tŷ dieithr mewn pentref dieithr ddim yn rhywbeth yr oeddwn innau awydd ei wneud erbyn hynny. Felly, dyma afael yng nghornel fy nghlustog a dechrau waldio Fred fel taswn i'n ymladd am fy mywyd – yntau'n waldio'n ôl. Mi aeth yn gwffas go ffyrnig. Aeth yn fwy na chwffas, fe aeth yn rhyfel. Hyrddiem mor ffyrnig nes bod ein clustogau'n clecian yn erbyn ein pennau, sŵn chwerthin a griddfan yn gymysg, a chaed ambell seibiant i nôl rhagor o lemonêd a bisgedi cyn ailafael ynddi gyda mwy o arddeliad bob tro.

Titrwm cerrig mân ar y ffenest a'm deffrodd. Doedd gen i ddim syniad faint o'r gloch oedd hi ond pan godais i'r ffenest i weld pwy oedd yn taflu'r tsipings, gwelais mai perchnogion y tŷ oedd yno'n ceisio cael ein sylw. Roedd Fred yn chwyrnu'n braf erbyn hynny a'r clustog dros ei glustiau; plu yn un carped ar lawr y stafell wely. Agorais y ffenest.

'Chi 'di bollto'r drws ffrynt a'r drws cefen. All un o' chi ddod lawr i'w ddadfollto fe, plis?'

Mae'n rhaid 'mod i wedi syrthio i gysgu o flaen Fred a'i fod yntau, mewn tŷ dieithr, wedi mynd ati i sicrhau na fyddai 'run dieithryn yn gallu torri i mewn ac ymosod arnom. Roedd yn benderfynol o gau pob perygl allan drwy follto pob drws a ffenest yn y tŷ. Roedd o hefyd, wrth gwrs, wedi bolltio'r perchnogion allan o'u cartref eu hunain.

Wedi ein buddugoliaeth y bore canlynol fe'n llusgwyd ni'n syth i wneud cyfweliad hefo Hywel D. Roberts yn fyw o'r maes. Mae'n rhaid ei fod wedi cael achlust o stori Fred a finna ac roedd yn awyddus i'n cael i adrodd peth ohoni yn rhan o'r cyfweliad. Ond roedd Fred druan wedi cael pwl o nerfau go ddrwg o'i gael ei hun o flaen camera a meic o dan ei drwyn am y tro cyntaf yn ei fywyd. Felly, pan ofynnodd Hywel D. iddo lle roedd o wedi bod yn aros ym Mrynaman, y cyfan gafodd yn ateb gan y canwr dengmlwydd oedd, 'Mewn tŷ.'

'Ynys Wen'!

Ond roedd un digwyddiad yn ymwneud ag Eisteddfod yr Urdd a gafodd fwy o ddylanwad arna i na 'run arall. Eisteddfod Sir yr hen Sir Gaernarfon oedd hi, a gynhaliwyd ym Mhwllheli o bob man. Mae Eisteddfod Sir Eryri wedi'i chynnal yn Neuadd PJ ym Mangor ers degawdau bellach, ond arferai'r rhai flynyddoedd yn ôl gael eu cynnal ym Mhorthmadog, Pwllheli, Cricieth a Bangor yn eu tro. Yn wir, mae gen i gof yn blentyn bychan iawn iddi gael ei chynnal yn y Felinheli hefyd. Ond ym Mhwllheli roeddwn i'r tro hwn, a dwi ddim yn gor-ddweud i ragbrawf y parti unsain dan ddeuddeg y flwyddyn arbennig honno newid cwrs fy mywyd i am byth.

Erbyn hynny roedd Glenys Parry, un o'n hathrawesau yn Ysgol Llan, wedi symud i ddysgu yn Ysgol Twtil yng Nghaernarfon ac wedi cychwyn ei pharti unsain ei hun yno. 'Ynys Wen' gan Henry Purcell oedd y darn prawf i'r partïon unsain, a phan welson ni Miss Parry hefo'i pharti ei hun roedd yna hen sgwrsio rhwng y ddau hyfforddwr – Mr Glyn Owen a hithau'n cymharu nodiadau a rhoi'r byd yn ei le. Ninnau'n astudio'n gwrthwynebwyr o dre'r cofi. Parti o genod C'narfon oeddan nhw, ond chydig a wyddwn i ar y pryd y byddai un o'r genod yn eu mysg yn dod yn gariad imi mewn ychydig flynyddoedd ac yn wraig imi am weddill fy mywyd.

Roeddwn yn nabod chwaer hynaf Rhian, Marian, cyn hynny, gan ei bod eisoes yn unawdydd a gâi gryn lwyddiant ar y gylchdaith eisteddfodol. O fewn dim, roedd Rhian hithau'n canu deuawdau gyda'i chwaer, a dechreuom weld ein gilydd yn fwy rheolaidd mewn cyngherddau a'r eisteddfodau lleol.

Dechreuais gael gwersi canu gan Idwal Davies a chawn wersi gitâr gan ei fab, Alan, ar Stryd Dinorwig yng Nghaernarfon. Roedd Rhian hithau'n cael gwersi canu gan Idwal. Ymunais â Chôr Ieuenctid Sir Gaernarfon, lle roedd Rhian hithau'n aelod. Awn ar ralïau Cymdeithas yr Iaith a'r Blaid, a byddai Rhian a'i ffrindiau yno'n rhan o'r un orymdaith. Pinaclau pop yng Nghorwen a chyngherddau'r sêr yn y Majestic yng Nghaernarfon – croesai ein llwybrau'n amlach o flwyddyn i flwyddyn. A phan ymunodd Marian â'r grŵp Brân, roedd gan Rhian bartner deuawd newydd yn aros amdani yn yr esgyll. Fi!

Anodd credu erbyn hyn mai deuddeg a thair ar ddeg oed oeddan ni pan aethom allan am y tro cyntaf. Mae rhai'n ei chael hi'n anodd credu hynny pan fyddwn ni'n deud wrthyn nhw mai yn yr hen Form One a Form Two y dechreuon ni ganlyn. Blwyddyn Saith ac Wyth! Plant oeddan ni a neb yn ein cymryd o ddifri. Bron i chwe deng mlynedd yn ddiweddarach a 'dan ni'n dal yma i adrodd y stori.

I'r Majestic yng Nghaernarfon yr aethon ni gyntaf, i weld Richard Burton ac Elizabeth Taylor yn y ffilm *The Taming of the Shrew*. Rhyfedd meddwl felly fod yr hen William Shakespeare wedi chwarae un o'r prif rannau yn ein perthynas a'n partneriaeth. Ac fel Petruchio a Katherina, digon stormus oedd ein carwriaeth ninnau yn y dyddiau cynnar. Bob yn ail â pheidio y byddem yn cyfarfod ar y cychwyn, er y byddai ein llwybrau'n bownd o groesi'n eitha cyson gan ein bod yn cael ein hudo gan yr un diddordebau, yn wleidyddol ac yn gerddorol.

Ond roedd Mam wedi mopio hefo Rhian o'r cychwyn. Bob tro y byddem yn cael ffrae a minnau'n mentro dod â

YN BLWMP AC YN BLAEN

merch arall i'r siop i'w chyfarfod, digon llugoer fyddai hi gyda phob un ohonyn nhw. Dim ond Rhian oedd yn ticio bocsys Mam o'r cychwyn – a Mam oedd yn iawn. Diolch, Mam!

Delfryd, Dysg, Cymeriad

Roeddwn yn hoff iawn o arwyddair Ysgol Dyffryn Nantlle a chredwn fod ganddon ni'r bathodyn ysgol gorau yn y byd. Fe'i lluniwyd gan ein hathro celf, John Davies, a fo luniodd logo Glanaethwy flynyddoedd yn ddiweddarach hefyd. Dwi ddim yn meddwl fod gan yr un ysgol arall fathodyn mor lliwgar ag un Ysgol Dyffryn Nantlle. Llechi piws o dan stribyn o gefndir gwyrdd yw'r gefnlen, cwpan felen ar lyfr agored gwyn ar y llechi a fflam goch yn codi o'r cwpan. Ac uwchben y cyfan, ar gefndir gwyrdd mae yna dri eryr aur. Fe'i gwisgwn â balchder bob dydd – os na fyddwn wedi anghofio 'mlaser ysgol i adra!

Wedi symud i'r ysgol uwchradd parhaodd y cwestiynu di-baid, cwestiynau nad oedd atebion iddyn nhw fynychaf. Pam na chawn i wneud cwcyri yn lle gwaith metel? Pam na chawn i chwarae hoci yn lle pêl-droed a phêl-fasged yn lle criced? Be oedd y gwahaniaeth rhyfedd oedd yn bodoli rhwng bechgyn a merched, plant 1A a 1D, y breintiedig a'r difreintiedig? Ond fe ddaeth y cwestiwn mwyaf dryslyd yn y byd imi pan gerddodd yr athrawes fathemateg i'r dosbarth a gofyn: 'If x plus four equals nine, what is the value of x?'

Ac fe gollais afael yn syth ar linyn y pwnc o hynny mlaen. Be aflwydd oedd angen dod â llythrennau i mewn i fathemateg? Er 'mod i wedi deall digon i ddyfalu, os ychwanegwch chi bump at bedwar, mai naw gewch chi'n ateb, i be goblyn oedd angen ei alw'n 'x' er mwyn tad?

Pump ydi pump ydi pump, ia ddim?

Felly y buo hi wedyn am sbel rhyngdda i a rhai o'r pynciau newydd oedd wedi ymddangos ar f'amserlen dros nos. Suddwn o weld geiriau fel 'Double Physics' a 'Double Chemistry' ar dudalen flaen fy ryffbwc, a buan y dechreuais greu rhyw

aflwydd neu'i gilydd yn esgus i beidio mynd i'r ysgol pan oedd yn ddiwrnod go drwm. Yr hogyn bach hwnnw a gâi hanner coron am beidio colli diwrnod o'i flwyddyn academaidd yn yr ysgol gynradd mwya sydyn yn colli 'rysgol fel tasa 'na'm fory.

Roeddwn yn dal i serennu yn eisteddfodau a chyngherddau'r ysgol ac fe redwn yn ysgafndroed i'r ymarferion côr. Fedrwn i ddim byw yn fy nghroen nes cawn i fod yn rhan o gynyrchiadau'r Gymdeithas Ddrama yr oedd Matt Pritchard, ein hathrawes Hanes, wedi'i chychwyn yn Ysgol Dyffryn Nantlle pan oeddwn i yn Form Two. Ond roedd yn rhaid aros nes y byddwn yn Form Four cyn y cawn i drio am ran.

Ond roedd f'esgidiau fel tasan nhw wedi'u pedoli o blwm pan geisiwn eu llusgo i'r labordy cemeg a'r gweithdai metel a choed. Llosgwn fy mysedd yn y ffwrn dân wrth aros i ryw damed o brocar droi'n goch yn y gwersi Gwaith Metel, a chawn lond ceg o hylif chwerw wrth drio sugno rwbath go gry drwy *pipette* yn y gwersi Cemeg. Hidiwn i 'run ffeuen a oedd $a + b - xyz$ yn gwneud 156, a welwn i ddim math o gyfiawnhad dros wastraffu fy amser yn dysgu rhes o eiriau Lladin, iaith oedd eisoes mor farw â'r hoelen y ceisiwn ei chnocio'n aflwyddiannus i'm stôl simsan yn y wers Gwaith Coed. Roedd ambell ddiwrnod yn boen imi yn yr ysgol uwchradd ac mi fydda i'n gwenu i mi fy hun bob tro y cofia i'r dramodydd Wil Sam yn deud iddo gnocio'i ben-glin efo morthwyl unwaith i gael sbario mynd i'r ysgol. Aeth hi ddim mor bell â hynny arna i rioed, ond mi ffugiais sawl salwch yn fy nydd, gan gynnwys cnoi Wagon Wheel gyfan a'i chwydu 'nôl i fyny gan gymryd arna i 'mod i wedi cael hen byg go ddrwg. 'Dos am yr ysgol 'na!' medda Mam pan ddaeth i mewn i'r stafell molchi. 'Chlywis i rioed ogla tsiocled ar daflu i fyny o'r blaen!' Roedd yr actio'n dod yn ei flaen yn OK, ond roedd angen mwy o fanylder wrth ddyfeisio'r props. Nid da lle gellir gwell!

Mae gen i gof o gael hymdingar o row mewn gwers Ffiseg pan oeddwn yn Form 3A. Roedd yr athro wrthi'n parablu ymlaen ac ymlaen am aer cynnes yn esgyn ac yn disgyn eto wrth iddo oeri, a bod dŵr yn adweithio yn yr un modd. 'Hot air rises,' dwi'n ei gofio fo'n deud cyn i wres llethol y labordy fy amgylchynu innau nes peri imi gysgu'n sownd wrth ymyl y *bunsen burner* ar fy nesg. Fy nghosb am fy nigywilydd-dra oedd mynd adre a sgwennu'r Archimedes Principle gant o weithiau a'i gyflwyno iddo y bore wedyn: 'When a body is weighed in air and then in a liquid there is an apparent loss of weight, and this apparent loss of weight is equal to the weight of liquid displaced.'

'Eitha gwaith â chdi,' oedd yr unig beth ddudodd Mam wrth fy ngweld i'n bustachu i drio cyflawni'r dasg mor gyflym ag y gallwn. Toedd mynd i'r Clwb Ieuenctid i wrando ar *Pick of the Pops* efo Gwyn yn llawer mwy o dynfa na threulio noson yng nghwmni'r Bonwr Archimedes? Yn syth wedi cyflawni'r dasg fe es am fath cyn ei chychwyn hi allan am gêm o ping-pong yn y Gofeb, y neuadd bentre oedd yn cefnu ar Stanley House. Gelwid hi'n 'Y Gofeb' am iddi gael ei chodi er cof am fechgyn ifanc y pentref a gollodd eu bywydau yn y ddau ryfel byd (Neuadd Goffa i rai, ond 'Gofeb' yn Llan).

Yno, wrth orwedd yn y bath, teimlais fy nghorff yn 'sgafnu wrth imi ymlacio yn y swigod – fy nghosb wedi'i chyflawni. A dyna pryd y'm trawodd i; fel hyn y teimlodd Archimedes pan orlenwodd ei fath a gwneud ei ddarganfyddiad mawr. Pa mor glyfar ydi Ffiseg, meddyliais!

Sebastian Bach, Cocrotsan
a Rhian arall

Er clyfred darganfyddiad Archimedes, cawn y gwersi Ffiseg a Chemeg yn anodd. Ond roeddwn i'n eitha mwynhau mynd i'r gwersi Bywydeg. Mrs Roberts Biol oedd un o'n cofweinyddion yn ein cynyrchiadau drama – dynes annwyl iawn yn llawn straeon difyr, diflewyn-ar-dafod. Gwyddai'n iawn nad oeddwn i wedi dewis Bywydeg am 'mod i'n hoff o'r pwnc, ond am fod un o'm ffrindiau gorau, Rhian Jones, wedi dewis Biol fel un o'i phrif bynciau. Gwaith Metel, Ffrangeg neu Ddaearyddiaeth oedd y tri dewis arall ar y golofn, a chytunodd Rhian i ymuno â'r Gymdeithas Ddrama os baswn i'n dewis Bywydeg fel pwnc Lefel O. Roedd honno'n fargen ddigon teg gan fy mod i, erbyn Form Four, wedi colli'n ffordd yn llwyr gyda'r pynciau eraill ac fe wyddwn fod Mrs Roberts Biol yn reit hoff ohona i. Roedd gen i hefyd dipyn mwy o ddiddordeb mewn anifeiliaid a choed na mymryn o ddŵr poeth a *sulphuric acid*. Caem ddatgymalu cocrotsys, nôl sliwod o'r bath *formaldehyde* a gwylio'r penbyliaid yn troi'n llyffantod o flaen ein llygaid.

Dwi'n cofio Rhian a finna'n datgymalu aelodau'r ddwy gocrotsian a roed i ni i'w trin, a'm ffrind wedi llwyddo i wahanu'r pen, y coesau, yr adenydd a hyd yn oed stumog y trychfilyn ar y bwrdd bach pren o'i blaen. Roedd f'un i'n un stremp o slwtsh na ellid gwneud na phen na chynffon ohoni, a Rhian yn ei dyblau pan welodd y gybolfa. Ymateb

Mrs Roberts oedd: 'Cefin Roberts! Deisectio'r gocrotsian 'na dach chi fod i' neud, dim gneud lobsgows efo hi!' Ac oedd, erbyn hynny, roedd Kevin wedi troi'n Cefin hefyd. Mwy am hynny yn y munud.

Dwi'n siŵr fod Rhian druan wedi difaru ei henaid iddi 'mherswadio i ddewis y pwnc, gan na ddaru mi neud dim byd ond siarad a gwneud rhyw ddrygioni yn y labordy Biol hyd ddiwedd y cwrs Lefel O. Ond chawn i byth gosb gan Mrs Roberts gan ei bod yn reit hoff o hwyl ei hun. Dim ond imi beidio mynd dros ben llestri'n ormodol, a byddai'n oddefgar iawn ohona i. Gwyddai 'mod i'n cyfrannu dipyn i fywyd cymdeithasol yr ysgol, nid yn unig yn y steddfod a'r cynyrchiadau ond byddwn hefyd yn arwain côr, yn dysgu'r partïon llefaru, yn gadeirydd y Gymdeithas Gymraeg ac Adran yr Urdd. Mi ysgrifennais sgript i'r cyflwyniad llafar pan oeddwn yn y Chweched ac roeddwn yn gapten tŷ ar sawl achlysur. Dwi'n cofio iddi ddeud wrtha i unwaith, pan oeddan ni ar ganol ein harholiadau Lefel O, ei bod yn gwbod yn iawn pwy oedd yn mynd i basio a phwy oedd yn mynd i fethu bob blwyddyn.

'Fydda i'n deud wrtha fi'n hun, chi, pan fydd pawb yn dŵad i mewn fesul un i'r arholiad. Fydda i'n deud yn ddistaw bach: "*Pass, pass, fail, pass, fail, fail, pass, pass*, ac felly mlaen – a mi fydda i'n iawn bob tro. Ond wyddoch chi be fydda i'n ddeud pan newch chi 'mhasio i, Cefin?'

'Na wn i, Miss.'

'*Pass, fail, fail, pass, pass, pass, pass, fail* ... bechod!'

A methu ddaru mi hefyd. Ar wahân i Gelf, Cerdd, Cymraeg Iaith a Llên, mi fethais bob pwnc arall gydag arddeliad. Llwyddais i gael 'U' yn Ysgrythur, a phan dderbyniais y radd doedd gen i ddim o'r syniad lleiaf be'n union oedd ystyr 'U'. Os nad ydach chi'n gwbod eich hunan, yna plis peidiwch â gwneud eich ymchwil – tydi o ddim werth y drafferth. Toeddwn i'n rhy brysur yn rhedeg i bob cwr o'r wlad i 'ngwersi piano, dawns, canu, llefaru, 'unrhyw beth i osgoi gwaith go iawn', fel y byddai'r athrawon yn 'i ddeud wrtha i byth a hefyd.

Dwi'n cofio Matt Pritchard yn deud wrth Mam dlawd, pan ddaeth hi fel peunes i wrando arna i'n serennu mewn cyngerdd ysgol ryw dro, 'Taswn i'n canu *notes* History i Cefin, mi 'lasa fo basio!'

Mae'n ddigon posib na fyddwn i wedi pasio Cerddoriaeth chwaith, oni bai i Glenys Griffiths (Evans bellach) lanio yn Ysgol Dyffryn Nantlle yn bennaeth yr Adran Gerdd ar ddiwedd y chwedegau. Er fy mod i wrth fy modd yn canu yng nghorau Peleg Williams ac yn disgleirio yn yr eisteddfod ysgol, doedd gennym ni fawr o glem am reolau harmoni a gwrthbwynt, a wyddwn i ddim byd am ddyblu'r *thirds* a'r *fifths*. Dwi'n cofio deud wrth Miss Griffiths unwaith pan oeddwn wedi dyblu mwy na'm siâr ohonyn nhw, 'Roedd Johann Sebastian *Bach* yn 'u dyblu nhw, Miss!'

'Wel, pan fyddwch chi'n sgwennu gystal â Bach, falla cewch chitha 'u dyblu nhw hefyd,' oedd yr ateb ges i. A dyna fy rhoi i yn fy lle mewn un frawddeg.

Doeddwn i ddim yn sant yn y gwersi eraill chwaith, yn ôl pob tebyg. Wyddwn i ddim o hynny ar y pryd, ond pan ddangosodd Nesta Wyn Jones imi, flynyddoedd yn ddiweddarach, gerdd yr oedd hi wedi'i sgwennu amdana i pan oedd yn fyfyriwr yn Ysgol Dyffryn Nantlle, fe'm hatgoffodd na fedrwn i ddim atal fy hun rhag bod yn glown y dosbarth bob tro y deuai cyfle heibio – hyd yn oed yn y gwersi Cymraeg.

Y Wers

(Pan oeddwn yn fyfyriwr Ymarfer Dysgu)

Paid ti â meddwl
'mod i wedi maddau iti, mêt.

Penygroes oedd y lle:
IIIB yn hunlle.
Merched di-hid yn cribo gwalltiau ei gilydd
fel rhaeadrau
dros greigiau'r desgiau . . .

IVC yn gorymdeithio
Heibio'r ffenest agored
i diriogaeth y cwt glo –
cludwyr y brwshys llawr
yn llawn llawenydd . . .

IVA
Dosbarth da
a mytholeg y Mabinogi,
un o'r ceinciau cynnar,
yn barod i'w datgelu,
sef hanes creulon y boleyau crwyn.

Be wyddwn i, ddiniwed,
fod un o fy map o enwau mewn sgwariau
oedd yn giamstar ar feimio
– pan ôn i ddim yn sbio –
a'i fod o, o'i ddesg,
yn cyflwyno ei fersiwn o
heb orfod lleisio?

Hwn
fel ceriwb eurwallt
– bob tro yr edrychwn arno –
yn peri i'r lleill ymddyblu
yn foddfa o ddagrau . . .
tynnu'r holl wers yn ddarnau . . .
HWN!

Cefin Roberts, IVA –
cythraul mewn croen,
yn mwrdro'r Mabinogi!

Paid ti â meddwl
'mod i wedi maddau iti, mêt!

Efallai 'mod i wedi cael rhywfaint o faddeuant gan Nesta
erbyn hyn, gan iddi fod yn ddigon caredig ag anfon copi
o'r gerdd imi drwy'r post. Ond fe allai'n hawdd fod wedi'i
hanfon fel rhybudd imi hefyd wrth gwrs. Erbyn meddwl,
ddaru hi'm deud fod y maddeuant wedi'i roi imi, naddo?
    Nesta, be amdani? Os mêts, mêts?

Peintio'r byd yn bob lliw!

Erbyn imi gyrraedd y chweched dosbarth, a'r *pipettes* a'r *formaldehyde*, yr efail a'r morthwyl i gyd yn rhan o'm gorffennol, fe gawn bleser pur (o'r diwedd) yn darllen nofelau a barddoniaeth Cymraeg, pori a stilio yn y Mabinogi a dysgu mwy am glec y gynghanedd gan Lewis Owen Lewis, yr athro Cymraeg.

Doedd yna ddim gwersi drama ffurfiol bryd hynny wrth gwrs, neu fe fyddai'r llanc oedd bellach yn llusgo tua'r ysgol yn mynd yn fwy ysgafndroed yn ei ôl; mae'n bosib y byddwn hyd yn oed wedi dawnsio fy ffordd i'r dosbarthiadau. Ond roedd cael astudio Cymraeg a Cherddoriaeth yn fwy na digon i'm sbarduno i aros yn yr ysgol.

'Llnau lôn a chanu rownd y steddfoda 'ma fydd dy hanas di os na roi di draed dani'n yr ysgol 'na,' oedd byrdwn Mam y dyddiau hynny. A 'mrawd bellach wedi gadael cartre ac yn astudio Gwaith Coed yng Ngholeg y Drindod, Caerfyrddin, roedd hi'n bryd i'r mab ieuenga drio gwneud rwbath ohoni hefyd. Stwna oeddwn i mewn gwirionedd, loetran yn ddiamcan o'r naill beth i'r llall. Ond, yng nghwmni ffrindiau a chyfoedion, yn cael coblyn o hwyl yr un pryd.

Yr hyn a'm cadwodd i fynd yn fy mlynyddoedd olaf yn yr ysgol uwchradd oedd y Gymdeithas Ddrama. Byddai Matt Pritchard yn castio yn ystod tymor yr haf, yn ymarfer yn solat drwy dymor yr hydref ac yn rhoi pedwar neu bump perfformiad ymlaen ar ôl gwyliau'r Nadolig.

Cyfieithiad John Gwilym Jones o ddrama J. M. Barrie, *The Admirable Crichton*, oedd y ddrama gyntaf imi gael fy nghastio ynddi. Dr John Gwilym Jones ei hun oedd yn cyfarwyddo a doeddwn i, ar y pryd, ddim yn gwerthfawrogi'n llawn y fath gyfle a gaem. Matt Pritchard oedd y pwerdy y tu ôl i'r weledigaeth ond roedd manylder John Gwil wrth iddo fynd i'r afael â gwerth goslef, saib, ystyr a rhythm y ddeialog yn ysgol brofiad na allem ddymuno ei gwell. Mae angen sylfaen ar bob perfformiwr ac fe roddodd John Gwil a Matt Pritchard un go solat i ni bryd hynny. Sgwn i lle fyddwn i heddiw tasa'r ddau yma ddim wedi gafael yn yr awenau a rhoi'r ffasiwn gyfleoedd i genedlaethau o bobl ifanc Ysgol Dyffryn Nantlle yn y chwedegau a'r saithdegau? Mae 'nyled i'n anferth iddyn nhw.

'Naci, naci, boi bach. Os ei di i fyny ar ddiwadd y frawddeg, yna mae o'n newid 'i hystyr hi'n llwyr, yli.'

'Be dach chi'n feddwl "mynd i fyny", Mr Jones?'

'Yr oslef, 'te. Ma' siarad yn nes at ganu na ti'n feddwl 'sdi, boi bach. 'Blaw'n bod ni'n mynd i fyny ac i lawr wrth siarad mi fasan ni'n swnio fel robots a neb yn siŵr iawn be 'dan ni'n drio'i fynegi.'

Byddai'n 'canu' goslef y brawddegau inni weithiau a ninnau'n ei ddynwared nes byddai'r dehongli'n dod yn fwy synhwyrol a'n clustiau'n araf bach yn cael eu mireinio. Y geiniog yn disgyn a ninnau'n dechrau ei gweld hi. Dysgu fod pob nodyn a mynegiant a saib a phwyslais yn newid yr hyn 'dan ni'n 'i ddeud yn llwyr. John Gwil, yn sicr, ddysgodd imi, waeth pa mor effeithiol yw eich dawn i gyfleu emosiwn, y gallwch fod yn actio allan o diwn am weddill eich gyrfa os na choncrwch chi'r oslef. Ac fel y byddai Norah Isaac yn deud wrtha i flynyddoedd yn ddiweddarach, yr hyn sy'n crynhoi'r holl ddisgyblaeth a gawsom gan John Gwil yw: 'Gweddw dawn heb ei chrefft.'

Efallai i'n cenhedlaeth ni o actorion fod ar ein colled o beidio cael gwersi drama ffurfiol yn y chwedegau, ond fe wnaeth trylwyredd cyfarwyddyd John Gwil a chynhyrchu Matt Pritchard fwy nag iawn am hynny. Yn ychwanegol at hynny, roedd holl staff yr ysgol y tu cefn i'r cynyrchiadau blynyddol hefyd. Roedd Mr John Davies, yr athro Celf, wrthi am fisoedd yn paratoi'r set, a'r stafell *needlework* fel cwch gwenyn o fynd a dod yn paratoi'r gwisgoedd, a thîm o athrawon yn cynhyrchu tocynnau a phosteri, eu gwerthu a'u casglu wrth y drws. Pob un â'i ran, a phob un yn ei wneud gydag arddeliad.

Nid fod pob ymarfer drama wedi mynd yn esmwyth, cofiwch chi. Dwi'n cofio cyrraedd yn hwyr un noson a John Gwil yn dwrdio braidd. Gan ei fod hefyd wrthi fel lladd nadroedd yn darlithio a chyfarwyddo yn yr Adran Ddrama yng Ngholeg y Brifysgol Bangor, mae'n siŵr fod ailgydio ynddi ar ôl oriau gwaith i fynd i'r afael â chynhyrchiad efo llond llyfrgell o ddisgyblion ysgol di-ddallt yn gallu bod yn straen. Roedd 'na ddyrnaid ohonan ni'r actorion hefyd yn aelodau o Gymdeithas yr Iaith, a chan fod Dafydd Iwan wedi'n siarsio yn ei gân i fynd allan a 'pheintio'r byd yn wyrdd' yna roedd yn rhaid ufuddhau, yn toedd? Defnyddiem yr ymarferion weithiau fel esgus i fynd allan i wneud yr hyn yr oedd ein harwr wedi deud wrthan ni am 'i wneud. Methai Mam â deall pam fod Matt Pritchard yn ein galw mor fuan ambell noson. Ond os oedd John Gwil yn deud fod angen pedair awr o ymarfer, yna roedd hynny'n ddigon da iddi hi.

'Cofia ddŵad yn d'ôl yn syth 'ta,' medda hi. 'Dwi'n meddwl 'mod i wedi cael gafa'l ar bâr o drowsus du hen ffasiwn i chdi.'

'Go dda,' meddwn inna, gan ruthro i'r garej i nôl fy meic. Roeddwn i eisoes wedi rhoi tun o baent gwyrdd a brwsh yn y bag ac ar ormod o frys i holi gan bwy roedd hi wedi cael benthyg y trowsus.

Fi oedd yr unig un o'r cwmni drama oedd yn dod o Lanllyfni bryd hynny, ac roeddwn yn benderfynol o wneud fy rhan yn yr ymgyrch y noson honno, a sicrhau nad oedd yna 'run arwydd Saesneg yn ein pentref bach ni. Roedd hi'n anodd dod o hyd i un yn Llan gan nad oedd yna na Holyhead na Denbigh, Cardigan na Swansea yn agos i'r lle. Nantlle, Tal-y-sarn, Groeslon, Pen-y-groes a Nebo oedd y pentrefi agosaf, a neb erioed wedi mela hefo 'run o'r hen enwau hynny wrth gwrs. Ond roedd yna un arwydd 'Caernarvon' uwchben Pont Felin, ac i'r fan honno yr anelais ar y noson dan sylw.

Erbyn imi gyrraedd roedd hi ymhell o fod wedi t'wyllu digon imi deimlo'n saff fel 'gweithredwr' oedd ar fin torri'r gyfraith am y tro cyntaf yn ei fywyd. Cuddiais fy meic y tu ôl i'r bont, ond gan fod cymaint o fynd a dod a cheir yn pasio byth a hefyd fe rois y brwsh yn ei ôl yn y bag a phenderfynu gweithredu ar fy ffordd adre. Roeddwn yn dal yn hwyr yn cyrraedd yr ymarferion, a chan 'mod i wedi brolio cymaint am fy mwriad i weithredu y noson honno roedd pawb ar dân isio gwbod yr hanes. Ond doedd dim hanes. Roedd y cyw eithafwr wedi cael traed oer wrth Bont Felin, a dyna'i diwadd hi.

Felly, mi es adre ar fy meic y noson honno a gweith-redu gydag arddeliad. Wel, fe es mor bell ag agor caead y tun a phlymio'r brwsh i'r paent yn llawn afiaith. Ond erbyn imi neidio ar ben y bont a cheisio ymestyn tuag at yr arwydd fe sylweddolais ei fod fymryn yn rhy uchel. Doedd dim amdani ond neidio a cheisio rhoi rhyw strempan iddo orau y gallwn gyda phob naid. Er nad oeddwn wedi gwrando digon yn y gwersi Ffiseg, doeddwn i ddim angen unrhyw Isaac Newton i egluro grym disgyrchiant i mi, diolch yn fawr, a chyn pen dim roedd mwy o baent ar fy mreichiau a 'nwylo nag oedd ar yr arwydd ei hun. Ond roeddwn wedi gweithredu. Roeddwn wedi ufuddhau i alwad fy arwr. Efallai nad oeddwn i eto'n gallu deud 'mod i wedi 'peintio'r *byd* yn wyrdd', ond roeddwn wedi peintio Caernarvon (a mi fy hun) yn hollol wyrdd. Wel, rhyw fath o wyrdd, beth bynnag. Neu felly yr ymdebygai i mi dan olau oren lampau Rhedyw Road.

Neidiais yn ôl ar fy meic yn Gymro newydd sbon danlli, fymryn yn nerfus ac yn drewi o baent ond yn 'eithafwr' ac yn 'weithredwr' hefyd. Roeddwn wedi peintio fy arwydd cyntaf.

Wedi glanio adra, y peth cyntaf i'w wneud oedd cael gwared ag unrhyw dystiolaeth. Rhoi'r brwsh yn y bowlen tyrps hefo gweddill brwshys fy nhad a thrio'i gwneud hi am y gegin i olchi 'nwylo cyn i neb weld. Fel roeddwn i'n sylwi fod yna ambell sbrenc ar f'esgidiau i hefyd, mi glywais lais Mam yn galw o'r gegin.

'Cefs! Ma' Mr Jones plusman yma i dy weld di.'

Rhewais yn y fan a'r lle a 'nghalon yn fy ngwddw ac yn curo fel dryw bach wedi'i ddal.

'Pwy?' holais yn wantan.

'Mr Jones plusman! Wedi dŵad â throwsus du i chdi drio.'

Tydi arogl paent na thyrps, fel y gŵyr pawb, ddim yn bethau hawdd i gael gwared arnyn nhw. A chan fod yna blismon yn y gegin, lle roedd y dŵr poeth a'r sebon, doedd gen i ddim math o ffordd o gael at yr hyn yr oeddwn eu hangen mewn cyfyngder.

'Dŵad rŵan!' meddwn, gan drio meddwl be goblyn allwn i neud i wingo fy ffordd allan o'r gongl yr oeddwn wedi 'ngwasgu fy hun iddi. Roedd gan fy nhad dap dŵr oer yn yr ardd, ond yn fy ngorymdrech i drio molchi fe sblasiodd y rhan fwyaf o'r dŵr dros fy nillad. A tydi dŵr oer heb fath o sebon yn gneud dim gwahaniaeth i baent gwyrdd(ish) ac arogl tyrps. Doedd dim amdani ond agor drws y gegin ac wynebu 'nhynged.

Ac yno roedd Mam a Mr Jones plusman yn syllu'n fud arna i a rhyw hanner gwên ar wyneb y ddau. Dwn i ddim hyd y dydd heddiw oeddan nhw wedi cael achlust o'm gweithred, ond cedwais fy nwylo'n dynn tu ôl i 'nghefn tra medrwn a thra syllai'r ddau ar fy sgidiau a'r diferion dŵr o'm gwallt yn disgyn arnyn nhw.

"Di'n bwrw?' holodd Mr Jones.

'Mi 'nath gawod gynna,' meddwn inna.

'O . . . deud di,' medda fynta'n amheus a'r wên yn lledu 'mhellach.

'Oedd hi'n tresio 'Mhengroes,' mentrais ryw lun o eglurhad.

'Ma' hi'n bwrw ar y cyfiawn a'r anghyfiawn, cofia di,' ychwanegodd ein prif gopyn. Finna'n gwingo'n ddiferol yn ei we, yn gwbod 'mod i wedi fy nal heb unrhyw ffordd allan. Eto i gyd, chyfeiriodd yr un o'r ddau at y dystiolaeth amlwg oedd o'u blaenau, dim ond gadael i'r seibiau siarad eu cyfrolau. Roeddan nhw'n amlwg yn mwynhau'r sefyllfa dipyn mwy nag yr oeddwn i'n ei wneud.

'Dos i drio fo 'ta, Cefin bach . . . Heddiw, dim fory,' medda Mam.

Daliodd Mr Jones plusman y trowsus imi'n ffurfiol – yn seremonïol, bron – fel tasa fo'n cyflwyno'r corn hirlas i brifardd. Fedrwn i ddim gafael yn ei drowsus glân â'm dwylo gwyrddion(ish) ac felly fe guddiais un llaw yn fy llawes ac ymestyn fy mraich allan iddo. Bu yntau'n ddigon caredig â rhoi ei lodrau duon dros fy mraich dde. Roedd yn ddigon agos ata i bryd hynny i arogli pob tystiolaeth ond, hyd yn oed wedyn, chyfeiriodd o 'run gair at y peth, 'mond gadael imi ddianc o'i afael fel pry cop oedd wedi cael ei wala am y dydd. Roeddwn yn ddyn rhydd!

Rhedais i'r llofft a molchi pob arlliw o dystiolaeth a thrio'r trowsus.

"Dio'n ffitio?' galwodd Mam o waelod y grisiau.

'Ydi . . . diolch!'

'Diolch i Mr Jones sydd isio i ti . . . dim i mi.'

'Diolch, Mr Jones!' atebais, gyda rhyw arddeliad a phwyslais ychwanegol ar y gair bach hwnnw nad ydan ni'n ei ddefnyddio'n hanner digon aml. '*Diolch*, Mr Jones!'

§

Tra eisteddwn ar fy ngwely'n synfyfyrio dros holl weithredoedd y dydd, dwi'n siŵr imi glywed Mam a Mr Jones yn chwerthin dros eu paneidiau yng nghegin Stanley House y noson honno.

I gwmni Mace yr arferai Mam weithio ac roedd yna arwydd o'r brand uwchben y siop o'r cychwyn cyntaf. Arwydd streipiog glaswyrdd oedd iddo a châi Mam botiad o baent o'r un lliw yn achlysurol i beintio ffenest y siop hefyd. Chwi wyddoch beth sydd i ddod.

Byddai Karen yn aros am y bỳs ysgol yn nhop y pentref; byddwn innau'n dal y bỳs yn y bỳs-stop canol, ac roedd yr arwydd gwyrdd(ish) yn nes at fỳs-stop gwaelod y pentref. Roedd Karen yn cadw sedd imi'n ddyddiol ar y bỳs, ac erbyn inni gyrraedd Pen-y-groes byddem wedi rhoi'r byd i gyd yn ei le. Er ei bod yn bartner deuawd imi am flynyddoedd a chanddi lais alto hyfryd, Domestic Science oedd prif bwnc Karen. Byddai ganddi fasgedeidiau o gacennau a stiws ar y gweill yn ogystal â dilladach a llestrïach yn mynd a dod o'r ysgol. Llond ei hafflau y byddwn yn ei helpu i'w halio o'r naill wers i'r llall ac yn dod â dŵr i'm dannedd ar ddiwedd dydd bob amser.

Ond y bore hwnnw, yswn am weld ymateb fy ffrind wrth inni basio Pont Felin. Rhoddais amnaid arni chydig lathenni cyn y bont ac edrychodd hithau allan a chwilio am yr arwydd.

'Be ti'n feddwl?' holais yn dalog, gan obeithio gwasgu rhywfaint o edmygedd o'i chroen. Ond y cyfan ges i oedd: 'Pryd wnest di hwnna?' a chwerthiniad bach. Pam oedd rhywun yn chwerthin am ben gweithred o brotest oedd wedi dod yn syth o'r galon? Be oedd mor ddigri am safiad-yn-erbyn-pobl-daeog-oedd-yn-llyfu-tin-y-Sais-a-chodi-ein-llais-drwy-fynd-allan-i'r-caeau-â'n-cân-ac-i-floeddio-yn-y-ffyrdd-ein-bod-yn-mynd-i-beintio'r-byd-yn-wyrdd?

Pam nad oeddwn yn cael yr ymateb a ddisgwyliwn gan bawb?

'Be sy'n gneud i chdi feddwl mai fi fuo wrthi?' gofynnais yn daer.

'Cefin!' meddai. 'Chi 'di'r unig dŷ yn Llanllyfni efo'r shêd yna o dyrcois. A dim dy dad 'nath o, 'naci, achos fasa fo 'di gneud dipyn gwell job ohoni na hynna!'

A dyna fy rhoi i yn fy lle'n ddigon del cyn symud ymlaen i drio dyfalu gan bwy fasan ni'n cael copïo gwaith cartra *geometry*.

'Dysgu'r anthem . . . '

Megan, fy nghyfnither o Nantlle, fyddai bob amser wrth law i gael Karen a finna allan o'r corneli na allem ni eu mesur na'u datrys. Caem ein dau ryddid llwyr gan Megs i ruthro i lenwi tudalennau ein copi bwcs â'r siapiau a'r onglau rhyfeddaf na olygai 'run dim i Karen a minnau. Bessie Bach, un o gofweinyddion y Gymdeithas Ddrama, oedd ein hathrawes Mathemateg i fyny i Form Four, yr un ofynnodd imi flynyddoedd ynghynt, 'If x plus four equals nine, what is the value of x?' Ond wedi iddi hi ymddeol, fe ddaeth Emrys Price Jones yn bennaeth Mathemateg, a doedd o ddim hanner mor oddefgar hefo disgyblion oedd yn amlwg wedi copïo gwaith a daeth twyllo'n anoddach a'i amynedd yntau'n llawer byrrach fesul gwers.

Daeth colli'r ysgol yn fater o raid ambell ddiwrnod os oeddwn am osgoi canlyniadau diogi a llaesu dwylo. Pan fyddai *double* Physics, Maths a Chemistry yn ein hwynebu, byddai dyrnaid ohonom yn treulio ambell fore cyfan yn hen stesion Pen-y-groes. Roedd Beeching wedi gwneud ei lanast ac roedd yr hen orsaf drenau ym Mhen-y-groes wedi cau ers blynyddoedd. Cyn pen dim roedd fandaliaid wedi torri i mewn i'r adeilad ac wedi dwyn unrhyw beth a oedd o werth yno cyn ichi ddeud 'injan drên'. Ond roedd yno stafell aros ddigon cysurus o hyd, lle tân ac ambell fainc i eistedd arni. Yno y byddem yn mynd i sgipio'r gwersi caletaf i gyd am gyfnod. Nia Jones, Siân Crearer, Hefina a finna oedd y pechaduriaid gwaethaf. Byddai pawb yn gyfrifol am ddod â rhywbeth i ginio inni ei rannu. Diflannodd sawl paced o greision a phorc peis o Stanley House bryd hynny. Casglem goed tân oddi ar y rheilffordd segur a berwi dŵr i wneud paned hyd yn oed. Chwarae cardiau, cyfansoddi cerddi a chaneuon serch siwgwraidd, unrhyw beth i osgoi'r hunllef o eistedd drwy theorïau, problemau ac arbrofion drewllyd. O am gael y dyddiau hynny'n ôl! Ymddiheuriadau anferth i Archimedes, Isaac Newton, Emrys Price Jones, Nesta Wyn Jones a'r holl gyfleon a gollais yn paldaruo, clownio ac osgoi'r holl wybodaeth y gallwn fod wedi'i chostrelu ar gyfer gweddill fy mywyd. Ond falla, dim ond falla, taswn i wedi cael coginio a gwnïo, taswn i ond wedi deall y wefr a gafodd Archimedes yn ei fath yn hytrach na'i bod wedi'i chyflwyno'n theori inni fel poliparots neu gosb, y byddwn innau wedi cael fy nenu'n amlach at goridorau'r ysgol uwchradd. Dwi wedi bustachu i wnïo peth mwdril o wisgoedd yng Nglanaethwy dros y blynyddoedd ac wedi gwneud sawl pryd bwyd i deulu a ffrindiau hefyd ond, hyd heddiw, dwi'n gwarafun na ches i rioed y sgiliau sylfaenol yn y dyddiau cynnar hynny yn Ysgol Dyffryn Nantlle – y pynciau y byddwn i wedi'u dewis petai yna gyfle cyfartal ym *mhob* pwnc. Does dim o'i le ar y rhan fwyaf o athrawon ond mae ein system addysg (yn enwedig y system uwchradd) yn ddiffygiol iawn. Llawer un wedi deud fod angen edrych arni o'i chyrion. Eiliaf.

Cawsom nifer o athrawon da ac ymroddgar, a dwi eisoes wedi enwi sawl un ohonyn nhw. Ond ges i ddigon o brofiad hefyd i wybod fod yn rhaid wrth athro ysbrydoledig i werthu ei bwnc i'r defaid sy'n bygwth crwydro. Fel un sydd wedi dysgu cryn dipyn o ddisgyblion yn fy nydd, ein dyletswydd ni ydi gwneud ein pwnc mor ddifyr ag y gallwn i'r dosbarth cyfan. Bydd ambell ddafad golledig bob tro, ond peidiwn â phregethu i'r rhai sydd eisoes yn y gorlan yn unig. Mae'r rheiny yno'n saff yn ein dwylo. Ond be am yr un sy'n cuddio y tu ôl i'r labordy Biol yn smocio neu'n rhynnu mewn stesion wag yn chwarae tŷ bach? Ewch i chwilio amdano. Pan ddaw'r Mab Afradlon yn ei ôl, bydd yn ffyddlon ichi am weddill ei oes.

Fel dameg yr heuwr, falla bydd ein had yn syrthio i blith y drain weithiau, ond gellir tocio drain hefyd, a throi'r talcen caled yn feddal. 'Dio ddim yn bosib bob amser, ond ein gwaith ni, athrawon, ydi peidio rhoi'r ffidil yn y to yn rhy fuan. Mae Mick Jagger yn mynd i gyfeiriad eitha tebyg yn y gân sy'n dwyn yr un teitl â'r ffilm. Tydi hi ddim yn un o'i ganeuon enwocaf ond i mi, a sawl un o'i ddilynwyr, mae hi'n un o'r clasuron a aeth ar goll dros amser:

> *There's something wrong and it gives me that feeling*
> *Inside, that I know*
> *I must be right,*
> *It's the singer not the song.*

Dysgeidiaeth yr athrawon hynny a aeth yr ail filltir i'n cael i feistroli unrhyw sym, rheol neu sgìl sydd wedi aros hefo fi ar hyd y daith: y rhai a wyddai go iawn fod yn rhaid cropian cyn cerdded, fod dawn yn weddw heb ei chrefft a bod 'gwae inni wybod y geiriau heb adnabod y gair, / a gwerthu ein henaid am doffi a chonffeti ffair'.

'Araf iawn wyf fi i ddysgu, / Amyneddgar iawn wyt ti,' meddai Elfed yn ei emyn mawr 'Dysg im gerdded'. Mae angen amynedd a dyfalbarhad i feistroli unrhyw grefft – ac mae ar bob athro gwerth ei halen angen angen pinsiad ychwanegol. ddudwn i:

> Dysgu'r anthem,
> *Dysgu'r* anthem,
> Cyn cael telyn yn y côr.

Aaaaaaaaamen!

'A dedwydd iawn, doed â ddêl'

Megan a finna oedd yr unig ddau o'n blwyddyn ni a ddewisodd Gerddoriaeth fel pwnc i'w astudio ar gyfer Lefel A. Erbyn hynny roedd Glenys Griffiths wedi llwyddo i'n cael i feistroli mwy ar reolau harmoni a gwrthbwynt ac roeddwn wedi dechrau gwerthfawrogi cerddoriaeth glasurol yn ogystal â chaneuon y Beatles a'r Stones, Simon and Garfunkel a'r Amen Corner. Caem y gorau o'r ddau fyd yn y stafell gerdd. Ond doedd gennym ni neb i rannu ein gwefr gerddorol â hwy y tu allan i'r criw bach dethol hwnnw. Doedd neb o'r Chweched yn trafod Wagner a Vaughan Williams, dim ond Megan a fi – yn slei bach. Caem ein swyno gan y *Sea Symphony* gymaint ag y caem gan Paul McCartney'n canu 'Yesterday'. Ond roedd sŵn newydd yn dechrau torri'n donnau dros ein clustiau. Roedd Meic Stevens, Heather Jones a'r dyn oedd wedi ein hannog i 'beintio'r byd yn wyrdd' yn mynnu ein sylw hefyd.

Dyma'r cyfnod pan aem yn fyseidiau o gefnogwyr o'r sgwâr ym Mhen-y-groes i Gorwen, Pontrhydfendigaid a Neuadd y Brenin, Aberystwyth, i ganu nerth esgyrn ein pennau hefo'r Tebot Piws a Bara Menyn. Heidiem i Lan-llyn yn syth wedi'r Steddfod, ac os deuai Dewi Pws neu Dafydd Iwan yno ar eu hald byddai'n gwyliau haf yn gyflawn.

Ymunais â Chymdeithas yr Iaith yn Eisteddfod y Fflint, 1969. Byddai'n flwyddyn arall, Eisteddfod Rhydaman

1970, cyn y teimlai Mam fy mod yn ddigon hen i aros yn y maes pebyll, felly fe arhosais gyda chwaer ieuengaf Mam, fy Anti Ceri, mewn pentref bach o'r enw Rhewl. Daliwn y bỳs o Fostyn i'r Fflint bob ben bore ac er bod Gwyn wedi methu dod hefo fi y flwyddyn honno, roeddwn yn nabod digon o eisteddfodwyr i gael cwmni drwy'r dydd ar y Maes: Carys Armstrong (Carys Mai ar y pryd) a'i brawd, Rolant, Leah (Owen), Mei Jones (Wali Tomos i rai). Rhagor am Mei nes ymlaen.

Ond roeddwn yn ddigon hapus a hyderus yn fy nghwmni fy hun hefyd. Treuliwn oriau'n eistedd yn y pafiliwn a'r theatr, y Babell Lên a'r stondinau yn gwario amser ac arian ac yn anadlu 'Nghymreictod newydd fel tasa 'na ddim digon i'w gael.

Yno y clywais i Dafydd Iwan yn areithio am y tro cyntaf. Roedd yn siarad y tu allan i babell Cymdeithas yr Iaith a llyncais bob sill gydag awch newydd. Hon oedd blwyddyn yr Arwisgo yng Nghaernarfon ac roedd y tywysog yn ymweld â'r Maes y diwrnod hwnnw. Yng ngwres y foment fe wariais hynny o arian oedd gen i ar ôl i dalu f'aelodaeth a phrynu poster o 'Carlo' gyda'i glustiau chwyddedig a'i goron simsan ar ei ben. Roeddwn innau ar ben fy nigon.

I goroni'r diwrnod, roedd yr aelodau'n gorymdeithio o gwmpas y Maes mewn protest a dwi ddim yn ama na wnaethon ni gydamseru'r orymdaith gyda dyfodiad y tywysog i'r Maes. Roeddwn yn simsanu rywfaint, a doeddwn i ddim yn siŵr iawn pam y teimlwn ychydig yn ansicr yn martsio tu ôl i fy arwr. Toeddwn i wedi gwario fy ngheiniogau olaf ar boster ac wedi cytuno â phob gair oedd gan Dafydd i'w ddweud wrthym ryw awr ynghynt?

Fel roedd y car brenhinol yn nesáu at y Maes, fe wawriodd arna i pam roeddwn i'n teimlo fymryn yn lletchwith. Difrïo person oeddan ni, ac nid sefydliad neu awdurdod. Dyn o gig a gwaed oedd y tywysog, a minnau'n dal digriflun ohono oedd yn ei fychanu ac yn sefyll o fewn

tafliad carreg iddo. Ond dechreuodd y dyrfa ganu 'Carlo'
ac roedd yna gryfder mewn gwneud sŵn. Unrhyw sŵn.

Yn sydyn, roedd rhywun wedi cipio'r poster o'm llaw
ac yn ei rwygo'n rhacs o flaen fy llygaid a'i sathru yn y
diarhebol fwd eisteddfodol. Nabyddwn ei hwyneb yn iawn
ond fedrwn i ddim rhoi enw i'r ddynes. Roedd ei llygaid yn
filain a'i gwefusau'n dynn. Dynes o Ben-y-groes oedd hi, fe
wyddwn i gymaint â hynny. Wrth iddi ddechrau bytheirio
roedd ei minlliw coch dros ei dannedd a'i llygaid yn culhau.
'Aros i mi ddeud wrth dy fam!' meddai, a'm gadael yno yn
fud ac yn gwrido o flaen fy nghyd-brotestwyr. Wyddwn
i ddim lle i droi. Oedd gen i'r galon i fynd i floeddio ar
yr hogyn 'ma o Lundain oedd wedi dod i'r Maes i weld ei
ddeiliaid yn curo dwylo iddo? Be fyddai Mam yn 'i ddeud
os deuai i wybod 'mod i wedi gwastraffu f'arian ar damaid
o bapur a chartŵn arno? Sut goblyn awn i'n ôl i Fostyn
heb ddima goch y delyn i dalu am docyn bỳs?

Dwi ddim yn cofio'n iawn sut yr es i adra – bodio am
wn i – na beth wnes i am weddill y diwrnod – cicio fy
sodla am wn i, ond gwn fy mod yn teimlo'n ddryslyd am
nifer o bethau. Roeddwn yn dal yn fy arddegau cynnar ac
yn benderfynol o fynd i Rydaman y flwyddyn ganlynol i
gystadlu a bod yn fwy o ran o'r sîn eisteddfodol.

Mynd a dod ddaru'r Arwisgo, ond mae'r frenhiniaeth
yn dal hefo ni wrth gwrs, ac mae'r holl giwed wedi codi
fy ngwrychyn i byth ers hynny. Mae'r tywysog yn frenin
bellach, ond dwi ddim am wastaffu 'mhriflythrennau arno.
Mae digon o arian wedi'i wario'n barod, heb wastraffu inc
y wasg Gymraeg.

Dwi'n myned yn waeth wrth fyned yn hŷn.

§

Roeddwn yn edmygydd mawr o Leah Owen ar y pryd –
ei llais, ei thalent, ei chaneuon a Leah ei hun. Roedd hi'n
gystadleuwraig frwd ac fe'i hedmygwn am sawl rheswm.

Yn fwy na dim, doedd dim cythraul canu yn perthyn i Leah o gwbwl, a buom yn cystadlu yn erbyn ein gilydd am flynyddoedd wedi hynny. Dechreusom sgwennu at ein gilydd ac er mai canlyn o hirbell oeddan ni, mae llythyrau Leah i gyd gen i hyd y dydd heddiw.

Mae'n debyg y bydd rhai yn gofyn rŵan: 'Lle roedd Rhian yng nghanol hyn i gyd, 'ta?' Wel, fel pob pâr o gariadon ifanc ac fel y soniais eisoes, rhyw fynd a dod oedd ein carwriaeth ninnau yn ystod y cyfnod cynnar yma. Roedd gen i fy ffrindiau yn Llan, fy ffrindiau yn y dosbarth, yn yr Aelwyd, y Gymdeithas Ddrama, y Côr Sir a'r rheiny oedd ar yr un cylch eisteddfodol â mi. Er y byddai cryn groesi ar y cylchoedd yma, roedd gan bob un ei batrwm a'i reolau unigryw ei hun hefyd. Roedd yr amrywiaeth yn bwysig i mi bob amser. Ac roedd fy nheulu yn bwysig imi hefyd, gan gynnwys y teulu estynedig.

Mi wnes i fwynhau fy nghyfnod yn y Chweched Dosbarth. Mi ddewisais wneud dau Lefel A yn unig, sef Cerddoriaeth a Chymraeg. Gan 'mod i byth a hefyd mewn gwersi canu, dawnsio, piano, yn crwydro eisteddfodau a chyngherddau, roedd gen i ddigon ar fy mhlât heb fynd i orlethu fy hun yn academaidd. Nid academydd oeddwn i ac er bod Mam wastad yn deud fod gen i ddigon rhwng fy nwy glust, doedd gen i ddim lle i ddim byd ychwanegol yno bryd hynny ond y pethau hynny a roddai wir foddhad i mi. Roedd bywyd yn rhy fyr i wneud unrhyw beth a âi'n groes i'r graen. Fe awn ar brotestiadau a ralïau'n fwy rheolaidd, roeddwn yn gadeirydd neu'n ysgrifennydd ar hyn, llall ac arall, ac fe wirfoddolodd Karen a minnau i fynd i adlonni yn Ysgol Pendalar yng Nghaernarfon bob nos Iau. Ysgol i blant ag anabledd yw Pendalar, ac fe wnaethom fwynhau pob munud yn eu cwmni am flwyddyn gron. Roedd bywyd yn llawn i'r ymylon, fel nad oedd lle i astudio ryw lawer.

Fe wibiodd fy nghyfnod yn y Chweched nes imi gyrraedd y diwedd heb unrhyw syniad clir o'r hyn yr oeddwn i am ei wneud. Roedd fy ffrindiau i gyd wedi cael eu derbyn i'w hamrywiol golegau a chyrsiau: Rhian Jones ar fin cychwyn ar ei chwrs nyrsio yn Guy's yn Llundain, Karen wedi'i derbyn i Goleg Caerleon, a nifer o'm cyfeillion yn y Côr Sir yn mynd i wneud ymarfer dysgu yn y Coleg Normal neu i Aberystwyth i astudio'r gyfraith.

Roeddwn eisoes wedi bod am gyfweliad i'r Normal, ond pan ddudodd Jim Davies wrtha i nad oeddan nhw'n edrych yn ffafriol ar unrhyw fyfyriwr oedd yn mynd ar brotestiadau iaith fe ges draed oer yn syth. Rhwng hynny a'r ffaith 'mod i awydd symud yn llawer pellach o adra, mi newidiais fy meddwl o fewn dim. Fyddwn i ddim am weld Mam yn cnocio ar ddrws fy stafell yn gofyn oedd gen i sana budur i'w golchi! A fyddwn i wir ddim yn rhoi hynny heibio Mam, credwch chi fi.

Mae gen i gof ohoni hi unwaith yn glanio yng Nghaernarfon ryw nos Sadwrn lawog yn y caffi a elwid yn Mantico. Roeddan ni mynd yno'n griw o ffrindiau am Vimto poeth i sgwrsio a ll'gadu pwy oedd allan am y noson. Treuliodd Rhian a finna oriau yno pan awn i lawr am fy ngwers ganu bob nos Fercher. Nos Sadwrn bach oedd yr enw answyddogol ar nosweithiau Mercher yng Nghaernarfon, ond doedd y Mantico ddim mor llawn ar nos Fercher, a chaem aros yno ychydig yn hwy gan y ddynes bigog a redai'r lle. Ond y nos Sadwrn wlyb honno, a'r caffi dan ei sang, fe ymddangosodd Mam allan o'r storm a thrwy ddrws y Mantico fel tasa fo'r peth mwya naturiol i fam 'i neud. Llond bwrdd ohonan ni yno'n sgwrsio ac yn gwrando ar 'Let It Be' a 'Yesterday' ac wedi ymlacio'n braf.

'O'n i'n ama mai yma y basat ti,' medda Mam. Roedd hi'n gwisgo un o'r hetia consertina bach plastic hynny y bydda merched canol oed yn 'u gwisgo stalwm i gadw'u gwalltia'n sych, a 'nghôt gaeaf dros ei braich. 'Mi est allan heb bwt o gôt amdanat, felly mi ddois i ag un i chdi, yli.'

O'r cywilydd! O, Mam!

Llanc ifanc yn Llŷn

Mae gen i gant a mil o atgofion am fy mhlentyndod nad ydw i wedi llwyddo i'w hadrodd yn y gyfrol. Ond mae yna hanesyn neu ddau na allwn i adael iddyn nhw fynd, y profiadau hynny gafodd y fath ddylanwad arna i fel na fyddai'r darlun yn gyflawn heb eu nodi. Dyma'u llusgo gerfydd eu sgrepan i'r fan yma, felly, cyn symud ymlaen i ddyddiau Coleg y Drindod a Choleg Cerdd a Drama, Caerdydd.

Naw oed oeddwn i pan es i Roshirwaun ar fy ngwyliau haf a threulio mis cyfan yno'n meddwl 'mod i yn fy seithfed nef. Dim byd yn anghyffredin yn hynny, falla, ond yn 1962 roedd treulio mis ar aelwyd gwbwl ddiarth, heb na rhiant na ffrind yn gwmni a lle nad oedd trydan eto wedi cyrraedd y pen hwnnw o'r wlad, yn wyliau go wahanol i'r rhelyw.

Merch ifanc o Dy'n Lôn, Rhoshirwaun, oedd Mair. Gweithiai yn y swyddfa bost yn Llanllyfni, a dwi'n credu y byddai'n lojio hefo Mr Edgar Williams a'i deulu yn ystod yr wythnos a'i thad yn dod i'w hebrwng adre ar benwythnosau. Chofia i ddim y manylion yn iawn sut y bu i Mair fy nghlywed yn canu, ond dyna a'i symbylodd i ofyn i Mam a gâi hi fynd â mi adre hefo hi am benwythnos.

Doedd fy rhieni ddim yn graig o arian a'r unig wyliau gawswn i cyn hynny oedd penwythnos yng nghartref Yncl Gruff, brawd hynaf fy nhad, yn y Barri. Rhedai Yncl Gruff a'i wraig, Anti Mon, fusnes gwely a brecwast yn eu

tŷ trillawr ar y ffordd i lawr i'r Knap enwog lle roedd y pwll
nofio awyr agored gorau yn y byd. Mae colled enfawr ar ôl
y pyllau hynny. Ym mhyllau nofio awyr agored Caernarfon,
y Rhyl, Caerdydd a'r Barri y cefais i rai o'm hanturiaethau
gorau – pob un wedi'i chwalu'n sarn erbyn hyn.

Glaniodd fan Morris Thousand tad Mair un nos Wener
yn brydlon am saith o'r gloch, pryd y byddai Mam ac
Edgar Williams yn cau eu siopau am y dydd. Cawsom ryw
damaid i'w fwyta a finna ar dân isio'i chychwyn hi am y
wlad newydd. Roedd Mair wedi deud wrtha i fod Llŷn yn
eitha pell. Roeddwn i wedi bod yno sawl gwaith o'r blaen
ar fy nheithiau eisteddfodol, ond roedd Mair yn deud nad
i Lŷn yn unig yr oeddan ni'n mynd y tro yma, ond i Ben
Draw Llŷn – ac roedd hynny'n llawer, llawer pellach na
Llŷn. Roedd Pen Llŷn dipyn pellach na Llŷn hyd yn oed,
ond roedd Pen *Draw* Llŷn gymaint pellach wedyn! Roedd
hi wedi dechrau nosi erbyn inni ei chychwyn hi, a chan
nad oedd ein gyrrwr yn mynd lawer mwy na rhyw ugain
milltir yr awr roedd hi fel y fagddu erbyn inni gyrraedd
Pwllheli. Ond roedd y goleuadau stryd yn dal i befrio
uwch ein pennau.

''Dan ni 'Mhen Draw Llŷn rŵan?' gofynnais, wrth i'r
fan fach dagu ei ffordd tua Llanbedrog.

'Ddim eto,' medda Mair. 'Aros di nes yr awn ni i ben yr
allt nesa 'ma.'

Ac i fyny â ni am Fynytho. The Ship ydi enw'r dafarn ar
waelod yr allt enwog honno y byddwn i, yn hytrach na'r
fan fach, yn bustachu'n feddw arni ryw chwe blynedd
yn ddiweddarach pan aem i ddawnsfeydd i neuadd goffa
enwog Mynytho. Byddai'r bws yn dadlwytho'r yfwrs yn
y dafarn cyn mynd â'r gweddill sobor i bromenadio a
sgipio'n gylchoedd yn y neuadd, y canodd Williams Parry
amdani:

Adeiladwyd gan dlodi, — nid cerrig
Ond cariad yw'r meini;
Cydernes yw'r coed arni,
Cyd-ddyheu a'i cododd hi.

Wedi bod yn un o'r 'sgipiwrs' am flynyddoedd, fe ddaeth yr amser i minnau droi'n un o'r yfwrs pan gyrhaeddais y pymtheg oed peryglus hwnnw lle mae pwysau arnoch i ddilyn y dorf a mentro i fyd yr anwybod, torri rheolau a mynd yn erbyn ewyllys eich rhieni a'ch henuriaid. Ac yno, yn y Ship yn Llanbedrog, y cychwynnais i 'mherthynas â'r cyffur sydd wedi lladd a dinistrio bywydau rhai o'm ffrindiau gorau. Wnaeth o ddim ffafrau â minnau ar sawl achlysur chwaith.

Roedd fy rhieni'n dipyn o yfwrs eu hunain. Aent allan bob nos Iau a nos Sadwrn yn rheolaidd, ac er y byddai'r ddau'n arfer cymedroldeb y rhan fwyaf o'r nosweithiau hynny, bu ambell eithriad lle byddai pethau'n mynd yn rhemp yn tŷ ni. Roedd hynny yn y dyddiau cyn y *breathalyser*, a dwi'n rhyfeddu weithiau na chawson nhw 'run ddamwain yn ystod y cyfnod hwnnw. Deuai'r nosweithiau meddw hynny i ben yn ddigon diniwed yn amlach na pheidio â Mam yn hudo nifer o'u ffrindiau adra a llond eu hafflau o jips a chyw iâr a chwrw. Eithriad oedd y nosweithiau lle byddai'r drol yn cael ei throi, ond pan ddigwyddai fe âi hi'n rycsiwns acw wedyn. Ac weithiau fe adawai flas drwg yn y geg am wythnosau: 'Y tadau a fwytasant rawnwin surion, ac ar ddannedd y plant y mae dincod' (JEREMEIA 31).

Ond roedd aelwyd sobrach o beth mwdril yn fy aros ym Mhen Draw Llŷn y noson hwyrol honno o Awst yn 1962. Wedi pasio'r Neuadd Goffa ym Mynytho fe ofynnodd Mair i'w thad barcio'r fan fach ar ben yr allt a arweiniai at Fotwnnog a Sarn Mellteyrn gan gyhoeddi 'mod i rŵan wedi cyrraedd Pen *Draw* Llŷn. Ond doedd dim i'w weld.

Y cyfan a welwn o mlaen oedd tywyllwch dudew; o'r fan honno ymlaen roedd hi'n edrych i mi fel tasan ni wedi cyrraedd *diwedd* y byd.

Aethom allan o'r fan i weld yn well. O'm hôl, i'r dwyrain, roedd goleuadau'r arfordir yn dal i befrio fel mwclis melyn am wddw'r bae, ond doedd dim i'w weld tua'r gorllewin ond y fagddu – fel bol buwch. A dyma pryd yr eglurodd Mair wrtha i mai'r dudew o mlaen oedd Pen Draw Llŷn. Roedd yn dywyll, eglurodd Mair, am nad oedd trydan wedi cyrraedd y pen yma o'r wlad eto. Mi gyneuodd y cwestiynau fel bylbiau yn fy mhen. Sut oeddan nhw'n coginio? Sut oeddwn i'n mynd i folchi? Be am radio a theledu? Be am ddarllen yn fy ngwely?

Bob hyn a hyn byddem yn pasio bwthyn bychan ar ochr y ffordd a sylwais fod ambell ffenest â mymryn o olau'n taflu gwawl melyn o'r tu mewn ar y cyrtans les. Roedd yn olau rhy egwan inni ei weld o ben y graig ym Mynytho, ond wrth eu pasio yn y fan fach fe gysurais fy hun fod rhyw lun o oleuni i'w gael ym Mhen Draw Llŷn. Holais Mair sut roedd modd i'r tai fod wedi'u goleuo os nad oedd trydan yn y tai. Ai canhwyllau oedd ganddyn nhw?

"Rhosa nes cyrhaeddi di Dy'n Lôn,' oedd yr ateb ges i unwaith eto.

Ac aros fu'n rhaid. Ac fe ddaeth yn amlwg i mi dros yr wythnosau wedyn fod aros yn beth mawr yn Rhoshirwaun, Pen Draw Llŷn. Aros am eich bwyd. Aros am y llanw. Aros am y bỳs. Aros eich twrn. A hyd yn oed aros am ein Gwaredwr.

Ymhen hir a hwyr fe gyrhaeddom Dy'n Lôn (nad oedd yn Rhoshirwaun o gwbwl). Roedd y bwthyn o leia filltir dda y tu allan i'r pentref ei hun ac, yn driw i'r enw a roed arno, roedd o reit ar gongol y lôn rhwng Rhoshirwaun a Bryncroes. Bwthyn bach diarffordd, dinod, diaddurn a didrydan. Ond yn sicr, bendant doedd o ddim yn ddigroeso. Dim o bell ffordd.

Roedd yr arogl olew yn llenwi'm ffroenau ymhell cyn i mi weld y lamp fechan ar y bwrdd bwyd lle tarddai'r goleuni a lenwai'r stafell fyw fechan lle ces i'r croeso cynhesaf cyn 'mod i hyd yn oed wedi rhoi fy nghês bach i lawr. Roeddwn ym mreichiau mam Mair cyn ichi fedru deud Porth Sgadan a hithau'n fy ngwasgu'n dynn fel taswn i wedi'i nabod hi rioed. Tasgai fflamau o gwmpas crochan o ddŵr oedd yn mudferwi yn y grât a theimlwn fy mod wedi bod yma o'r blaen mewn rhyw fywyd arall. Roeddwn wedi gwrando droeon ar Madge (Hughes) yn adrodd talpiau allan o *Te yn y Grug* a *Traed mewn Cyffion* ac wedi rhannu paned hefo Begw a Winni yng nghartref Elin Gruffydd fy nychymyg ar sawl achlysur. Lle felly oedd Ty'n Lôn.

Dwi ddim yn cofio'n iawn pryd y cyrhaeddodd Helen, chwaer ieuengaf Mair, adre. Ond mae gen i frith gof ei bod allan yn nhŷ ffrind ar fy noson gyntaf. Ond gyda Helen y byddwn yn treulio'r rhan fwyaf o weddill fy ngwyliau haf y flwyddyn honno. Roedd Helen yn Ysgol Uwchradd Botwnnog bryd hynny a rhyw dair, bedair blynedd yn hŷn na fi. Ond plant o'r wlad oedd y ddau ohonan ni, lle nad oedd y gwahaniaeth oedran yn gwneud unrhyw wahaniaeth mewn gwirionedd. Os oeddech chi wedi eich magu yng nghanol caeau a bryniau a neb arall yr un oed yn gymdogion, buan iawn y dysgech fod modd torri ias unrhyw fwlch mewn oedran er mwyn cwmni.

Ond yr hyn dwi'n ei gofio'n bennaf am y noson gyntaf honno ydi i Reuben, y mab, gyrraedd yn ôl hefo dau granc go nobl yn ei fag 'sgota. Profiad cwbwl ddieithr i mi oedd ei weld yn trin y crancod mor gyflym gan osgoi'r crafangau bachog yn ddeheuig. Cyn pen dim roedd y creaduriaid cregynnog yn berwi yn nŵr y sosban a minnau, fel y bachgen hwnnw yng nghân 'Y Gleisiad' gan Schubert, 'yno'n crynu, heb allu gwneuthur dim'.

Doeddwn i erioed o'r blaen wedi blasu bwyd cregyn, ond mae'r atgof hwnnw o wledda ar y cranc a'r tatws newydd a'r pys ffres yn dal i ddod â dŵr i 'nannedd. Ond doedd yr un gegiad yn cael mynd heibio'r wefus heb inni ddiolch amdani'n gyntaf. Plygem ein pennau'n ddefosiynol cyn pob pryd bwyd gan ddiolch i'r Duw Dad Hollalluog am ei ymborth hael . . . Amen.

Ar wahân i'r cinio ysgol arferol, dim ond pan ddeuai pregethwr draw y byddem ni'n gweddïo cyn pryd bwyd yn Stanley House, a'r pregethwr ei hun fyddai'n offrymu'r fendith bob tro. Fe fyddai Nhad wedi cael ffit a dwy haint tasa unrhyw un ohonyn nhw wedi troi rownd a gofyn i'r 'penteulu' ei chynnig.

Byddai gweddïau Ty'n Lôn yn dod o'r galon, yn newydd – ac yn hirfaith. Ond roedd dieithrwch yr holl brofiad yn fy swyno yn hytrach na'm diflasu. Gwyddwn yn iawn y byddai 'mrawd wedi hen syrffedu ar y diolch di-baid, ond roeddwn i ar ben fy nigon.

Wedi'm digoni, dyma fynd i ddadbacio yn y grogloft lle roedd dwy fatres, y ddwy ar y naill ochr a'r llall i'r stafell ar blanciau pren. Aethom yn ôl i lawr i'r stafell fyw i sgwrsio a dod i nabod ein gilydd yn well. Cyn pen dim roeddwn yn canu ac yn chwarae'r piano a phawb yn gwrando arna i'n mynd drwy 'mhetha. Ches i rioed y fath wrandawiad, a Mair ar ben ei digon.

Dwi'n siŵr fod y teulu yma wedi clywed canu cystal, os nad gwell na fi, gan sawl un cyn y noson honno, ond roedd yr adloniant yma ar dap iddynt. Fi oedd eu radio a'u teledu, a doedd dim ond rhaid iddyn nhw ofyn ac roedd hi'n 'Ditrwm tatrwm' ac yn 'Fachgen bach o dincer' cyn pen dim. Dotient ar fy mharodrwydd i adlonni hyd nes roeddwn i'n hesb o ganeuon ac o ddarnau i'w hadrodd. A daeth Huwcyn Cwsg o rywle i'n tewi ni i gyd.

Fel roedd hi'n amser noswylio, rhoed y lamp ar y bwrdd unwaith eto a daeth y Beibl Mawr allan yn ofalus. Dewisodd Reuben yr hanes am ddewis y deuddeg disgybl, darn addas iawn y noson honno, o gofio'r ymborth a gawsom: 'Dewch ar fy ôl i, ac fe'ch gwnaf yn bysgotwyr dynion'.

Wedi canu emyn a dweud 'nos da' goleuodd pawb eu cannwyll a'i gwneud hi am ein gwlâu – y lleill i'w siamberi a Mair a minnau i'r groglofft i fyny'r grisiau cul. Golau'r gannwyll yn taflu'r cysgodion a'n dilynai ar y waliau. O fewn dim yr oedd Mair ar ei gliniau unwaith eto'n gweddïo. Ddywedodd hi 'run gair y dylwn innau wneud yr un modd ond teimlwn ryw reidrwydd i'w hefelychu. Wedi diolch unwaith eto am y crancod a'r tatws a'r pys a'r mwyar duon, wyddwn i ddim beth arall i'w ddweud, a theimlwn yn siŵr fod gan Dduw reitiach pethau i'w gwneud na gwrando arna i'n diolch iddo unwaith eto am darten fwyar duon a chranc.

Uwch fy mhen roedd yr unig addurn a ffeindiodd ei le i'r daflod: llun lliw o Tom Sawyer a Huckleberry Finn. Mi syllais ar hwnnw am sbel yn ceisio cofio be'n union oedd y stori a pham yr oeddwn i mor hoff o gymeriad 'Huck'. Cofio'n sydyn ei fod yn f'atgoffa o Winni Ffinni Hadog y byddai Madge yn arfer adrodd amdani, ac yna'n sydyn fe aeth yn nos arna i.

Y peth nesa dwi'n ei gofio ydi breichiau tyner Mair yn gafael amdana i a'm rhoi yn y gwely. Dwn 'im am faint y bûm i yno'n cysgu ar erchwyn y gwely yn breuddwydio am grancod a hel mwyar duon hyd y gweirgloddiau – ac am ba hyd y bu Mair yn erfyn ar ei Duw i faddau'n pechodau ni i gyd.

O dan y llun roedd dyfyniad o'r nofel: 'I could forgive the boy, now, if he'd committed a million sins.'

Wedi gwledda mor harti, ces fy neffro ganol nos gan stumog simsan a phledren lawn. Doedd gen i ddim syniad lle roedd y tŷ bach ond roeddwn wedi sylwi ar y pot pi-pi wrth blygu 'mhen i ddiolch am y cranc. Ond roedd y cranc bellach yn talu'r pwyth yn ôl am ei aberth drwy grafangu'n fy stumog i.

Erbyn hynny roedd y canhwyllau wedi'u diffodd, a doeddwn i ddim wedi cynefino digon â'm hamgylchfyd i ddyfalu'r union le y gwelswn y pot pi-pi cyn cysgu. Oedd bosib y byddai Mair wedi'i symud? Efallai mai breuddwydio 'mod i wedi gweld pot wnes i? Be taswn i'n ei sathru a'i falu'n dipia wrth ddringo i lawr o'r gwely uchel? Matras wedi'i gosod ar silff go uchel oedd fy nghiando yn Nhŷ'n Lôn ac roedd gen i stôl fechan i'm helpu i fynd iddo. Ond ble yn y byd mawr oedd honno erbyn hyn? Fedrwn i weld y nesa peth i ddim a finna yn fy nybla isio pi-pi.

Diolch byth am ryw ewin o leuad. Wedi cynefino â'r golau egwan fe dasgai'r hen loer ddigon o olau i ddal gwynder porslen y pot oddi tana i. Cael a chael oedd hi ond mi fu'n rhaid i'r cranc gael gwneud ei waethaf tan y bore. Ond o leia roedd fy mhledren yn wag.

Codais y bore wedyn yn trio dyfalu lle byddwn i'n ymolchi a newid. Roedd yno dŷ bach ond pan wahoddodd Mrs Roberts fi i ddod am frecwast i'r stafell drws nesa i'r stafell fyw ces agoriad llygad arall. Rhyw fath o feudy oedd y gegin lle crwydrai'r ieir i mewn ac allan i bigo'r briwsion oddi ar y llawr – a sinc i ymolchi ynddi. Roedd yno stof a phopty a bwrdd a chadeiriau a phwt o orcloth ar y llawr. Ond roedd yno hefyd wair a chathod a chŵn ac ambell dderyn bach yn hedfan i mewn ac allan rŵan ac yn y man.

Cerddodd Helen a finna i'r siop i nôl torth a jam. Mi gerddon ni i'r traeth, mi gerddon i hel mwyar duon, mi gerddon i dŷ ryw fodryb ac mi gerddon ni rownd y gwartheg. Mi fûm i'n godro, yn corddi, yn hel wyau, yn sgrwbio dillad a'u rhoi drwy'r mangl. Ar y Sul mi fûm yn oedfa'r bore, yr ysgol Sul ac yn canu mewn nifer o dai cymdogion a ffermydd cyfagos ar ein ffordd adre. A chyn ein 'swper olaf' ar y nos Sul mi ofynnodd Mr Roberts i mi ddeud gras bwyd. Fues i rioed mor falch fod gen i weddi ar fy nghof, a gallwn ei dweud gydag arddeliad bellach, gan 'mod i'n deall pob un sill erbyn hynny:

O Dad, yn deulu dedwydd – y deuwn
 Â diolch o'r newydd,
Cans o'th law y daw bob dydd
Ein lluniaeth a'n llawenydd.

                              Amen.

Doedd neb yn deud gras bwyd cyn brecwast. Cyrhaeddai pawb yn ei dro a Mrs Roberts uwchben y stof yn tendiad ar ofynion pawb fel y deuent at y bwrdd. Roedd yr wyau mor ffres ag y gallent fod, wrth reswm, ac 'yn syth o din yr iâr' yn llythrennol yn Nhy'n Lôn. A'r ieir eu hunain yn dal i bigo briwsion eich crystiau rhwng eich traed.

Digon tawedog oeddan ni i gyd dros frecwast y bore Llun hwnnw, nes i Mair ddeud, 'Does dim rhaid iti fynd adra, cofia. Os nad w't ti isio.'

Mi fedra i ddychmygu y byddai gwyliau fel yr un a brofais i ym Mhen Llŷn yn naw oed yn swnio'n fwy fel hunllef i ambell un y dyddiau yma: corddi, cysgu mewn croglofft, cerdded milltiroedd i'r siop agosaf, dim trydan, dim dŵr poeth, cydfwyta hefo ieir a gweddïo'n daer a chyson am fwyd a maddeuant pechodau. Na, dio'm yn swnio'n rwbath y byddech chi'n rhuthro at asiant gwyliau i'w archebu, nac'di? Ond, hyd yn oed yn naw mlwydd oed, fe wyddwn yn iawn 'mod i'n cael profiad o rywbeth na fyddai yno'n hir iawn eto. Er bod olion o'r hen ffordd Gymreig o fyw yn dal i lusgo'u traed yn Nyffryn Nantlle bryd hynny, doedd hi ddim ar symud o Dy'n Lôn y chwedegau cynnar. Ac nid sôn am iaith yn unig rydw i, ond ffordd o fyw. Roeddwn i ar ben fy nigon a dim math o awydd mynd adra arna i. Felly, pan ddudodd Mair wrtha i nad oedd yn rhaid imi fynd os nad oeddwn i isio, fe neidiais at y cynnig yn syth – a bûm yn Nhy'n Lôn am fis cyfan!

§

Wedi'r wythnos gyntaf fe wnaed trefniant imi fynd i fferm gyfagos i ffonio Mam i'r ciosg oedd y tu cefn i Stanley House. Doedd gan fawr neb ffôn yn ei dŷ bryd hynny, wrth gwrs. I'r ciosg y byddai pawb yn mynd (ar wahân i'r bobol grand, a doedd ond dyrnaid o'r rheiny yn Llan yn y chwedegau). Felly, trefnwyd bod Mam yn mynd i'r ciosg i ddisgwyl galwad gen i o Ben Llŷn ar ddiwedd fy wythnos gyntaf yno. Roedd hi'n falch 'mod i'n mwynhau fy hun ond yn gobeithio nad oeddwn i'n gwneud lle blêr ac yn bihafio i Mr a Mrs Roberts. Mae'n rhaid fod Mair wedi clywed Mam o'r pen arall i'r ffôn ac mi ofynnodd a gâi hi siarad efo hi. Mi froliodd fi i'r cymylau gan addo y bydden nhw'n ofalus iawn ohona i ac yn daer am gael fy 'menthyg' am ychydig yn rhagor. Mi ddwedodd Mam wrth Mair y caen nhw 'nghadw i am dipyn eto os rhodden nhw ganpunt amdana i. Trawyd y fargen ac ym Mhen Llŷn y bues i am weddill y gwyliau. Ond lle ar y ddaear y cawn i ganpunt i'w rhoi i Mam?

Wedi imi fod yn canu yn nifer o dai'r cymdogion a chael sawl hanner coron, pum swllt ac ambell chweugain am yr adloniant, roedd gen i, erbyn hynny, yn agos i ddegpunt yn fy waled. Doeddwn i ddim wedi cyffwrdd 'run ddimai o ''mhres gwario' i chwaith, gan nad oedd angen yr un dim arna i yn Nhy'n Lôn, felly roeddwn i wedi celcio tuag ugain punt i gyd. Ond lle yn y byd mawr y cawn i ganpunt?

Un peth y bydda Mam yn ei bregethu'n wastadol wrth Alan a finna, pan fydden ni'n mynd i aros i dŷ Nain neu gyda'n cefndryd a'n cyfnitherod, fyddai inni gofio llnau'r bath yn lân ar ein holau. Mi fyddai hwn yn fyrdwn go bwysig ganddi. Ond er iddi f'atgoffa sawl gwaith o hynny cyn imi fynd ac wedyn ar y ffôn, doedd yna ddim y fath beth â bath i'w gael yn Nhy'n Lôn. Roedd yno sinc imi folchi'n lân a llnau fy nannedd, ond os oeddwn i awydd plymio dros fy mhen i ddŵr glân, fe gawn fynd rownd y gornel lle roedd gan Mr a Mrs Roberts gasgen fawr yn dal dŵr glaw wrth dalcen y tŷ. Mi ges fy nhrochi yn honno ar sawl achlysur yn ystod y mis Awst hwnnw.

Dim bath, dim cawod na theledu ar gyfyl ac eto, y noson honno, fe gefais fy hun yn cnocio ar ddrws y tŷ agosaf yn cynnig canu iddyn nhw! Os oedd gen i ugain punt yn barod ac y cawn chweugain ym mhob tŷ rhwng Ty'n Lôn a Rhoshirwaun, yna fyddwn i fawr o dro'n hel yr arian. Neu o leia mi fedrai Mair ddychwelyd i'r Post yn Llanllyfni fore trannoeth hefo deposit go deidi.

Buan y daeth Mr a Mrs Roberts i glywed am fy antur ac yn ôl i Dy'n Lôn y bu'n rhaid dychwelyd, a Mair yn trio egluro mai tynnu coes oedd Mam yn gofyn am ganpunt wedi'r cwbwl.

Ac yno y bûm i weddill yr haf yn mwynhau rhywbeth mwy na gwyliau. Mi dreuliais i oriau mewn cyfarfodydd pregethu meithion yn Neuadd Rhoshirwaun, pnawniau cyfan yn gwrando ar ffarmwrs a sgotwrs yn amenio yn y gwres a chanu cynulleidfaol, Band-o'-Hôp a hyd yn oed un seiat.

Wrth gwrs fod y traeth a'r llwybrau a chwarae am allan o hydion efo Helen a'i ffrindiau yn Rhoshirwaun yn gwneud i blentyn obeithio na ddeuai'r dyddiau hirfelyn hynny byth i ben, ond y 'rhywbeth arall' hwnnw sydd wedi aros hefo mi hyd heddiw. Fel yr un cynhwysyn hwnnw y byddai cwmni hufen iâ Cadwaladers, Cricieth, yn gwrthod ei rannu â'r cyhoedd, mae gan Ben Llŷn hefyd gynhwysyn lledrithiol na ŵyr neb beth yn union ydi o. Ond, beth bynnag yw'r gyfrinach, mi ges i fy nhrochi ynddi o'm corun i'm sawdl yn haf '62.

'Do, do, fe aeth o gam i gam Gan gofio cusan ola'i fam'

Gwyddwn fod Mam yn ofni'r diwrnod pan fyddwn yn pacio 'magiau a'i throi hi am y coleg. Wedi hir bendroni dros y dewis, am y Drindod yr es i yn y diwedd. Câi Mam rywfaint o gysur o feddwl fod ei dau fab yn yr un coleg, a byddai'r brawd mawr yno i ofalu am ei chyw melyn ola. Ond gwn hefyd iddi fod fymryn yn siomedig nad es i i'r Coleg Cerdd a Drama i astudio i fod yn ganwr.

Ar y pryd, Coleg y Castell y gelwid y Coleg Cerdd a Drama, ac mae'n dân ar fy nghroen i bellach fod Cymry Cymraeg glân gloyw'n ei alw'n y 'Royal Welsh'. Finna wastad wedi meddwl mai gwartheg a moch oedd yn cael eu harddangos yn fan'no.

Yn wir, mi es am glyweliad i Goleg y Castell 'nôl yn nechrau'r saithdegau a chael profiad yno a barodd imi newid fy meddwl yn llwyr am fy ngyrfa yn y fan a'r lle. Yng Nghastell Caerdydd ei hun y lleolid y coleg bryd hynny – lleoliad delfrydol i ennyn chwifrydedd a thipyn o ddrama. Yn syth wedi imi gyrraedd yr adeilad fe ges fy hebrwng gan un o'r myfyrwyr cerdd i aros fy nhro yn y ffreutur. Y ffidil oedd prif offeryn fy hebryngwr a bu'n ddigon boneddigaidd i brynu paned o goffi ac aros yn gwmni i mi trwy hanner awr ddigon poenus o aros am yr alwad. Sais oedd y bachgen, fel y rhan fwyaf o'r giang o fy nghwmpas. Roedd yn eithaf ffroenuchel hefyd, a chlywn

fy acen fy hun yn crafu fel melin heb ddŵr wrth imi drio
bustachu am fy mymryn Saesneg i gynnal sgwrs am . . .
Rachmaninoff. Y cyfan wyddwn i amdano ar y pryd oedd
ei fod yn dod o Rwsia a'i fod yn gyfansoddwr enwog. Ond
yn fwy na'm diffyg gwybodaeth, mi ges i'r teimlad 'mod
i hefyd wedi f'amgylchynu gan ddieithriaid nad oedd
wir ar yr un blaned â mi. A dwi wedi teimlo felly yng
nghwmni cerddorion byth ers hynny.

Dwi ddim am ichi 'nghamddeall i chwaith. Mae rhai
o fy ffrindiau agosaf yn gerddorion, yn gyfansoddwyr, yn
offerynwyr ac yn gantorion. Ond rhowch chi lond stafell o
gerddorion efo'i gilydd yr un pryd a dwi'n dechrau teimlo'r
stafell yn cau i mewn amdana i. Dio ddim yn rhywbeth
hawdd i'w roi mewn geiriau ond mi wn i'n iawn o lle mae
o'n deillio, serch hynny, ac mi egluraf fwy am hynny'n nes
ymlaen. Digon yw deud yn y fan yma fod popeth (bron)
yn ddu a gwyn mewn cerddoriaeth, o nodau'r piano i'r hen
nodiant dotiog sy'n deud wrthach chi'n union beth ddylai
nodyn fod ac am ba hyd i'w ddal. Mae'r llyfr rheolau'n un
trwchus, a gwae chi os crwydrwch chi'n rhy bell o'i afael.
B♭ yw B♭. Un curiad yw gwerth crosiet a dau guriad yw
gwerth minim. Does dim digon o'r 'naill ai neu' na'r 'be am
drio fo ffor'ma 'ta' mewn cerddoriaeth. Wel, dim digon i
mi, beth bynnag.

Daeth yr alwad y bore hwnnw a ches fy arwain i
fyny'r grisiau troellog i oruwchystafell Mr Gerallt Evans,
pennaeth yr Adran Gerdd ar y pryd, a oedd yn sefyll y tu
ôl i'w grand piano yn edrych allan tuag at y parc ac afon
Taf. Teimlwn fel taswn i'n cerdded i mewn i set ffilm ac
nad oeddwn i mewn unrhyw fath o fyd real o gwbwl.
Chwaraeais ddarn syml ar y piano a chanu un neu ddwy
o ganeuon iddo, ac yna gwahoddodd fi i eistedd gyferbyn
ag o wrth ei ddesg fawr, dderw. Rhybuddiodd fi y byddai
gweddill y clyweliad yn yr iaith fain gan ei fod yn awyddus
i weld pa mor hyderus oeddwn i yn fy ail iaith.

Tra oedd o'n sgwrsio fe hymiai ryw gân ddieithr bob yn hyn a hyn. Ac yna fe ososdd ddarn o faniwsgript a phensil o fy mlaen gan ofyn oeddwn i wedi bod yn gwrando ar yr alaw roedd o'n ei chanu. Dywedais innau fy mod i.

'I'd like you to write the melody on the manuscirpt in front of you,' medda fo, gan symud y bensil yn nes ata i.

Roedd fy nghalon yn fy nghorn gwddw a wyddwn i ddim lle i ddechrau. Gafaelais yn y bensil a'm greddf gyntaf oedd dechrau ei chnoi i roi'r argraff 'mod i'n pendroni, ond nid fy mhensil i oedd hi i'w chnoi. Ac nid dyma'r byd yr oeddwn i isio bod yn perthyn iddo chwaith.

'Could you please sing it one more time?' gofynnais, a chrychodd ei dalcen yn syth.

'Didn't you recognise it?' gofynnodd, gan edrych yn hurt arna i.

'It sort of rings a bell,' oedd yr unig frawddeg allwn ni ei chrafu o waelod f'ansicrwydd unig.

'It's "Greensleeves",' medda fo. Fel taswn i i fod i'w nabod hi'n iawn.

Er cymaint o ganeuon oedd gen i'n stôr erbyn hyn, doedd yr alaw enwog honno ddim yn un gyfarwydd imi ac mi canodd o hi imi eto. Oeddwn, roeddwn i'n rhyw lun o'i nabod erbyn imi ailwrando'n ofalus. Ond doeddwn i rioed wedi gwneud prawf clust fel hyn yn yr ysgol a doeddwn i'n sicr ddim yn ddigon cyfarwydd â'r gân i allu ei nodi hi i lawr fel roedd gofyn imi ei wneud.

'What key would you like?' gofynnais.

'Any key you like,' atebodd yntau, a rhois gychwyn arni.

Dewisais E minor i gythraul, ac roeddwn i'n eitha siŵr mai chwech/wyth oedd yr amseriad –ond oedd hi'n dechrau ar y *lah* neu'r *doh*? Ai E neu G oedd y nodyn cyntaf? Oedd hi'n dechrau ar guriad cynta'r bar neu'r olaf? Mentrais G i gythraul, gan ei roi ar ddechrau'r bar a hepgor be dwi'n gwbod yn iawn erbyn hyn yw'r nodyn cyntaf, sef yr E cyn y bar cyntaf. Tra diferai deigryn o chwys i lawr fy nhalcen, fe laniodd clamp o rwber o fy mlaen.

'You'll probably need that,' medda fo'n dawel. 'It starts on the anacrusis and it's an E, not a G.'

Dwi ddim yn siŵr pa lanast wnes i o'r gweddill a theimlwn yn filain hefo fi'n hun, gan 'mod i'n eitha da am brawf clust fel arfer.

Tra oeddwn i'n potsian nodau ola'r pennill ar fy nhamaid erwydd, daeth dynes fach ysgafndroed i mewn i weld 'Mr Evans'. Roedd hi'n trio trefnu ymarferion y gerddorfa ar gyfer yr wythnos ganlynol, ac ar ei ffordd allan fe sylwodd ar yr hogyn penisel oedd wrthi'n cnoi pensil ei phennaeth hyd yr asgwrn.

'Oh, I'm sorry,' medda hi, 'I didn't realise you had a candidate.'

Gwenais arni drwy fy mhoen a 'nhafod i'n ddu o blwm pensil erbyn hynny, beryg. Cyflwynodd y dirprwy fi i'r ddynes fach eiddil oedd yn cario llwythi o gopïau dan ei braich.

'And what instrument do you play, then?' holodd yn llawn chwilfrydedd.

'The voice,' atebais innau, a syrthiodd ei gwep ryw fymryn heb iddi feddwl.

'I see,' oedd ei hunig ymateb.

'Yes, he's got a lovely little baritone voice,' meddai'r pennaeth, gan edrych arna i, ac yna ar y darn papur traed brain ar ei ddesg.

Es yn ôl am baned i'r ffreutur cyn ei chychwyn hi am adre a sylwi fod naws y lle wedi newid yn llwyr. Roedd hi'n dipyn mwy swnllyd yno erbyn hynny. Myfyrwyr uchel eu cloch ond yn llawer agosach atoch chi. Ces fy ngwahodd draw am sgwrs a dod i ddeall mai myfyrwyr drama oedd y rhain. Dyna be oedd tro ar fyd. Ond y gair 'little' oedd yn canu yn fy meddwl. '*Little* baritone voice.' '*Little*' o ddiawl!

Ar y trên ar fy ffordd adre y gwnes fy mhenderfyniad. Hyd yn oed pe cawn fy nerbyn i'r coleg, fyddai 'run o 'nwy droed i'n mynd dros riniog y castell hwnnw byth eto. Wyddwn i ddim bryd hynny, wrth gwrs, y byddwn yn dychwelyd am glyweliad arall i Goleg Cerdd a Drama Cymru ymhen tair blynedd. Ond nid mewn castell fyddai cartref y coleg erbyn hynny.

'Dewis, dewis dau ddwrn, pa un gymrwch chi ond … hwn?'

Byrdwn arall fydden ni'n ei ddefnyddio wrth ddipio yn yr ysgol gynradd oedd 'Dewis, dewis'. Pawb yn dal eu dau ddwrn allan a'r dipiwr yn eich rhyddhau chi fesul dwrn os glaniai ar eich llaw chi ar guriad y gair 'hwn'. Mor hawdd oedd dewis rhywun i fod yn Fistar Blaidd neu rannu'n ddau dîm *Murders and Cops* slawer dydd. Ond wrth neud rhai o ddewisiadau pwysica eich bywyd tydi pethau ddim yn dod mor rhwydd. Be fyddwn i'n 'i ddeud wrth Mam, a hitha wedi gwario cymaint o arian ac amser arna i'n talu am hyfforddiant a phrofiad, a dyma fi rŵan wedi gneud llanast llwyr ohoni yn fy newis goleg? Gwyddwn y byddai'r newyddion yn torri ei chalon.

Mi holodd fi'n dwll yr holl ffordd yn ôl adre o stesion Bangor, ond synhwyrodd nad oedd gen i ddim math o awydd mynd i Gaerdydd, hyd yn oed pe cynigid lle imi yno ar blât. A phan laniodd y llythyr acw ben bore dydd Llun yn cynnig lle i mi, roedd calon Mam yn ei sodlau pan welodd arna i 'mod i o ddifrif am wrthod y cynnig.

Er i'r ddau ohonan ni gael sawl gair croes dros y blynyddoedd mae'r rhan fwyaf o'r atgofion sydd gen i o gwmnïaeth Mam yn rhai tu hwnt o hapus, a phan fyddai ar ei mwyaf chwareus, doedd dim curo ar ei chwmni. Roedd yn dynnwr coes heb ei hail, ond fe chwaraeodd jôc arna i unwaith lle bu bron iddi â'm lladd, a lle bu'n agos i minnau ei lladd hithau hefyd. Roedd y ddau ohonom wedi bod yn gwylio'r ffilm *Psycho* ac wedi dychryn am ein hoedal wedi'r olygfa waedlyd honno yn y gawod. Roedd Alan yn y coleg erbyn hynny a Nhad yn gweithio i fyny yn Frodsham, felly dim ond Mam a finna oedd adra. Eisteddodd y ddau ohonom yn gwylio'r credits yn diflannu o'n blaenau heb yngan gair. Mam fentrodd siarad yn gyntaf.

'Dos di i gloi drws cefn a mi a' inna i gloi'r drws ffrynt,' medda hi, fel roedd y sgrin yn troi'n dywyll. Roedd hynny yn y dyddiau pan fyddai'r sianeli yn cau i lawr am hanner nos gan adael dim byd ond niwl ar y sgrin am sbel ac yna'n troi'n smotyn bach gwyn 'rôl ichi ddiffodd y teledu. Y smotyn bach gwyn yn diflannu. Yna tywyllwch dudew – a dim siw na miw.

Wrth droi goriad y drws cefn dychmygwn bob math o erchyllterau yn fy mhen ac erbyn imi gyrraedd gwaelod y grisiau roedd Mam eisoes wedi diflannu i rywle heb ddweud 'nos dawch' hyd yn oed. Roedd y tŷ fel y bedd a dim ond golau gwan y landing yn cynnig rhyw fath o gysur imi wrth ddringo'r grisiau'n araf. Cerddoriaeth y ffilm yn dal i drywanu'r cordiau bygythiol hynny yn fy mhen.

Doedd ganddon ni ddim cawod yn Stanley House – diolch i'r drefn (Wedi gwylio'r enwog *Psycho*, y lle dwytha fyddwn i am fynd iddo'r noson honno oedd cawod). Wedi molchi a llnau 'nannedd mentrais am fy stafell wely. Doedd y switsh wrth ymyl y drws ddim yn gweithio ac felly roedd yn rhaid ymbalfalu am y llinyn uwchben fy ngwely i gynnau golau'r stafell ddudew. Welwn i ddim ond tywyllwch wrth imi ymestyn am y cortyn. Ond petaech chi'n eistedd ar y gwely yn gwylio rhywun yn dod i mewn i'r ystafell a golau'r landing yn gefndir iddo fe allech chi weld ei gysgod yn glir. A dyna oedd Mam wedi'i wneud, wrth gwrs. Roedd hi wedi eistedd ar y gwely am sbel ac roedd ei llygaid wedi hen gynefino â'r tywyllwch ac yno'n aros amdana i fel pry cop yn aros am 'i brae. I wneud pethau'n waeth, roedd wedi tynnu ei dannedd gosod ac fel roedd fy llaw i'n ymestyn i gynnau'r golau, fe anelodd ei cheg tuag ata i gan wneud y sŵn rhyfeddaf a sugno fy mysedd â'i cheg ddi-ddant. Cefais ffit a dwy haint, gan fethu siarad am sbel ac un sgrech anferth wedi'i thagu yn fy ngwddw.

Cyneuodd Mam y golau a gorwedd ar ei gwely yn ei dyblau'n chwerthin. Roeddwn innau yn fy nyblau hefyd, ond ddaeth dim math o chwerthiniad allan pan ddarganfyddais fy llais maes o law. Wna i ddim ailadrodd y geiriau ddaeth allan yma, ond dwi ddim yn meddwl 'mod i wedi melltithio neb gymaint byth ers hynny. Wyddai Mam ddim fod gen i'r fath eirfa liwgar!

Roedd fy nhad, ar y llaw arall, yn rhegwr heb ei ail. A Nhad aeth â fi i lawr i'r coleg am y tro cyntaf i Gaerfyrddin. Dewisais beidio mynd i'r Coleg Cerdd a Drama a mynd am yr opsiwn 'saff', fel yr ystyrid ef ar y pryd, o fynd i goleg hyfforddi athrawon. Ac er mor chwithig oedd ffarwelio hefo Mam yn nrws y siop, chollais i 'run deigryn y bore hwnnw. Ond roedd ganddi gân ar gyfer pob achlysur, fel y gellwch fentro. A hon oedd ei byrdwn imi wrth ymadael â Stanley House am Goleg y Drindod y bore hwnnw:

> Do, do, fe aeth o gam i gam
> Gan gofio cusan ola'i fam.
> Do, do, fe aeth, dan gau y ddôr
> A throi ei olwg tua'r môr.
>
> Cychwynnai'r llong yn ara deg
> A'r bachgen serchog tair ar ddeg,
> Yn rhodio'i bwrdd o gam i gam
> gan gofio cusan ola'i fam.

Dwi ddim wedi clywed neb arall yn canu'r geiriau yna a does gen i ddim gwybodaeth bellach am darddiad y gân chwaith. Os daw rhywun ar ei thraws yn rhywle, yna gadewch imi wbod os gwelwch yn dda.

§

Roeddwn yn gadael am y coleg wythnos cyn i 'mrawd ddychwelyd i'w drydedd flwyddyn yn y Drindod a bron â thorri 'mol i roi cychwyn ar y bennod newydd yma o 'mywyd. Roedd Alan wedi rhyfeddu 'mod i mor ddewr yn gadael fy nghynefin heb arlliw o ddeigryn yn agos. Gwyddai'n iawn fod Llan a'r teulu mor agos at fy nghalon. Ond falla fod y ffaith imi grio lond fy mol wrth ffarwelio â Rhian y noson cynt wedi gwagio'r llifddorau am sbel. Mae 'na derfyn hyd yn oed i grio, diolch i'r drefn. Does gan yr un ohonan ni bwll diwaelod o ddagrau. Roedd Rhian a finna wedi addo cadw mewn cysylltiad ond roeddan ni hefyd wedi cytuno mai doeth fyddai cael yr hyn mae pobl yn ei alw'n 'frêc'. Be'n union mae hynny'n ei olygu, dyn yn unig a ŵyr. Ond dyna gawson ni beth bynnag – rhyw fath o 'frêc'.

'Pan ddaru Dad ddiflannu rownd y gongol ar ôl gwagio'r car 'nes i grio,' rhybuddiodd Alan fel roedd o'n lluchio fy nghês olaf i gefn y car. Ond wedi i Nhad fy ngollwng i tu allan i'm digs ar Heol Dŵr, Caerfyrddin, a chodi llaw wrth droi am adre, doeddwn i ddim yn agos at grio. Gan 'mod i wedi edrych ymlaen cymaint am gael sefyll ar fy nwy droed fy hun roeddwn i bron yn dawnsio am y Ceffyl Du y noson honno, wedi i mi a'm cyd-letywyr ddadbacio a chael swper.

Roedd Mrs Gee (fel Gee y wasg, y Fedal a'r ceffyl bach), ein lletywraig, yn feistres galed. Roedd swper am chwech ar y dot, byddai ein brecwast yn cael ei adael ar hambwrdd y tu allan i'n stafell wely ac roeddan ni i fwyta pob tamaid. Caem gerydd, nid bychan, os byddem yn hwyr neu'n gwastraffu rhywfaint o'r bwyd ac fe âi i bwdfa am ddiwrnodiau os nad oeddem yn cadw at lythyren ei deddf haearnaidd.

Gareth Hughes o Lansadwrn a Barry Williams o Ddeiniolen oedd fy nghyd-letywyr. Ac felly yr aethom, yn driawd llawn cywreinrwydd, am yr enwog Geffyl Du ar ein pnawn cyntaf yn y coleg. Lolfa'r 'Ceff' oedd dinas noddfa Cymry Cymraeg y Drindod bryd hynny. Deuddeg ceiniog a hanner gostiai peint o chwerw Felinfoel, ac wedi gwario llai na phunt ac wedi canu pob emyn oedd ar ein cof dan arweiniad Dai Wan ac Eurig Wyn, fe wawriodd ar Barry, Gareth a minnau ei bod yn tynnu am saith o'r gloch.

Mi cawson ni hi gan Mrs Gee nes oeddan ni'n tincian. Hyd yn oed yn ein sachlïain a lludw gorau, doedd ymddiheuro'n ddim digon da ganddi. Roedd yn rhaid inni hefyd fynd ar ein gair na fyddai'r fath beth byth yn digwydd eto. Wedi yfed yn go harti drwy'r pnawn doedd gen i ddim math o stumog i'r treiffl pinc a cheiriosen nobl ar ei ben. Ac o'r diwrnod hwnnw ymlaen fe ddyfeisiwyd amrywiol ffyrdd o smyglo gweddillion ein gloddest o'r stafell fwyta i ryw fin sbwriel cyfagos.

Afraid deud mai ar ein pennau yn ôl i'r Ceffyl Du yr aethom ein tri wedi swper cyntaf Heol Dŵr a chyfarfod â rhai o'r myfyrwyr a ddaeth yn ffrindiau oes imi o'r funud honno mlaen.

Ym mar y Ceffyl Du y byddai'r criw rygbi'n ymgynnull yn rheolaidd a gallai'r herian a'r tynnu coes rhwng y naill stafell a'r llall droi'n eithaf pigog ar adegau. Os oedd cynnen yn codi, yna'r Gymraeg fyddai achos y cweryl bob gafael. O bob dim dan haul, canu emyn fyddai'n tawelu'r dyfroedd yn amlach na pheidio: 'O am aros, bread of heaven, yn ei gariad ddyddiau f'oes! / Feed me till I want no moooooore!' Ac wedyn fe ddeuai Alun, perchennog y Ceff, yn ei ffordd ddihafal ei hun i'n taflu ni allan gan weiddi: 'Police outside, boys! Yfwch lan! Police outside!'

Lle cwbl wahanol oedd Undeb Myfyrwyr y Drindod. Ond i'r fan honno y llusgem ein traed os nad oedd Alun y Ceff am gau'r llenni a rhoi rhyw awran yn ychwanegol inni i gyd. A'r noson gyntaf honno y cefais fy hun yn eistedd yn slwtsh mewn cadair freichiau go isel yn yr Undeb yn dechrau teimlo rhyw bwl o hiraeth yn cau amdana i heb rybudd. Dim digon i golli unrhyw ddeigryn. Ton fechan yn unig ddaeth. Ac yna'n cilio.

Cyn diwedd y noson fe ddaeth merch ifanc i'r llwyfan. Gitâr acwstig, meic a llais swynol yn canu'n deimladwy:

> Hush, little baby, don't you cry,
> You know your mama was born to die.
> All my trials, Lord, soon be over.

A dyna pryd ddaru o 'mwrw i go iawn. Yr hiraeth hwnnw na all neb egluro be ydi o nac o ble y daw o. Heb rybudd. Heb wahoddiad. O fewn dim mi o'n i'n crio fel babi blwydd mewn cornel o'r stafell lle nad oedd neb yn fy ngweld:

> Dwedwch, fawrion o wybodaeth,
> O ba beth y gwnaethpwyd hiraeth,
> A pha ddefnydd a roed ynddo
> Na ddarfyddo wrth ei wisgo.

Dyna'r union eiriau sydd bellach wedi'u cerfio ar garreg fedd fy mam. Wrth gwrs fod gan yr holl Felinfoel yr oeddwn i wedi'i draflyncu drwy'r dydd ran, nid bychan, yn fy nghyflwr truenus. Ac, fel y rhan helaethaf o fyfyrwyr, fe chwaraeodd alcohol ran flaenllaw a pheryglus iawn yn ystod fy nghyfnod yn y Drindod. Yn wir, mae o wedi mynnu ymwthio i sawl pennod arall o 'mywyd byth ers hynny.

'Rhaid yw eu tynnu i lawr'

Es ati gydag arddeliad i ymuno â phob cell, pwyllgor, côr a chymdeithas oedd o fewn fy nghyrraedd yn y Drindod. Doedd dim digon i'w gael. Roeddwn yn rhedeg o'r clwb badminton i'r Gymdeithas Ddrama ac o'r ymarferion côr i bwyllgor yr undeb fel cath i gythraul. Doeddwn i ddim munud yn llonydd, ac mae'n rhyfeddol imi lwyddo i fynychu digon o ddarlithoedd ac arholiadau i basio i fod yn athro ar ddiwedd y tair blynedd ddifyr, feddw a phrysur a dreuliais yng Nghaerfyrddin.

Roedd Mam wedi sôn cryn dipyn wrtha i am y ddynes 'ma o'r enw Norah Isaac oedd yn Bennaeth Adran Gymraeg y Drindod. Roedd y Norah yma'n Bennaeth yr Adran Ddrama yno hefyd, ond gan nad oeddwn wedi astudio drama fel pwnc yn yr ysgol 'nes i ddim meddwl ei ddewis fel un o fy mhrif bynciau yn y coleg. Cerddoriaeth a Chymraeg ddewisais i – pynciau lled saff (i mi), pynciau yr oedd gen i radd Lefel A ynddyn nhw. Byddwn yn llawer rhy brysur i feddwl mynd i'r afael â phwnc cwbl newydd. Er cymaint 'nes i fwynhau actio yn y Gymdeithas Ddrama yn Nyffryn Nantlle, roedd yn swnio'n ormod o faich i ddechrau ei astudio fel pwnc academaidd a minnau wedi dod i Gaerfyrddin i gymdeithasu, ehangu 'ngorwelion a phrotestio yn ogystal ag astudio i fod yn athro.

Gan 'mod i wedi clywed cymaint o sôn am 'Norah' cyn imi ei chyfarfod, roeddwn wedi dychmygu pladres o ddynes fawr, dalsyth, a fyddai'n llenwi'r ddarlithfa fel rhyw

dduwies Roegaidd. Ond ar fy ffordd i'r ddarlith Gymraeg
y bore cyntaf hwnnw fe laniodd Peugeot bach glas golau
a pharcio'n flêr y tu allan i Neuadd Haliwell, a dynes fach
eiddil yn ceisio agor y drws i ddod allan ohono. O fewn
dim roedd rhai o fyfyrwyr yr ail flwyddyn wedi rhedeg yno
i helpu i ddal drws y car ar agor a chario bagiau'r ddynes
yn y car i'r ddarlithfa. Yna, yn ei choch, safodd ar ei thraed
a sylweddolais ei bod wedi'i llethu gan gryd cymalau. A
hon, meddan nhw wrtha i, oedd Norah Isaac!

Er mai darlith Gymraeg oedd hi i fod, gwers ddrama
gawson ni mewn gwirionedd. Ac o hynny mlaen roedd
pob darlith gan Norah yn gyfuniad o iaith a drama. A
buan y sylweddolais innau nad yn ei ffrâm gorfforol yr
oedd y mawredd y clywais i gymaint o sôn amdano cyn ei
chyfarfod, ond yn ei chymeriad a'i chenadwri.

Dwi'n prysuro i ddweud i Norah a finna gael ambell
air croes ar sawl achlysur. Ond hi, yn anad neb arall, a'm
hysbrydolodd i berfformio, sgriptio, dyfeisio, cyfarwyddo a
hyfforddi. Hi hefyd ddysgodd i mi garu'r iaith a'r diwylliant
a ges i mor hael gan fy mam. Fy *mam*iaith.

Un o'r pethau cyntaf dwi'n ei chofio hi'n 'i ddeud
wrthan ni oedd fod y gair 'diwylliant' yn dipyn gwell peth
na'r gair Saesneg 'culture'. Diwylltio oedd tarddiad y gair,
meddai – ein gwneud ni'n llai gwyllt. Y ddau ddrych yna
y mae Hamlet yn cyfeirio atynt yn ei araith i'w actorion
sy'n dangos y drwg a'r da, y cariad a'r dirmyg. O weld ein
hunain yn y drych, mi welwn y trawst yn ein llygaid ein
hunain. Ac o weld ein gwendidau'n cael eu datgelu o'n
blaen, gallwn weld yn well beth yw eu heffaith ar eraill.
Codi cwestiynau mae'r celfyddydau'n amlach na pheidio;
ninnau'n mynd allan o'r perfformiad i chwilio am yr
atebion.

Fe ddylanwadodd Norah ar genedlaethau o ddisg-
yblion a myfyrwyr, ac roedd ei chyfraniad i fyd addysg
Gymraeg a'r ddrama yng Nghymru yn amhrisiadwy. Ac

eto, does yr un gyfrol wedi'i chyhoeddi lle mae cyfran-
iad anferth Norah wedi'i groniclo'n fanwl. Wilbert Lloyd
Roberts, David Lyn, Beryl Williams, Meic Povey, Stewart
Jones, J. O. Roberts, Myfanwy Talog, Iola Gregory – gallwn
fynd ymlaen ac ymlaen i restru'r rheiny a wnaeth gyfran-
iad enfawr i ddatblygiad y theatr yng Nghymru. Ar wahân
i ambell hunangofiant, does ganddon ni nemor ddim
cyfrolau'n cofnodi hanes unigolion a gyfrannodd gymaint
i dwf y theatr yng Nghymru. Rhad arnom.

Dyna ni, pregeth drosodd a 'nôl at Norah. Os nad oedd
hi'r fenyw dalsyth, urddasol a ddisgwyliwn ac os ces i
siom o weld mai dynes fach eiddil oedd y ddarlithwraig
ddrama enwog o'r Caerau, buan iawn y sylweddolais y
gallai hon lenwi unrhyw theatr â'i phresenoldeb deinamig
a'i gwybodaeth eang.

Ei phrif genadwri inni oedd mai trwy'r dychymyg y
mae cyflwyno geirfa i blant. John Gwil ddysgodd imi werth
goslef a phwyslais, Norah ddysgodd imi sut i ddatblygu'r
dechneg honno i greu cymeriad a throsglwyddo stori.
Rywsut, er gwaetha'r ffaith fod ei chryd cymalau'n ei
chaethiwo, llwyddai i fynegi inni mewn ffyrdd cwbl
unigryw sut yr hoffai inni symud ac ystumio. Gallai
wneud inni wthio'n ffiniau corfforol trwy eiriau a'i
rhwystredigaeth, i'n cael i fod yn actorion hyderus yn ein
cyrff ein hunain. Fe ddawnsiem heb goreograffydd; fe
fyddem yn neidio a gaflio heb hidio 'run ffeuen am fethu.
Heb fentro, heb ddim.

Lle tra gwahanol oedd yr Adran Gerdd yn y coleg. John
Williams oedd y pennaeth ac Aldon Rees oedd yr uwch-
ddarlithydd. Roedd gan Aldon ryw fymryn o Gymraeg
ond yn eithaf cyndyn o'i ddefnyddio. Glenys Edwards
(chwaer John Hywyn) a finna oedd yr unig fyfyrwyr a
siaradai Gymraeg yn ein blwyddyn ni. Efallai fod yna un
neu ddau arall a'i defnyddiai hi'n achlysurol ond roedd y
ffaith mai dim ond hefo'n gilydd y byddem yn sgwrsio yn

Gymraeg yn adlewyrchiad teg ar Seisnigrwydd yr adran yn gyffredinol. Roedd Mrs Thomas, un o'r tiwtoriaid piano, hefyd yn dysgu trwy gyfrwng y Gymraeg.

A dyna pam, yn ystod fy mlwyddyn gyntaf, y bu i'r adran a minnau groesi ein gilydd yn weddol danllyd ar adegau. Aeth nifer o fyfyrwyr y Drindod i'r carchar am eu safiad dros yr iaith yn ystod y cyfnod hwnnw a doedd yn ddim gennym fynd allan yn un fflyd mewn ceir i dynnu arwyddion a meddiannu tai haf. Doeddwn i ddim yn fistar corn ar ddefnyddio sbaner; yn wir, roedd y sbaner yn fwy o feistr arna i nag roeddwn i arno fo, ac fe ges fy nal unwaith yn hongian gerfydd yr arwydd tra oedd pawb arall wedi'i heglu hi am y coed i guddio pan ddaeth car heddlu rownd y gornel. Flynyddoedd yn ddiweddarach, pan oeddem yn peintio Tafod y Ddraig ar waliau'r Swyddfa Gymreig yng Nghaerdydd, fe redodd fy chwistrellydd i allan o baent cyn imi orffen a ches fy llusgo i lawr y lôn gan heddwas yn edrych ar waith celf oedd yn edrych fel pen alarch coch go ffyrnig yn hytrach na thafod unrhyw ddraig. Ond fel 'dan ni'n deud ar ôl colli unrhyw gystadleuaeth: 'Y cymryd rhan sy'n bwysig, yntê!'

Ond un o'r profiadau mwyaf dramatig ges i tra o'n i'n fyfyriwr a chyw brotestiwr yn y Drindod oedd pan es i i feddiannu tŷ haf yng Nghwm Morgan, ger Capel Iwan, yn 1973. Marged a Terwyn Tomos oedd yn meddiannu'r un tŷ â fi ac roedd yna griw arall yn meddiannu eiddo dros y ffordd inni, Steff Jenkins (pennaeth Llangrannog gynt) yn eu plith.

Roeddwn i mewn dwylo saff hefo Terwyn a Marged – hen lawia. Ond dwi ddim yn credu fod ganddyn nhwythau unrhyw brofiad o feddiannu tŷ ha' cyn hynny chwaith. Er bod ein cydwybod yn dawel yn gweithredu fel hyn, roedd malu ffenest a dringo i mewn i dŷ dieithr yn dal i deimlo fel ein bod yn lladron diegwyddor – cyfuniad o gynnwrf, balchder ac euogrwydd yn gymysg oll i gyd.

Gwyddem o'r eiliad gyntaf fod perchennog y tŷ yn academydd. Roedd ganddo lyfrau dirifedi ar ddaear-yddiaeth a ffosiliau o bob lliw a llun hyd y lle. Grand piano anferth yn y stafell fyw a chopïau o ganeuon Schubert a Schumann yn y stôl biano. Ond credwch neu beidio, darn gan Rachmaninoff oedd ar y piano ei hun. Mae'n rhaid 'i fod o'n dipyn o giamstar os oedd o'n mynd i'r afael â darnau fel hyn.

Roedd yno gasgliadau o loÿnnod byw a gwyfynod o bob lliw a llun, casgliad o luniau olew gwerth eu gweld, a theimlwn 'mod i'n dod i nabod y perchennog yn well gyda phob celficyn a welwn. Dyn oedd hwn yn saff. Doedd yna fawr o hoel dynes yn agos i'r lle. Hen lanc? Gŵr gweddw? Cyfansoddwr? Crwydrwr, efallai?

Cnoc ar y ffenest a chwalodd fy chwilfrydedd yn ddarnau mân. Yna llais rhywun go filain yn deud, 'Come out!' Terwyn fu'n ddigon dewr i agor y llenni, a cheisiodd ddarbwyllo'r dyn bach blin oedd yn graddol droi'n biws gan wylltineb o'n blaenau ein bod eisoes wedi ffonio'r heddlu a'n bod yn rhan o brotest Cymdeithas yr Iaith yn erbyn tai haf.

'Get out!' oedd ei fyrdwn am yn hir iawn gan honni fod ganddo wn a'i fod yn ofalwr ar y tŷ.

Gallaf wenu ryw fymryn erbyn heddiw wrth ailadrodd yr helynt ond ar y pryd dwi'n cofio meddwl y gallai hyn droi allan i fod eithaf difrifol. Gan fod Terwyn yn byw yn lleol, roedd y dyn bach blin oedd bellach yn gandryll yn gwybod pa un oedd car Terwyn ac yn bygwth gwneud niwed i hwnnw yn ogystal ag i ni'r 'troseddwyr'. Fe ffoniodd Terwyn ei ffrind yn syth a threfnwyd i fynd â'i gar i Gapel Iwan i'w warchod.

Ond roedd tro arall i gynffon y stori ryfedd yma gan i berchennog y tŷ ei hun roi gwybod inni, drwy'r heddlu, ei fod ar ei ffordd i lawr i'n gweld. 'Dyma fi,' meddyliais, 'prin allan o fy napis colegol, a dwi ynddi dros fy mhen a'm clustiau'n barod. Be fydd gan y darlithwyr i'w ddeud? Be fydd gan yr heddlu i'w ddeud? Ond rhagor na hynny, be fyddai gan *Mam* i'w ddeud?'

Ymhen hir a hwyr fe laniodd y perchennog – a'i wraig wrth ei gwt. Tawelodd y dyn bach blin ac aeth adre wysg 'i din. Eisteddem i gyd o gwmpas y bwrdd yn aros amdano a phan laniodd yn ei gegin ei hun ei gyfarchiad cyntaf oedd: 'Be sy'n mynd ymlaen yma?'

Tawelwch. Roeddan ni wedi meddiannu tŷ haf Cymro Cymraeg glân gloyw! Ond yna fe drodd i'r iaith fain a thysen go boeth yn bradychu ei wreiddiau yn ddigon buan. Tric bach slei oedd y Gymraeg i drio ein lluchio oddi ar ein hechel. Ond tric byrhoedlog iawn oedd hwnnw, diolch i'r drefn.

Aeth i gymryd golwg dros y tŷ yn gyflym gan ein gadael yng nghwmni ei wraig, oedd yn amlwg yr un mor gandryll â'r dyn bach blin. Ond pan ddaeth gŵr y tŷ yn ôl i'r ystafell dywedodd ei fod yn gwerthfawrogi'r ffaith nad oeddem wedi gwneud unrhyw lanast ac fe gymerodd ni ar ein gair y byddem yn gadael fore trannoeth a dyna ni. Fu dim unrhyw ganlyniad i'n protest ac fe aeth Terwyn a Marged yn ôl i Gapel Iwan a Steff a finna'n ei bodio hi'n ôl am y Drindod – ac mae tai haf yn dal i werthu fel hot cêcs byth ers hynny.

Wedi dychwelyd i'r coleg, roedd 'na ddyn bach blin arall yn aros amdana i: John Williams, pennaeth yr Adran Gerdd, fel cofiwch chi. Roeddwn wedi colli 'ngwers biano a darlith ar Sebastian Bach a doedd o, yn sicr, ddim yn mynd i dderbyn 'meddiannu tŷ haf' fel esgus. Roedd nifer o ddarlithwyr o'r Adran Gymraeg wedi mynd i'r carchar i gyflwyno ambell ddarlith i brotestwyr y Drindod, ond hon oedd yr unig sefyllfa gyffelyb y daethai pennaeth yr Adran Gerdd ar ei thraws. Ddwedais i 'mo'r gwir yn llawn wrtho, 'mond deud 'mod i wedi bod mewn protest yn erbyn ail gartrefi. Mi syllodd arna i am dipyn a'i lygaid yn culhau mewn anghrediniaeth.

'I don't know whether you know this or not, but . . .
(*saib*) . . . We do *fail* people in this department you know,
Cefin. Keep that in mind when you hand in your next
assessment.'

Fel chwa o awyr iach, y tymor canlynol glaniodd Mr
Arthur Hefin Jones yn ddarlithydd ychwanegol i'r Adran
Gerdd. Ac yn ei ffordd dawel ei hun, dwi'n credu iddo
newid agwedd gweddill yr adran dros amser hefyd. Caem
ddarlithoedd ar Grace Williams, Alun Hoddinott a William
Mathias, ar alawon gwerin Cymru, Dilys Elwyn a Joseph
Parry. Cawn fwy o flas ar fynd i'r darlithoedd a byddai
Arthur Hefin weithiau'n rhoi pàs adra imi i'r gogledd er
mwyn gallu ymuno yn rhai o gyngherddau'r hen Gôr
Sir Gaernarfon. Gan ei fod yn ffrind i Haydn Davies, yr
arweinydd, byddai'r ddau wedi trefnu rhyngddynt i gasglu
cyn-aelodau oedd bellach yn y colegau i'w galluogi i
ddod i chwyddo sain yr hen gôr. Fel y rhan fwyaf o gorau
cymysg, gallai'r adran denor neu fas fynd yn denau iawn
ar adegau, a gallaf ddeall yn iawn pam fod arweinyddion
yn mynd yr ail filltir i gasglu ambell denor neu fas go solat
a'u llusgo i gyngerdd. Yn ystod un o'r teithiau hynny rhwng
de a gogledd y cwrddais ag un o feibion Arthur Hefin am y
tro cyntaf. Pwy feddyliai ar y pryd y byddwn i'n sgwennu
rhan i'r bachgen bach hwnnw ar *Rownd a Rownd* ryw ugain
mlynedd yn ddiweddarach pan ddaeth Idris Morris Jones
yn Ken K Cabs?

Rhyw ugain o gantorion, ar y mwyaf, oedd aelodaeth
côr yr Adran Gerdd, ac mewn ambell ymarfer byddem
yn crafu i gynhyrchu sain oedd yn ymdebygu i sŵn côr
cymysg go iawn. Byddai rhai o'r ymarferion yn cael eu
canslo'n llwyr oherwydd prinder niferoedd, yn enwedig
ymysg y dynion.

Erbyn 1974 roeddwn wedi dechrau cael ychydig o
wynt i'm hwyliau ac fe gychwynnais Gôr Aelwyd fy hun
yn y coleg. Roeddem wedi cael dipyn o lwyddiant yn

Eisteddfod Genedlaethol yr Urdd, Pontypridd, yn ystod fy mlwyddyn gyntaf ac erbyn fy ail flwyddyn roedd gennym fwy o ddarpar aelodau yn curo wrth y drws. Trefnais, drwy Arthur Hefin, i logi'r brif stafell gerdd i gynnal yr ymarferion, a chyn pen dim roedd gen i dros hanner cant yn troi i fyny i ganu. Fel roedd hi'n digwydd, un gyda'r nos, roedd John Williams wedi gorfod dychwelyd i'r coleg i nôl rhyw ddarn o waith ac wrth basio fe glywodd fy nghôr yn canu 'Yno yn hwyrddydd Ebrill' gan Hugh S. Roberton. Agorodd gil y drws a'i ben yn ymddangos yn araf mewn anghrediniaeth lwyr.

'Cefin!' medda fo. 'I didn't expect to see you here.'

'I booked through Mr Jones,' meddwn inna'n ddiniwed. 'I hope that's OK, Mr Williams.'

'Yes! Yes, of course, that's perfectly fine,' medda fo. 'Carry on the good work.' Ac yna fe gaeodd y drws yn dawel a mynd ymlaen â'i waith.

Ychydig ddiwrnodiau'n ddiweddarach, holodd sut goblyn y llwyddais i gael hanner cant o leisiau cymysg i ddod ynghyd i ganu a chynhyrchu'r fath sain.

'I suppose it's the Urdd,' meddwn inna, gan na allwn feddwl am unrhyw ateb arall ar y pryd.

Holodd fi ymhellach am yr Urdd a'r darnau prawf a'r eisteddfod, a theimlwn ei fod yn dechrau cynhesu tuag ata i am y tro cyntaf, ac at yr iaith – efallai. Dwi ddim yn meddwl iddo gael neb yn ei adran na chynt na chwedyn oedd wedi cychwyn côr o fath yn y byd, heb sôn am gôr pedwar llais o hanner cant o aelodau.

'Do you think you could persuade some of them to join the college choir?' holodd yn daer.

'Well, maybe if you chose some Welsh repertoire they might consider it,' ces inna'r pleser o'i ateb.

Dwi'm yn ama iddo fynd drwy ei gypyrddau cerdd-oriaeth hefo crib mân y noson honno a dod ar draws casgliad hyfryd o drefniannau o alawon gwerin Cymraeg gan Gustav Holst. Llwyddais innau i berswadio rhyw ddyrnaid o gantorion o'm côr i ymuno â'i gôr yntau, ac er bod rhai o fyfyrwyr yr Adran Gerdd, fel yr awgrymodd, wedi methu yn eu harholiadau, fe ges i farc anrhydeddus gan John Williams ar ddiwedd fy nghyfnod yn y Drindod. A dwi ddim yn amau iddo yntau daflu goleuni ychydig mwy ffafriol ar yr iaith a'r diwylliant Cymreig o hynny mlaen hefyd.

Erbyn hyn, roedd Rhian wedi cychwyn yn y Drindod a hithau hefyd wedi cydio yn yr awenau hefo fi yn yr Adran Gerdd. Roedd dipyn mwy o Gymry'n astudio cerddoriaeth yn ei blwyddyn hi ac yn eu plith yr oedd Buddug Williams o Wyddelwern. Buom yn canu fel grŵp o'r enw Pwyll yn ystod y cyfnod yma, gan berfformio mewn sawl eisteddfod a chyngerdd a nosweithiau llawen yn ardal Caerfyrddin. Pinacl ein gyrfa oedd cael rhannu llwyfan â'r amryddawn Ryan Davies mewn cyngerdd mawreddog yn Neuadd Dwyfor, Pwllheli, fel rhan o weithgaredd nos Eisteddfod Genedlaethol Bro Dwyfor.

Dim ond o edrych yn ôl fel hyn ar fy nghyfnod yn y coleg dwi'n sylweddoli 'mod i wedi byw bywyd i'r eithaf yn ystod y tair blynedd y bûm i yno. Bûm yn canfasio i'r Blaid, yn arwain corau a nosweithiau llawen, hyfforddi'r partïon llefaru, protestio, cynnal adloniant a sgwrsio gyda'r cleifion yn Ysbyty Dewi Sant, oedd y drws nesa i gampws y coleg, yn cynrychioli'r Cymry Cymraeg ar bwyllgor Undeb y Myfyrwyr, parhau i ganu gyda'r hen Gôr Sir Gaernarfon, chwarae'r prif rannau yn rhai o gynyrchiadau'r Gymdeithas Ddrama a chymdeithasu fel tasa fo ar fin mynd allan o ffasiwn!

Ac fel tasa hynny ddim yn ddigon i ymdopi ag o, roedd Meinir Lloyd yn beirniadu yn yr Eisteddfod Gylch yng Nghaerfyrddin yn fy mlwyddyn gyntaf ac fe ofynnodd yn ei beirniadaeth a fyddai modd iddi gael gair â mi ar ddiwedd yr eisteddfod.

'Fasat ti'n hoffi ymuno â chriw Glansefin?' gofynnodd. 'Mi gei lifft yno ac o'no hefo fi ac mi gei dy dalu fel pawb arall.'

Roeddan ni wedi bod yng Nglansefin i'r Noson o Gawl a Chân i barti Dolig y Gymdeithas Gymraeg ac roedd yn lle hwyliog iawn. Y saithdegau oedd y cyfnod lle roedd nosweithiau Cymraeg a Chymreig fel hyn yn ffynnu. Roedd sioeau tebyg yn cael eu cynnal ym Mhlas Maenan, Llanrwst, ac yng Nghastell Rhuthun. Roedd Glansefin yn ei anterth a phartïon yn heidio yno wrth y cannoedd. Huw Eic (neu Huw Llywelyn Davies i rai) oedd yn cyflwyno a Meinir oedd y brif gyfeilyddes a chantores. Mae Meinir yn dipyn o arwres i mi a hi, yn anad yr un canwr arall, a ddaeth â chanu 'pop' i'r sin Gymreig. Roedd ganddi lais unigryw, cynnes ond pwerus yr un pryd. Gallai doddi eich calon o fewn ychydig nodau a gallai, weithiau, ar yr uchafbwyntiau, hitio'ch clustiau â'r fath bŵer nes codi'r to heb unrhyw feic ar y cyfyl. Bu bod yn rhan o'r tîm bychan, ymroddgar yma yn ysgol brofiad amhrisiadwy i mi. Llenwi gwydrau â medd, cario cawl Cymreig o gwmpas y byrddau a chanu 'run pryd. Clocsio, chwarae gitâr a chanu unawdau, deuawdau a gwaith *ensemble*. Roeddwn yn dysgu rhywbeth newydd yno bob nos, ac yn cael cyflog a swper am ddim. Be well fedrech chi fod wedi'i gynnig i fyfyriwr tlawd oedd am fynd yn berfformiwr?

Dysgu byw a dysgu plant

I Ysgol y Dderwen, Caerfyrddin, yr es i ar fy ymarfer dysgu cyntaf a Norah'n diwtor arna i. Roedd hynny'n golygu y byddai'n galw'n achlysurol i 'ngweld i'n cyflwyno gwers o flaen disgyblion Blwyddyn Pedwar. Ysgol gynradd Gymraeg y dref yw Ysgol y Dderwen, ac roedd nifer o blant darlithwyr y Drindod yn ei mynychu. Lleolid yr ysgol mewn hen gabanau wedi'u gwasgaru hwnt ac yma, nid nepell o ganol y dref. Ymdebygai'r campws i hen farics y fyddin ar y pryd a rhyfeddwn fod rhai o blant bach disgleiriaf Cymru yn cael eu haddysg yn y fath le. Cytiau oeddan nhw, ac er bod yr ysgol wedi cael adeilad newydd sbon danlli erbyn hyn, roedd Ysgol y Dderwen y saithdegau cynnar yn brawf gweladwy o'r agwedd a ddangosid tuag at ysgolion Cymraeg bryd hynny.

Ond os oedd yr ysgol yn brin ei hadnoddau, ni chefais brinder o unrhyw beth arall rhwng ei muriau simsan. Roedd yno blant disglair ac athrawon ymroddgar, a ches y croeso cynhesaf y gellid ei gael gan bawb yno.

Arwel John oedd fy athro dosbarth; dyn annwyl, bardd ac athro arbennig. Cilwenodd pan glywodd mai Norah fyddai fy nhiwtor ac awgrymodd yn garedig y byddai'n dda o beth imi baratoi'n drylwyr pan fyddai hi'n dod i'm gweld yn dysgu. Roedd y parchedig ofn tuag at Norah yn cyrraedd yn bell. Gwers farddoniaeth wnes i ei pharatoi ar gyfer ei hymweliad, gan ddewis 'Dawns y Dail' fel cerdd i'w chyflwyno. Roedd yn dymor yr hydref ac roeddwn eisoes wedi llenwi'r dosbarth â gwaith celf yn lliwiau'r hydref. Roeddwn wedi gofyn i'r plant ddod â menig lliw i'r ysgol y diwrnod hwnnw, i gyfateb i'r lliwiau yn y gerdd:

> Rhai mewn melyn, gwyrdd a choch,
> a rhai mewn porffor hardd.

Dysgais symudiadau amrywiol gyda'r dwylo i'r plant i gyfeiliant syml a chael y 'dail' i chwyrlïo yn yr awyr fel roedd y gerdd yn cyrraedd ei hanterth:

> A dyna'r ddawns yn cychwyn,
> O! dyna ddawnsio tlws.
> A chlywais innau siffrwd traed
> Wrth folltio a chloi'r drws.

I gloi, roedd y dail, fesul un a dwy, yn graddol ddisgyn yn ôl i'r ddaear a'r gerddoriaeth yn peidio:

> Ond pan ddihunais heddiw
> roedd pibau'r gwynt yn fud,
> a'r dawnswyr yn eu gwisgoedd lliw
> yn farw ar gwr yn stryd.

Fe wyddwn ar ei hwyneb fod Norah wedi mwynhau'r wers ond roeddwn hefyd wedi fy rhybuddio nad dyna fydda'i diwedd hi. Byddai hi'n bownd o ychwanegu rhyw fath o her imi ar y diwedd ac yn sicr fe wnaeth hi hynny. Wedi'r egwyl a'r adborth, roedd hi'n awyddus i ddangos imi sut yr oedd modd defnyddio'r gerdd yn wers symud hefyd. Gan nad oedd unrhyw fath o neuadd yn yr ysgol, roedd hi am imi feddwl am ffyrdd o addasu'r dosbarth yn ofod lle gallai'r plant redeg a neidio a symud a siarad. Roedd Norah eisoes wedi cyhoeddi cyfres o lawlyfrau i athrawon dan y teitl *Symud a Siarad*, a theimlai'n gryf nad oedd athrawon ysgolion cynradd yn defnyddio digon o waith drama i gyflwyno pob math o bynciau eraill i blant. Gallwch ddysgu hanes, iaith, natur, cerddoriaeth, gwyddoniaeth, daearyddiaeth, hyd yn oed mathemateg, i gyd drwy gyfrwng drama. Cytunaf yn llwyr. Mae ein plant ni'n eistedd yn llonydd y tu ôl i ddesgiau am lawer rhy hir yn ystod y dydd. Ychwanegwch at hynny'r ffaith fod plant y dyddiau yma, gan eu bod yn eistedd am oriau ar eu ffonau a'u cyfrifiaduron hefyd, yn llawer llonyddach nag oeddan ni yn eu hoed. Mae gwers Norah yn fwy perthnasol heddiw nag y bu hi rioed.

Felly, wedi'r egwyl, roedd y plant wedi clirio'r desgiau i'r corneli ac wedi creu gofod digon mawr yng nghanol y llawr i allu defnyddio'u holl gyrff i fynegi'r dail. 'Anghofiwch am y dwylo nawr,' meddai, '*chi* yw'r ddeilen yn awr o'ch corun i'ch sawdl, gorff ac ened.' Roedd yn cyflwyno geirfa ac yn ymestyn y dychymyg, gan ryddhau'r plant o hual y ddesg a chyfyngder dosbarth ffurfiol.

Aeth ymlaen i fanylu am y pedwar gwynt a'u cymeriadau. Roedd gwynt y gorllewin yn aml yn dyner, gwynt y de yn gallu bod yn daranllyd a chynnes, gwynt gogledd yn oer a thymhestlog a gwynt y dwyrain yn hyrddio'n ddidrugaredd. Gafaelodd mewn rygarŷg (*rattle*) oedd wrth law a rhannodd y plant yn dri grŵp gan egluro y byddai'n enwi'r gwahanol wyntoedd, a phan fyddai'r rygarŷg yn seinio byddai'r dail yn cael eu hyrddio gan y gwynt i ganol y llawr ac yn dawnsio yno fel tasan nhw'n cael eu chwythu gan un o'r pedwar gwynt yn eu tro.

'Nawr 'te,' meddai hi wrth un garfan o'r plant, 'dewch chi i sefyll yn y gornel 'ma. Chi yw'r dail sy'n cael eu chwythu gan wynt y gogledd. Chithe myn 'co yw'r dail fydd yn cael eu chwythu gan wynt y de, a chithe fan hyn fydd yn dod miwn ar awel o'r dwyrain.'

Wedyn daeth saib. Edrychodd o'i chwmpas a chrafu ei phen mewn penbleth.

'O! 'Na dr'eni,' meddai hi'n llawn siomedigaeth, ''sdim deilen fach ar ôl i gael ei chwythu gan wynt y gorllewin. Beth y'n ni'n mynd i neud? O's rhywun ar ôl i fod yn ddeilen fach o'r gorllewin?' A bloeddiodd y plant fel un dros y dosbarth: 'Mr Roberts!' Roeddwn wedi synhwyro ymhell o flaen y plant beth oedd yn dod ac wedi creu twll dychmygol i mi fy hun ar ganol llawr y dosbarth i ddiflannu iddo.

Ond doedd gen i ond dau ddewis: un ai gwrthod yn llwyr a gofyn am gael gair hefo hi'r tu allan i'r drws a chwyno na allai wneud hyn i fyfyriwr amhrofiadol ar ei flwyddyn gyntaf yn y coleg ac yntau isio dysgu'r plant bach 'ma am fis cyfan. Neu . . . ddawnsio. Daeth fy anochel dro. Ac fe ddawnsiais. Un ddeilen nobl, unig, yn cael ei chario'n ysgafn ar awel o'r gorllewin. Gallwn symud. Gallwn ddangos i'r Norah 'ma nad oedd hi'n mynd i 'nhorri i i fod yn fyfyriwr fyddai'n ei hofni am weddill fy nghyfnod yn y Drindod. Ac fel y tawodd y rygarŷg fe orweddais ar y llawr yn llonydd fel . . . deilen grin. Cymeradwyodd y plant a daeth y wers i ben. Rhoddwyd y desgiau yn ôl yn eu lle a gofynnodd Norah am air cyflym tu allan cyn iddi fynd yn ôl i'r coleg.

Dywedodd wrtha i yn y fan a'r lle 'mod i'n athro A, dim ond imi gael gwell trefn ar fy llyfr gwersi. Dywedodd y byddai'n dymuno 'ngweld i'n paratoi gwers hanes ar gyfer ei hymweliad nesaf ac awgrymodd 'mod i'n newid un o fy mhrif bynciau i astudio Drama. Dywedais innau 'mod i'n mwynhau'r darlithoedd Cerdd a Chymraeg ac nad oeddwn i awydd newid.

'Meddyliwch amdano fe,' meddai hi'n reit benderfynol cyn fy ngadael i yno'n eithaf hapus â'm gwers ond yn hollol ansicr o'm cam nesaf. Dechreuais grynu . . . fel deilen!

O Mam bach!

Roedd Andrea, ffrind o'r un flwyddyn â mi, yn daer y dylwn newid pwnc. Un o Benderyn, Aberdâr, oedd Andrea Benbow, a threuliem ddyddiau yng nghwmni'n gilydd yn siarad am allan o hydion am ein breuddwydion a'n dyheadau. Aem i lawr i'r dre ben bore weithiau i grwydro'r Mart a threulio'r diwrnod cyfan yn jolihoetio hyd y lle. Mae yna hwda o dafarndai a chaffis yng Nghaerfyrddin – mwy fesul y pen o'i phoblogaeth nag yn unrhyw dref arall ym Mhrydain, yn ôl y sôn. Deuem o hyd i ryw gornel mewn tŷ potas go annisgwyl a tharo ar sgwrs hefo hwn, llall ac arall, a glanio yn y llefydd rhyfeddaf erbyn diwedd y nos.

Dau ar yr ymylon oeddan ni mewn gwirionedd, yn rhan o sawl carfan ac eto'n aelod llawn o 'run ohonyn nhw. Doeddan ni ddim yn 'adar o'r unlliw' yn unman. Doeddwn i rioed wedi bod yn un am 'hedeg i'r unlle' a wnes i 'mo hynny byth wedyn chwaith.

'Nes i ddim hyd yn oed dilyn Andrea i'r Adran Ddrama, er cymaint oedd y dynfa. Roeddwn yn mwynhau darlithoedd Dafydd Rowlands, Carwyn James a Dalis Davies. Cawn flas ar astudio enwau lleoedd a gwaith Kate Roberts a gweld Carwyn yn mynd i wewyr yn trafod ei gwaith. Wrth gwrs fod gwahoddiad Norah wedi bod yn demtasiwn, ond gwrthod wnes i. A dwi'n gwbod imi ei phechu am fod mor styfnig. Ond roedd gen i fy rhesymau.

Ebwch ydi OMB, fel OMG, a ddefnyddiwn pan gawn ein hunain mewn cornel go letchwith weithiau. Ac

Andrea oedd hefo fi pan ges i'r profiad hwnnw yn Heol Dŵr ar ddiwedd fy mlwyddyn gyntaf. Roeddwn wedi cael fy hun mewn sawl cornel hefo Mrs Gee cyn hynny. Bu'n sgrechian arnon ni nerth esgyrn ei phen am inni adael ein brecwast heb ei gyffwrdd un bore. O ganlyniad i hynny dechreusom daflu gweddillion ein brecwast i lawr y pan nes i hwnnw, un bore, hyrddio'r cyfan yn ôl allan yn un gybolfa ddrewllyd hyd lawr y stafell molchi.

O hynny mlaen byddem yn cymryd ein tro i fod yn gyfrifol am wagio'r gweddillion i fag plastig a'i ollwng yn un o'r biniau cyhoeddus ar ein ffordd i'r coleg. Doedd neb yn hidio ffeuen am ailgylchu bryd hynny, ac wrth basio'r cyfryw fin un bore gofynnodd Gareth lle roedd y bag plastig. Edrychodd y tri ohonom ar ein gilydd yn fud, y naill a'r llall ohonan ni yn ein tro yn haeru nad ein tro ni oedd hi i ddod â'r bag. Aethom yn welw. Mae'n debyg mai ar yr union eiliad honno y byddai Mrs Gee wedi mynd i fyny i nôl y llestri a darganfod y bag plastig ar fy ngwely i! Ia, fy nhro *i* oedd hi i fod. Llaw i fyny. Euog!

Pechais yn erbyn yr Ysbryd Glân a chawson ni ddim brecwast o gwbwl am wythnosau wedi hynny. Aeth Mrs Gee i'w siambar sorri ac fe gollon ninnau ryw stôn yr un o fewn y mis. Wnaeth o ddim drwg i mi o gwbwl. Nes imi, un noson, gerdded i mewn i siambar Mrs Gee ei hun, a hyd y dydd heddiw mi dwi'n mynd yn chwys oer drosta i wrth ail-fyw'r foment hunllefus honno yn y cof.

Wedi bod yn y Ceff oeddan ni, wrth gwrs, ac wedi cael un neu ddau sieri bincs yn ormod. A chan nad oedd 'na neb arall ond Andrea a finna mewn hwyliau i barhau â'r gyfeddach, fe wahoddais hi yn ôl i Heol Dŵr am 'un bach arall'.

Roedd Gareth wedi mynd adra am y penwythnos ac erbyn hynny roedd Barry wedi rhoi'r ffidil yn y to hefo'r cwrs a phacio'i fagiau a mynd, ac felly roedd gen i'r stafell i gyd i mi fy hun. Gwell na hynny, roedd gen i botel o win i'w hagor hefyd. 'Mond rhyw ganllath o'r Ceff oedd ein tŷ lojin, oedd dipyn gwell na cherdded yn ôl i un o'r neuaddau lle roedd pawb call yn rhoi eu pennau i lawr i baratoi ar gyfer yr arholiadau diwedd tymor. Ond nid fi. O, na. Ac nid Andrea chwaith. Pobol yr ymylon oeddan ni. Byth yn gwneud be oedd y gweddill yn 'i neud.

Roedd yna bedair set o risiau i gyrraedd ein stafell ni ac fe daerwn ddu yn wyn 'mod i wedi cyfri'n iawn cyn agor y drws a neidio ar fy ngwely gan weiddi, 'Welcome to my parlour said the spider to the fly!' Prin oeddwn i wedi hitio'r gobennydd cyn imi deimlo rhes bigog o *rollers* gwallt yn bwrw fy moch. Os oeddwn i wedi bod am i'r llawr agor odana i yn Ysgol y Dderwen, byddwn wedi rhoi fy mywyd am gael bod yn rhywle arall heblaw yng ngwely fy lletywraig y funud honno. Byddwn wedi rhoi 'mysedd yng ngheg ddiddannedd fy mam gant a mil o weithiau er mwyn osgoi profiad fel hwn.

'Get out! Get out!' galwodd ar dop ei llais gan fy mheltio â'i chlustog a sgrechian dros bob man. Rhedais i ben y landing i osgoi'r waldio.

'I'm so sorry, Mrs Gee,' meddwn. 'I didn't mean to . . . you know.'

Erbyn hyn roedd hi wedi codi o'i gwely a'r net gwallt yn llawn *rollers* yn nesu amdana i fel pastwn ffyrnig o'r Canoloesoedd yn biga ac yn binna i gyd.

'How dare you!' medda hi wedyn. 'How dare you do this to me.'

'I'm really sorry . . . really, really . . . sorry.'

Gwrandawodd am eiliad. Yna arogli, gan edrych i fyny tua fy stafell.

'You have a young lady up there,' medda hi a'i llygaid yn troi tuag ata i ond ei thrwyn yn dal i anelu am ben y grisiau, fel Owen Farrell pan fydd yn mynd am gic gosb.

'No, I haven't,' meddwn inna'n wantan.

'Oh yes, you have,' medda hitha'n bendant.

'No, I haven't,' llipa arall.

Tawn i'n sobor ar y pryd fe fyddwn wedi sylweddoli nad oedd pwynt dadlau hefo'r ddynes filain gan nad oedd gan Andrea druan unrhyw ddihangfa o'r llofft. Ond roedd hithau mor feddw â finna, a phan ddaeth yr 'Oh yes, you have' nesa, fe glywais lais Andrea o'r llofft yn deud: 'Oh no, he hasn't.'

A dyna ni. Roeddwn allan o'r lojins ar fy mhen ac fe'm gwaharddwyd rhag mynd yn ôl nes y down i at fy nghoed a challio.

§

Bûm yn byw ar lawr ystafell Andrea yn Neuadd Non am ryw bythefnos a Gareth yn cario dillad glân imi bob hyn a hyn, fel roeddwn eu hangen. Doedd hi ddim yn ffordd braf o fyw ond roedd y mul ystyfnig yndda i'n methu gweld y byddai'n rhaid imi ddychwelyd yn fy sachlïain a lludw cyn y cawn fynediad i 'ngwely a'm dillad fy hun byth eto. Roeddwn ar fy nhymor olaf beth bynnag. Cawn fynd i un o'r hosteli y flwyddyn nesa. Pam dylwn i ildio i reolau mor haearnaidd o hen ffasiwn a minnau'n talu am y gwasanaeth? Ond yn y saithdegau roedd hyn, lle roedd rhai hen reolau'n cael eu chwalu'n sarn ac eraill yn glynu o hyd – fel gele.

Yr unig faen tramgwydd oedd fod y diwrnod agored yn nesáu a'm mam a 'nhad yn dod i lawr i weld fy ngwaith. Roeddwn yn unawdydd yn y cyngerdd ac yn cymryd rhan flaenllaw yng nghyflwyniad llafar yr Adran Gymraeg hefyd. Roedd golwg y diawl arna i erbyn hynny gan 'mod i wedi bod yn cysgu ar lawr ers wythnosau, ac roedd angen imi edrych ar fy ngorau. Doeddwn i ddim wedi siafio ers tro byd a chan 'mod i fel adyn mewn neuadd breswyl i ferched, roedd yr holl ddryswch yn dechrau deud arna i. Byddai'n rhaid imi fynd yn ôl i Heol Dŵr i molchi a newid yn iawn. Gallwn sleifio'n ddistaw bach i'r llofft a gobeithio y byddai Mrs Gee yn meddwl mai Gareth oedd yn crwydro i fyny'r grisiau. Gallwn gasglu rhagor o 'mhethau wedyn heb swnian yn ormodol ar Gareth. Cawn wybod ganddo bob hyn a hyn nad oedd hi wedi maddau i mi ond ei bod yn dechrau meirioli.

Trawais fy ngoriad yn y twll clo a cheisio camu mor ddistaw ag y gallwn i fyny'r grisiau a heibio'r stafell wely lle roedd fy nghywilydd yn dal i hongian yn yr aer. Clywais leisiau plant yn chwerthin yn ystafell fyw fy lletywraig. Go dda, roedd ganddi bobl ddiarth. Byddai'n rhy llawn o'i phetha'i hun i ddod i fusnesa.

Roedd gennym stafell folchi ddigon od. Dim cawod, ac roedd angen gofyn caniatâd i gael bath, felly molchi dan sinc oedd fy unig opsiwn. Tynnais fy nillad i gyd er mwyn molchi'n iawn, llenwi'r sinc â dŵr poeth a seboni fy hun o'm corun i'm sawdl. Braf, meddyliais. Doeddwn i ddim wedi cael gwneud hyn ers cymaint o amser. Ond gall yr holl bleser hwnnw ddiflannu fel dŵr budur i lawr sinc os daw rhyw styrbans a'ch lluchio oddi ar eich echel sebonog. Ac wrth gwrs, fe ddaeth ar ffurf llais o'r landing islaw.

'O mummy! You're in the bathroom.'

'Yes, dear,' meddai Mrs Gee oddi ar ei gorsedd. Tybiais felly mai ei merch a'i hwyrion oedd wedi dod adre am y penwythnos. Damia! Ac roedd gwaeth i ddod pan glywais lais y ferch yn deud: 'Never mind, I'll use the one upstairs.'

Safwn yno'n noeth, a'r swigod yn prysur fyrstio'n oer hyd fy nghorff. Gwyddwn mai dim ond ychydig eiliadau oedd gen i i ffeindio cuddfan. Ac wrth imi glywed sŵn traed yn drybowndian tuag ata i, y cyfan allwn i feddwl amdano oedd cuddio y tu ôl i'r drws. Byrhoedlog iawn oedd y guddfan honno gan i'r ddynes ddiarth oedd bron â marw isio pi-pi swingio'r drws ar gau wysg 'i chefn a'i hanelu hi'n syth am y pan – oedd yn wynebu tuag ata i. Wrth iddi ddechrau tynnu ei nics, gwyddwn y byddai'n rhaid iddi droi i'm hwynebu er mwyn eistedd ar y pan. Roeddwn eisoes wedi gweld rhych ei phen-ôl, ac er mwyn arbed ei chywilydd rhag mynd dim pellach y cyfan fedrwn i feddwl amdano oedd gweiddi, 'Stop!'

Roedd fy nhywel fel tyrban am fy mhen a dim pilyn arall amdana i ond mymryn o sebon. Dwi ddim yn siŵr a lwyddis i roi fy nhyrban am fy nghanol mewn pryd, ond roeddwn wedi fy nghornelu mor dynn fel nad oedd yn gwneud affliw o wahaniaeth. Roedd y ddynes mewn coblyn o sioc a rhoddodd floedd go uchel. Diolch byth fod Mrs Gee yn tynnu'r tsiaen yn y lafatri arall ar y pryd a'r wyrion yn sgrechian dros y lle fel na chlywodd neb ond fi y floedd a gafwyd. Edrychodd arna i gan astudio pob modfedd ddiferol o'm corun i'm sawdl. Cerddodd yn araf tuag ata i gan edrych i fyw fy llygaid edifeiriol. Sibrydodd.

'It's you, isn't it?' medda hi.

'Yes,' atebais innau, yn gwbod yn iawn be oedd ganddi dan sylw.

'The naughty boy from Trinity.'

'Yes,' meddwn i eto. Ateb unsill, hawdd.

'Kevin.'

'Yes.'

Dwi'n meddwl imi weld arlliw o wên ar ochr ei gwefus ond fentrais i ddim deud gair. Roedd popeth ond 'Yes' wedi glynu yn fy nghorn clag nes iddi hi ofyn imi lle roeddwn i'n mynd. Daeth y geiriau yn ôl yn raddol bach ac eglurais fod Mam a Dad ar eu ffordd i lawr a'i bod yn ddiwrnod agored yn y coleg a 'mod i angen canu unawd mewn cyngerdd a 'mod i'n . . .

'Listen,' medda hi, gan dorri ar fy nhraws, 'I've been a student myself. I'll take her out shopping in a minute and you can have the place to yourself. Make sure you're out before lunchtime. Should give you enough time to get ready. Don't leave any clues that you've been near the place. Understand?'

Be arall fedrwn i ddeud ond, 'Yes'?

Fe aeth y diwrnod agored yn ei flaen yn ddi-fai ac roeddwn yn falch o weld fy mam a 'nhad wedi'r holl dreialon. Fe stryffaglais drwy bethau'n weddol ac aethom allan am bryd o fwyd i westy'r Llwyn Iorwg i orffen y dydd. Ar fy mhwdin oeddwn i pan ofynnodd Mam: 'Pam yn y byd mawr ti 'di tyfu locsyn?'

'Stori hir,' meddwn inna. A dyna'i diwadd hi.

Lleisiau Llên

Er yr holl brofiadau a gefais, yn chwerw a melys, heb os, uchafbwynt fy nghyfnod yn y Drindod oedd cael gwahoddiad i ymuno â Lleisiau Llên, criw o fyfyrwyr a chyn-fyfyrwyr yr oedd Norah wedi'u dewis a'u dethol i deithio Cymru i ddathlu'r trosiad newydd o'r Testament Newydd. Roeddwn yn fy nhrydedd flwyddyn erbyn hynny, ac er y dylwn fod wedi rhoi fy mhen i lawr i ganolbwyntio ar y gwaith academaidd oedd o fy mlaen, roedd cael gwahoddiad i fod yn aelod o Lleisiau Llên yn ormod o demtasiwn i'w wrthod. Y dyn styfnig oedd wedi gwrthod newid pwnc i astudio Drama, pam oedd hwn yn cael ei ddethol o blith yr ugeiniau o fyfyrwyr oedd yn astudio Drama drwy gyfrwng y Gymraeg, dudwch chi? Dyna'r cwestiwn piwis a glywn o ambell gyfeiriad.

Beth bynnag oedd yr ateb, 'nes i ddim difaru, a dyma'r criw lle y gwnes i ffrindiau oes wedi bod yn eu cwmni. Fe berfformion ni'r cyflwyniad mewn degau o addoldai o Fôn i Fynwy i gynulleidfaoedd orlawn ym mhobman. Byddem yn mynd ben bore Sul i'r fan a'r fan ac yn ymgyfarwyddo â'r amrywiol bulpudau a'u sedd fawr: Cliff Jones, Eirlys Britton, Rhiannon Rees, John Owen, Gerallt Rhun a Dai Jones, Llanilar, fel unawdydd gwadd. Roedd gan bob capel ei her ei hunan o ran ffurf, acwsteg a chynulleidfa. Byddai ambell un yn 'Amenio' ar ddiwedd golygfa, eraill yn torri allan i ganu fel 'taem ni ar ganol diwygiad wrth gael eu symud gan y stori orau a fu erioed.

Dim ond un set o risiau fyddai'n mynd i fyny i ambell bulpud. A hyd yn oed ar ôl goresgyn y broblem o gael cyfyngiad felly a symud i'r capel nesa, lle nad oedd ond un set yn y fan honno hefyd, byddai'r set honno'n mynd i ochr dde'r pulpud ac nid i'r ochr chwith fel yr un flaenorol. Dro arall doedd dim pulpud o gwbwl. Dysgodd hyn ni i fod yn hyblyg a bod ffordd o oresgyn pob problem, dim ond ichi roi eich meddwl ar waith.

Ond roedd gen i un broblen na fyddai modd ei goresgyn. Roeddwn ar fy ymarfer dysgu olaf a mynnai Norah dderbyn gwahoddiadau newydd bob gafael. Os credwn fod gen i benwythnos yn rhydd i baratoi 'ngwersi, o fewn dim byddai Norah wedi derbyn dau neu dri gwahoddiad ychwanegol a 'mhenwythnosau'n diflannu i'r gwynt. Dwi'n cofio mynd ati unwaith yn erfyn arni i adael o leia un penwythnos yn rhydd imi gael paratoi gwersi, a gwahoddodd fi i fyny i'w thŷ i gael gair. Dywedodd wrtha i nad oedd angen imi boeni a'i bod wedi cael gair gyda'm tiwtor i egluro wrtho pa mor brysur oeddwn i a 'mod i'n hanfodol i lwyddiant y cyhyrchiad yma oedd yn dod ag enw da i'r coleg. Byddwn felly'n cael ychydig o raff ganddo. 'Chi'n athro penigamp. Ac mae Mr Ceurwyn Rees yn gwybod hynny o'r gorau.'

'Ia, ond, Miss Isaac, pryd dwi'n mynd i ga'l amsar i neud fy nghyfarpar gweld?' Y *visual aids* bondigrybwyll hynny y byddai pob tiwtor gwerth ei halen yn disgwyl ichi eu paratoi a'u harddangos yn ystod eich gwers.

A dyna pryd y dudodd Norah un o'r atebion hynny sydd wedi aros hefo fi hyd heddiw. Rhoddodd wên i gychwyn, gan godi ei braich dde gryd cymalog a rhoi ei llaw dan ei gên.

'Cefin bach,' medda hi, 'ma peder awr ar hugen mewn diwyrnod – cofiwch chi hynny.'

Daeth llinell yr oedd Nain Nantlle wedi'i sgwennu yn fy llyfr llofnodion flynyddoedd ynghynt yn ôl imi:

Count that day lost whose low descending sun
Views from thy hand no worthy action done. (ANON)

Do, mi fûm i'n gweithio fel dwn-i'm-be i drio plesio pawb. Mae'n gas gen i ddeud 'na' wrth unrhyw wahoddiad. Mae Rhian wedi deud wrtha i'n aml ei bod yn mynd i dalu am datŵ ar fy nhalcen imi ryw ddiwrnod sydd yn deud 'NA!' Bydd yn f'atgoffa o hynny'n aml pan fydda i'n rhusio adra o'r gwaith yn trio casglu rhyw bapurach i yrru drwy'r gwynt a'r glaw i Abercwmperfeddwlad i fod yn ŵr gwadd i gymdeithas lenyddol neu swper Gŵyl Ddewi Merched y Wawr, fy nghalon yn fy sodla a'm nerth i gyd ar lawr yr ystafell ymarfer yng Nglanaethwy. 'Cefin!' fydd hi'n 'i ddeud. 'Pam na ddysgi di ddeud "na" weithia?' Gyda llaw, tydi hi byth wedi prynu'r tatŵ yna imi.

Yng nghanol prysurdeb tebyg y ces i fy hun ym mhulpud un o gapeli Cefneithin ryw nos Sul 'nôl yn 1975. Wedi fy llethu gan flinder, ac ar ganol fy ymarfer dysgu olaf yn Ysgol Gynradd Bancffosfelen, safwn yno'n gwrando ar Norah yn ceisio esbonio'r feirniadaeth hallt roedd hi wedi'i derbyn am ein perfformiad yn Aberystwyth yr wythnos flaenorol. Yn ôl pob tebyg, roedd un academydd efengylol wedi mynegi ei siom i Norah ei bod wedi gadael y Crist croeshoeliedig ar y groesbren ar ddiwedd y perfformiad. Doedd honno, yn ei dyb o, ddim yn ddelwedd gyflawn o'r efengylau a'n bod, mewn gwirionedd, wedi hepgor neges bwysica'r Testament Newydd o'n cyflwyniad, sef yr atgyfodiad.

I Norah, y tablo theatrig o Grist ar y groesbren, dau filwr bob ochr iddo, Mair ei fam a'i chwaer a Mair Magdalen yn wylo wrth ei draed oedd y foment ddramatig i ddod â'r cyflwyniad i ben. Roedd y perfformiad hefyd i fod i bara ychydig yn hwy nag oedfa gyffredin. Cyngor Celfyddydau Cymru oedd yn noddi'r perfformiadau ac mi debygwn mai un o amodau'r comisiwn a dderbyniodd

Norah oedd cyflwyniad oddeutu awr o hyd. Beth bynnag oedd ei chymhelliad i adael Crist ar y groes ar ddiwedd y perfformiad, roedd yn dipyn o straen i mi orfod sefyll yno a'm dwylo ar led heb symud gewyn hyd nes y byddai'r aelod olaf o'r gynulleidfa wedi ymadael. Yn sicr roedd y feirniadaeth, yn Aberystwyth o bobman, wedi'i phoeni. Ond roedd ganddi syniad, a byddai'n cyflwyno'r syniad hwnnw inni yng Nghefneithin yr wythnos ganlynol. Heb unrhyw fath o rybudd.

Byddwn wedi croesawu unrhyw esgus i gael rhyddhau fy hun o grafangau'r groes ddychmygol yn llawer cynt na'r aros hirfaith yr oedd Norah wedi'i fynnu ohona i yn y perfformiad. Roedd hi'n ddigon rhwydd i'r gweddill aros yn llonydd o fewn y tablo, un ai'n sefyll fel sowldiwrs wrth fy ymyl, neu'n pwyso'n drist ar risiau'r pulpud. Ond bu'n rhaid i mi aros yno'n llonydd, fy mhen ar ogwydd a'm breichiau ar led am o leia ddeng munud, a mwy mewn ambell fan.

Drwy niwl fy mlinder yng Nghefneithin fe glywn Norah yn sôn am emyn dieithr a dechreuais ganolbwyntio mwy pan glywais hi'n crybwyll y byddai Crist yn disgyn yn araf o'r groes yn canu'r emyn dan sylw. Ond pan sylweddolais mai *fi* oedd yr un fyddai'n ei ganu, fe ddechreuais amau'r holl syniad. Canu beth? Efo pwy? Ar fy mhen fy hun? Be oedd yr emyn 'ma? Be, ei ganu fo *heno*?

'Ond dwi'm yn 'i wbod o, Miss Isaac!'

Erbyn hynny roedd ganddi gopi hen nodiant o'r emyn o'i blaen ac yn rhyw lun o'i ganu imi.

'Wrth gwrs eich bod chi'n 'i nabod o.'

'Nac'dw!'

''Co fe. Drychwch arno.'

Erbyn hyn roedd y gynulleidfa yn cyrraedd, ac yn eu plith yr oedd Carwyn James! Dwi'n cofio'i weld yn dod i mewn i ochr dde'r galeri o'r lle'r edrychwn i arno o'r pulpud. Cododd ei law arnon ni i gyd a synhwyrodd fod rhywbeth o'i le. Roedd Norah a minnau'n dadlau, a bellach roedd ganddon ni gynulleidfa.

'Na, tydw i ddim yn 'i wbod o . . . wir, Miss Isaac. Tydw i ddim.'

'Cefin . . . canwch e!'

'Mi ddysga i o erbyn y perfformiad nesa, ond ma hyn yn rhybudd rhy fyr imi . . . sorri.'

Dwi'n cofio wynebau gweddill y cwmni'n edrych arna i fel taswn i ar fin cael fy nghroeshoelio'n gyhoeddus. Ac nid chwarae ar eiriau ydw i. Roedd unrhyw un oedd yn croesi Norah yn chwarae efo tân. Roedd gwneud hynny'n gyhoeddus yn beryclach fyth.

Ond doedd waeth gen i am hynny. Er mor glyfar ei dewis o emyn ac er mor effeithiol y gallai'r theatr y tu ôl i'r syniad fod, doedd meddwl am berfformio am awr dda yn poeni 'mod i'n gorfod canu cân hollol ddieithr ar yr olwg gyntaf ddim yn rhywbeth yr oeddwn yn fodlon ei wneud . . . dim hyd yn oed i Norah Isaac.

Daliais lygaid Cliff Jones, un o'm ffrindiau pennaf hyd y dydd heddiw. Gwelais ryw olwg yn ei lygaid oedd yn deud wrtha i, 'Chdi sy'n iawn'. A rhoddodd hynny'r hyder imi fentro neidio o'r pulpud a cherdded heibio Norah yn dawel i'r festri lle roedd y 'chwiorydd' wedi paratoi te ar ein cyfer.

Un o uchafbwyntiau'r nosweithiau hyn oedd sglaffio brechdanau a chacs yn holl festrïoedd y capeli y buom yn perfformio ynddyn nhw: sandwijys caws a nionyn, wyau, ham a thomato, a tiwna *mayo*; treiffl a chacen Fictoria sbynj a bara brith, pice ar y ma'n a sosej rôls. Chewch chi neb gwell na chwiorydd festrïoedd Cymru am baratoi'r fath ymborth. Anghofiwch y stori am funud bach, a gadewch inni i gyd dynnu'n het i bob chwaer o Gaergybi i Gaerdydd sydd wedi 'arlwyo'r ford' ar ein cyfer ni i gyd. Diolch yn dalpia ichi, genod. Os oedd ambell ddyn yn eich plith, yna diolch i chitha hefyd. Ond y chwiorydd, yn bennaf, sydd wedi'n bwydo ni, berfformwyr Cymru, dros y degawdau. Diolch am y wledd!

Cliff oedd y person cyntaf i 'nilyn i i'r festri a Gerallt Rhun (brawd yr actor Dyfan Roberts) wrth ei gwt. Ara deg oedd pawb arall yn dilyn gan eu bod, fel y dysgais wedyn, yn trio cysuro Norah yn y sêt fawr.

Eisteddom o gwmpas yr arlwy mewn tawelwch llethol. Teimlwn fel Jiwdas wrth fwrdd y swper olaf, a gallai'n hawdd fod wedi bod yn hynny ar Lleisiau Llên y noson honno. Dwi'n cofio gweld Norah yn taflu ei bag llaw draw at Pat Griffiths gan ofyn iddi chwilio am 'switsen' iddi. Yna gofynnodd am 'nished' (hances boced) a sychu deigryn oddi ar ei grudd. Fi, yn amlwg, yn y stori yma, oedd y dihiryn. Teimlais ychydig yn well pan sibrydodd Cliff yn fy nghlust am ei hanwybyddu i'r diawl. Yna, yn ei ffordd ddihafal ei hun, fe wyrodd Norah tuag ata i a sibrwd: "Sa i erio'd ... *erio'd* o'r bla'n wedi ca'l fy mychanu shwt gymint. A hynny o fla'n CARWYN!'

Chwythu'n boeth ac yn oer wnaeth perthynas Norah a finna drwy 'nghyfnod yn y Drindod. Wedi imi symud i'r Coleg Cerdd a Drama, fe wellodd pethau'n raddol. Er iddi edliw 'mod i, o'r diwedd, wedi dewis canolbwyntio ar actio, roedd yn dal i deimlo y dylwn i fod wedi gwneud hynny flynyddoedd yn gynt – o dan ei hadain hi. Ond fe wyddai imi brofi cryn dipyn o wres yr adain honno drwy ei darlithoedd yn yr Adran Gymraeg a hefyd yn y Gymdeithas Ddrama a chyda Lleisiau Llên. Mae'n bosib, pe bawn i wedi symud o'r Adran Gerdd i'r Adran Ddrama, y byddai ein cleddyfau wedi croesi hyd yn oed yn amlach. Gormod o ddim nid yw dda.

''Run geiniog heb gwrs y gynnen'

Roeddwn yn parhau i ddychwelyd i'r Drindod ar ben-wythnosau yn aml i berfformio gyda Lleisiau Llên. Cyn-fyfyrwyr oeddan ni i gyd erbyn hynny a Norah yn ceisio'i gorau i ddal ei gafael yn dynn ynom fel cwmni. Cafodd gynnig rhagor o arian i berfformio'r anterliwt *Tri Chryfion Byd* fel rhan o 'ddigwyddiadau celfyddydol' yn Sain Ffagan a ches fy nghastio fel Syr Tom Tell Truth, y traethydd a'r brif ran yn y chwarae. Roedd yn gythgam o waith dysgu a bûm yn cerdded o'r coleg i 'Llwybrau' ym Mhentremeurig yn gyson cyn diwedd fy nghwrs i geisio meistroli'r rhan:

Trwy'ch cennad heb gynnen, â llawen ddull hoyw,
Dymuna' yma *silence*, ac i bawb ddal sylw;
Chwi gewch ddifyrrwch yn ddi-feth
Os torrwch beth o'ch twrw.

Mae'n gofyn i bawb sy am wrando
Roi pob ymddiddan heibio;
Ni ddichon neb ddeall unrhyw ddawn
Neu stori heb iawn ystyrio.

Pan ddarllenais y sgript am y tro cyntaf doedd gen i ddim o'r syniad lleiaf am beth yr oedd Syr Tom yn parablu. Aeth Norah ati i egluro pob sill a chyflythreniad, pob tinc cynganeddol ac odl fewnol, ystyr pob jôc ac eironi dramatig o'i dechrau i'w diwedd. Dois innau, yn y man, i weld clyfrwch y geiriau a chawn bleser di-ben-draw yn gwrando ar Norah yn disgrifio sut y byddai Twm o'r Nant a'i drwbadwriaid yn mynd o amgylch y ffeiriau'n diddanu ac yn deud wrth bobl sut roedd hi yn y cyfnod hwnnw. Pa mor ddifyr fyddai bod yn rhan o gwmni felly, meddyliais. Bychan iawn y gwyddwn y cawn i fy hun fod yn rhan o gwmni teithiol eithaf tebyg yn yr wythdegau: cael crwydro Cymru benbaladr gyda chwmni o actorion yn trafod pynciau llosg a dychanu a chanu mewn sioeau tafarn, clybiau a phentrefi bach y gymuned. Dwi'n credu mai Theatr Bara Caws yw'r agosaf peth gewch chi i gwmni Twm o'r Nant y dyddiau hyn. A hir y parhaed y cwmni theatr Cymraeg hynaf sy'n bod i wneud hynny.

Tra oeddwn yn aelod o Bara Caws am wyth mlynedd bûm yn dadlau yn aml â'n swyddogion yng Nghyngor y Celfyddydau fod angen gwell cefnogaeth ar y cwmnïau bach. Mae hi'n her aruthrol dyfeisio sioeau yn arbennig i'r cymunedau Cymraeg a mynd â'r sioeau hynny allan i neuaddau bychan sy'n amrywio'n arw o safbwynt ffurf, maint ac adnoddau o'u cymhraru â'n theatrau mawrion. Mae hi'n llawer haws rhoi set i fyny lle mae'r goleuadau a'r system sain eisoes yn eu lle, y swyddfa docynnau wedi gwneud y rhan fwyaf o'r gwaith caib a rhaw o safbwynt gwerthu a marchnata, a lle mae digon o foethusrwydd ac adnoddau at eich galw.

Mae gen i gof o gyflwyno sioe o'r enw *Cwlwm Pump* i Bara Caws yn Ysgol y Faenol yn yr wythdegau. Oherwydd diffyg gofod, bu'n rhaid inni osod y set bron yn erbyn y wal gefn, lle y byddem wedi bod yn ei ddefnyddio fel gofod i newid ein gwisg rhwng y naill olygfa a'r llall, fel arfer. Felly, yr unig ddatrysiad oedd inni agor y drws yng nghefn y neuadd a newid y tu allan. Roedd yn noson rewllyd ac yn ystod un *quick change* roedd Bryn Fôn a finna'n bustachu i'n gwisg nesaf pan ddechreuodd fwrw eira. Aeth y ddau ohonom i biffian chwerthin a'r gawod eira'n lluwchio o'n cwmpas.

'Pwy ddiawl ddudodd fod y job yma'n glamyrys?'

gofynnodd Bryn. Doedd dim cyfle i'w ateb gan inni glywed ein ciw nesaf a bu'n rhaid rhedeg ymlaen ffwl pelt a'r gynulleidfa'n ceisio dyfalu sut yn y byd ein bod ni'n dau yn edrych fel tasan ni wedi bod allan mewn cawod eira.

Roeddwn i'n dadlau bryd hynny, ac mi ddadleuwn yr un peth heddiw, fod y gwaith mae'r cwmnïau theatr cymunedol, bychain, yn ei wneud yr un mor bwysig ag unrhyw gynhyrchiad prif ffrwd. Mae'r dŵr yn dal i redeg i'r pant ac actorion Cymraeg yn dal allan yn yr oerfel yn aros am eu ceiniogwerth flynyddol. A dyna pam rydan ninna'n dal i godi'r un hen ddadl am y pegynu yma rhwng de a gogledd, y Cymry Cymraeg a'r di-Gymraeg, y dosbarth canol a'r gweithiol, yr *haves* a'r *have nots*. Yr un pethau'n union oedd yn blino'r hen Twm ar gefn ei gert slawar dydd:

SYR TOM TELL TRUTH:

> Mae yng Nghymru lawer coegen
> a roi goron i blayers Llunden,
> Ond ni all, i Gymro, fforddio o'i phwrs
> 'Run geiniog heb gwrs y gynnen.

Does dim wedi newid, yn nagoes?

Rown i'r byd am weld ymateb y dorf yn ystod un o berfformiadau'r hen Dwm i'r llinell yna. Taro'r hoelen ar ei phen â'i odlau a'i fydryddiaeth yn clecian. Un o fy hoff linellau yn yr anterliwt oedd ymateb Syr Tom i'r Traethydd ar eu cyfarfyddiad cyntaf:

TRAETHYDD: What is this gibberish, foolish fellow?
SYR TOM: Dam i sil Satan, dyma Sais eto!

Roedd Norah wedi llogi gwisgoedd gan y Cwmni Opera Cenedlaethol, a phan edrychais ar fy ngwisg yr enw ar ei sgrepan oedd 'Geraint Evans'! Waw! Er mai siaced syml a throwsus gwyrdd i fatsio oedd fy rigówt, yn sgil y ffaith mai ar gyfer Syr Geraint y cynlluniwyd hi mi ges eitha gwefr o'i gwisgo, ac fe weddai'n berffaith i'r cymeriad. Rhyw awgrym o glown eitha clasurol heb fod yn rhy fflachiog. Sgwn i ai Pagliacci oedd y rôl a chwaraeodd y cawr o Gilfynydd yn y wisg arbennig honno?

Doedd ein perfformiad yn Sain Ffagan ddim yn un esmwyth. Doeddan ni ddim yn gwbl sicr o'n pethau ac fe wyddai Norah hynny'n iawn hefyd. Os nad oeddan ni ar y cert yn perfformio roeddan ni i gyd y tu ôl i'r cert yn promptio'r rhai oedd wrthi fel y diawl. Mae byrfyfyrio Twm o'r Nant yn anos na byrfyfyrio Shakespeare hyd yn oed. Er bod y bardd o Stratford yn fydryddwr heb ei ail, doedd o ddim yn gynganeddwr nac yn rhoi odl fewnol i mewn bob yn ail a pheidio.

Ond mae'n rhyfeddol beth gewch chi getawê hefo fo'n perfformio drama gyfnod ar gefn cert yn yr awyr agored. Mae'r gynulleidfa'n dotio mwy ar y gefnlen a'r gwisgoedd, sŵn adar mân yn canu a'r gerddoriaeth. Mae'r achlysur ei hun yn fwy o ddigwyddiad nag o ddrama.

Cawsom well trefn ar bethau erbyn inni deithio i fyny i Gregynog, lle roedd aelodau'r Academi Gymreig yno ar gyfnod preswyl. Ni oedd eu hadloniant am y pnawn Sadwrn cynnes hwnnw. Roedd gennym safle delfrydol i osod ein cert a pherfformio yn y pant sy'n rhedeg ryw hanner canllath o flaen y plasty. Eisteddai'r gynulleidfa ar y tir uwch ac roedd gennym guddle perffaith i'w gwylio o gysgod y bont sy'n croesi'r pant yn y tir. Yn eu plith yr oedd Derec Llwyd Morgan a Jane Edwards, a brenhines ein llên ei hun, Kate Roberts. Fel y gŵyr rhai, roedd Dr Kate yn frenhines hefyd ar yr anterliwt, a'i chynyrchiadau a'i harbenigedd ar waith yr hen Dwm yn wybyddus i bawb oedd yno – gan gynnwys Norah.

Roedd Jane yn torheulo mewn cadair haul a Derec yn darllen ei bapur yn ei het wellt – a'r frenhines ei hun yn cael ei chyntun yn ei chôt a het frown yn llygad yr haul. A ninnau, yng nghysgod y bont, yn crynu yn ein hesgidiau yn meddwl sut yn y byd mawr oeddan ni'n mynd i ddenu sylw'r academyddion yma uwch ein pennau. Fel y bydd athrawon weithiau'n diflannu pan ddaw gŵr gwadd neu gwmni theatr mewn addysg i lenwi rhyw awran o'u hamserlen, roedd y rhain yn amlwg wedi dod allan i gael egwyl o'u trafodaethau trymion. Ni fyddai'r gerddoriaeth gefndirol i'w hysbaid yn yr haul.

Ond fe aeth y perfformiad yn well na'r disgwyl. Roeddem i gyd wedi bod yn cael *word run* yn ein ceir yr holl ffordd i fyny ac yn helpu'n gilydd i feddwl am ffyrdd i lenwi tyllau'r cof. Mae gan bob actor ei ffordd fach unigryw ei hun o ddysgu a chofio geiriau, ac roedd rhannu syniadau ar sut y gwnaem hynny yn ein tynnu yn nes at ein gilydd fesul perfformiad. Dwi ddim yn credu inni gael gair croes rhyngom yn ystod yr holl gyfnod y buom yn teithio. Peth prin iawn yn hanes unrhyw *ensemble* o actorion, greda i.

Wedi'r perfformiad roeddem yn ymuno â'r acad-emyddion i sgwrsio a chanu a pharhau â'r diddanwch am ychydig cyn y daeth yr alwad i ginio. Dwi ddim yn gwybod ai talu'n ôl imi yr oedd Norah pan ofynnodd imi helpu Dr Kate i'r ffreutur, ond fe wyddwn y byddwn ar ddiwedd y ciw o wneud hynny.

Roedd hi'n dal i ryw bendwmpian pan gynigiais fy mraich i'w helpu i godi. Er iddi fyw i'w nawdegau, ddeng mlynedd ar ôl imi ei gweld yng Ngregynog, roedd yn eitha musgrell y diwrnod hwnnw, a châi gryn drafferth i godi o'i sedd.

'Diolch ichi, 'machgen i,' meddai, gan geisio sythu ryw fymryn wrth inni wneud ein ffordd tua'r ffreutur, oedd y pen arall i'r plasty ac yn dipyn o step i'r hen wreigen. Roeddwn yn crafu fy mhen am rywbeth i'w ddeud wrthi ar y ffordd, ond 'be?' Be dach chi'n ddeud wrth y fath ffigwr cenedlaethol yr oedd Carwyn James wedi'i gosod ar y fath bedestal yn ei ddarlithoedd? Âi i'r fath wewyr wrth sôn amdani fel y byddai'n cau ei lygaid am ddarlith gyfan, weithiau. A rŵan roeddwn i'n gafael ynddi o dan ei chesail, ac wrth inni ymlwybro drwy'r coridorau yr unig beth allwn i feddwl ei ofyn iddi oedd y cwestiwn rwyf wedi addo i mi fy hun na fyddwn i byth yn ei ofyn eto i unrhyw aelod o gynulleidfa yn unman.

'Ddaru chi fwynhau?'

Mae man a lle i ofyn y fath gwestiwn i bobl wedi sioe. Os ydach chi'n berfformiwr ar unrhyw lefel, meddyliwch yn galed cyn gofyn y cwestiwn bach ymddangosiadol syml yna i unrhyw aelod a fu'n eich gweld yn perfformio. Peidiwch â rhoi'r person arall mewn penbleth i ymateb gan nad oes, fel Dic Aberdaron a'i gath gynt, yr un ohonan ni'n 'gwirioni 'run fath'.

Tawelwch pur ges i 'nôl am sbel ac wedyn rhyw 'do' bach â'i oslef yn gwyro am i lawr ar ei ddiwedd. 'Do,' medda hi wedyn, gydag ychydig bach mwy o arddeliad yr eildro. Saib arall, a minnau'n crafu fy mhen am well testun i sgwrs gan ein bod gryn bellter o'r ffreutur o hyd. Yna mi stopiodd. Yn amlwg roedd ganddi ryw un chwilen yn ei het fach frown.

'Mewn melyn oedd Cariad gen i,' meddai. 'Ma' melyn dipyn cynhesach lliw na gwyn.'

Yna nodiodd, gystal â deud, 'Ia, dyna oedd ar fy meddwl i – a fi oedd yn iawn. Melyn ydi lliw cariad.'

Rhiannon Rees a chwaraeai ran Cariad yn ein cynhyrchiad ni, a dwi'n credu mai'r purdeb a'r diweirdeb oedd gan Norah dan sylw wrth ei rhoi mewn gwisg glaerwyn. Ond feiddiais i ddim crybwyll hynny o gwbwl wrth y frenhines oedd, fel finna, yn ysu am ei chinio erbyn hynny.

A dyna fy unig gyfarfyddiad â'r Dr Kate tra bu hi byw. Ond gan imi fod yn ei chwmni sawl gwaith yn ei nofelau a'i straeon byrion, yn gwrando ar Madge Hughes a Neli Boduan yn adrodd straeon Winni Ffinni Hadog mewn eisteddfodau fyrdd pan oeddwn yn blentyn, yn darllen amdani mewn sawl cyfrol sy'n trin a thrafod ei gwaith a'i bywyd, dwi'n teimlo 'mod i'n nabod mwy ar Dr Kate Roberts nag rydw i mewn gwirionedd. Ond roedd cyd-addasu *Te yn y Grug* yn sioe lwyfan hefo Karen Owen ac Al Lewis flynyddoedd yn ddiweddarach yn fraint ac yn gyfle i ddod i'w nabod mewn ffordd na fyddai rhywun wedi'i wneud oni bai ei fod wedi cael cynnig o'r fath. Ces foddhad mawr yn addasu'r gwaith ar gyfer Eisteddfod 2019. Stori arall oedd ei chyfarwyddo, a bu bron imi roi'r ffidil yn y to ar un achlysur. Falla caf fi'r nerth i adrodd y stori honno ichi rywbryd eto.

§

Fel yr oedd ein cyfnod yn y Drindod yn dod i ben, roedd pawb o'm ffrindiau'n llenwi ffurflenni yn trio am swyddi wrth y dwsin tra oeddwn i'n petruso a llusgo 'nhraed ac yn amau fy hun. Oeddwn i'n barod am swydd naw tan bedwar a chael fy nghau mewn stafell ddosbarth am weddill fy mywyd? Oeddwn i'n gweld fy hun mewn stafell athrawon yn trafod cwricwlwm a diets hefo 'mocs bwyd o fy mlaen o'r mis Medi hwnnw ymlaen hyd dyn a ŵyr pryd? Doeddwn i'n sicr ddim yn mynd i gael fy ngwahodd yn ôl i wneud gradd BEd gan mai prin grafu drwy fy mhapur Addysg wnes i yn y diwedd. Mi basiais yn rhyfeddol o uchel yn fy mhrif bynciau a f'ymarfer dysgu, ond roedd y darlithoedd Addysg wedi bod yn boen arna i o'r cychwyn cyntaf. Dwi'n cofio edrych ar un cwestiwn yn y papur arholiad gan fethu deall be goblyn oedd gan gymeriad allan o gartŵn Walt Disney i'w wneud ag addysg o fath yn y byd. Gofynnais yn sydyn i ffrind imi cyn i'r arholiad ddechrau, 'Pwy goblyn oedd Pluto?' Fe fethodd â'm hateb gan ei fod yn piffian chwerthin i'w lawes am sbel go lew. Wedyn y dois i ddeall mai 'Plato' oedd yr enw cywir, a bûm yn destun sbort go fawr yn y Ceff y noson honno. Mi lwyddais i grafu fy ffordd drwy'r pwnc yn y diwedd. Ond dwi'n grediniol fod Norah wedi bod yn dadlau ar fy rhan i godi fy marc Addysg heibio'r llinell derfyn yn y diwedd.

Er hynny, fe synnai fy ffrindiau nad oeddwn i wedi trio am swydd athro yn unman a hwythau, erbyn hynny, yn cael eu derbyn gan wahanol siroedd i fod yn athrawon llawn amser, cyflogedig, ddechrau Medi. Doedd gen i unman nac un swydd i fynd iddi, ac roedd rhywbeth yn fy nal yn ôl.

Fe ddaeth yr ateb ar ffurf hysbyseb gan Goleg Cerdd a Drama Cymru yn cynnig cwrs Cymraeg ôl-radd newydd mewn actio. Llenwais y ffurflenni'n syth bìn ac erbyn y mis Medi canlynol roeddwn yn fyfyriwr drama yng Nghaerdydd.

Newid Byd

Cylchoedd yw bywyd, fel y gwyddom, ac roedd y cylch bach yma o Nhad yn dod yn ôl i lawr i Gaerfyrddin i'm cario i a 'mhaciau yn ôl i Lanllyfni yn teimlo fel cylch go iawn. Roeddwn wedi byw yn Neuadd Dewi, un o neuadd-au hyna'r coleg, ers dwy flynedd, ac er bod rhyw elfen o chwithdod wrth ffarwelio â rhai o'm ffrindiau yn y coleg fe deimlwn ei bod yn bryd gadael a symud ymlaen hefyd.

Wedi llenwi'r car, gofynnais i Nhad bicio â fi hebio 'Llwybrau' unwaith yn rhagor cyn ei chychwyn hi am y gogledd. Er y byddwn yn parhau i fod yn aelod o Leisiau Llên am flwyddyn a mwy wedi hynny, byddai'n teimlo'n od pe na bawn yn picio heibio 'Llwybrau' i ddeud 'ta-ta' wrth Norah.

Gwyddwn y byddwn i sbelan yn ei chwmni ac felly fe fynnais fod Dad yn dod hefo mi i'r tŷ yn hytrach nag eistedd yn y car yn aros amdanaf. Gwnaeth Norah baned inni'n dau ac fe eisteddom o gwmpas ei 'thrysorau', yn llyfrau a darluniau, ornaments ac ambell lun ohoni hi yma ac acw gyda'i ffrindiau. Barry John oedd yn cael y lle blaenaf ganddi o ddigon. Roedd yn gyn-fyfyriwr yn y coleg a bu i Norah ac yntau daro ar gyfeillgarwch oes. Fe dybiwn mai Barry John oedd yn drydydd ar ei rhestr ffefrynnau. Carwyn, heb os, oedd yn ail. Ond ymhell ar flaen y rhestr ac ar flaen ei thafod yn amlach na neb arall hefyd yr oedd Syr Ifan ab Owen Edwards.

Fe wyddwn wrth eistedd yno'n gwrando arni'n canmol

fy mherfformiadau a'm hymroddiad i Lleisiau Llên fod y diarhebol 'ond' yn mynd i sleifio i mewn i'w sgwrs unrhyw funud. Ac fe wnaeth. Roedd yn gyfle rhy dda i Norah dalu'r pwyth yn ôl am fy holl hyfdra.

Mi wrandawodd fy nhad yn astud arni drwy gydol ei pharablu. Cymharodd fi i'r 'rough diamond' bondigrybwyll hwnnw ac y gallai fy styfnigrwydd a'm clownio weithiau fod yn faen tramgwydd imi os na fyddwn yn ofalus. Doedd hi chwaith ddim yn hapus nad oeddwn i'n mynd i ddysgu ac y byddai hynny'n golled enfawr i'r byd addysg yng Ngymru. Ond chwythu'n boeth ac yn oer yr oedd ei chanmoliaeth, a llwyddodd yn ei ffordd ddihafal ei hun i ddeud wrth fy nhad y gallwn fod yn hogyn drwg weithiau. Roeddwn yn hanner difaru llusgo Nhad i'r tŷ gan 'mod i, mewn gwirionedd, wedi'i chael hi nes roeddwn i'n tincian gan Norah. Yn ei hacen Maesteg a'i goslef unigryw, roedd siwgwr ar y bilsen yn sicr, ond roedd yr hyn oedd y tu fewn yn reit chwerw.

Wrth inni godi o'n seddau i ffarwelio daeth Norah hefo ni at y drws i godi llaw arnom ni. Fel roeddem ar fin gadael y tŷ fe roddodd ei braich allan i stopio Nhad wrth y rhiniog.

'Gobeithio nad o'dd gwynieth 'da chi 'mod i wedi gweid beth wedes i am Cefin nawr, Mr Roberts,' medda hi'n wenog. 'Chi'n deall beth sy gyda fi, on'd y'ch chi?'

'Ewadd, na,' medda Nhad yn ei ôl, 'dio'm otsh o gwbwl, 'chi. 'Nes i'm dallt gair ddudoch chi beth bynnag.'

Ac mi edrychodd Norah arna i a gwên lydan ar ei hwyneb, gystal â deud: 'Felly, dyna lle cawsoch chi'ch hyfdra.'

'On'd yw e'n gês?' medda hi, gan adael inni fynd ar ein taith olaf o'r coleg – am y tro beth bynnag. Wyddwn i ddim ar y pryd, wrth reswm pawb, y byddwn yn dychwelyd un diwrnod i 'Llwybrau' – i fyw. Daw'r stori honno yn ei thro hefyd. Aros ei thwrn yn y cylch y mae hi ar hyn o bryd.

Y Jyngl Goncrid

Cylch arall y bu'n rhaid dod yn ôl iddo oedd gwahanu oddi wrth Rhian unwaith eto, wrth imi ei chychwyn hi am y coleg i Gaerdydd am y tro cyntaf. Daethom i'r un cytundeb ag a wnaethom pan oeddwn yn cychwyn am y Drindod, i gadw mewn cysylltiad ond i beidio â bod yn rhy gaeth yn ein perthynas garwriaethol.

Byddwn yn mynd yn ôl yn achlysurol i'r Drindod i ymarfer gyda Norah a theimlad od iawn oedd dychwelyd yno unwaith a deall fod Rhian wedi 'symud ymlaen' – fe'i rhown i o fel'na. Digon teg. Dyna oedd y ddealltwriaeth. Bûm innau'n chwarae oddi cartref hefyd, ond roedd cerdded hyd hen goridorau'r Drindod a gweld Rhian yng nghwmni hogyn arall yn teimlo'n chwithig iawn, a deud y lleia. Ond felly y bu hi – am sbel.

Roedd wyth ohonom ar y cwrs yn y Coleg Cerdd a Drama: Mei Jones, Bethan Llywelyn, Huw Williams, Wyn Bowen Harries, Siôn Eirian, Siân Morgan, Elinor Roberts a minnau. Dros nos, roeddwn yn aelod o ddau gwmni, sef y criw selog yma o fyfyrwyr ar y cwrs Cymraeg cyntaf yn y Coleg Cerdd a Drama a Lleisiau Llên. Trist yw nodi yma fod hanner fy ffrindiau uchod – Elinor, Bethan, Siôn a Mei – bellach wedi'n gadael ni, ac mae colled enfawr ar ôl y pedwar.

Ac o fewn dim, roedd gen i drydydd cwmni y dois yn rhan ohono hefyd, sef cwmni'r Aelwyd yng Nghaerdydd. Er 'mod i bellach yn fyfyriwr drama llawn amser, fedrwn i ddim gollwng gafael yn llwyr ar yr hen arfer o gystadlu a chanu mewn côr. Yn fwy na hynny, fe dreuliwn y rhan fwyaf o fy oriau sbâr yng nghwmni Eirlys Britton.

Gareth Glyn oedd yn arwain côr yr Aelwyd ar y pryd ac roeddwn yn driw iawn i'w ymarferion cyson. Yn syth wedi bob ymarfer fe aem ar ein pennau i dafarn y Conway, oedd ddim ond dafliad carreg o'r Aelwyd ar Conway Road. Fe heidiai'r Cymry yno yn nechrau'r saithdegau ac wedi i'r dafarn gau fe gerddai'r ddau ohonom yn syth draw i gartref Eirlys yn Pencisely Crescent, lle caen ni baned a thost a chaws i swper. Roedd yn swper hwyr ar y diân, wrth gwrs. Ond gan na ches i ddimai o grant gan Gyngor Gwynedd i fynychu'r cwrs hwnnw, roedd fy arian poced yn brin iawn, iawn. Gwynedd oedd yr unig sir a wrthododd roi grant i fynychwyr y cwrs ac fe dybiwn i mai fi, o blith y rhai a oedd ar y cwrs, oedd y tlotaf ohonom i gyd.

Wedi gwario cymaint ar wersi preifat a theithio, dyma fi rŵan yn mynd ar ofyn fy rhieni i fynd i'w pocedi unwaith eto i 'nghynnal i am flwyddyn arall yn y coleg. Ond roeddwn i'n dlawd fel llygoden eglwys ac yn falch o unrhyw damaid o fara a chaws a ddeuai i'm rhan. Diolch, felly, i deulu'r Brittons am roi imi oriau o gysur a bwyd yn fy mol i'm cynnal a'm cadw am flwyddyn gron.

Bu'r diweddar John Owen yn garedig hefo fi hefyd. Rhoddodd fenthyg arian imi ar sawl achlysur a chastiodd Eirlys a finna i'w gynhyrchiad o *Un Briodas* yn yr Aelwyd yn 1976. Roedd yn gyfarwyddwr heriol ac yn feistr caled. Gwthiodd ffiniau ac, fel y gwyddom i gyd, fe'u gwthiodd yn rhy bell ar adegau – a'i wthio'i hun, yn y diwedd, dros y dibyn.

Ychydig iawn wyddai Eirlys a minnau beth fyddai tynged dywyll John Owen bryd hynny. Caf hi'n anodd, hyd yn oed rŵan, i wneud synnwyr o'r hyn a ddigwyddodd flynyddoedd yn ddiweddarach i'r bachgen mewnblyg a dawnus yr oeddan ni i gyd yn ei nabod bryd hynny. Ond mae'r hyn sydd wedi'i ddweud *wedi*'i ddweud, a'r hyn a wnaed *wedi*'i wneud. Agorodd achos John rwyg aruthrol ym myd y ddrama Gymraeg ar y pryd ac mae'r creithiau yn dyner o hyd. Rhwygwyd cyfeillgarwch a chwalwyd y ddelwedd o'r hyn a greodd yn Ysgol Rhydfelen yn rhacs wedi'i farwolaeth. Allwn ni ddim troi unrhyw gloc yn ei ôl a digon yw dweud yma fod y cyfnod hwnnw wedi costio'n ddrud i nifer ohonom ac mae 'nghydymdeimlad â phawb a fu'n rhan o'r holl helynt.

§

Owen Garmon oedd ein prif ddarlithydd ar y cwrs yn y Coleg Cerdd a Drama, a chaem hefyd sesiynau dawns, cyllunio set, goleuo a sain gan rai o diwtoriaid eraill y coleg. Fe gawn i hefyd wersi canu unigol gan Jeanette Massocchi ac fe wnes fodiwl yn fy nhymor olaf ar theatr mewn addysg. Rhwng hynny i gyd, perfformio gyda Lleisiau Llên a chystadlu hefo'r Aelwyd, roedd yn flwyddyn aruthrol o brysur. Ac felly mae hi wedi bod arna i byth ers hynny. Rhian! Lle mae'r tatŵ 'na?

Y Chwilotwyr gan Wil Sam oedd ein cynhyrchiad cyntaf ac roedd yn gyfle inni ddod i nabod ein gilydd fel *ensemble* am y tro cyntaf. Fel pob drama gan Wil, roedd yn ddigri, yn heriol ac yn anodd i'w meistroli. Mae rhythmau Wil yn debyg iawn i ddramâu Pinter; mae 'na fydr eitha pendant i'w holl ddeialogi. Yn wahanol i Pinter, tydi o ddim yn rhoi unrhyw gliw o'r rhythmau yn ei sgriptiau, ond unwaith y dechreuwch eu hactio mae'r rhythmau, hyd yn oed y goslefau, fwy neu lai yn cynnig eu hunain ichi.

Roedd y rhan fwyaf o 'ngolygfeydd i hefo Mei Jones. Roeddwn yn nabod Mei ers fy nyddiau'n eisteddfota ond wedi colli nabod arno dros fy nghyfnod yn y Drindod. Gwyddwn fod gan Mei ddiléit mawr yn iaith a mydr deialog. Byddem yn ymarfer bob cyfle a gaem, hyd yn oed dros baned pan oeddem ar ein pennau ein hunain.

'W't ti am anadlu'n fan'na? 'Ta fasa well ti gario'r frawddeg ar 'i hyd?'

'Be ti'n feddwl?'

'Tria hi'r ddwy ffordd. Na, llall 'di'r gora.'

Drosodd a throsodd a throsodd. Roedden ni bron yn efelychu'r hyn fyddai John Gwil yn ei wneud hefo ni yn 'rysgol: 'Tria hi eto, boi bach.'

Yr hyn oedd yn braf oedd na fyddai 'run ohonom byth yn blino nac yn diflasu os byddai'r naill yn gofyn i'r llall, 'Ti'sio'i drio fo eto?' Roeddan ni'n dau o'r un anian. Piti gen i i Mei a finna groesi cleddyfau yn ystod ein gyrfaoedd ar agweddau eraill o'n gwaith.

Noson y perfformiad o'r *Chwilotwyr* roedd myfyrwyr y cwrs Saesneg ôl-radd yn perfformio fersiwn fer o *Tŷ Bernarda Alba* yn gyntaf, egwyl fer, a'n cyflwyniad ninnau yn dilyn. Roeddem wedi cael un peint yn y bar cyn y rhan gyntaf a hanner bach arall yn ystod yr egwyl. Doeddan ni ddim yn yfed dropyn cyn perfformiadau Lleisiau Llên ac felly roedd hyn yn brofiad tra gwahanol i mi. Y tro cyntaf – a'r tro olaf – imi yfed cyn canu ar lwyfan.

Cychwynnai'r ddrama hefo'r ddau ohonom yn aros mewn cwt gweithwyr y Cyngor ar ymyl y ffordd ac roeddan ni'n dau yn dal i fynd dros ein llinellau cyn i'r sioe ddechrau. Ond roedd rhywbeth o'i le. Doedd pethau ddim yn teimlo cweit yr un fath. Roedd y mydr yn herciog a'r amseru y buon ni'n ei fireinio drwy'r ymarferion ddim fel 'tai o'n gweithio. Rhwng yr ychydig nerfau a bod o flaen cynulleidfa fe ddaeth peth ohono'n ei ôl inni, diolch i'r drefn. Ond nid y cyfan.

Roedd pethau'n teimlo'n well eto yn y bar ar ôl y perfformiad. Tydyn nhw bob amser? Roedd yr adborth gan y myfyrwyr eraill yn gefnogol tu hwnt a rhyw deimlad da fod y cwrs Cymraeg newydd yn dechrau ennill ei blwy. Ond fe ddaliai Mei fy llygad bob hyn a hyn dros ei beint. Roedd o'n amlwg isio sgwrs.

Nain a Taid Nantlle

Llun prin o Nain Llan (mewn barclod)
a'i merch, Anti Nancy a'i merched
Valmai a Buddyg

Llun prin arall o Taid Llan hefo Nhad

Mam

Dad

Fy Yncl Goronwy (brawd hynaf Mam)

Tua blwydd oed hefo mop o wallt!

Brodyr a chwiorydd Mam ym mhriodas Yncl Myfyr. Rhes gefn (o'r chwith i'r dde): Llion, Irfon, Caeron, Ceri (morwyn briodas) Myfyr, Elwyn, Hefin. Yn eistedd: Neli, Nain Nantlle a Mam

▲ Alan a finna yn y Babanod, Ysgol Gynradd Llanllyfni, 1957

Marian a Rhian, Ysgol Gynradd Twtil, 1960

Carnifal Llanllyfni 1961. Bryn Fôn a finna'n facwyaid a Gwyn Roberts yn dywysydd y goron. Jane Pritchard a Mair Eleri.
Mae talcen Stanley House ar y dde imi

Cowbois ac Indiaid. Alan a finna ar gefn caseg Dafydd Tir Bach

Yncl Hêfs a Mam yng Nghricieth

▲ Eisteddfod Llanrwst, 1968

Alan a finna ar ddiwedd y pumdegau

◀ Parti cerdd dant Ysgol Gynradd Llanllyfni yn Eisteddfod yr Urdd Brynaman, 1963

Eisteddfod yr Urdd, Rhuthun 1962. Buddugol ar y parti cerdd dant dan 12 oed.
Rhes gefn (o'r chwith i'r dde): Eurgain Eames, Glenys Evans
a'r prifathro Glyn Owen.
Rhes ganol: Fred Parry, Blodwen Linda, Glenys Parry,
Elizabeth ac Afryl Jones (chwiorydd Bryn Fôn).
Rhes flaen: Margaret Evans a finna

Fi a Nhad yn Sarn Mellteyrn. Fy nhad ar
y ffordd i'r dafarn a finna ar fy ffordd i'r
eisteddfod

Fi, Karen a Bryn Fôn
yn Eisteddfod yr Urdd,
Caerfyrddin

Cast y Ddrama *Gwas a Meistr*, Ysgol Dyffryn Nantlle.
Rhes gefn (o'r chwith i'r dde): Paul, Dafydd, Rhodri, John a finna.
Rhes ganol: Anwen, Ian, Bethan, Elin, Carys, Sammy, Ann, Meryl,
Christine ac Amelia. Rhes flaen: Rhian Jones, Mari Gwilym a Nia

Fi, Eifion Glyn ac Ann Beynon yn y
ddrama *Canmlwydd* – Ysgol Dyffryn
Nantlle

Trip Ysgol 1967 yn Dún Laoghaire.
Rhian Jones a finna'n eistedd ar
rwbath peryg yr olwg!

Eisteddfodwyr pybyr y chwedegau! Eisteddfod yr Urdd Aberystwyth 1969.
Fi, Einir Wyn, Leah Owen a Mei Jones

Siân Meredydd, Siôn Eirian, Elinor Roberts, Wyn Bowen Harries,
Huw Bala a finna yn y sioe *Portread*

Y dosbarth *antenatal*, golygfa o'r sioe *Hanner Munud*, Cwmni Theatr Cymru.
O'r chwith i'r dde: Siân Meredydd, Nia Ceidiog, Valmai Jones, Mari Gwilym,
Mei Jones a'r *district nurse* (fi!)

Yn ein fflat cyntaf yn St Paul's Court,
Bangor. Dathlu ein bod wedi llwyddo
i newid plwg y tegell. Mi agoron ni
botel o win yn lle cael panad!

Esther – Stuart Jones (Haman) a
finna'n chwarae rhan Harbona

Priodas Rhian a finna. Hydref yr 2il, 1976

Rasus Cymylau – Y panto cynta imi
ei sgwennu i Gwmni Theatr Cymru.
Bethan Jones, Mari Gwilym, Dilwyn
Young Jones, Carys Llewelyn a finna

Alan a finna yn fy mhriodas

Geraint Jarman a finna yn y ffilm *Macsen*

Fi a Iola Gregory yn *Ŵyn i'r Lladdfa*

Rheinallt yn *Gwen Tomos*

Hapnod ar lwyfan y pafiliwn yn Eisteddfod Genedlaethol Môn, 1983

Norah Isaac yn coluro Eirlys Britton ar gyfer yr anterliwt *Tri Chryfion Byd*, yn Sain Ffagan

Mei a finna ar set *Dim Ond Heddiw* – cyfres ddrama i HTV, 1979

Dyn y Lleuad – wedi chwe awr o goluro! Cyfres ffantasi yn seiliedig ar lyfr o straeon i blant gan Terry Jones (Monty Python)

Swmba! Theatr Bara Caws 1986.
Rhes gefn (o'r chwith i'r dde): Emyr Morris Jones, Huw Vaughan Roberts, Geraint Cynan.
Rhes ganol: Fi (y cyfarwyddwr), Bryn Fôn, Linda Brown, Ray Jones
Rhes flaen: Maldwyn John a Mair Tomos Ifans

Ysgol Glanaethwy wedi ei chwblhau

Ffeinal Music for Youth yn y Festival Hall, Llundain. Buddugol yn y categori 'Juniors at the Festival'

Côr Hŷn Glanaethwy ym Mwlgaria, 1995

Cân Actol Glanaethwy. Eisteddfod yr Urdd, Preseli, 1995

Côr Hŷn Glanaethwy ym Mrwsel, 2009

Y Cyflwyniad Llafar yn Eisteddfod Tyddewi, 2002

Ar lwyfan Eisteddfod Llangollen

Côr Glanaethwy'n dathlu pen blwydd yr ysgol yn 30 oed

Seremoni'r Fedal Ryddiaith, Meifod 2003.
Mirain sy'n darllen detholiad o'r nofel fuddugol, *Brwydr y Bradwr*

Rhian a finna hefo Tim Rhys-Evans, noson ffeinal *Last Choir Standing*, 2018

Nain a Taid efo'r ŵyrion

Priodas Mir a Jak. Sioned, Efan, Tirion, Rhian, Noa, Mirain, Jak a finna

▲ Gareth Glyn,
Jim Davies, Rhian a finna
yn derbyn Cymrodoriaeth
Prifysgol Bangor, 2013

◄ Gradd Doethur, 2016

Yn fy sioe un dyn ddiweddaraf, *Y Dyn Gwyn* – Theatr Bara Caws, 2022

Rhian a finna, Hydref 2023

Roeddan ni wedi dechrau dod i nabod ein gilydd yn dda erbyn hynny ac yn deall ein gilydd fel dau actor, ac unwaith y cawson ni gyfle i fod ar ein pennau ein hunain mewn cornel o'r bar fe gawsom bost mortem go iawn. Y cwrw oedd ar fai. Roedd yr alcohol, heb os, wedi arafu'r meddwl. Er mai peint a hanner yn unig a gawson ni'n dau, roedd yn ddigon i dynnu'r min oddi ar ein hamseru a'n canolbwyntio. Addewais i mi fy hun y noson honno na fyddwn i byth eto yn yfed dropyn o alcohol cyn rhoi cam ar lwyfan.

Fe dynnodd Mei a finna'n hunain yn gareiau y noson honno. Wedi'r holl ymarfer a'r mireinio, wedi malu mor fân yn ein melin ymarferion, welodd y gynulleidfa mohonom ar ein gorau. Doedd dim ail na thrydydd cyfle chwaith, gan mai perfformiad un noson oedd hwn. Nid y dylai hynny wneud unrhyw wahaniaeth i berfformiwr, wrth gwrs. Y nod bob amser ddylai rhoi perfformiad o'r un safon i bob cynulleidfa, waeth lle rydach chi na phwy ydi'r gynulleidfa. Ond hwn oedd ein perfformiad cyntaf ni fel criw ifanc o actorion, a ddaru ni ddim cychwyn ar y droed iawn.

Dwi wedi gweld y ddiod feddwol yn dinistrio bywyd a gyrfa sawl actor yn ystod fy mywyd. Ac er i Mei a finna lynu at ein haddewidion, alcohol fu'n gyfrifol am chwalu ein cyfeillgarwch ninnau yn y pen draw hefyd. Bydd yn anodd iawn mynd i'r afael ar y bennod honno o 'mywyd pan ddof ati.

§

Roeddem i gyd fel criw o gefndiroedd amrywiol iawn a buan y darganfu Siôn 'mod i'n fab i saer maen a 'ngwreiddiau'n solat yn y dosbarth gweithiol. Mwy na thebyg, yr unig un a berthynai i'r dosbarth hwnnw; Mei yn dynn wrth fy nghwt, o bosib.

Roedd ganddon ni'n dau sesiwn rydd un bore ac roedd Siôn yn awyddus inni fynd am frecwast i gaffi seimllyd ar Crwys Road hefo'n gilydd. Fe gâi ei hudo bob amser at unrhyw dwll neu gornel lle y byddai'n debygol o ddod ar draws y 'bobol go iawn'. Yn ystod ein sgwrs fe ddaeth yn amlwg fod ein magwraeth wedi bod yn gwbwl wahanol i'n gilydd, ac fel dramodydd greddfol roedd hi'n bwysig i Siôn fynd ar ôl y manylion lleiaf. Er bod y capel wedi chwarae rhan allweddol yn ystod ein plentyndod a'n harddegau, buan y darganfu'r ddau ohonom nad oedd, ar wahân i'r iaith, y ddrama a'r eisteddfod, fawr ddim arall yn gyffredin rhyngom.

Beth fyddwn i wedi'i roi, ar y pryd, am allu dweud fod fy mam yn olygydd, gwleidydd ac awdures a bod fy nhad yn fardd ac yn weinidog yr efengyl? Ond roedd clywed 'mod i'n mynd allan am beint hefo fy rhieni i'r dafarn leol yn Llanllyfni a 'mod i hyd yn oed wedi chwarae bingo hefo Mam yn destun edmygedd mawr i Siôn.

Ond roeddwn yn byw mewn tŷ lle roedd y ddau riant yn smocio fel stemars, fy nhad yn anghredadun ac yn rhegi fel trŵpar a Mam yn yfed cwrw o botel. Ar wahân i'n llyfrau ysgol a set o *encyclopedias*, doedd ganddon ni ddim pwt o lyfr arall yn agos i'r tŷ, na hyd yn oed ffôn i roi galwad adra weithiau.

Doedd hyn yn gwneud dim byd i Siôn ond tanio mwy ar ei awydd i wybod mwy am fy magwraeth a sut yn y byd mawr y gallai'r ddau ohonom, oedd wedi cael cefndir mor wahanol, fod yma ar yr un cwrs gyda'r un diddordebau ac yn rhannu paned go gryf o'r un tebot ar Crwys Road.

'Wyt ti wir wedi prynu peint o *pale ale* i dy fam?' holodd, mewn anghrediniaeth lwyr.

'Do,' medda finna, fel tasa fo wedi gofyn oeddwn i wedi anadlu rioed.

Wyddwn i ddim ar y pryd gymaint yr oedd Siôn wedi gwingo yn erbyn ei fagwraeth 'mab y mans'. Tydi glaswellt y dyn drws nesa wastad yn ymddangos yn wyrddach na'r un sy reit o flaen ein trwynau?

Ond yn sicr, fe newidiodd y cwrs newydd yma yng Nghaerdydd gwrs bywyd Siôn Eirian yn llwyr. Roedd yna fyfyrwraig o'r enw Erica ar y cwrs actio yn y coleg ac roeddan ni, fechgyn y cwrs Cymraeg, i gyd wedi gwirioni arni. Roedd hi'n fywiog, yn ddifyr, yn annwyl a chanddi ddiddordeb mawr yn yr iaith a'r diwylliant. Roedd Erica, felly, wedi closio atom ninnau fel criw ac yn treulio mwy a mwy o amser yn ein cwmni. Yn enwedig yng nghwmni Siôn. Buan iawn y daeth y ddau'n gariadon ac o fewn ychydig flynyddoedd wedyn yn ŵr a gwraig – hyd oni wahanwyd hwy gan angau. Gwnaeth Siôn Eirian gyfraniad aruthrol i fyd y ddrama yng Nghymru. Pryd cawn ni gyfrol deilwng o'i waith a chofiant iddo, tybed? Hwyr glas amdani.

Efallai mai'r fan yma ydi'r lle gorau imi nodi i Siôn chwarae rhan bwysig yng ngenedigaeth ein dau blentyn, Tirion a Mirain, hefyd. Pan anwyd Tirion roeddan ni'n byw yn St Paul's Court, Bangor, hen ficerdy yr oedd Cwmni Theatr Cymru wedi'i brynu a'i logi i actorion craidd y cwmni ar y pryd. Roedd Siôn a Wyn (Bowen Harries) yn byw yn y fflat oddi tanom, a phan oedd Rhian yn drwm dan feichiogrwydd ym mis Mawrth 1977 fe ofynnodd Siôn i Rhian a gâi gyffwrdd yn ei bol. Doedd o rioed wedi cyffwrdd â bol dynes feichiog yn ei fywyd ac fe ysai am gael gwneud. Fe deimlodd symudiad bychan a'r diwrnod canlynol roedd Rhian yn mynd i mewn i Ysbyty Dewi Sant i gael ysgogi'r esgor. Y diwrnod wedyn, ar Fawrth y pumed, fe aned Tirion Anarawd, ein plentyn cyntaf.

Pedair blynedd yn ddiweddarach, a Rhian yn feichiog unwaith yn rhagor, roeddem ym mhriodas Amranwen Haf Lynch (un o ffrindiau pennaf Rhian o ddyddiau'r Drindod) a Siôn oedd y gwas priodas. Bu'n rhaid inni ruthro i lawr i Aberystwyth ar ôl y neithior gan fy mod i'n perfformio mewn ffars o'r enw *Pont Robat* gan Huw Roberts, Pwllheli, yn Theatr y Werin, Aberystwyth, fel rhan o weithgareddau nos Eisteddfod Genedlaethol Machynlleth. Fel roeddan ni'n rhuthro o'r briodas am y car, fe alwodd Siôn ar ôl Rhian a gofyn a gâi gyffwrdd â'i bol unwaith eto. Er bod gan Rhian fis cyfan i fynd cyn y dyddiad geni, fe atgoffodd Siôn fod Tirion wedi'i eni y diwrnod ar ôl iddo gyffwrdd â'i bol bedair blynedd ynghynt. Ond fe adawodd iddo wneud y diwrnod hwnnw hefyd, gan fod ei awydd mor angerddol.

Bu'n rhaid cythru i lawr i Aber o'r briodas gan bigo Tirion i fyny yn Nhrawsfynydd ar ein ffordd. Roedd Mam wedi bod yn ei warchod inni tra oeddan ni yn y briodas gan ddod â fo i'n cwfwr wrth y gyffordd yn Nhrawsfynydd. Mae'r ffordd o Ddolgellau i Aber wedi gwella ryw fymryn erbyn hyn, ond mae'n droellog ar y diân o hyd. Wrth wibio rownd y corneli i gyrraedd yr ymarfer gwisg olaf mewn pryd, dwi'n siŵr fod y babi wedi teimlo'i bod ar fôr go dymhestlog. Doedd Tirion ddim yn un rhy dda am drafaelio chwaith a bu'n rhaid stopio ddwywaith, dair iddo yntau gael awyr iach a'r holl lanast arferol sy'n mynd hefo sâl car.

Roeddan ni'n aros yn y Queensbridge dros gyfnod y Steddfod ac, unwaith yr oedd Rhian a Tirion wedi cael eu stafell, i ffwrdd â fi i fyny Allt Penglais i'r ymarfer. Pan ddychwelais, roedd Wilbert yn y bar yn cael ei 'nightcap'. Fe'm gwelodd yn pasio'r bar a mynnodd 'mod i'n cael 'un bach' cyn noswylio. Es i wneud yn siŵr fod Rhian yn iawn yn gyntaf ac fe ddwedodd wrtha i fod ganddi ryw fymryn o bigyn yn ei hochr ond dim byd mawr. Roedd Tirion yn cysgu'n drwm, ymhell yn ei freuddwydion braf.

Llowciais fy niod cyn dychwelyd a chael Rhian yn dal i wingo, a'r pigyn yn ei hochr yn dwysáu. Aethom am dro i fyny ac i lawr y coridor, a dechreuodd deimlo fod y babi'n gwasgu fwy a mwy. Pan gyrhaeddom yr ystafell yn ein holau fe dorrodd y dŵr fel llifddor Cantre'r Gwaelod yn chwalu – a dyna ni. Bu'n rhaid symud ar unwaith a gwneud ein ffordd i'r ysbyty.

Er bod yna fis (i fod) tan y dyddiad geni, roeddem wedi paratoi popeth rhag ofn. Roedd gan Rhian gês bach wedi'i bacio'n barod ac roeddem wedi trefnu y byddai Beti, gwraig Wilbert, yn gofalu am Tirion tra byddwn i yn yr ysbyty hefo Rhian os deuai'r gofyn. Ddaru ni ddim breuddwydio am funud y byddai peth felly yn digwydd go iawn, ond dyna *oedd* yn digwydd. Roedd Act Olaf y ddrama o gael babi wedi cychwyn ac roedd yn rhaid i'r sioe fynd yn ei blaen. Ond ddaru ni rioed freuddwydio y byddai'r *denouement* yn un mor gymhleth.

Er mwyn ei rhybuddio o'r hyn oedd yn digwydd bu'n rhaid deffro Beti i'w hysbysu fod yr Act olaf wedi cychwyn. Wrth lwc, roedd ei hystafell ar agor a Wilbert, erbyn hynny, yn rhochian cysgu wrth ei hymyl. Roedd Beti wedi cynhyrfu'n lân o glywed y newydd ac o ganlyniad bu i Wilbert ddeffro hefyd gan fynnu ein gyrru ni i'r ysbyty. Eglurais innau fod popeth wedi'i drefnu a'r unig beth oedd gofyn iddyn nhw ei wneud oedd gwarchod Tirion. Ond doedd dim byw na marw nad oedd yn rhaid i Wilbert gael mwy o ran yr yr Act.

Roedd Dilys a Tom, perchnogion enwog y Queens-bridge, yn dal ar eu traed yn clirio. Felly, rhwng y pedwar ohonyn nhw fe gawsom *send off* go swnllyd. Ond wrth edrych yn ôl yn y drych i godi llaw ar bawb, mi welwn Wilbert yn neidio i'w gar ac yn ein dilyn am Ysbyty Bronglais. Be goblyn oedd ar ben y dyn?

Doeddwn i ddim yn gyfarwydd ag Ysbyty Bronglais o gwbwl, ac felly fe redais i mewn i'r A&E gan holi yn y fan honno lle roedd yr Adran Famolaeth. Fel roedd y dyn bach yn rhoi'r cyfarwyddiadau imi, mi gyrhaeddodd Wilbert yn reit simsan a gofyn lle roedd yr Adran Famolaeth, bod y ferch ifanc 'ma ar ei gwyliau yn Aberystwyth a'i dŵr hi wedi torri ac ailadrodd yr hyn roeddwn i eisoes wedi'i ofyn i'r dyn bach ddau funud ynghynt a Rhian yn eistedd yn y car ar fin esgor.

Ta waeth, fe lwyddais i ddilyn ei gyfarwyddiadau a'i chychwyn hi i'r cyfeiriad iawn, a Rhian yn fy mraich a'r cês bach yn y llaw arall. Pwnio'r llawr iawn ar fotymau'r lifft a'r drws yn agor. Ond fel roedd y drws ar fin cau, mi faglodd Wilbert i mewn gan ddweud mai i lawr dau oedd angen mynd a throi'n syth i'r dde ac yna i'r chwith ar ôl dod allan o'r lifft. Roeddan ni eisoes yn gwybod y cyfarwyddiadau hyn ond roedd Wilbert yn mwynhau bod yn rhan o'r miri gymaint fel na allwn roi taw arno am bris yn y byd.

Cawsom ein hebrwng i'r ystafell aros a cheisiais roi perswâd ar Wilbert ein bod mewn dwylo da erbyn hyn, gan ddiolch iddo am ei holl 'help'. Ond doedd o ddim ar feddwl mynd yn ôl i'r gwesty, a phan alwyd Rhian i ddod i gael 'bath twym' fe ddechreuodd ein dilyn i lawr y coridor nes i'r nyrs ddweud wrtho mai'r partner yn unig oedd yn cael dod yn bellach na'r drws oedd o'n blaenau. Sicrheais Wilbert ein bod yn tsiampion rŵan, diolch yn fawr, ond fe fynnodd y byddai o yn y stafell aros rhag ofn y byddem ei angen.

Cafodd Rhian fath poeth yn y gobaith y byddai'r poenau esgor yn cychwyn o ddifri wedi hynny. Dwi ddim wedi gweld bath tebyg i'r un a gafodd hi ym Mronglais y mis Awst hwnnw yn 1981. Roedd fel 'tai hi'n eistedd ar ryw orsedd ddofn, laswyrdd, ac fe lanwyd y bath at ei gwddw. Mae'n well gen i fath na chawod o beth coblyn a byddwn wedi rhoi'r byd am gael neidio i mewn i'r trochion cynnes y noson honno. Ond feiddiais i ddim. Bath i Rhian oedd hwn, ac roedd iddo'i bwrpas unigryw ei hun.

Ond ddaeth yr un arwydd o boen esgor ac fe sychodd Rhian ei hun a chafodd ei hebrwng i'r gwely lle byddai Mirain yn cael ei geni maes o law.

Tra oedd Rhian yn setlo, fe es yn ôl i'r ystafell aros i ddisgwyl am yr alwad pan ddechreuai'r poenau. Cyn imi gyrraedd fe wyddwn fod Wilbert yn dal yno gan imi glywed rhochian chwyrnu o ben arall y coridor. Pan ddeffrodd, mi ofynnodd imi'n syth, 'Wel, hogyn 'ta hogan?'

'Dim byd eto, Wilbert. Ond ma' Rhian yn gyfforddus. Mi allwch chi fynd yn ôl rŵan, fydd bob dim yn iawn.'

Ces dipyn o drafferth i ddwyn perswâd arno ond fe ildiodd yn y diwedd a mynd yn ei ôl i'r Queensbridge at Beti a Tirion. Yn oriau mân y bore y cyrhaeddais innau ar ei ôl a gorfu imi luchio cerrig mân at ffenest Wilbert gan ei fod wedi anghofio gadael y drws ffrynt ar agor imi. Beti agorodd y ffenest ar un o ddiwrnodiau hapusaf fy mywyd.

'Wel?' meddai Beti, a gwên lydan ar ei hwyneb.

'Hogan,' medda finna. 'Chwe phwys, pedair owns . . . Mirain Haf.'

'Mae 'nghyfeillion adre'n myned'

Mae edrych ar rai o'r hen luniau yn fy albwm o'r criw ohonom yn perfformio yn codi hiraeth mawr arna i am y flwyddyn honno a newidiodd gwrs fy mywyd. Fedra i ddim dweud â'm llaw ar fy nghalon fod rhyw lawer o'r darlithoedd wedi sefyll allan yn y cof. Deuai'r dylanwad cryfaf o'r criw oedd o'm cwmpas. Roeddan ni'n bwydo oddi ar syniadau'n gilydd ac erbyn diwedd y flwyddyn roeddan ni'n sgriptio ein cyflwyniadau ein hunain hefyd.

Roedd gen i feddwl y byd o Bethan Llywelyn. Roedd yn briod ag Emyr Llew ar y pryd a chanddynt dri o blant. Byddai'n aros gyda Siân ac Elinor yng Nghaerdydd ambell noson, ond teithio yn ôl a mlaen o'i chartref a wnâi hi'r rhan fwyaf o'r amser. Roedd hynny'n goblyn o straen, dybiwn i. Ond roedd yn ddihangfa i Bethan ar y pryd a dwi ddim yn credu iddi ddifaru eiliad fod yn rhan o'r tîm.

Ond yn ôl i'w milltir sgwâr i Ddyffryn Aeron yr aeth hi ar ddiwedd y cwrs, gan ddewis peidio parhau â'r byd perfformio anwadal. Roeddwn yn deall amheuon Bethan i'w mentro hi i'r theatr yn llawn amser, a dyna pam y bydda i wastad yn gwrthod ateb fy nisgyblion os gofynnan nhw imi ydw i'n credu fod ganddynt ddigon o ddawn i lwyddo yn y byd perfformio. Hanner yr hyn sydd ei angen arnoch ydi talent a dawn. Mae dyfalbarhad, dycnwch a'r gwytnwch i allu derbyn 'na' ar ôl 'na' ar ôl 'na' yr un mor bwysig i fod yn actor. Mae'n rhaid ichi syrthio mewn cariad â'r hen alwedigaeth yma i neud unrhyw beth ohoni. A rhaid ichi wybod eich bod yn dewis gyrfa sy'n mynd i fod yn anffyddlon ichi am weddill eich bywyd. Hen gnawes ydi hi. A rhaid ichi ddysgu licio'r gnawes ddauwynebog . . . neu redeg milltir. Rhedeg y filltir yn gyflym wnaeth Bethan. Roedd hi'n llawer rhy galonfeddal i droi'n Thesbiad.

Ond bob tro y byddem yn teithio i lawr i berfformio yn Theatr Felin-fach fe agorai ei drws led y pen inni i gyd. Cysgem ar ei llawr ac ar ei soffas ac yn ei gwlâu (os byddem yn ddigon lwcus i gael un). A threuliem nosweithiau difyr yn ei chwmni yn ail-fyw hen atgofion. Roedd Bethan yn berson arbennig iawn. Yn rhy arbennig i'r hen fyd creulon yma, efallai. Heddwch i'w llwch.

Roedd Elinor newydd dreulio cyfnod go faith yn y carchar yn dilyn gweithredu gyda Chymdeithas yr Iaith pan ymunodd â'r cwrs. Roedd cael gwahoddiad i swper i'w fflat hi a Siân fel cyrraedd hafan fechan yng nghanol storm. Hofel oedd ein fflat ni, yr hogia, uwchben siop wag ar Whitchurch Road. Rhannwn ystafell hefo Siôn, ystafell fwya'r fflat. Fe dybiech y byddai hynny wedi bod yn fantais, ond roedd hi hefyd yn cael ei defnyddio fel lolfa, yn stafell barti, stafell ymarfer, stafell ysmygu, caru, dawnsio a bwyta.

Does gen i 'mo'r stumog i roi disgrifiad llawn ichi o'r lle ond doedd o ddim yn beth anarferol imi godi o'r gwely yn y bore a rhoi 'nhroed mewn platiad o gyrri oer, blychau llwch llawn a photeli gweigion dros y stafell i gyd ac aroglau'r noson cynt yn hongian yno wedyn am ddyddiau.

Fy hun yn y fflat, roeddwn yn llenwi'r bath i mi fy hun un bore pan glywais sŵn morthwylio trwm ar y drws cefn. Dychrynais am fy hoedal a rhedeg i weld be yn y byd mawr oedd yn mynd ymlaen. Roedd 'na ddau ddyn yno – dynion rhent, medden nhw – wedi dod yno i roi rhybudd inni adael os na thalem y rhent yn y fan a'r lle. Roeddem wedi talu dau fis o flaendal, ond gan nad oeddan ni wedi gweld y perchennog ers rhoi'r taliad cyntaf iddo doedd ganddon ni ddim syniad lle roedd y taliad nesaf i fod i fynd.

Roedd yn brofiad eithaf bygythiol ond roedd yn tynnu am y Dolig ac yn oer ddiawledig, tywel bychan am fy nghanol a 'nannedd yn clecian yn trio rhesymu efo dau 'fownsar' go nobl mewn cotiau trymion, du. Roeddan ni i symud allan o fewn yr wythnos neu dalu erbyn diwedd y dydd – mewn arian parod. Byddai rhywun yn galw draw am y rhent yn hwyrach ymlaen. Gadawsant fi yno'n crynu, lliain am fy lwynau a darn o bapur wedi'i hoelio i'r drws. Ces fath llugoer a'r rhybudd wythnos yn fy llaw. Lle ddiawl fydden ni'n mynd nesa?

Erbyn hynny roedd Whitchurch Road wedi troi'n dŷ agored i'r byd a'i frawd ddod atan ni i aros. Ffrindiau Wyn a Siôn o'r coleg oedd y rhan fwyaf ohonyn nhw ac er bod hynny wedi ychwanegu at y llanast a'r anhrefn, roedd yna fanteision hefyd. Roedd dau o'n 'gwesteion' yn astudio'r gyfraith ac fe'n sicrhawyd gan y ddau fod y ddogfen a hoeliwyd ar ein drws cefn wedi'i ffugio ac na ddylem gymryd dim sylw ohoni. Dwi ddim yn gwybod a ddychwelodd y 'bownsars' i guro ar y drws i'n bygwth y noson honno gan inni fynd allan i'r New Ely i wario'r arian oedd yn ddyledus, a welson ni ddim arlliw ohonyn nhw wedyn chwaith. Ond mi gawson ni lythyr. Un eitha swyddogol gan berchennog y siop a'r fflat. Roedd yn awyddus i gyfarfod y tenantiaid i *gyd*. Doedd dim cliw o fath yn y byd yn egluro beth fyddai ar yr agenda, dim ond dyddiad ac amser.

Wedi dychwelyd i'r coleg ar ôl gwyliau'r Dolig roeddan ni'n eistedd yn ein stafell-wely-gyffredin-fwyta-partis a dyn mewn siwt drwsiadus yn sefyll o'n blaenau. Ymddiheurodd ein bod wedi byw mewn hofel yn y fath gyflwr. Doedd o ddim wedi gweld ei eiddo ers peth amser a daeth yn amlwg inni o fewn dim fod y person oedd wedi rhentu'r fflat i ni wedi'i is-osod heb ganiatâd y dyn mewn siwt drwsiadus, sef y perchennog go iawn. Roedd yr is-osodwr wedi trio elwa ar ddyrnaid o fyfyrwyr gwirion oedd yn ddigon dwl i dalu arian parod am hofel uwchben siop nad oedd o wedi'i llnau ers misoedd ac yn fridfa i lygod a dyn a ŵyr beth arall. Tosturiodd wrthym a dweud na fyddai'n codi dim rhent arnom am weddill y flwyddyn, dim ond inni glirio'r llanast oedd yn dal yn y siop. Awgrymodd y byddai'r fflat ei hun yn medru gwneud hefo mymryn o TLC hefyd. Gwenodd. Dymunodd yn dda i'r pump ohonom a'n gadael yn syfrdan. Fflat am ddim am weddill y flwyddyn! Mwy o bres i berchnogion y Conway a'r New Ely. Yes! Holidays are coming!

Ddaru ni ddim mynd i'r afael â'r llanast yn y siop tan y gwanwyn. Bryd hynny y darganfyddom mai dyma darddle'r rhan helaethaf o'r drewdod oedd yn codi i'r fflat yn ddyddiol. Roedd yno ddwy sachaid o nionod oedd wedi troi'n slwtsh dros y gaeaf, ac erbyn hynny roedd cyrn o egin gwyrddion yn gweithio'u ffordd drwy'r sach rwyd blastig a ddaliai'r gybolfa feddal at ei gilydd, ambell lygoden gelain a phryfed yn dew o gwmpas y ffenest. Roeddan ni wedi bod yn cysgu uwchben hyn i gyd ers pedwar mis a mwy!

Ond diolch byth amdano. Roeddwn i'n dlotach na llygoden eglwys erbyn hynny a gwyddwn yn iawn fod Mam yn crafu gwaelod ei chasgen i'm cadw yn y coleg. Gallwn ddioddef ein hofel ychydig yn well o wybod ei bod yn hofel am ddim. Diwedd y gân oedd imi allu cyrraedd diwedd y flwyddyn heb i'm rhieni fynd yn fethdalwyr. Gan fod gweddill y criw yn derbyn rhyw fath o grant, ac yn sicr ychydig yn well allan nag roeddwn i, cododd yr hen, hen gywilydd hwnnw ei ben fel roedd y tymor yn mynd yn ei flaen. Roeddwn yn dlotach na'r gweddill. Yn wir, erbyn diwedd y flwyddyn fe deimlwn 'mod i'n dechrau suddo ac yn dibynnu gormod ar gyfeillgarwch a haelioni eraill.

Mei synhwyrodd hyn fwyaf. Yr un sydd fymryn uwch eich pen chi ar waelod y domen sylwith ar eich dilema'n gyntaf bob tro. Y rhai sydd agosaf atoch welith yr arwyddion yn gyntaf. Gwyddwn nad oedd gan Mei fawr mwy na finna yn ei fanc erbyn y diwedd, a chytunom i drio cynnal ein gilydd am weddill y tymor olaf. Erbyn hynny roedd Mei wedi gadael y grŵp Mynediad am Ddim y bu'n aelod ohono ers ei ddyddiau yn Aber. Roedd yn amlwg fod rhyw anghytundeb wedi bod rhwng Mei a gweddill aelodau'r grŵp, ac fel sy'n digwydd gyda nifer o fandiau, teimlai Mei ei fod yn cael ei adael ar y cyrion a gadawodd y band.

Roeddwn i'n dal i deithio bob penwythnos gyda Lleisiau Llên ac yn mynd yn rheolaidd bob nos i'r Aelwyd i ymarfer. Er mor llethol oedd gwaith y coleg erbyn hynny roedd yr Aelwyd, a chyfeillgarwch Eirlys yn bennaf, yn dynfa aruthrol.

Roedd gan Mei egni'n sbâr ar ôl gadael 'Mynediad' a chyn pen dim roedd yn fy nilyn o'r coleg i fyny Cathedral Road i'r ymarferion côr. Cyn pen dim roedd o hefyd yn y parti cerdd dant dan arweiniad Nan Elis a'r ddau ohonom yn morio ysgwydd yn ysgwydd i gyfeiliant ei thelyn. Dim y peth mwya cŵl i fyfyrwyr drama falla, ond fel bysa Norah yn 'i ddeud, 'Profwch bob peth a glynwch wrth yr hyn sy dda.' Ac yn sicr, wnaeth meistroli ychydig o gerdd dant ddim drwg i neb erioed.

Roeddan ni'n llwgu cymaint erbyn yr wythnosau olaf nes byddai Mei a finna'n prynu un *hot dog* rhyngom yn ffreutur y coleg a'i dorri yn ei hanner, yna'i foddi ym mhob saws oedd wrth law. Os oedd pacedi bach o fenyn wrth y cownter i'w rhoi ar y bara, byddai un neu ddau o'r rheiny'n mynd ar ben y sosej hefyd – hyd yn oed mwstard, unrhyw beth i chwyddo'r 'pryd' oedd o'n blaenau. Os oedd yna lefrith mewn jwg i'w roi yn eich te, fe ddiflannai hwnnw mewn chwinciad pan oedd y ddynes wrth y til wedi troi ei chefn.

Fe aeth hi mor fain arnom ni tua'r diwedd nes inni'n dau gytuno i drio, am y tro olaf, mynd i'r banc i grafu arian o'u crwyn. Os oedd un ohonom yn llwyddo, yna byddai'r naill yn rhannu'r swm yn ei hanner a'i roi i'r llall. Os llwyddai'r ddau ohonom, yna gwyn ein byd.

Methu'n rhemp fu hanes y ddau ohonom a chawson ni 'run ddima goch y delyn allan o'u crwyn, a'r wên ar weflau'r ddynes fach tu ôl i'r gwydr yn siarad cyfrolau am ein hyfdra. Roedd gennym wythnos i fyw ar ddim ond ychydig arian gleision a'r awyr iach.

Dwi'n cofio inni grafu ychydig newid mân oedd o gwmpas y fflat un noson, digon i gael bag o jips yr un o'r têcawe Tsieineaidd ben arall i'r lôn. Tra oedden ni'n sefyll yno'n rhoi ein harcheb i'r ferch o'n blaenau, fe sylwom ar ddau dun anferth o *pineapple chunks* ar silff y tu ôl i'r cowntar. Pan aeth y ferch drwodd i roi'n harcheb i mewn, aeth Mei â ni i fyd y dychymyg.

'Ti'n meddwl bysa'r ddau dun 'na'n para wsos gyfa inni?'

'Dwi'm yn ama bysan nhw, Mei,' meddwn inna.

'Be 'sa gora gin ti? Tsips am heno a dim byd am wsos, 'ta wsos o binafal a dim tsips?'

'Ti'n meddwl medran ni redag digon cyflym efo'r tunia mawr 'na dan 'yn breichia?'

'Mi fedrwn *i* 'de,' atebodd Mei, gan edrych arna i â gŵen heriol ar ei wefus.

Cyn i'n byrfyfyrio ddod i ben fe ddaeth y ferch yn ei hôl efo dau fagiad go nobl o jips. Aethom yn ôl i'r fflat a boddi'n gwledd mewn sôs a *mayo* gan ddifaru 'run gronyn am ein dewis. Does dim byd tebyg i jips pan dach chi ar eich cythlwng. Câi fory aros. Toeddwn i'n dal i berfformio'r Testament Newydd ac yn llefaru'r union eiriau a'm swynai bob penwythnos: 'Ystyriwch adar yr awyr. Nid ydynt yn hau nac yn medi nac yn casglu i'r ysguboriau, ac eto y mae eich tad nefol yn eu bwydo'?

Crafu byw go iawn fuon ni wedyn tan ddiwrnod dwytha wythnos ola'r tymor, gan ddiolch i'r drefn am haelioni ffrindiau. Mi wyddwn nad oedd fiw imi ofyn i Mam am ragor o arian gan iddi roi o'i chynilion i gyd imi ers yn blentyn i dalu am yr holl hyfforddiant a ges i dros y blynyddoedd. Byddwn yn rhoi'r gair 'tlawd' o flaen enw rhywun weithiau wrth gofio'n annwyl amdanynt, ond mi wyddwn yr adeg hynny fod fy 'Mam dlawd' i wirioneddol *yn* dlawd.

Teimlwn fel y Mab Afradlon oedd wedi byw yn fras ar haelioni ei rieni a rŵan yn mynd i ddychwelyd adre i besgi mwy ar eu caredigrwydd. Ond be yn y byd mawr oeddwn i'n mynd i'w neud? Doedd gan yr un ohonom waith i fynd iddo er inni gael cryn sylw yn ystod y flwyddyn fel y myfyrwyr drama cyntaf erioed i wneud eu cwrs drwy gyfrwng y Gymraeg yng Ngholeg Cerdd a Drama Cymru. Trist yw nodi yma na pharodd y cwrs fwy na rhyw bedair blynedd ac nad oes nemor ddim cyrsiau Cymraeg yn cael eu cynnig yno bellach. Er imi gael fy ngwneud yn gymrawd o'r coleg flynyddoedd yn ôl, dwi'n cywilyddio nad ydi'r Gymraeg yn cael ei lle dyladwy yn y sefydliad pwysig yma. Gwn fod yna gyrsiau perfformio eraill sy'n gweithio cryn dipyn drwy gyfrwng y Gymraeg, ond hwn yw Coleg Cerdd a Drama *Cymru*, er mwyn tad. Dewch i'r unfed ganrif ar hugain a pharchwch yr iaith a dathlwch ei bodolaeth. Mae drama'n gallu gwarchod iaith yn ogystal â chynnig adloniant.

Dwi'n credu mai yn ystod ein hwythnos olaf y glaniodd Wilbert Llwyd Roberts drwy ddrysau'r coleg i weld ein cynhyrchiad olaf, sef *Fflora a Portread*. Addasiad modern o chwedl *Blodeuwedd* oedd *Fflora* a sioe am unigrwydd oedd *Portread*; sgriptiau yr oeddem ni wedi'u dyfeisio oedd y ddwy ac roeddem eisoes wedi rhoi un neu ddau o berfformiadau yn y coleg ac wedi'u perfformio yn yr Ŵyl Ban Geltaidd yn Killarney hefyd.

Roedd ôl llaw Siôn yn drwm ar ambell olygfa ac mewn un rhan eitha ffantasïol o'r sgript roedd Elinor a Siân, mewn gwisg lleianod, yn gwneud *striptease*. Dychmygwch ein cyfyng-gyngor pan ddaeth tair lleian i'r perfformiad ac eistedd yn dwt yng nghanol y rhes flaen. Mi geision ni egluro'n problem wrth lywydd y noson, ac mi edrychodd yn wirion arnom ni am sbel ac yna gwenu.

'Ah!' medda fo. 'D'ya call that a problem now, do you boys?' Yna mi chwarddodd gan ddweud, 'Those ladies there have seen far worse than that in their day.'

Ac felly y bu hi. Fel mae'r hen ddywediad yn deud, roedd yn rhaid i'r sioe fynd yn ei blaen. A phan ddaethom i'r olygfa dan sylw roedd Siôn, Mei, Wyn, Huw a finna'n sbecian drwy'r llenni yn y cefn i weld adwaith y lleianod. O'r cychwyn cyntaf roeddan nhw'n gwenu'n braf a phan ddechreuodd Siân ac Elinor ddiosg eu gwisgoedd i'r cyfeiliant enwog roedd y tair yn dal eu hochrau'n chwerthin.

Set rad fel baw oedd ganddon ni yn y coleg wrth gwrs, ond mae'n rhaid fod Wilbert wedi gweld dipyn o addewid yn y deunydd a'r perfformiadau gan iddo gynnig gwaith i chwech ohonom ar ôl iddo weld y perfformiad. Fesul un fe alwodd Elinor, Siân, Wyn, Mei, Siôn a finna i'r ffreutur am sgwrs a chynigiodd flwyddyn o gytundeb i'r chwech ohonom i fod yn actorion craidd i Gwmni Theatr Cymru.

Dwi ddim yn siŵr pam y ces i draed oer ond fe wrthodais y cynnig ar 'i ben, a'r gweddill yn edrych yn wirion arna i pan ddwedais wrthynt am fy mhenderfyniad.

Gwyddwn fod un aelod o Lleisiau Llên wedi ffonio Norah bryd hynny i ddweud wrthi fod Wilbert yn dod i'n gweld a bod peryg y cawn gynnig gwaith ganddo. Ces neges i ffonio Norah, a'i chenadwri oedd fod yna swydd yn Ysgol Bryntaf imi os oeddwn am aros yng Nghaerdydd. Atgoffodd fi 'mod i'n athro A+ ac nad oedd y rheiny yn tyfu ar goed. Roedd am imi feddwl am y cyfraniad y gallwn i ei wneud mewn ysgol gynradd a'r fath ddylanwad y medrwn i ei gael ar blant Cymru. Ceisiodd fy mherswadio bob ffordd allai hi a gwnaeth bopeth o fewn ei gallu i'm cadw'n rhan o Lleisiau Llên. Gwyddai'n iawn y byddai'n rhaid imi gefnu ar fod yn actor amatur petawn i'n mynd i weithio i Gwmni Theatr Cymru fel perfformiwr llawn amser. Roeddwn ar groesffordd, a wyddwn i ddim pa ffordd i fynd.

Wedi gadael Wilbert yn y ffreutur gyda gweddill y criw y gwnes i'r alwad i Norah. Ar ôl mynd yn ôl i'r ystafell gyffredin i chwarae ping-pong daeth Mei i mewn a deud fod Wilbert isio 'ngweld i unwaith eto cyn iddo fynd. Holais be oedd Mei yn 'i feddwl oedd ganddo fo dan ei het, ond fe aeth Mei ati'n syth i holi be'n union oedd gen *i* dan fy het ac nid un Wilbert. Oeddwn i isio mynd yn ôl i stafell ddosbarth i ddysgu plant bach i ganu a dawnsio weddill fy mywyd? Ychydig iawn wyddai 'run ohonom bryd hynny mai dyna fyddwn i'n ei wneud am sbelan go hir o 'ngyrfa maes o law.

'Mae o'n mynd i drio'i ora i ddwyn perswâd arna chdi, dallta,' medda Mei, cyn imi fynd yn f'ôl i eistedd wrth y bwrdd hefo Wilbert. 'Mond fo a fi oedd yno erbyn hynny.

Fe siaradon ni am hir iawn a ches baned neu ddwy arall allan o'i groen yn y fargen. Byrdwn ei sgwrs oedd na chawn i gyfle fel hyn byth eto. Eglurodd 'mod i'n amlwg yn rhan allweddol o'r cynhyrchiad a chan 'mod i hefyd yn cyfeilio, yn coreograffu a sgwennu, fyddai ganddo ddim dewis ond gollwng y syniad yn gyfan gwbwl os na chytunwn i i fod yn rhan o'r *ensemble*. Byddai'n cynnig cytundeb i rai o'r actorion eraill, ond nid fel uned i fod yn rhan o'r arbrawf oedd ganddo ar y gweill dan y teitl Theatr Antur.

Sgwn i lle fyddwn i heddiw petai Norah wedi ennill y tyg-o-wôr rhwng y ddau bryd hynny? Bu bron imi ag ildio iddi. Ond pam yn y byd mawr y llusgais fy nhraed flwyddyn ynghynt yn y Drindod ac ymwrthod â llenwi'r ffurflenni priodol i fod yn athro? Roedd rhywbeth wedi 'nal i'n ôl ac roedd yn fy nal i'n ôl yr eiliad honno hefyd. Ond os bydda i byth yn pendilio dros unrhyw ddewis, yna gwneud yr un sydd ddim yn swnio'n saff fu fy hanes i erioed. Yr un sy'n herio. A than y cyfan oll roedd gen i hefyd y dynfa honno sy fel gwyfyn at fylb i rai. Mae aroglau seimllyd y colur a rhu'r dyrfa yn fagnet heb eu hail. Un o'r giwed honno oeddwn i. Dyma oeddwn i'n mwynhau ei wneud yn fwy na dim. Roeddwn wedi treulio hanner fy mhlentyndod un ai'n paratoi i fod ar lwyfan neu'n sefyll ar y llwyfan yn perfformio a diddanu. Ac am y golau yr es i a gadael fy nghyfeillion yn Lleisiau Llên i ddiweddu eu taith hebdda i.

Rhian

Dwn i ddim sawl peint a ddifethwyd yn y Ceffyl Du gan nifer o gyplau'n taflu eu diod olaf dros ben eu cariadon i ddiweddu ffrae neu ddadl feddw. Faint o arian a wastraffwyd ar bartïon dyweddïo lle daeth y berthynas i ben mor hawdd â diffodd cannwyll, tybed? Sawl modrwy a daflwyd drwy ffenestri neuaddau'r coleg i gyfeiliant wylofain a sgrechfeydd? Buom ninnau'n dau, Rhian a finna, yn euog o wastraffu dipyn o Felinfoel ar ddiwedd nosweithiau cymdeithasol yn y Ceff, ond chawson ni rioed barti na modrwy ddyweddïo. Doedd gan yr un o'r ddau ohonan ni na'r modd na'r awydd i fynd mor bell â hynny.

Yn naturiol, roeddan ni'n troi yn yr un cylchoedd y rhan fwyaf o'r amser. Yn canu yn yr un côr, yn astudio'r un pynciau, yn aelodau o'r clybiau badminton a thennis, yn cydgerdded ar yr un protestiadau ac yn cael ein hudo am oriau i stafelloedd ein ffrindiau i chwarae cardiau a rhoi'r byd yn ei le. Waeth ichi ddeud ein bod yn yfed o'r un botel ac yn rhannu'r un *hangover* yn amlach na pheidio hefyd.

Dwi'n cofio ni'n mynd ar brotest fawr y sianel i Lundain pan oeddwn yn fy ail flwyddyn yn y coleg a Rhian yn ei blwyddyn gyntaf. Roedd cannoedd o aelodau Cymdeithas yr Iaith wedi mynd i lawr i'r brotest a llond bỳs ohonom o'r Drindod yn eu plith.

Doedd fy nhad ddim o blaid nac yn erbyn yr holl weithredu a wnawn. Fel gyda'i grefydd, rhywbeth i eraill oedd gwleidyddiaeth a phrotest. Roedd yn ddigon bodlon ei fyd yn ei waith a'i hamdden heb fynd i drio troi unrhyw drol. Os câi ei beint a'i fygyn a mwytho'r hen gath o flaen y teledu, byddai'n gwbwl fodlon ei fyd. Tommy Cooper a Morecambe and Wise oedd ei arwyr, a byddai ei glywed yn g'lana chwerthin yn y gegin bob amser yn gneud imi deimlo fod popeth yn iawn – mae pethau'n berffaith fel ag y maen nhw tra bo' Nhad yn chwerthin.

Mam fyddai'r un i fynd i boeni ac anghytuno. Methai ei chenhedlaeth hi â deall i be yn y byd mawr oedd isio inni fynd i dynnu pobl i'n penna'n gneud y fath giamocs a thynnu sylw dianghenraid atan ni'n hunain? Dim ond yn raddol bach y daeth pobl gyffredin pentrefi fel Llanllyfni, Tal-y-sarn a Phen-y-groes i ddeall rhywfaint ar ein safbwyntiau. Mae ambell un yn dal yn y niwl ond maen nhw'n dod yn ara deg – ac yn ara deg mae dal iâr.

'D'anfon di i'r coleg 'na i ddysgu 'nes i, dim i wastraffu d'amsar a'n pres ninna,' gawn i bob tro ganddi. A gallwn ddeall ei safbwynt yn iawn. Ond, yn dawel bach, roedd y protestio yn un o'r rhesymau pam yr es i i'r Drindod yn y lle cyntaf. Yng ngwres cyfarfodydd y celloedd fe wyddwn fod yn rhaid i minna weithredu a bod yng nghanol y gwingo yn erbyn yr holl anghyfiawnder. Fe'i gwelwn yn glir. Os nad rŵan, yna fe fyddai'n rhy hwyr. Bûm yn trio'i darbwyllo o hynny sawl gwaith, ond yn ara deg *iawn* yr oedd dal yr iâr arbennig honno.

Ond yng nghanol bloeddio'r brotest yn Llundain fe gawsom ein hunain mewn drama go iawn. Wrth i'r areithio fynd yn ei flaen fe edrychais i ben pella'r stryd a gweld fod yno blismyn ar gefn ceffylau yn dod tuag atom. *Mounted police!* 'Mond mewn ffilmiau o'n i 'di gweld y fath beth. Roedd rhesiad ohonyn nhw'n ceisio'n gwasgaru drwy stampio carnau'r ceffylau a bloeddio ar fegaffon inni glirio'r ffordd. Cafodd y rhai oedd ar y cyrion eu llusgo o'r neilltu gan wahanu'r rhai oedd yn y canol oddi wrth y gweddill. Roeddan ni'n dau ym mhlith y 'canolwyr' a chawsom ein llusgo fesul un i fysiau'r heddlu, tua hanner cant ohonom, a'n tywys i'r swyddfa agosaf i'n harestio.

Cawsom ein rhannu i ryw bump neu chwech o gelloedd go nobl ac yno y buom am oriau'n aros i gael ein harestio a rhoi'r manylion angenrheidiol i'r heddwas: sut, pryd a pham roeddan ni wedi gweithredu yn y fath fodd. Yr un oedd cymhelliad pob un ohonom wrth reswm, ond bu'n rhaid mynd drwy'r cyfan ohonom fesul un a dau. Fe gymerodd oriau. I basio'r amser, dechreuom ganu tiwn gron rhwng y naill gell a'r llall, ac o fewn dim roedd un o garchardai Llundain yn diasbedain â phedwar llais yn morio dros y lle:

Daw hyfryd fis Mehefin cyn bo hir
A chlywir y gwcw'n canu'n braf yn ein tir,
Braf yn ein tir, braf yn ein tir,
Gwcw! Gwcw! Gwcw'n canu'n braf yn ein tir.

Cawsom ein siarsio i gau ein cegau am sbel gan fod un o'r heddweision angen gweiddi'r cyfarwyddiadau i'r celloedd i gyd yn dweud beth fyddai'r drefn. Digon tawedog oeddan ni am sbel wedyn, nes i un o'r plismyn roi ei ben yn ffenest fechan ein cell ni a gofyn, 'Oes 'na rywun o ochra Dyffryn Nantlla yma, hogia?' Cymro Cymraeg, myn coblyn i!

'Fi!' medda finna, gan neidio oddi ar y fainc bren galed yr eisteddwn arni. Ond doedd gen i ddim obadeia pwy oedd o chwaith. Eglurodd ei fod yn byw yn Llundain ers sbel go lew a'i fod yng Nghôr Cymry Llundain. Dywedais innau mai ewyrth i mi oedd llywydd y côr.

'Pwy? Elwyn Roberts?' holodd.

'Ia,' meddwn inna, 'mae o'n frawd i Mam.'

'Nabod dy deulu'n iawn, 'chan,' medda fynta, 'wedi canu hefo'r rhan fwya ohonyn nhw yn yr Albert Hall yn y cyngerdd Gŵyl Ddewi . . . '

A mlaen yr aeth o i enwi'r teulu fesul un a deud fod y brodyr i gyd yn ganwrs tan gamp ac nad oedd ryfedd 'mod inna'n canu.

'Canwch eto, bois!' medda fo. 'Tydi'r hen walia 'ma ddim 'di clŵad dim byd fel 'na rioed o'r blaen.'

Ar ganol y canu ces inna fy ngalw o flaen heddwas arall i roi'r un druth iddo. Gofynnodd imi wagio 'mhocedi. Roedd gen i ddwy geiniog a hanner, dau Bolo Mint digon pỳg yr olwg a thwlpyn o fflyff. Fe'u rhoddais ar y ddesg o'i flaen.

'Is that *all* you have?' gofynnodd, mewn anghrediniaeth lwyr.

'I'm afraid so,' atebais innau.

'On the streets of London?' holodd eto.

'Yes,' oedd yr unig beth arall allwn i' ddeud.

Eglurodd y gallai f'arestio am fod yn 'vagrant' gyda chyn lleied o arian â hynna yn fy mhoced. A finna wedi meddwl mai hwn oedd fy nghyfle mawr i fynd i lawr yn oriel yr anfarwolion o enwau'r protestwyr hynny oedd wedi gwneud yr aberth eithaf o fynd i garchar dros yr iaith. Ond dyna lle roeddwn i ar fin cael f'arestio am fod yn dramp! Llwyddais i'w berswadio yn y diwedd i'm harestio am yr un achos teilwng â'r gweddill. Cawsom ein rhyddhau yn oriau mân y bore i ddychwelyd yn ôl i Gymru ar ein liwt ein hunain ac aros i glywed pryd y byddem yn ymddangos o flaen ein gwell.

Roedd ein bysys wedi hen fynd yn ôl i'r Drindod erbyn hynny a doedd ganddon ni ddim dewis ond ei ffawdheglu hi'n ôl tua'r gorllewin. Amranwen, Rhian a finna'n dal ein bodiau allan ar drafffordd gan ddibynnu ar drugaredd eraill. Doedd ganddon ni ddim dewis arall gan nad oedd ganddon ni ddigon o arian rhyngom i dalu am docyn trên i un, heb sôn am dri. Gan na ddysgais i yrru car tan oeddwn yn fy ugeiniau hwyr, fe fu'r arfer o daro 'mawd allan i mofyn lifft yn ffordd o fyw i mi am flynyddoedd.

Fe gawsom lifft gan ddyn ffeind oedd yn mynd i Gasnewydd. Tua hanner ffordd yno, gofynnodd oeddan ni awydd stopio am baned yn un o'r caffis ar ochr y draffordd. Paned? Allem ni fforddio paned? Crafodd Rhian ac Amranwen ddigon o bres rhyngddynt i dalu am baned i'n gyrrwr a finna, ond erbyn inni gyrraedd y cownter roedd ein dyn tacsi wedi talu am y cyfan. Dwi'm yn gwbod a fyddai wedi bod yr un mor ffeind petai'n gwybod lle roeddan ni'n tri wedi treulio'r noson cynt.

Yn y llys yn Bow Street y trefnwyd fy achos i a rhyw wyth arall o'm cyd-brotestwyr. Synnais pan gyrhaeddom o weld y fath dorf y tu allan yn ein haros. Roedd yno gamerâu teledu a gohebyddion fel haid o wenyn o gwmpas pot jam yn holi a stilio. Doedd bosib mai ni oedd wedi denu'r fath sylw yn Llundain o bob man?

Wedi ein hebrwng i ryw stafell fechan yn y cefn cawsom ein cyfarch gan wyneb cyfarwydd, sef y plismon Cymraeg y bûm yn sgwrsio ag o yn y gell fisoedd ynghynt. Gwenodd arnom a'n croesawu'n ein holau i Lundain. Trodd ei lapél tu chwith i ddangos inni ei fod yn gwisgo bathodyn Cymdeithas yr Iaith. Fe'i holais be oedd achos yr holl gyffro y tu allan a thu mewn i'r llys. Doedd bosib fod ein hachos ni wedi hudo'r fath dyrfa a chamerâu teledu yno.

Eglurodd fod yna achos oedd wedi denu sylw mawr ar y cyfryngau yn dilyn ein hachos ni. Roedd dyn o'r enw Ian Ball wedi trio herwgipio'r Dywysoges Ann fisoedd ynghynt ac wedi saethu heddwas yn y gyflafan. Fo fyddai o flaen ei well yn syth wedi i'n hachos ni gael ei roi yn y fantol.

Roedd y llys yn orlawn a'r dorf yn ymladd am seddi, a thybiais y byddent yn y niwl yn llwyr yn gorfod eistedd trwy achos Cymraeg yn gyntaf. Roedd pob un ohonom yn mynd i ddweud gair yn iaith y nefoedd, a fi fyddai'n cloi ein datganiad. Gan y byddai ein cyfaill o Gôr Meibion Cymry Llundain yn cyfieithu'n cyfraniad i'r barnwr a'i lys, gofynnodd tybed a fyddem yn rhoi rhyw syniad o gynnwys ein hareithiau iddo. Fy rhan i oedd llefaru cerdd gan Gerallt Lloyd Owen a ches gryn drafferth yn ceisio cyfieithu'r llinellau iddo:

Gwyliwch ni, a gwelwch yn awr
nad oes, myn duw,
genedl hŷn, nac anadl hwy.

'Nes i ddim llwyddo i gyfieithu'n gynganeddol ond dwi'n cofio ni'n eistedd i lawr a'r llys cyfan yn mân siarad mewn ymateb i'r hyn yr oeddan ni wedi'i ddeud. Pwniodd rhywun fy ysgwydd a phan drois i weld pwy oedd yna, fe daerwn 'mod i'n nabod y dyn. Roedd ei wyneb yn gyfarwydd, yn gacen o golur a chanddo bensil a phapur yn ei law.

'What was all that about?' holodd yn llawn cywreinrwydd.

'We're members of the Welsh Language Society,' atebais innau, 'and we're part of a campaign to fight for our own television channel.'

Ei ateb oedd, 'Good for you . . . and good luck.'

Wedi dod o'r llys gofynnodd un o'r criw imi beth oedd Reginald Bosanquet wedi'i ofyn imi. Wrth gwrs! Dyna pwy oedd o. Un o newyddiadurwyr mawr y saithdegau. Tybiais falla *fod* ein protestiadau'n gwneud rhywfaint o argraff wedi'r cwbwl.

'Byth ni chwymp ymaith . . . '

Gwahanodd llwybrau Rhian a finna am sbel. Yn wir, fe aeth misoedd heibio lle na welais i liw ohoni yn unman. Roedd bywyd yn y Coleg Cerdd a Drama a'r Aelwyd yn mynd â fy holl amser. Tybiwn fod ganddi hithau gariad selog ac y byddem yn graddol dorri ein cwysi ein hunain ac yn mynd i wahanol gyfeiriadau.

Roedd y Steddfod Ryng-golegol yn cael ei chynnal yn Abertawe y flwyddyn honno, ac am y tro cyntaf fe wahoddwyd y Coleg Cerdd a Drama i fod yn rhan o dîm colegau Caerdydd. Mae'n debyg fod y cwrs Cymraeg newydd yn y coleg wedi sbarduno'r syniad o'n cynnwys yng ngweithgareddau'r Ryng-gol. O fewn dim roeddwn yn arwain y côr merched a'r côr cymysg, yn canu yn y côr meibion a llu o gystadlaethau unigol.

Un o'r cystadlaethau hynny oedd 'Llefaru o'r Ysgrythur'. Mae hon bellach yn gystadleuaeth sy'n hongian ar glogwyn tranc testunau'r Eisteddfod Genedlaethol heb sôn am y Ryng-gol. Tydi'r cyfuniad o Gymraeg William Morgan, crefydd a llefaru ddim fel tasa fo at ddant pawb y dyddiau yma, ac mae hynny'n loes calon i mi. 'Dan ni bellach isio pob dim wedi'i symleiddio, ac yn enw pob rheswm peidiwch â llusgo rhyw hen grefydd i mewn i betha. Cadwch honno rhwng waliau tamp yr eglwysi a'r capeli, a rhowch inni rwbath haws i'w ddallt. Byddai rhai yn mynd gam ymhellach a diddymu llefaru'n gyfan gwbwl; ac mae rhai o'n beirdd yn ein cyhuddo o fwrdro'u barddoniaeth yn gyhoeddus drwy orystumio a throi'r geiriau'n siwgwr yn ein cegau. Bosib fod yna ryw elfen o wirionedd yn hynny. Ond *diddymu* llefaru? Cael gwared o'r ysgrythur yn llwyr? Mae gan y Saeson eu Shakespeare a'u Chaucer, eu Marlow a'u Ben Johnson i gynnal a gwarchod eu hiaith safonol yn fyw ar lwyfan, yng ngenau eu hactorion ac yng nghlustiau'r gynulleidfa. Ond os bodlonwn ni ar gyfyngu ein hunain i lefaru am 'Lorri Taid' a'r 'Roced fawr goch', buan y crebachith yr iaith lafar yn ddim byd ond sŵn.

Ond be sydd o'i le ar ddysgu plentyn i ddweud, 'Dyrchafaf fy llygaid i'r mynyddoedd, o'r lle y daw fy nghymorth. Fy nghymorth a ddaw oddi wrth yr Arglwydd, yr hwn a wnaeth nefoedd a daear'? Ai ofn y geiriau mawr ydan ni? Neu falla'n bod ni'n ofni ein crefydd ni ein hunain erbyn hyn? Mae peryg y byddwn ni ofn agor ein cegau cyn bo hir, rhag ofn inni dramgwyddo rhywun yn rhywle.

Y bennod am gariad o Lyfr y Corinthiaid oedd y darn prawf yn yr Eisteddfod Ryng-golegol yn 1976, fersiwn y cyfieithiad newydd. Gan fod Eirlys Britton a Pat Griffiths yn llefaru'r un darn yn union fel rhan o'n cyflwyniad gan Lleisiau Llên, doedd dysgu'r geiriau ddim yn rhy anodd gan 'mod i wedi'u clywed o leia hanner cant o weithiau dros y ddwy flynedd cynt. Ond mae ceisio rhoi'ch stamp eich hun ar ddehongliad yr ydach chi wedi gwrando arno'n cael ei ddehongli gan ddwy arbenigwraig ym maes llefaru yn her dra gwahanol.

Fy hoff adnod o'r bennod gyfan ydi, 'yn awr gweld mewn drych yr ydym, a hynny'n aneglur'. Mae hi'n dweud cymaint mewn ychydig eiriau. Mae'r gwirionedd yn rhywbeth aneglur iawn inni i gyd. Yng nghanol yr hyn a ddysgwyd inni am y 'gwirionedd' dros y blynyddoedd fe rown ein ceiniogwerth ni ein hunain arno a'i gymylu hyd yn oed ymhellach. Dwi'n hoffi'r ddelwedd o'r drych yma yr edrychwn iddo; adlewyrchiad gewch chi mewn drych ac nid y peth go iawn. A hyd yn oed o edrych arno, rhyw ddrych digon aneglur ydi hwnnw hefyd. Fel dod allan o'r gawod a'r angar ar y drych yn eich nadu rhag gweld yr adlewyrchiad yn glir. Dyna'r dehongliad y ceisiais ei gyflwyno: pa mor anodd yw gweld y gwirionedd pan fo ôl bysedd y canrifoedd drosto i gyd? A dim ond trwy ddrych y gwelwn ni o beth bynnag.

Ces lwyfan ar y gystadleuaeth, ond ces y sioc ryfedda pan gerddais i'r llwyfan a gweld Rhian yn eistedd yn y gynulleidfa. Roedd hi'n ddigon hawdd sylwi ei bod yno gan mai tenau iawn oedd y gynulleidfa ar y pryd. Roedd yn gynnar yn y dydd a'r Llefaru o'r Ysgrythur yn un o'r cystadlaethau cyntaf ar y rhaglen. Dyna'r gyfrinach eisteddfodol bob amser – rhowch y cystadlaethau dibwys yn ddigon cynnar a'u cael allan o'r ffordd.

Y peth cyntaf aeth drwy fy meddwl oedd, 'Be goblyn mae Rhian yn 'i neud yn fan hyn o bob man?' Gan nad oedd y Drindod yn rhan o'r Eisteddfod Ryng-golegol bryd hynny, be fyddai wedi'i denu yma o gwbwl, heb sôn am fod yno ar awr mor gynnar â hyn? Roedd yng nghwmni ei ffrind, Jayne Rees, oedd yn byw yn Abertawe ar y pryd.

'Os llefaraf â thafodau meidrolion ac angylion, a heb fod gennyf gariad, efydd swnllyd ydwyf, neu symbal aflafar.'

Cychwynnais yn ddigon sigledig ond rywsut roedd y geiriau fel tasan nhw'n gwneud mwy o synnwyr â Rhian yn eistedd yno'n gwrando. Roeddan ni wedi bod drwy gyfnod digon sigledig. Wedi lluchio peintiau o gwrw dros ein gilydd. Wedi cicio a brathu, ailgymodi a gwahanu eto ac eto ac eto. A dyma fi rŵan yn sefyll o'i blaen hi'n deud nad yw cariad yn 'cadw cyfrif o gam; nid yw'n cael llawenydd mewn anghyfiawnder, ond y mae'n cydlawenhau â'r gwirionedd. Y mae'n goddef i'r eithaf, yn credu i'r eithaf, yn gobeithio i'r eithaf, yn dal ati i'r eithaf.'

Mae'r byd wedi newid cymaint ers imi lefaru'r geiriau yna yn Abertawe ym 1976, ond tydi cariad byth yn newid. Galwch fi'n rhamantydd, yn ffŵl neu'n rhwbath arall, ond dyna ydi cariad go iawn – mae'n goddef i'r eithaf. Er gwaetha pawb a phopeth, 'dan ni'n dal yma i barhau â'n stori yn ŵr a gwraig sy'n 'dal ati i'r eithaf'.

Tydi'r ffaith 'mod i wedi ennill y gystadleuaeth ddim yn bwysig o gwbwl, ond bydd rhai ohonoch yn siŵr o fod isio gwbod hynny, 'yn byddwch? Y Parchedig John Gwilym Jones oedd yn beirniadu, os cofia i'n iawn, ac mi ddudodd ei fod wedi hoffi'r pwyslais pan oeddwn yn sôn am y drych: 'Yn awr gweld mewn drych yr ydym, a *hynny*'n aneglur.' Y gair olaf sy'n cael ei bwysleisio fel rheol. Ond fe es am yr 'hynny' i geisio cyfleu nad ydi'r adlewyrchiad y tybiwn ein bod yn ei weld ddim yn cyffwrdd â'r gwirionedd ei hun gan nad ydi'r drych, na'n golwg ninnau, efallai, yn ddigon da i weld y darlun mawr.

'Ac mae'n aelod o fudiad yr Urdd'

Ond nid yn yr Eisteddfod Ryng-gol y daethon ni'n ôl at ein gilydd chwaith. Er bod perthynas Rhian â'r cyfaill yn y Drindod wedi dod i ben, doeddwn i ddim yn llawn barod i ailgynnau'r fflam y diwrnod hwnnw. Roedd gen i ddau gôr (meddw) i'w harwain ar ddiwedd y noson, a theimlwn yn siomedig ein bod wedi gweithio mor galed i gael côr o Gaerdydd a allai gynnig dipyn o her i gorau profiadol Aber a Bangor a'r aelodau rŵan yn siglo o fy mlaen wrth inni ddechrau canu 'Tyred, Forwyn', Antonín Dvořák. Suddodd fy nghalon i'm sodlau, yn hanner difaru imi dderbyn yr her.

Cafwyd ychydig gwell hwyl ar y côr merched, a dwi'n siŵr inni ddod yn ail. Ond o leia roedd Caerdydd ar y map rhyng-golegol unwaith eto. I orffen y noson fe alwyd ar y tri chôr meibion i ganu'r darn gosod gyda'n gilydd ac fe aeth yn rhemp. Roedd gan y rhan fwyaf wydr peint yn eu llaw ac roedd ambell rech yn cael ei tharo ar bob curiad gwag. Amseru perffaith, ond gresyn am y donyddiaeth! Daeth yr eisteddfod i ben hefo pawb yn y gynulleidfa'n dal eu hochrau a rhes o feirniaid yn edrych arnom gyda dirmyg.

Ond nid dyna'i diwedd hi yn hanes y côr byrhoedlog hwnnw. Cawsom wahoddiad i ganu mewn cyngerdd gwerin yr oedd Merêd yn ei drefnu yn Theatr y Sherman, a chawsom dipyn gwell hwyl arni yn y fan honno. Roeddwn wedi siarsio'r côr na fyddwn yn ymuno hefo nhw ar y

llwyfan i'w harwain os oedd yna unrhyw arwydd o fedd-
wdod. Cawsom wahoddiad wedyn i dŷ Owen Edwards a
Shân Emlyn am damaid i'w fwyta a chael modd i fyw yn
eu cwmni. Dyma'r tro cyntaf imi ddod i nabod Merêd yn
iawn, ac fe fu o a Phyllis yn gefnogol tu hwnt tuag at Rhian
a finna byth ers hynny.

Ar fy mhedwar y cyrhaeddais i'r Gwely a Brecwast y
noson honno yn Abertawe, a Mei yn aros i fyny amdana
i, ar dân i wbod oedd Rhian a finna wedi ailgymodi. Ond
doeddan ni ddim. Mae cariad hefyd yn hirymarhous – fel
basa William Morgan yn 'i ddeud.

Roedd gen i ddwy eisteddfod arall i fynd cyn y byddwn
yn troi'n actor llawn amser ac yn troi fy nghefn ar y byd
cystadlu (am sbel beth bynnag). Eisteddfod Genedlaethol
yr Urdd, Porthaethwy, oedd y gyntaf ac Eisteddfod
Genedlaethol Aberteifi oedd yr ail. Hwn oedd y cyfnod
fyddai'n llywio gweddill fy mywyd – am nifer o resymau.

Ar wahân i'r côr aelwyd, y côr bach a'r côr meibion, y
parti cerdd dant, y cyflwyniad llafar a'r wythawd, roeddwn
i hefyd yn cystadlu fel aelod o'r tîm siarad cyhoeddus, y
ddrama un act ac yn cyfeilio ar y gitâr i'r parti llefaru. Yn
unigol, roedd gen i'r unawd glasurol, yr unawd cerdd dant,
yr unawd alaw werin a'r adrodd unigol. Cefais lwyfan ar
bob cystadleuaeth ond yr alaw werin. Yn ei feirniadaeth
roedd Merêd wedi nodi fod ôl blinder ar fy llais yn
rhagbrawf yr alaw werin ac roedd yn llygad ei le. Rhwng
ymarferion ein harholiad yn y coleg, partïon gwyllt Crwys
Road, ymarferion yr Aelwyd a theithau di-baid Lleisiau
Llên, roedd yr hen *vocal chords* wedi bod dan straen go
fawr.

Un Briodas gan John Gwilym Jones oeddan ni'n ei
pherfformio yng nghystadleuaeth y ddrama un act. Drama
i ddau yw *Un Briodas*, un o'r driloeg *Rhyfedd y'n Gwnaed*.
Roeddwn yn cofio perfformiad Gaynor Morgan Rees a
Gwyn Parry pan lwyfannwyd hi am y tro cyntaf ar lwyfan

Ysgol Dyffryn Nantlle ac wedi mwynhau'r ddrama'n fawr. Eirlys a chwaraeai ran y ferch yn ein cynhyrchiad ni yn 1976 a John Owen yn ein cyfarwyddo. Noson gyfan o ddramâu un act yn Theatr Gwynedd a honno dan ei sang; J. O. Roberts yn beirniadu a Choleg y Drindod, Ysgol Maes Garmon, a ninnau'n cystadlu. Pam yn y byd mawr y diflannodd y gystadleuaeth bwysig yma o lwyfannau'r Urdd?

Mae rhai o'r gwyliau drama yn dal i fynd wrth gwrs, a diolch amdanynt, gyda'n hactorion amatur gorau'n hidio 'run ffeuen a oes camera yno ai peidio. Mae cystadleuaeth drama un act yr Eisteddfod Genedlaethol hefyd yn para'n weddol iach. Ond pryd gwelson ni gwmni teledu'n trafferthu i dalu unrhyw sylw i'r gystadleuaeth honno, tybed? Mi gewch weld a chlywed bron pob ebwch o'r Babell Lên, ond prin iawn y gwelsom ni arlwy Theatr Fach y Maes yn cael unrhyw sylw o un pen o'r wythnos i'r llall. Mae'r cyfan o'r ffocws theatrig wedi'i wasgu i mewn i ddyrnaid o fonologau ac ymgomiau a ddaw i'r prif lwyfan, a phinacl yr arlwy dramatig yw Gwobr Richard Burton a'r Fedal Ddrama. Bellach mae'r gystadleuaeth cyflwyno drama un act wedi ei symud i'r Pafiliwn Bach. Ond roed fawr o sylw i hynny ar y cyfryngau eto eleni. Mae hyn yn dân ar fy nghroen i bob blwyddyn.

Ond yn ôl i Borthaethwy 1976. Roedd Mam ar ben ei digon ar ddydd Sadwrn olaf Eisteddfod yr Urdd Porthaethwy. Yn ôl pob tebyg roedd Hywel Gwynfryn wedi deud ar y radio y byddai'n syniad i gael gwely yng nghefn y llwyfan i un o'r cystadleuwyr gan fod ei enw'n ymddangos ym mhob cystadleuaeth bron am weddill y dydd. Pan ddaeth Mam i wbod mai fi oedd y 'cystadleuydd' dan sylw fe wirionodd yn lân.

Bu'n ŵyl berffaith i ddod â'm cyfnod o eisteddfota i ben. Wedi'r holl flynyddoedd o ymarfer, paratoi, teithio a chystadlu, daeth y cyfan i'w derfyn gydag Aelwyd

Caerdydd yn sgubo'r rhan fwyaf o'r prif wobrau llwyfan.
Ond yr hyn a'm plesiodd i fwyaf oedd imi ddod i'r brig ar
yr unawd cerdd dant. Leah Owen fyddai'n mynd â hi gan
amlaf ar y canu gyda'r tannau ond o drwch blewyn, fel y
bydd y beirniaid yn 'i ddeud pan maen nhw'n gorfod crafu
pen, daeth Leah yn ail – am unwaith.

Mi soniais eisoes nad oedd yr hen gythraul canu yn codi
ei ben yn ystod y cyfnod hwnnw. Does gen i ddim byd ond
atgofion braf o gyfeillgarwch a chefnogaeth gan fy nghyd-
gystadleuwyr. Ond rhaid dweud mai Leah Owen oedd
un o'r bobl lleiaf cystadleuol a chefnogol imi ei chyfarfod
erioed. Dwi'n cofio imi gyrraedd rhagbrawf yr unawd
alaw werin yn Eisteddfod Genedlaethol Bro Myrddin
wedi dysgu'r ddwy alaw osodedig yn ddigyfeiliant. Ond
gan ein bod wedi bod wrthi fel lladd nadroedd yn ymarfer
Iolo ers wythnosau, doeddwn i ddim wedi cael fawr o
gyfle i fireinio ryw lawer ar bethau. *Iolo* oedd drama
gomisiwn Eisteddfod Bro Myrddin. Y sgript gan Norah a
ninnau'r myfyrwyr yn aelodau o'r cast. Pan gyrhaeddais
y rhagbrawf fe glywais delyn yn chwarae a thybiais mai
rhagbrawf yr unawd cerdd dant oedd heb orffen. Rhois
dro ar fy sawdl pan glywais Leah yn gweiddi ar fy ôl yn
gofyn lle roeddwn i'n mynd. Erbyn dallt, y rhagbrawf
alaw werin *oedd* ymlaen, ond bod un o'r darnau gosod i
gyfeiliant telyn! Dwi ddim yn meddwl fod yna unrhyw
gystadleuaeth unawd alaw werin na chynt na chwedyn
wedi cynnwys unrhyw gyfeiliant o fath yn y byd, ond
roedd Bro Myrddin wedi penderfynu torri'r mowld.

'O wel,' meddwn inna, 'mae 'na wastad flwyddyn nesa,'
a chychwyn yn ôl i'r ymarferion yn y Drindod.

'Paid â bod yn wirion,' medda Leah, 'fyddi di'm
chwinciad yn dysgu'r cyfeiliant, siŵr. Mae o'n syml. Ty'd,
gin i gopi fan hyn.'

A thu allan i'r rhagbrawf roedd Leah'n canu'r cyfeiliant
a finna'n bustachu i ganu'r alaw gyda'r amrywiadau oedd

yn y trefniant. Doedd y nodau na'r amseriad ddim yn union fel roeddwn i wedi'u dysgu ond wedi ryw ddeng munud gallwn fynd drwyddi'n weddol.

Eisteddais yn y rhagbrawf i wrando ar un neu ddau o'r cystadleuwyr yn canu'r darn gan drio canolbwyntio ar y cyfeiliant a chyfri'r curiadau dieithr hyd orau 'ngallu. Felly diolch, Leah. Ces lwyfan a'r drydedd wobr allan o restr go faith o gystadleuwyr. A dwi'n falch o ddeud mai Leah ddaeth i'r brig. Un o'r cystadleuwyr hynawsaf (a mwyaf llwyddiannus) imi gystadlu yn ei herbyn hi erioed.

Ond ar ddiwedd Eisteddfod yr Urdd, Porthaethwy, dechreuodd Rhian a finna ailgynnau'r tân ar yr hen aelwyd go iawn. Roedd y ddau ohonom yn tynnu at ddiwedd ein cyfnod yn y coleg a rhyw how feddwl am setlo yng Nghaerdydd roeddwn i ar y pryd, gan nad oedd Wilbert ddim eto wedi cynnig y cytundeb hwnnw imi. Doedd ganddon ni ddim cynlluniau i gychwyn teulu bryd hynny – dim o gwbwl. Ers pan oedd yn yr ysgol fe wyddai Rhian fod ei siawns o feichiogi yn fach iawn gan mai dim ond rhyw unwaith yn y pedwar amser y byddai hi'n ofylu.

Efallai inni brofi hafau poethach yn ddiweddar na'r un a gawson ni yn 1976, ond dwi ddim yn cofio'r un haf wedi hynny lle roedd yr awyr yn las bob dydd o'r naill ben i'r llall. Ac erbyn cyrraedd Eisteddfod Genedlaethol Aberteifi roedd yr haul crasboeth wedi llosgi pob blewyn o wair ar y Maes, a phan chwyrlïai ambell awel o gyfeiriad y bae fe godai gymylau o lwch hyd y Maes fel tasen ni mewn storm yn y Sahara.

Yno felly, yn eisteddfod y llwch, y cychwynnodd y chwech ohonom ein gyrfa fel actorion craidd Cwmni Theatr Cymru: Wyn Bowen Harries, Siôn Eirian, Elinor Roberts, Siân Meredydd, Mei Jones a finna.

Roeddan ni'n aros mewn tŷ Gwely a Brecwast digon dinod rywle ar y ffordd rhwng Aberteifi a Chrymych ac yn perfformio yn Neuadd Ysgol y Preseli, ac yno yr oeddem i gychwyn bwrw'n prentisiaeth. Ond waeth pa mor ddistadl ein llety llwm, roedd y ffaith fod rhywun arall wedi trefnu, heb sôn am dalu amdano, yn gwneud inni deimlo'n bwysig iawn. Hynny a chostau teithio a phres gwario ar ben hynny. Ac o'r wythnos honno mlaen roeddan ni hefyd yn cael ein talu! Am actio. Am neud yr hyn yr oeddan ni'n mwynhau ei wneud. Be arall oedd rhywun ei angen mewn bywyd?

Ond cawsom ein tynnu i lawr began neu ddau wedi'r noson agoriadol pan ddaeth ein lletywraig â'n brecwast inni a gofyn sut aeth y perfformiad y noson cynt.

'Ardderchog,' meddan ninna yn llawn brwdfrydedd ac yn dal i nofio ar don ein llwyddiant.

'A beth fyddwch chi'ch dou'n wneud ar ôl hyn 'te?' gofynnodd wrth daro cig moch ac wy dan ein trwynau.

'Wel . . . actio . . . fyddwn ni'n dal i actio, tra cawn ni,' atebais innau.

'Ie, ond fel jobyn go iawn oe'n i'n 'i feddwl.'

A dyna'n rhoi ni'n dau yn ein lle mewn un celpan fach dwt rywle ym mherfeddwlad Ceredigion. Doedd hi, na llawer un arall, ddim wir yn meddwl fod ganddon ni 'jobyn go iawn'.

'Huna blentyn . . . '

Symudais i fyw adra i Llan am sbel ar ôl Steddfod 1976 i gael fy ngwynt ata i a dechrau meddwl o ddifrif ynglŷn â lle y byddwn yn symud i fyw pan fyddwn yn dechrau gweithio ym Mangor yn llawn amser. Bryd hynny roedd yna griw go dda o actorion yn byw yn y cyffiniau ac roedd Bangor Uchaf yn ardal boblogaidd iawn i'r gymuned Thesbiaidd ymgynnull, cyfeddach a hel tai.

Ond cyn imi gael cyfle i feddwl gronyn ymhellach am hynny, daeth newyddion a fyddai'n newid fy nghynlluniau'n llwyr – ac yn newid cwrs gweddill fy mywyd hefyd. Roedd Rhian yn feichiog. Roeddwn ar fin dechrau gweithio yn y proffesiwn mwyaf anwadal a greodd dyn erioed, yn ennill tri deg punt yr wythnos a heb do uwch fy mhen, a rŵan roeddwn i'n mynd i fod yn dad. Cafodd Rhian wahoddiad i fynd yn ôl i'r Drindod i wneud BEd a ninnau wedi rhyw feddwl y byddai'n rhaid aros o leia flwyddyn arall cyn gwireddu'n cynlluniau gwreiddiol o symud i Gaerdydd i gyd-fyw – yn ddi-blant.

Gan nad oedd gennym syniad o fath yn y byd pryd y cenhedlwyd y babi, bu'n rhaid mynd am brofion i weld lle roeddan ni arni o ran dyddiadau. Er na fyddech chi wedi gallu amau dim o ran edrych arni, roedd Rhian wedi beichiogi ers o leia dri mis, yn ôl y meddyg, a chrybwyllwyd dechrau mis Chwefror fel dyddiad geni posib.

Doeddan ni ddim yn gwybod beth oedd wedi'n hitio ni. Tasan ni wedi trafod y syniad o gael teulu, dychmygu'n hunain ryw dro yn magu plant, falla na fyddai'r newyddion wedi ein taro fel bollten. Ond 'pur annhebyg' y câi hi blant yr oedd y meddyg wedi'i ddweud ac nid 'amhosibl', felly doedd neb y gallen ni feio ond ni ein dau am beidio cymryd gofal. Roedd yna fabi ar ei ffordd a doedd dim byd yn mynd i newid hynny bellach.

Y Lefiathan gan Huw Lloyd Edwards oedd y cynhyrchiad cyntaf fyddem ni'r actorion craidd newydd yn gweithio arno. Gan fod yna gorws nobl o fyfyrwyr y Coleg Normal yn rhan o'r cynhyrchiad, roeddem i gyd yn aros yn rhai o neuaddau'r coleg er mwyn hwyluso'r amserlennu. Rhwng y corws, ni'r actorion craidd a saith actor proffesiynol, roedd yn gast enfawr. Dwi ddim yn meddwl imi deithio na chynt na chwedyn fel actor hefo cast mor niferus. Dychmygwch fod dros ddeugain ohonom yn teithio a pherfformio ar draws y wlad yn aros mewn hosteli a gwestai, ac angen trefnu'r cyfan i gyd.

Ychydig iawn a wyddwn ar y pryd y byddai Rhian a finna'n trefnu teithiau i dros gant a hanner o gantorion rhwng chwech a chwe deg oed flynyddoedd yn ddiweddarach. Ond doedd taith Glanaethwy 'mond megis breuddwyd inni ar y pryd. Breuddwyd na feddylion ni'r adeg honno y byddem hyd yn oed yn ei gwireddu, heb sôn am drefnu teithiau i'r fath niferoedd.

Roedd fy nghalon yn gwaedu dros Rhian yn dal i fyw adre, yn gwybod beth oedd o'i blaen. Gallwn i ymgolli yn fy ngwaith yn ystod y dydd a lluchio fy hun i mewn i'r sesiynau dawns gyda'n coreograffydd, Molly Kenny. Molly oedd ein tiwtor dawns yn y coleg ac roedd ganddi ei ffordd arbennig ei hun o gael actorion digon tindrwm i symud yn osgeiddig. Ymhell o flaen ei hamser, fe ddeuai i'r ymarferion â'i babi wedi'i lapio mewn siôl yn agos at ei bron. Galluogai hynny iddi fwydo'r babi a gweithio 'run pryd. Mae mamau heddiw yn dal i deimlo'n lletchwith yn bwydo ar y fron yn gyhoeddus, ond fe wnâi Molly hynny fel petai'r peth mwyaf naturiol dan haul 'nôl yn y saithdegau.

Ond roedd meddwl am fynd adre i aelwyd draddod-iadol Gymreig y saithdegau i dorri'r newyddion fod Rhian yn feichiog yn gur pen i'r ddau ohonom. Doeddwn i ddim wedi dweud gair am y peth wrth neb ond Mei yn y gwaith, a gofynnais iddo gadw'r wybodaeth yn gyfrinach nes byddem wedi cael cyfle i ddweud wrth ein rhieni.

Y noson cynt mi es â Rhian allan am bryd o fwyd a gofyn iddi 'mhriodi i. Oni fyddai'n braf gallu dweud fy mod wedi mynd â hi i ben Twr Eiffel ym Mharis neu ar fy ngliniau ar falconi Juliet yn Verona gyda modrwy yn fy llaw? Neu'n well fyth i Ynys Llanddwyn? Ond i'r bwyty *Chinese* yn hen ganolfan y Wellfield ym Mangor yr es i â hi am *chow mein* llysieuol a photelaid o win go rad. Doedd gen i ddim modrwy ac es i ddim ar fy ngliniau chwaith. Byddai Rhian wedi gwaredu taswn i wedi meiddio gwneud y fath sioe.

Doeddwn i ddim yn gyrru, felly daliodd Rhian y bỳs olaf adre a ches beint yn y Belle Vue hefo Mei cyn noswylio. Buom yn sgwrsio'n hir y tu allan i'r neuadd y noson honno. Gwyddai Mei fod fy mhen wedi'i chwalu'n llwyr. Sut yn y byd mawr allwn i fforddio priodi, heb sôn am gynnal teulu? A ninnau wedi crafu am yr un ceiniogau i brynu tsips ychydig fisoedd ynghynt, fe wyddai'n union beth oedd fy sefyllfa'n ariannol. Ac er bod Iris, mam Rhian, yn ddynes eitha eangfrydig, wyddwn i ddim pa groeso gaem ni yn Gwylfa (cartre Rhian) y noson ganlynol. Roedd ei thad, Jack, yn gapelwr selog ac yn warchodol iawn o'i dair merch. Cafodd achlust unwaith fod Rhian yn mynychu'r Black Boy i yfed pan oedd hi dan oed, ac fe aeth â llun ohoni i lawr yno'n syth bìn a'i roi i'r perchennog a'i siarsio i beidio syrfio'r ferch yn y llun nes y byddai'n ddeunaw oed. Sut allwn i, heb sôn am Rhian, ei wynebu?

'Ond dach chi'n caru'ch gilydd,' medda Mei. 'Be fwy ti angan?'

Y noson ganlynol roedd Rhian a finna i fod i fynd i weld cynhyrchiad o *Cariad Creulon* yn Ysgol Syr Hugh Owen, ond fe aeth hynny i'r gwellt yn llwyr wrth gwrs. Cerddom i fyny i Gwylfa o'r Maes yng Nghaernarfon gan edrych i gyfeiriad Ysgol Syr Hugh, yn trio dychmygu yn lle yn union fyddai'r 'ddrama' fwyaf y noson honno: yn yr ysgol neu yn Gwylfa?

Roedd Iris yn y llofft pan gyrhaeddom y tŷ a Jack yn darllen ei bapur o flaen y tân. Synnodd ein gweld gan ei fod dan yr argraff ein bod yn mynd i weld y ddrama. Eglurodd Rhian wrtho'n syth pam nad oeddem yn y ddrama ac, fel sy'n digwydd yn aml gyda dynion pan mae 'na letchwithdod, fe gaeodd ei geg yn drap a throi'n welw iawn. Wyddai o ddim beth i'w ddweud, ond fe wyddwn i ei fod yn flin fel tincar.

'Ma' dy fam yn llofft,' meddai wrth Rhian. 'Well ti fynd i ddeud wrthi.'

Bu tawelwch hir rhwng Jack a minnau. Dynion yn methu gwybod beth i'w ddeud nesa. Troi at y teledu ddaru ni a deud dim.

Ymhen hir a hwyr daeth Rhian ac Iris i lawr, a phrin iawn oedd y geiriau rhyngom ninnau hefyd. Roedd Gwylfa'n gartref hapus ac roeddwn wedi treulio cyfnodau dedwydd iawn yno dros y blynyddoedd. Ond teimlai'n ddieithr y noson honno, a'r cwestiwn mawr oedd sut gallwn i ofalu am deulu a chartre a finna newydd adael coleg ac ar gyflog mor fychan.

Doedd gen i ddim atebion y noson honno a fyddai'n plesio Jack ac Iris, a'r cyfan allwn i neud oedd eu hatgoffa fod Rhian a finna'n canlyn ers deng mlynedd ac na fyddai hyn yn newid mawr yn yr hir dymor. Y newid mwya fyddai cael aelod ychwanegol i'r teulu ac onid oedd hynny'n achos dathlu? Dwi'n prysuro i ddweud mai noson yn unig y parodd y dieithrwch rhyngom yn Gwylfa.

Roedd hi'n nosi erbyn inni ddal y bỳs o'r Maes i Lanllyfni

i dorri'r un newydd i Mam a Nhad. Feddyliodd Mam ddim ddwywaith cyn agor y botel win agosaf a dathlu gan holi pryd fyddai'r briodas. Er inni werthfawrogi'r cynhesrwydd a'r meddwl agored, eglurodd Mam fod pethau bob amser yn wahanol i rieni'r ferch mewn sefyllfa fel hyn. Byddai Rhian wedi mwynhau mynd yn ôl i'r Drindod i wneud ei gradd, a byddwn innau wedi mwynhau cychwyn fy ngyrfa heb yr hualau mae bod yn rhiant ifanc yn eu gosod arnoch chi hefyd. Ond nid felly roedd hi i fod, ac roedd hi 'mhell o fod yn ddiwedd y byd. Roedd ganddon ni gymaint i edrych ymlaen ato, a mwy i'w ennill na'i golli yn saff.

Ond dwi ddim yn credu y byddai Rhian a finna wedi priodi o gwbwl tasa 'na ddim plentyn ar y ffordd. Bryd hynny, dyna ddisgwylid gan unrhyw un yn ein sefyllfa ni er mwyn 'parchuso' pethau. Y llwybr cul yn ein cario ni i un cyfeiriad, ac i un cyfeiriad yn unig. Yn raddol bach fe ddaeth yn fwy a mwy ffasiynol i gyd-fyw am sbel a hyd yn oed i ddechrau teulu cyn meddwl am y briodas. Pawb â'u ffyrdd eu hunain ydi hi bellach, ond 'nôl yn y saithdegau roedd pethau'n dra gwahanol.

Ychydig ddyddiau wedyn roeddwn yn cychwyn ar fy nhaith gyntaf fel actor llawn amser gan adael Rhian yng ngofal holl drefniadau'r briodas. Ac er mai priodas fach iawn fyddai hi, roedd ceisio gwneud hynny o fewn cwta fis yn dipyn o her i unrhyw un.

Roedd cymaint i ddygymod ag o yn ystod y daith gyntaf honno: byw allan o gês, symud o le i le, addasu o gynulleidfa i gynulleidfa, dod i nabod gwahanol actorion a setlo i ffordd o fyw gwbwl newydd, gan wybod y byddai heriau dieithr eraill tra gwahanol yn fy aros yn y misoedd oedd i ddod.

§

Myfanwy Talog chwaraeai ran mam Jonah, un o brif gymeriadau'r ddrama. Dynes ddoeth ac actores benigamp oedd Myfi ac roedd gen i feddwl y byd ohoni. Un arall o'r sêr hynny na fu fawr o sôn amdani wedi inni ei cholli mor greulon o ifanc yn y nawdegau. Roedd Myfi'n gariad i'r actor David Jason o'r enwog *Only Fools and Horses*, ond roedd ei chyfraniad i'r theatr a theledu yng Nghymru yn hynod o bwysig, ac mae'n resyn nad oes nemor air wedi'i groniclo am ei gwaith.

Hi oedd ein *Equity dep* ar y daith honno, sef ein cynrychiolydd undeb. Ac roedd Myfi'n ddynes undeb gref. Galwai gyfarfodydd yn rheolaidd a deallom fod Equity yn fwy na cherdyn a roddai hawl ichi weithio'n broffesiynol: roedd yno hefyd i'ch gwarchod petai raid. Dwi ddim yn meddwl fod gan yr undeb yr un grym y dyddiau yma, ond roedd gwybod fod gennych chi rywun i'ch cefnogi chi petai angen yn sicr yn gysur ar y pryd. Gwnâi Myfi'n siŵr hefyd fod pawb wedi talu ei dâl blynyddol a'n bod yn aelodau llawn o'n hundeb. Ond yn fwy na dim, hi oedd ein mam ni oll ar y daith gyntaf honno, a lledai ei hadenydd dros y cywion i gyd. Ac roedd yna gryn dipyn o gywion ar y daith honno, rhwng y corws a'r actorion craidd. Yn wir, roedd cymaint ohonan ni fel nad oedd fawr o le yn yr esgyll mewn ambell ganolfan. Ym Mhontyberem daeth pethau i wasgfa lwyr gan nad oedd dim lle o gwbwl i'r corws aros eu tro i ddod ar y llwyfan.

Pâr o risiau culion a arweiniai o'r stafell wisgo i'r llwyfan o'r naill ochr a'r llall, ac yn ystod yr eiliadau hynny rhwng i'r golau ostwng ar un olygfa a chodi ar y nesaf, dim ond pump ohonom a lwyddodd i gyrraedd sgwâr dinas Ninefe mewn pryd ar lwyfan Pontyberem. Ein rôl yno oedd cyfleu torf afreolus a fyddai'n heclo Jonah, prif gymeriad y ddrama. Yr annwyl Glyn Pen-sarn a chwaraeai ran Jonah, a phan oleuwyd y llwyfan roedd yn disgwyl gweld torf anferth yno'n ei enllibio a'i felltithio. Edrychodd ar y pump ohonom yn syllu arno'n fud. Yna ciledrychodd tua'r esgyll a gweld y rhan helaethaf o'r corws yn cilio'n ôl i'r ystafell wisgo, er i'r gweddill ohonom drio'u hannog i ymuno â ni. Ond gwrthod ddaru nhw gan adael y pump ohonom i fod yn 'dyrfa afreolus' Ninefe. Daliodd Mei fy llygad a'r neges yn ei drem oedd y byddai'n rhaid i'r dyrnaid ohonom oedd ar ôl floeddio fel nad oeddan ni erioed wedi bloeddio o'r blaen. Fe aethom amdani gydag arddeliad ond dwi'n cofio hefyd nad oedd gen i bwt o lais ar ôl erbyn yr olygfa olaf.

Yng Nghaerdydd y prynais fy siwt briodas, a chrys a thei yng Nghaerfyrddin; pâr o esgidiau yn Aberystwyth a'm noson stag yn Abertawe. Dwi'n prysuro i ddeud fod y cast i gyd wedi mynychu'r parti a bod mwy o ieir nag o geirw yn fy *stag night* i. Er 'mod i wedi mynychu sawl parti iâr dros y blynyddoedd, fûm i erioed yn agos at barti stag go iawn. Mae gen i ddyrnaid o ffrindiau hynod o driw sy'n ddynion, ond merched fu'r rhan helaethaf o'm ffrindiau ers dyddiau'r ysgol gynradd. Falla mai trafod pêl-droed yn wastadol a'm syrffedodd fwyaf, ond roedd tystio i greulondeb at anifeiliaid, ymladdgarwch a bwlio hefyd yn dueddiadau y rhedwn filltir rhagddynt ers yn blentyn bach. Ac yn amlach na pheidio cawn lawer mwy o ddiddanwch yng nghwmni merched a'u ffordd hwy o weld y byd. A 'neith hi ddim newid bellach.

Yn Theatr Felin-fach yr oeddan ni'n perfformio yr ychydig ddyddiau cyn ein priodas, gan aros yng Ngwesty'r Plu yn Aberaeron. Roedd y daith yn dirwyn i ben a'r haf hirfelyn yn gwthio'i hun at drothwy mis Hydref. Felly, roedd pethau'n edrych yn addawol am ddiwrnod braf ar ddydd ein priodas. Ces lifft yn ôl i'r gogledd o Felin-fach gan Mei yn syth ar ôl y perfformiad olaf ar y nos Wener. Roedd yn dywysydd yn ein priodas a chyrhaeddais adre yn oriau mân y bore a Mam ar binnau yn aros amdana i.

Doedd gan Rhian a finna fawr o reolaeth dros ddyddiad ein priodas fel y gellwch fentro: y dyddiad cyntaf wedi imi ddod yn ôl o'r daith lle byddai'r gweinidog, capel a theulu ar gael i ddod ynghyd i'r achlysur. A'r diwrnod dan sylw oedd y diwrnod yr oedd Mam hefyd yn symud yn ôl o Bradford House i Stanley House, a elwid bellach yn Cynlas. Felly, ar fore'n priodas roedd teulu newydd yn symud i Bradford House, Mam yn ymddeol ac Ann Haliday'n cymryd y busnes yn Bradford House drosodd yn syth bìn. Nid yr amseru gorau o bell ffordd o'm safbwynt i.

Wrth gael ei hun yn barod fe sylwodd Mam fod Ann yn ofnadwy o brysur yn y siop a siarsiodd fi i fynd draw i'w helpu. Fyddai gan Alan na Nhad ddim syniad yn y byd sut i roi help llaw yn y siop gan mai fi fyddai'n helpu Mam bob tro y byddwn adre. Erbyn imi orffen helpu Ann i godi tatws a phwyso nionod a llenwi chydig ar y silffoedd a dychwelyd adre i gael fy hun yn barod, roedd y tri arall wedi molchi a newid a Mam yn deud wrtha i am frysio er mwyn dyn, neu fe fyddwn yn hwyr i 'mhriodas fy hun!

Fel roeddan ni'n cychwyn am Gapel Glan-rhyd fe ddechreuodd cymylau duon gasglu uwchben Cwm Silyn ac erbyn inni gyrraedd roedd yn dymchwel fel o grwc. Ac fel tasa hi'n ddoe, mi gofia i am byth mai ar Hydref yr ail, tua dechrau'r pnawn, y daeth haf crasboeth 1976 i ben. Roedd y ddaear sych a phob planhigyn crimp yn llawenhau, ac fe lusgom y llawenydd hwnnw i mewn hefo ni i Gapel Glan-rhyd.

Ac nid y glaw a'i lawenydd yn unig gyrhaeddodd yn annisgwyl i'n priodas. Fel roedd Alan, Mei a Haldon, fy mrawd yng nghyfraith, a finna yn tynnu'r llun olaf ar riniog Glan-rhyd daeth bỳs llawn heibio a pharcio y tu allan i'r capel. Bỳs cast a chorws *Y Lefiathan* oedd o ac o fewn dim roedd y capel yn llawn. Priodas fach, ar f'enaid i!

'Dan ni'n deulu cerddorol ar ochr fy mam a 'nhad, a chanu'n ail natur yn nheulu Rhian hefyd. Ychwanegwch at hynny gorws Cwmni Theatr Cymru'n ymuno yn y canu, a dwi'm yn meddwl y buo 'na well sain ym mhriodas neb erioed. Fydden ni ddim wedi medru trefnu gwell gwasanaeth tasan ni wedi cael blwyddyn i wneud hynny.

Mae'n anlwcus i'r priodfab weld ei ddarpar wraig y noson cyn y diwrnod mawr, meddan nhw. Ond hyd yn oed taswn i wedi bod isio gweld Rhian fwya rioed, doedd dim posib i mi neud hynny. Yn wir, welais i ddim ohoni am bythefnos o leia cyn y diwrnod mawr. Wyddwn i ddim beth fyddai hi'n wisgo nac unrhyw fanylion felly. Wyddwn i ddim hyd yn oed lle yn union yr oedd y neithior i'w gynnal, 'mond deall ei fod ar gyrion hen bentref bach Llanbêr. Dychmygwch sut y teimlwn felly pan glywais Anti Neli (chwaer ganol fy mam) yn chwarae'r alaw 'Mawddwy' ar yr organ a gweld Jack yn hebrwng Rhian i'r sêt fawr tuag ata i yn ei ffrog Laura Ashley las a gwyn. Er symled oedd y cyfan, fyddwn i ddim wedi'i newid am bris yn y byd.

Yng ngwesty Gallt y Glyn yn Llanberis y cawsom ni'r neithior a threulio gweddill y penwythnos yng ngwesty Craig-y-dderwen ym Metws-y-coed. Dim parti nos nac unrhyw ychwanegolion felly. Priodas syml, dawel a diffwdan. Yn syth wedi'r areithiau fe ffarweliom â'r teulu ac fe wnaeth Alan ein danfon ni'n dau i Fetws-y-coed.

Mae 'na rwbath hudol am Fetws-y-coed, ac roedd cael ysbaid hefo'n gilydd wedi rhuthr fy nhaith gyntaf a phriodas 'ddramatig' yn amheuthun o beth. Roedd hefyd yn gyfle, dros brydau bwyd a phaneidiau ac ambell wydriad o win, i feddwl am y dyfodol go iawn. Cael cartref, cael dodrefn i'r cartref, cael babi, dilladu'r babi . . . ar dri deg punt yr wythnos.

Roedd fy mrawd wedi mynd yn ei ôl i Gaerfyrddin erbyn y bore Llun a Rhian wedi trefnu y byddem yn dal y trên i ddychwelyd adre o Fetws-y-coed. Roedd taith *Y Lefiathan* yn gorffen yn Theatr Gwynedd a'r cynllun oedd y byddem yn aros yn Gwylfa hyd nes y caem rywle i fyw yng nghyffiniau Bangor.

Fe gariom ein cesys o'r gwesty i gyfeiriad y stesion a theimlo ias yr hydref yn lapio'i hun amdanom. Doedd ganddon ni ddim pres i allu fforddio moethusrwydd tacsi ac roedd y stesion gryn sbelan o'r gwesty ei hun. Ond doeddan ni'n gwbod am ddim gwahanol ar y pryd. Roedd ein ffrindiau yn hedfan i'r Cyfandir ar eu mis mêl am sbel go hir ac wedi cynilo digon i gael eu difetha'n rhacs. Ond roeddan ni wedi arfer â llusgo cesys a byw o'r llaw i'r genau drwy'n dyddiau coleg. Deuem o gefndiroedd tebyg iawn lle roedd arian yn brin, ond gofal a chariad yn ddiamod. Doedd llusgo cês go drwm i stesion yn ddim byd newydd i ni'n dau.

Ond wedi cyrraedd y stesion fe gawsom began arall wrth inni weld fod y lle yn wag. Roedd glaswellt ar lwybrau'r rheilffordd a dim arwydd o fywyd yn unman. Dwn i ddim hyd y dydd heddiw prun a fu'r stesion ym Metws-y-coed ar gau am gyfnod yn y saithdegau ai peidio, ond ddaeth yr un cerbyd heibio y bore Llun, tamp hwnnw. Roedd gen i berfformiad yn Theatr Gwynedd y noson honno ac ymarfer yn y pnawn. Sut felly oedd rhywun yn cael ei hun o Fetws-y-coed i Gaernarfon mewn da bryd hefo dau gês, gwraig feichiog a waled oedd bron yn wag?

Doedd dim amdani ond sefyll ar ochr y lôn a dal ein bawd allan a byw mewn gobaith y deuai 'na Samariad go drugarog o rwla. A dyna ddaru ni: bodio adra i Gaernarfon a gorffen ein hantur fawr yn lluchio'n cesys i lorri artíc. I ychwanegu at yr 'hwyl', doedd caban y gyrrwr ddim yn dal dŵr a phob tro yr aem rownd cornel fe ddiferai'r dŵr am ben y ddau ohonom. Roedd hi'n tywallt y glaw ac erbyn inni gyrraedd y Maes yng Nghaernarfon roeddan ni'n wlyb diferol. Y mis mêl mwyaf rhamantus erioed. Wel, i ni'n dau mi oedd o.

'Ceiniog i wario a cheiniog i sbario, A dim i fynd adre at Gwen'

Buom yn byw yn Gwylfa, cartref Rhian, am ychydig wythnosau cyn symud i fflat bychan yn St Paul's Court ym Mangor, hen ficerdy'r eglwys wrth ymyl maes pêl-droed enwog Farrar Road, gynt. Cwmni Theatr Cymru oedd yn berchen y tŷ ac wedi'i addasu yn bump fflat lle roedd y rhan fwyaf ohonom ni'r actorion craidd yn byw. Talem ein rhent o ddeg punt yr wythnos yn swyddfa'r cwmni ym Mhendref i Mrs Howells, mam Nest Howells a nain y gantores a'r gyflwynwraig Elin Fflur. Golygai hynny fod gennym ugain punt i fyw arno am weddill yr wythnos.

Diolch i garedigrwydd teulu, fe lwyddom i ddodrefnu'r fflat gyda darnau o gelfi a dodrefn sbâr oedd ganddyn nhw – cadeiriau a byrddau ail-law a hen deledu a radio oedd wedi gweld dyddiau gwell. Ond roeddan ni angen ychydig o silffoedd a chypyrddau i storio'r pethau angenrheidiol: llyfrau, gwydrau, lamp neu ddwy, beiros a phensiliau, ac yn fy achos i, sgriptiau a theipiadur.

Aethom allan efo Mam i siop ddodrefn ar Stryd Fawr Bangor i chwilio am yr union beth hwnnw. Bydd rhai ohonoch yn cofio'r unedau pren-smalio hynny o'r saithdegau y gallech gadw, storio a chuddio pob math o drugareddau ynddyn nhw oedd i'w cael ym mhob cartref, bron, bryd hynny. Mam dalodd y blaendal a ninnau'n talu'r gweddill ar HP. Tan y diwrnod hwnnw meddyliwn mai potel sos oedd HP, ac fel y dodrefnyn ei hun mae *hire purchase* yn derm eitha hen ffasiwn erbyn hyn. Fe gostiai'r ad-daliad ar hwnnw dair punt yr wythnos yn ychwanegol inni a'm cyflog yn crebachu fesul taliad.

Roeddem yn dal i fyw o'r llaw i'r genau, a chan fod angen paratoi ar gyfer yr ychwanegiad i'r teulu roedd yn rhaid cael cot, pram, cadair uchel a'r holl drugareddau eraill sy'n angenrheidiol i fagu babi. A ninnau'n dau wedi mwynhau mynd allan a chymdeithasu ers ein dyddiau yn yr ysgol, roeddan ni bellach yn gorfod disgyblu'n hunain i aros adre a chynilo pob dimai oedd ganddon ni ar ôl. Clywem yr actorion craidd eraill yn trefnu i fynd allan i'r Globe ym Mangor Uchaf neu i'r sinema neu'r theatr. Ninnau adre'n ceisio diddanu'n hunain yn gwau sanau a darllen cylchgronau am fagu babis.

Fe dreulion ni un noson gyfan yn trio meistroli newid plwg. Cawsom degell newydd yn anrheg priodas gan rywun a doedd Rhian na finna erioed wedi newid plwg yn ein bywydau o'r blaen. Doedd Google ddim yn bodoli bryd hynny wrth gwrs, felly roedd yn rhaid rhannu hynny o atgofion oedd gennym o'n rhieni'n newid plwg. Yn ysu am baned, buom yn agor a chau sgriwiau bach gan ffeirio ambell weiren o'r naill dwll i'r llall – yn aflwyddiannus am sbel. Rhag ofn i'r holl beth ffrwydro yn ein hwynebau roeddem yn cynnau'r plwg hefo coes brwsh llawr, gan sefyll o hirbell i aros am glec. Distawrwydd. Yna closio'n araf i edrych i mewn i'r tegell gan groesi'n bysedd yn y gobaith o weld y swigod bach hynny'n codi'n araf o'r gwaelodion. Wedi sawl siom fe oleuodd ein llygaid pan glywson ni'r mymryn lleiaf o sŵn mewian o'r teclyn o'n blaenau. Closio. Edrych. A gweld y swigod bychain yn ymddangos ar wyneb y dŵr. Llwyddiant! Roedd y ddau ohonom wedi cynhyrfu gymaint fel inni agor potelaid o win i ddathlu ac anghofio'n llwyr am y baned.

Ac felly y buom ni'n byw am fisoedd wedyn. Yn gwrando ar y criw craidd yn mynd allan gyda'r nos ac yn cyrraedd yn ôl yn uchel eu cloch, ac weithiau'n picio draw i weld sut roeddan ni ac i rannu rhyw lymaid neu sgwrs dros baned. Aem allan i weld ambell ffilm i bictiwrs y City yn hytrach na'r Plaza, gan fod y tocynnau'n dipyn rhatach yn fanno, yn enwedig y 'seti chwain', fel y caent eu galw slawer dydd.

Mae gen i gof inni fynd i weld y ffilm *Cabaret* yno unwaith, ond cafodd Rhian gymaint o draferth hefo 'dŵr poeth' fel y bu'n rhaid iddi sefyll drwy hanner y ffilm. 'Arwydd y bydd gin y babi lot o wallt' oedd damcaniaeth Mam, ond beth bynnag oedd o, felly y bu Rhian druan am weddill ei beichiogrwydd, a dim ond unwaith wedyn y buom yn gweld ffilm. *The Omen* oedd honno, ffilm arswyd. Cewch wybod yn nes ymlaen pam yr aethon ni i weld ffilm mor ofnadwy o frawychus a Rhian ar fin geni ein babi cyntaf.

§

Wedi i daith *Y Lefiathan* ddod i ben fe fuom yn mireinio, yn ymarfer ac yn teithio *Fflora* a *Portread* unwaith eto. Roedd teithio yma yn y gogledd yn dipyn haws gan y gallwn ddod adre at Rhian y rhan fwyaf o'r nosweithiau hynny. Roedd pethau'n fwy o straen arnom pan fyddem yn teithio ymhellach ac yn aros oddi cartref am nosweithiau bwy'i gilydd. Roedd Rhian yn fregus a minnau'n hiraethu, gan ddechrau amau a oeddwn wedi gwneud y dewis iawn. Oni fyddem yn well allan o fod wedi dewis mynd yn athro i Gaerdydd, sef yr union le y byddai Rhian wedi hoffi byw? Roedd popeth, am sbel, yn teimlo'n chwithig iawn, a thybiwn fy mod wedi gwneud camgymeriad mwya 'mywyd yn arwyddo'r cytundeb hwnnw i Wilbert.

Ond weithiau, ar daith, roedd yn ddigon hawdd i mi anghofio 'nghyfrifoldebau a mwynhau rhywfaint ar fy 'rhyddid' o fod i ffwrdd o adre. Ambell noson byddwn yn meddwi'n rhacs ac yn teimlo 'mod i'n 'dwyn' o'n cadw-migei ar gyfer y dyfodol. Gan nad oeddwn yn gallu mynd allan yn ystod yr ymarferion, doeddwn i ddim yn dda iawn am ddal fy nghwrw, ac o geisio dal i fyny â'r gweddill profiadol fe gawn fy hun yn cael fy nghario i 'ngwely ar adegau a ddim yn ffit i 'nghodi y bore wedyn. Nid fi oedd y gŵr na'r tad cyntaf (na'r olaf) i wneud peth felly wrth reswm pawb, ond cawn fy nhynnu rhwng y bywyd Thesbiaidd, rhyddfrydol ar y naill law a'r angen am ddisgyblaeth i wynebu 'nghyfrifoldebau'n synhwyrol ar y llaw arall. Fe syrthiwn, weithiau'n llythrennol, rhwng dwy stôl.

Fe ddeuai'r adeg pan fyddem yn gallu gwerthfawrogi'r manteision o fod yn rhieni ifanc, ond yn nyddiau cynnar ein priodas roedd hynny ymhell o fod ar flaen ein meddyliau. Ein ffrindiau'n mwynhau eu rhyddid wedi gadael coleg, cael swydd a chyflog, a chyfle i ffeindio'u traed – a ninnau'n dau adre'n trio creu nyth allan o bwrs gwag.

Tra oeddan ni'n teithio *Flora* a *Portread* roeddan ni hefyd i ddechrau meddwl am syniadau ar gyfer ein taith wanwyn. Byddai honno hefyd yn cael ei chyflwyno gan yr hyn alwai Wilbert yn Theatr Antur. Roedd hwn yn syniad y bu Wilbert yn gweithio arno ers sbel. Roedd yn awyddus i actorion craidd y cwmni gael cyfle i ddatblygu eu syniadau a'u sgriptiau eu hunain. Roedd ganddo gnewyllyn o actorion eraill oedd wedi mynegi diddordeb mewn bod yn rhan o'r fath *ensemble*, ac wedi i daith panto'r flwyddyn honno ddod i ben byddem yn ymuno â Valmai Jones, Iola Gregory a Dyfan Roberts i fynd ar daith gyda Theatr Antur. Wyddai Wilbert, na ninnau, ar y pryd mai'r *ensemble* yma o actorion Theatr Antur fyddai'n datblygu'n sylfaenwyr Theatr Bara Caws, Hwyl a Fflag a Chwmni Sgwâr Un. O fewn rhyw ddwy flynedd fe fyddai cwmnïau theatr bychain Cymraeg yn dodwy drwy Gymru gyfan. Wyddai'r un ohonan ni chwaith mai dyma fyddai dechrau'r diwedd i Gwmni Theatr Cymru . . . ond y byddai'r *ensemble* yma yn rhoi cychwyn i gyfeillgarwch oes.

Tu ôl i chi!

Ymunodd Val hefo ni ar daith y panto yn syth wedi diwedd taith *Flora* a *Portread*. Roeddwn wedi gweld Val ar lwyfan nifer o droeon cyn hynny ac roedd wedi creu argraff arnaf fel actores amryddawn a chwbwl unigryw. Torrodd Val ei chwys ei hun ar lwyfan pantomeimiau'r saithdegau. Dwi'n cofio mynd i'w gwylio gyda chriw o fyfyrwyr y Drindod yn y panto *Afagddu* yn Neuadd Pontyberem. Llurguniad o gymeriadau'r *Commedia dell'arte* yw'r panto wrth gwrs ac er ei fod yn cael ei ystyried yn ddull Prydeinig, y Saeson yn wir a'i mabwysiadodd ac impio'u stamp eu hunain arno. '*You shall go to the ball!*' ac yn y blaen ac yn y blaen. Ond yn y neuadd honno ym Mhontyberem roeddwn yn teimlo 'mod i'n gwylio panto cwbwl Gymreig.

Wynford Ellis Owen oedd tad (a mam) y panto Cymraeg. Un o lwyddiannau mawr blynyddol Wilbert oedd taith y panto, a chreadigaeth Wynford fel Fairy Nyff yn llenwi theatrau Cymru am fisoedd. Ond os mai Wynff oedd y rhiant, Val yn sicr oedd y plentyn cyntaf. Daeth â rhyw wreiddioldeb ac egni newydd efo hi. Dyfeisiodd gymeriadau digri eithriadol ond roedd pob un ohonynt â rhyw elfen dywyll iddyn nhw hefyd. Roedd fel petai hi'n tynnu ar y traddodiad gwreiddiol Eidalaidd ac yn rhoi ei phupur a'i halen Llŷn ac Eifionydd ei hun ar ei chreadigaethau.

Madog oedd enw'r panto oedd i'w lwyfannu yn 1976 ac roedd 'na gynnwrf mawr yn swyddfa'r cwmni pan gyhoeddwyd mai Ronnie Williams fyddai'n gyfrifol am y sgript ac y byddai'n actio ynddo hefyd. Yn ogystal â hynny, cyhoeddwyd y byddai'r cynhyrchiad yma'n lansio gyrfa perfformiwr ac actor newydd sbon danlli i'r theatr Gymraeg. Dyn o'r enw Gari Williams.

Roeddan ni i gyd, bryd hynny, yn gyfarwydd iawn â gwaith Ronnie Williams wrth gwrs. Y canwr Bryn Williams oedd i chwarae Madog ei hun a Val yn chwarae ei wraig. Gari Williams fyddai'n chwarae rhan yr Indiad Coch cyntaf i Madog ei gyfarfod ar ôl iddo ddarganfod 'Mericia'. Iona Banks oedd wedi'i chastio yn rhan y wrach a Mari Gwilym yn rhan y forwyn fach. Ni, yr actorion craidd, fyddai'n actio'r rhannau eraill. Siân a Wyn yn actio'r cariadon, Mei yn chwarae'r *dame* a finna'n chwarae rhan y capten. O'n i wastad wedi meddwl mai 'Madog, ddewr ei fron' fyddai'r 'capten ar y llynges hon'. Ond 'nes i ddim holi ryw lawer am hynny; roeddan ni yng nghanol criw dipyn mwy profiadol na fi ac felly mi gaeais i 'ngheg yn drap – am unwaith. Ond pwy oedd y Gari Williams yma yr oedd Ronnie a Wilbert wedi rhoi'r fath sylw iddo?

'Ydach chi wedi clŵad am y ddeuawd Emyr ac Elwyn?' gofynnodd Wilbert inni tra oeddan ni ar daith *Flora* a *Portread*. Roedd wedi galw cyfarfod yng ngwesty'r Queensbridge yn Aberystwyth i weld oeddan ni wedi cael unrhyw syniadau am sioe nesaf Theatr Antur. Oeddan, mi roeddan ni wedi clywed am Emyr ac Elwyn, y ddeuawd bop enwog o Fae Colwyn.

'Wel, Emyr o'r ddeuawd Emyr ac Elwyn *ydi* Gari Williams,' cyhoeddodd Wilbert. Ac felly y cawson ni wybod am ddyfodiad y seren newydd i'r byd adloniant ysgafn yng Nghymru, ac er mor fyrhoedlog fu gyrfa a bywyd Gari druan fe wnaeth gyfraniad arbennig iawn i'r byd adloniant ysgafn yma yng Nghymru a bu'n bleser cydweithio ag o ar nifer o gynyrchiadau.

Deallom wedyn fod Ronnie wedi sgwennu'r panto yn

unswydd i lansio gyrfa newydd 'Emyr'. Roeddwn wedi bod yn gweld y ddeuawd boblogaidd mewn nifer o gyngherddau 'Pinaclau Pop' yn y Majestic yng Nghaernarfon, Pafiliwn Corwen a Phontrhydfendigaid, ac erbyn hynny roedd Emyr ac Elwyn wedi agor siop recordiau ym Mae Colwyn hefyd. Ond bellach roedd Emyr ar fin troi'n Gari Williams, y comedïwr a'r actor llawn amser.

Dwi'n cofio diwrnod cynta'r ymarferion yn glir a'r deg ohonom yn eistedd o gwmpas bwrdd yn y Tabernacl a'r sgriptiau'n un pentwr twt ar ganol y bwrdd. Ronnie ei hun oedd yn cyfarwyddo a Cenfyn Evans, un o gyn-aelodau'r Dyniadon Ynfyd Hirfelyn Tesog, yn gyfarwyddwr cerdd gydag Elwyn Williams (brawd Gari), Dilwyn Roberts a Paul Westwell yn y band. A rhwng y technegwyr, y cynllunwyr a'r rheolwyr llwyfan roeddem yn dîm go nobl.

Ond roedd ein canolfan yn y Tabernacl yn fwy na thebol i'n cartrefu. Bellach mae'r hen gapel Methodistaidd ym Mangor wedi'i addasu'n fflatiau ond, bryd hynny, honglad o addoldy mawr gwag oedd o a gynhwysai stordy, gweithdy, stafell ymarfer, stafell wisgoedd, stafell werdd, stafell rheolwr, stafell dechnegol a chegin. Edrychai'n fwy fel eglwys o'r tu allan a gallwn yn hawdd ddychmygu ei fod, ar un adeg, wedi bod yn un o gapeli harddaf Cymru. Fe rown y byd am gael bod yno pan oedd yr hen gapel yn ei anterth. Fe'i hagorwyd yn 1868 a chaewyd y drysau am y tro olaf yno yn 1968. Canrif o addoli'n tewi dros nos a chriw o actorion swnllyd yn symud i mewn a newid awyrgylch y lle yn syth bìn. Ond roedd y muriau yn hen gyfarwydd â sŵn yr iaith a gâi ei defnyddio yno am y deng mlynedd ar hugain nesaf.

Ac yno yr oeddan ni yn griw o Thesbiaid yn cychwyn ar y fordaith ryfeddaf y bues i arni erioed. Fe gychwynnai'r sgript gyda chriw ohonom yn chwarae pêl ar lan y môr pan gerdda dyn coch o'i gorun i'w sawdl i mewn. Rhyw damaid o gadach i guddio'i fymryn balchder ac un bluen ar gefn ei ben. Yn y diwyg hwnnw y byddai'r Gari Williams newydd yn cael ei gyflwyno i'r genedl. Ac o hynny ymlaen fe naddodd Gari yrfa hynod lwyddiannus iddo'i hun fel perfformiwr cyn ei farwolaeth annhymig yn 1990 pan oedd yn ddim ond pedwar deg a phedair mlwydd oed.

'Gari' hefyd oedd enw'r Indiad Coch a laniodd ar draethell unig, nid nepell o Borthmadog, 'nôl yn 1170. Tro Ronnie Williams ar y stori oedd mai Gari'r Indiad Coch a ddarganfu Gymru i gychwyn ac mai rhoi lifft adra iddo fo yn ei gwch a wnaeth Madog, a bod y bardd wedi gwneud clamp o gamgymeriad yn dweud fod ganddo dair ar ddeg o longau. Dim ond dwy oedd ganddo, a chan fod un ohonynt ar ei hanner, byddai'n rhaid mentro allan i'r môr mawr heb y fflyd arferol er mwyn mynd â'r Indiad bach amddifad adra'n saff. Ac felly, dach chi'n gweld, y darganfu Madog America – rhoi lifft adra i Gari wnaeth o. Tydach chi'n dysgu rwbath newydd bob dydd?

Yr hyn dwi'n ei gofio orau am ddiwrnod cynta'r ymarferion oedd fod Lisa'r forwyn, sef Mari Gwilym, yn dychryn am ei hoedal o weld y creadur coch yma'n glanio ar y traeth gan ddeud ei fod o ar goll. Cyfarwyddyd cyntaf Mari oedd i sgrechian nerth esgyrn ei phen a rhedeg i freichiau'r capten (sef fi).

Fel arfer, tuedd actorion yw cymryd y darlleniad cyntaf yn eitha hamddenol. Rhy hamddenol o beth coblyn, yn fy marn i. Maen nhw'n defnyddio'r *read through*, fel y'i gelwir ef, i ddod i nabod y darn a thempo'i gilydd ryw fymryn yn well. Dwi wastad wedi teimlo'n rhwystredig yn y darlleniad cyntaf ac yn ysu am dipyn mwy o deimlad ynddo. Ond nid felly mae hi fel arfer. Mae'r actorion fel tasan nhw'n trio synhwyro'i gilydd heb roi fawr o enaid i'r sgript. Bosib eu bod ryw fymryn yn ofnus o faglu'n ormodol hefyd ac yn orofalus wrth ddarllen. Ond nid felly Mari. O na. Tydi Mari rioed wedi gwneud unrhyw beth wrth yr hanner. Fe sgrechiodd yn union fel roedd y sgript yn ei ofyn: 'nerth esgyrn ei phen'. A chan mai i 'mreichiau i y byddai hi'n neidio, a minnau'n eistedd reit wrth ei hymyl, fe afaelodd am fy ngwddw'n angerddol ac fe aeth ei sgrech reit i mewn i 'nghlust nes imi ddychryn am fy hoedal.

Fe gawn Ronnie Williams yn ddyn trist eithriadol. A ninnau'n ei gysylltu cymaint â diddanu a chwerthin, welais i ddim arlliw o hynny yn ei fywyd bob dydd. Fe wyddwn ymhell cyn hynny fod yna ochr dywyll i fywydau a meddyliau sawl comedïwr. Fel y dywed Dewi Pws mor glyfar yn ei gân 'Helô, Dymbo' pan hola, 'Wyt ti'n fyw o hyd? Helô, Dymbo! Mae rhywbeth yn dy boeni di. Beth yw e, Dymbo? O, dwed wrthyf fi.'

Roeddwn yn ffan anferth o Tony Hancock yn blentyn a gwyddwn, hyd yn oed bryd hynny, fod tristwch yn rhan annatod o hiwmor. Fe welwn dristwch ym mhob ystum ac edrychiad o waith y digrifwr. I fod yn gomedïwr crwn, mae'n rhaid ichi brofi'r tywyllwch hefyd. Roedd hwnnw yn ei lygaid yn wastadol. Mae'r gair 'dwrn' a geir yn y term 'punchline' yn awgrymu'n gryf fod rhywun yn cael ei frifo ar ddiwedd pob jôc. Fe welwn dristwch yn tasgu o berfformiadau Tony Hancock bob amser a phan ddois i ddeall mai lladd ei hun ddaru o yn y diwedd, wedi gyrfa anwadal a chymhleth, mae un llinell o'i nodyn hunanladdiad wedi aros – 'things seemed to go too wrong too many times'.

Fel Gari druan, bu farw Tony Hancock yn bedwar deg pedwar oed. Ychydig a wyddem ar y pryd y byddai Ryan Davies yntau'n marw ar ddiwedd taith panto Ronnie Williams, yntau'n ddim ond deugain oed. Fel y soniais, cafodd Rhian a finna'r fraint o rannu llwyfan hefo Ryan unwaith, a byddwn wedi rhoi'r byd am ddod i'w nabod yn well. Roedd yn ffynnon ddiwaelod o dalent.

Ond yno yr oeddem yn y Tabernacl, gyda Ronnie, Gari, Val, Mei a Mari, pump arall o actorion oedd â'r gallu i wneud i bobl chwerthin. Ces hwyl yng nghwmni'r pump, ac fe ddysgais lawer iawn am gomedi hefyd. Cawsom gyfle unigryw yn actorion ifanc i fwrw'n swildod gyda'r fath *ensemble*. Dylai pob actor wneud o leiaf un panto yn ystod ei yrfa: lluchio eich hun i mewn i'r rhialtwch heb ddal dim yn ôl.

Roedd Elinor, erbyn hynny, wedi symud o'r criw craidd i fod yn rhan o'r tîm technegol. Cafodd daith anodd iawn ar *Y Lefiathan* ac fe wawriodd arni nad actio oedd ei chryfder. Cafodd ei hudo gan rai a ddylai wybod yn well i fynd i galifantio un pnawn a hithau angen perfformio ar lwyfan Theatr Gwynedd yn y nos. Dysgodd ei gwers yn y ffordd galetaf posib gan iddi fethu cario mlaen yn ystod y perfformiad. Derbyniodd gerydd a chyngor Wilbert gan symud i'r adran rheoli llwyfan o hynny mlaen, a gwnaeth gyfraniad clodwiw yn y maes hwnnw.

Dewisodd Siôn yntau beidio cymryd rhan yn y panto. Buan y sylweddolodd Wilbert mai cnewyllyn o weithwyr theatr yr oedd o wedi'u cyflogi yn hytrach na thîm o actorion craidd. Arhosodd Siôn ym Mangor yn ystod y daith honno i weithio ar sgript nesaf Theatr Antur. Mae'n bosib iawn y gellid priodoli prif thema ein sioe nesaf, *Cymerwch, Bwytewch*, i Siôn – drama am ferch ifanc lle roedd pwysau'r cartref cul, Cymreig yn cael effaith andwyol ar ei hiechyd meddwl. Byddai Siôn weithiau'n dod i'n cyfarfod ar daith y panto i drafod syniadau a darllen golygfeydd, ac yna'n dychwelyd i Fangor i fwrw mlaen â sgript Theatr Antur a ninnau'n neidio'n ôl ar fwrdd llong Cwmni Theatr Cymru i hwylio hefo Madog i chwilio am Mericia hefo Gari a'i bluen yn ei het.

Buom ar fwy o fordeithiau nag y carwn i eu cyfrif gyda Madog a Gari'r Indiad Coch. Bryd hynny byddai taith y panto'n para o ganol mis Rhagfyr hyd ddechrau mis Mawrth o leiaf. Fe'i cawn hi, a'r rhan fwyaf o'r criw dybiwn i, yn anodd iawn cadw ysbryd sioe fywiog, Nadoligaidd a thymhorol i fynd tra blagurai'r gwanwyn o'n cwmpas.

Ond cawsom galennig hwyr ar ddiwedd y daith yn ein cyflog am oramser ar y dyddiau lle byddem yn perfformio sioe fore, pnawn a nos. Aeth pawb ohonom allan i siopa a'r arian yn llosgi yn ein pocedi. Cawsom sioe dillad newydd yn y stafell wisgo'r noson honno gan y gweddill a finna'n dangos fy mhram Silver Cross ail-law i bawb!

Deuai pob taith panto i ben bryd hynny yn Neuadd Ysgol y Berwyn, y Bala. Ac roedd yn draddodiad i'r criw llwyfan chwarae triciau ar y cast mewn rhai golygfeydd. Mae gen i gof i ambell un fynd o chwith a dwi'n siŵr fod gan sawl actor eu hanesion eu hunain am driciau'r criwiau llwyfan ar nosweithiau olaf aml i gynhyrchiad. Ond mae un o'r triciau a chwaraewyd arnom ar noson olaf taith *Madog* yn werth ei adrodd.

Fe ddigwyddodd reit ar ddechrau'r sioe pan oeddem ni, yr actorion craidd, yn chwarae pêl ar y traeth, cyn i Gari'r Indiad Coch gyrraedd arfordir Cymru. Yn ystod y rwtîn agoriadol, tra oeddan ni'n canu fersiwn banto o 'Lawr ar Lan y Môr', byddai'r criw llwyfan yn taflu pêl ysgafn, liwgar ar y llwyfan a ninnau'n ei lluchio i'n gilydd dros ben y forwyn fach (Mari Gwilym). Ar ddiwedd y ddawns llwyddai Mari i ddal y bêl ac wedi gweld Gari byddai'n rhoi'r sgrech honno y soniais amdani'n gynharach ac yn rhedeg i 'mreichiau i mewn braw. Dychmygwch ein hymateb pan na thaflwyd y bêl lan-y-môr liwgar ar y ciw priodol. Yr hyn a rowliodd i ganol y llwyfan oedd *medicine ball* anferth, drom.

Mei aeth i'r afael â hi'n gyntaf gan drio cymryd arno ei fod yn ei lluchio uwchben Mari. Ac er nad oedd lluchio pêl lan-y-môr uwchben Mari'n her aruthrol, roedd gwneud hynny hefo horwth o bêl y byddai dynion mawr cryfion yn ymarfer hefo hi yn y gampfa ers talwm *yn* her. Roedd chwarae'n sgafndroed hefo'n gilydd ar y tywod yn gwbwl amhosib. Wrth gwrs, roedd cynulleidfa'r Bala wedi hen arfer â thriciau criw llwyfan Cwmni Theatr Cymru ar noson olaf y panto. Yn wir, fe archebai rhai docyn yn arbennig ar gyfer y noson honno er mwyn cael gweld y rhialtwch.

Cawsom bwl o chwerthin go ddrwg oedd yn ein gwanhau ni fwy fyth, ac aeth taflu'r bêl yn uchel i'r awyr yn amhosibl inni i gyd. Cyn i Gari gyrraedd roedd y forwyn fach i fod i ddal y bêl cyn gweld y dieithryn ar lan y dŵr. Edrychodd Mei arni'n drugarog a gofyn, 'Ti'n barod?' Fe nodiodd Mari ei phen, ond mae'n amheus gen i oedd hi'n barod ar y pryd. Taflodd Mei y bêl nes i'r grym wthio Mari druan i mewn i'r esgyll. Doedd dim lliw ohoni pan gerddodd Gari i mewn. Rhoddodd Mari ei sgrech o'r esgyll gan redeg yn ôl i'r llwyfan i 'mreichiau i. Daliais hi yn fy mreichiau tra oedd hi, Gari, gweddill y cast a'r gynulleidfa'n trio stopio chwerthin. Sibrydodd yn fy nghlust.

'Dwi 'di pi-pi.'

'Dwi'n gwbod, Mari,' oedd y cyfan fedrwn inna 'i ddeud yn ôl.

'Mab a aned!'

Roedd Hafwen, gwraig Gari, hefyd yn feichiog yn yr un cyfnod, a chafodd Nia, eu plentyn cyntaf, ei geni ar Ionawr y cyntaf 1977 a chawsom ddathliad anferth yn y stafell werdd yn Theatr Gwynedd y noson honno. Fe ddôi Gari â'i ferch fach i'n gweld ni'n rheolaidd a'r balchder ar ei wyneb yn amlwg. Ond y cwestiwn ar ei wefus bob tro oedd 'Sut ma' Rhian?' Yr oll allwn ni ei roi yn ateb iddo bryd hynny oedd 'Tsiampion, diolch'. Gan fod ein babi ni'n llawer mwy cyndyn i gyrraedd, fe aeth fy ateb braidd yn ailadroddus erbyn y diwedd. Felly, fe aileiriodd Gari'r cwestiwn imi ar ôl canol mis Ionawr.

''Di Rhian yn dal yn tsiampion?'

'Ydi diolch, Gari,' fyddwn inna'n ateb.

Daeth y daith i ben yn Ysgol y Berwyn, y Bala, nos Sadwrn, 19 Chwefror 1977, a'r cwestiwn ges i gan Gari'r noson honno oedd:

'Tsiampion ydi Rhi o hyd, Cef?'

Mis Mawrth gyrhaeddodd Tirion Anarawd Roberts i'r byd yn y diwedd. Dewiswyd dyddiad i ysgogi'r esgor ar Fawrth y pumed, oedd yn gwneud pethau'n dipyn haws i'w trefnu o safbwynt amseru a pharatoi. Roedd yn ddydd Sadwrn ac felly doedd gen i ddim ymarferion. Llechen lân i'm galluogi i fod yn y geni. Doeddwn i'n dal ddim wedi dysgu gyrru a daeth Mam i'n hebrwng i'r ysbyty yn llawn cynnwrf. O'r diwedd, wedi misoedd dryslyd, cynhyrfus a heriol, roedd yn benllanw ar ein holl gynlluniau a phawb yn gobeithio y byddai popeth yn . . . tsiampion! Roedd yn ddiwrnod y gêm ryngwladol rhwng Cymru a Lloegr, a byddai unrhyw Gymro gwerth 'i halen oedd o gwmpas bryd hynny'n cofio mai honno oedd y gêm lle'r achubodd J. P. R. Williams y dydd gyda chais anhygoel ar ddiwedd y gêm. Un deg pedwar pwynt i naw oedd y sgôr, ond meddyliwch gorfod deud bod eich plentyn cyntaf wedi'i eni ar ddiwrnod pan *gollodd* Cymru i Loegr o bawb. Mae 'nyled i'n fawr i JPR. Diolch o galon, Dr Williams!

Fe wnaethom bob ymdrech i gael pethau i symud ohonynt eu hunain: cyrri poeth; mynd am dro hir, hir, hir; yfed castor oil; bwyta dêts – i ddim diben ond i gael mwy o ddŵr poeth ac anghyfforddusrwydd. Roedd y ffilm *The Omen* ymlaen yn y Plaza ddiwedd mis Chwefror. Dipyn o ddychryn a sioc? Doeddan ni ddim gwaeth â thrio. Ond y dŵr poeth oedd i'w weld yn poeni Rhian o hyd ac nid y golygfeydd erchyll o fachgen bach wedi'i feddiannu gan y diafol oedd yn codi ofn ar bawb yn y Plaza . . . pawb ond Rhian. Buom yn gweld yr *Exorcist* hefo'n gilydd tra oeddan ni yn y Drindod a chafodd y ddau ohonan ni'r ffasiwn fraw ar ôl gwylio honno nes imi fethu cysgu am wythnosau. Ond chynhyrfodd Rhian 'run gronyn gyda'r *Omen*. Fi oedd yn crynu yn fy sgidia. Mi sgrechish ac ochneidio mewn ofn drwy'r ffilm, a Rhian yn rhyddhau 'run ebwch.

Roedd yn beth eithaf anarferol i fynd i mewn i'r enedigaeth yn y cyfnod hwnnw a dwi'n cofio sefyll y tu allan i'r drws yn Ysbyty Dewi Sant, Bangor, am allan o hydion yn methu deall pam nad oedd neb yn dod i fy hebrwng at wely Rhian. Roedd cyfarwyddyd clir ar ddrws y fynedfa i'r adran famolaeth yn deud wrth dadau am ganu'r gloch ac aros yno nes deuai rhywun i agor y drws. Ond ddaeth yr un enaid byw – am amser hir iawn.

Gallwn glywed gwahanol famau'n griddfan yr ochr arall i'r drws ac ofnwn 'mod i wedi colli'r digwyddiad mawr. Dwn i ddim faint o fabis a anwyd yn Ysbyty Dewi

Sant y diwrnod hwnnw ond roedd yn swnio fel bod y byd a'i frawd (a'i chwaer) ar fin esgor. Penderfynais na allwn aros funud yn rhagor ac es i mewn a chael fy hun mewn coridor go hir a rhyw bump neu chwe chiwbicl yn arwain ohono. Roedd yna ochneidio go debyg yn dod o bob un ohonynt, a'r peth dwytha feiddiwn i neud oedd rhoi fy mhen rownd drws a chael fy hun yn gwylio genedigaeth plentyn rhywun arall.

Sefais y tu allan i bob drws yn ei dro yn trio clustfeinio ar yr ochneidiau yn y gobaith o adnabod yr ochenaid iawn. Yna fe welais rywbeth oedd wedi'i daflu ar lawr un ciwbicl a gwyddwn yn syth mai Rhian oedd yn hwnnw. Copi o *Tywyll Heno*, Kate Roberts! Mae'n debyg fod Rhian wedi meddwl y byddai ganddi rywfaint o waith aros am y poenau ond, yn ôl pob tebyg, pan ysgogir yr enedigaeth yn yr ysbyty, fe ddaw'r poenau'n weddol fuan wedyn a chafodd *Tywyll Heno* fflich i ben arall y stafell cyn ichi fedru deud 'gas and air'.

'Lle ti 'di bod?' oedd y cyfarchiad ges i.

'Oedd 'na neb yn atab y drws imi,' meddwn inna.

'Chdi oedd yn canu'r gloch 'na bob munud, felly?'

'Ia . . . '

Ches i'm cyfle i ddeud mwy gan i boen arall saethu drwyddi a daeth nyrs fechan ag acen Wyddelig i mewn a gofyn imi roi gŵn amdana i a chap gwyrdd i fatsio dros fy ngwallt. Roedd gen i fop o wallt melyn bryd hynny ac roedd angen cuddio pob blewyn ohono cyn y gallwn ddychwelyd at Rhian.

Mae pob genedigaeth fel gwyrth. Ond nes iddo ddigwydd i chi mae hi'n anodd iawn credu hynny. O'n i mor frwdfrydig dros weld y wyrth yn cyrraedd, a bob tro y câi Rhian boen cawn fy hun yn gwthio cymaint nes i'r nyrs fach o Iwerddon ddeud wrtha i, 'You don't have to push as well you know, my dear.'

Roedd y doctor a ysgogodd yr enedigaeth wedi gofyn i

Rhian drio'i gorau i sicrhau y byddai popeth drosodd cyn ail hanner y gêm. Er bod ei dafod yn ei foch, fe gafodd ei ddymuniad. Fu'r geni ddim yn esmwyth ond mi fu'n sobor o gyflym, ac am ychydig wedi dau o'r gloch ar Fawrth y pumed, 1976, roeddem ein dau yn rhieni trwyddedig llawn amser. A doedd gan yr un o'r ddau ohonan ni'r syniad lleiaf be'n union fyddai'r fath gyfrifoldeb yn ei ofyn ohonan ni.

Val ddudodd y peth calla wrtha i flynyddoedd yn ddiweddarach pan oedd Tirion a Mirain yn yr ysgol gynradd a'n cartref erbyn hynny'n llawn o ryw brysurdeb di-baid; finnau'n teimlo nad o'n i'n gwneud pethau yn y drefn iawn nac yn llwyddo bob amser i fihafio fel rhiant call. Weithiau fe gawn fy hun yn holi oeddwn i wir yn ffit i fod yn rhiant. Ceisiai Val fy nghysuro nad oedd yna'r un ffordd iawn o fod yn rhiant. 'Toes 'na ddim sgript i unrhyw fam a thad,' fydda hi'n 'i ddeud, 'a does 'na ddim *dress rehearsal* chwaith.'

Gwir bob gair.

Cerddais yn ôl adre o'r ysbyty i St Paul's Court yn wên o glust i glust y pnawn hwnnw, ac fel roeddwn yn nesu am Gapel Pendref mi welais griw o'r actorion craidd yn ei gwneud hi am y dafarn i weld ail hanner y gêm. Dywedais y newyddion da wrthyn nhw a hwythau'n holi be oedd yr enw'n mynd i fod.

'Tirion,' meddwn i. 'Tirion Anarawd.'

Dyfan Roberts oedd y cyntaf i ymateb i'r enw yn ei ffordd ddihafal ei hun.

'Iesu! Tirion?'

Val

O ddechrau'r ymarferion ar *Madog* fe wyddwn 'mod i wedi gwneud y penderfyniad iawn. Cawsom weithio hefo band a chyfarwyddwr cerdd profiadol a daeth Einir Rowlands i mewn i wneud rhywfaint o waith coreograffig. Roedd hwn yn gychwyn di-fai i actor ifanc: cael arbrofi gydag amrywiaeth o arddulliau heb gael gormod o sylw chwaith. Gari a Ronnie oedd y ceffylau blaen a ninnau'n ddigon hapus i fyw yn eu cysgod.

Galwai Wilbert ni i mewn i'w swyddfa am 'diwtorial' wythnosol. Byddem, yn ein tro, yn cyflwyno papur ar ddramodydd neu ymarferydd theatr i'r gweddill. Cynhelid y rhain yn 'llyfrgell' y cwmni ym Mhendref, lle roedd gan Wilbert gasgliad helaeth o lyfrau ar hanes y theatr. Caem ninnau alw heibio yn ein hamser hamdden i bori a myfyrio.

Ymunai Iola a Dyfan hefo ni'n achlysurol gyda Siôn i drafod a datblygu'r sioe *Cymerwch, Bwytewch*. Gan fod Val yn rhan o gast y panto hefyd fe gawn y teimlad 'mod i wir, fel mae'r hen ddywediad yn 'i ddeud, yn y lle iawn ar yr amser iawn. Roeddwn wedi'm hamgylchynu gan yr union bobl fyddai'n f'ysgogi a'm cefnogi am weddill fy mywyd. A thremio'n ôl ar hynny heddiw, mae rhywun yn sylweddoli mai hwn oedd y cnewyllyn o weithwyr theatr a fyddai, maes o law, yn derbyn y baton gan Wilbert ac yn gosod sylfeini cadarnach ac ehangach i'r theatr Gymraeg. Mae'r ffaith i'r rhan fwyaf ohonynt roi gwasanaeth oes i'r theatr yma yng Nghymru yn dystiolaeth i Wilbert feithrin rhyw wydnwch ynon ni fyddai'n ein cynorthwyo i fagu'r nerth i gredu a dal ati hyd y diwedd.

Un o'r atgofion cyntaf sydd gen i o weithio hefo Val ydi iddi ddod i fyny o'r ystafell wisgoedd yn y Tabernacl wedi bod yn cael ei ffitio ar gyfer ei gwisg yn y panto. Ffrog binc tywyll, felfedaidd oedd hi a doedd Val ddim yn hapus o gwbwl! Roedd yn ofni y byddai bodis y wisg yn llawer rhy dynn iddi allu anadlu ynddi, ac erbyn yr ymarfer gwisgoedd yn Theatr Gwynedd doedd arolygydd y gwisgoedd, Lois Stewart, ddim wedi gwneud yr addasiadau priodol. Es i fyny i'r esgyll ar alwad y rheolwr llwyfan i gael y 'technegwyr a'r dechreuwyr i'r llwyfan' ac fe welais Val yno'n gwegian yn ei gwisg.

'Be sy?' holais.

'Y bali ffrog 'ma. Fedra i'm anadlu yn'i, heb sôn am siarad.'

Yr unig ateb oedd inni'n dau drio llacio mymryn ar bwythau'r bodis orau y gallem. Gafaelodd Val yn dynn mewn polyn go solat oedd yn dal y rìg goleuo i fyny tra rhown innau un goes ar y wal gyferbyn a thynnu fel y cythraul. Clywais ambell bwyth yn ildio dan bwysau'r tyg-o-wôr ond clywais hefyd lais rhywun go flin o'r tu ôl imi. Llais Lois Stewart yn gofyn, 'What's going on?'

Mae'n od fel y gall rhannu'r un cerydd eich closio chi at rywun. Fe safom ni'n dau yno fel dwy gwningen wedi'u dal yng ngolau car yn gwrando ar Lois Stewart yn ein rhoi yn ein lle. Dim amarch o gwbwl i wneuthurwyr gwisgoedd, ond mae cyfforddusrwydd yn hollbwysig wrth gynllunio a'r gallu i anadlu'n hanfodol. Felly, does gen i ddim cywilydd cyfaddef inni ddal ati i halio a thynnu'r ffrog am weddill y daith.

Sgidiau sy bwysicaf i mi. Fedra i ddim meddwl yn glir os ydi'r esgid fach yn gwasgu mewn unrhyw fan, dull neu fodd. Dwi wedi gwisgo'r creadigaethau rhyfeddaf yn fy nydd ar lwyfan, ar sgrin ac mewn bywyd bob dydd, ond waeth gen i be dwi'n ei wisgo am fy nhraed, dim ond iddyn nhw fod yn gyfforddus.

Mae'n siŵr mai yn ystod ffilmio cyfresi *Hapnod* y ces y cyfle i wisgo'r creadigaethau mwyaf anhygoel a rois amdana i erioed. Anodd credu fod dros ddeugain mlynedd wedi mynd heibio ers y dyddiau difyr hynny. Canu, dawnsio, sgetsys a sbloets o wisgoedd oedd cyfresi *Hapnod*, oedd yn rhan o lansiad wythnos gyntaf S4C 'nôl yn 1982. Ac yn fwy na hynny, cael gweithio go iawn hefo Rhian am y tro cyntaf ers inni briodi. 'Nes i ddim breuddwydio y bydden ni'n dau, ymhen ychydig flynyddoedd, yn creu ein busnes newydd ein hunain lle y byddai gofyn inni gydweithio am y rhan helaethaf o'n bywydau o hynny mlaen.

Fe soniaf ychydig rhagor am *Hapnod* yn nes ymlaen ond tra dwi ar y pwnc o wisgo i fyny, falla fod y fan yma gystal lle ag unman i gyfaddef mai yn ystod ffilmio cyfresi *Hapnod* i'r BBC y ces i'r ddadl anoddaf erioed ag unrhyw dîm cynhyrchu. Dwi ddim yn un i frathu 'nhafod os bydd rhywbeth yn fy nghorddi, a dwi rioed wedi bod yn fyr o ddeud fy marn os bydda i'n anghytuno ag unrhyw beth. Mae gen i gof i un ferch colur roi ochenaid o ryddhad ar ôl iddi orffen fy ngholuro y diwrnod cyntaf ar set ffilm.

'Ffiw!' ochneidiodd. 'Diolch byth am hynna.'

'Be ti'n feddwl?' holais innau.

'Wedi clŵad bo' chdi'n un anodd i weithio hefo fo o'n i,' meddai. 'Dwi 'di poeni ers wythnosa, a doedd o ddim mor ddrwg â be o'n i'n feddwl.'

Mae 'na nifer o resymau pam mae actorion yn gyndyn o ddweud eu barn pan gyfyd rhyw letchwithdod ar set neu mewn ystafell ymarfer. Weithiau does gennych chi ddim dewis yn y mater gan fod eich cytundeb wedi clymu eich tafod ymhell cyn ichi gyrraedd y set. Nid fod hynny wedi rhoi taw ar bob un ohonom rhag lleisio'n hanniddigrwydd ond, oni bai eich bod wedi darllen y print mân, does gennych chi ddim troed i sefyll arni mewn ambell sefyllfa. Ond yr hyn sy'n cadw ceg actor yn drap yw ei fod yn ofni y bydd ei enw am fod 'yn un anodd' yn mynd o'i flaen ac yn llesteirio'i yrfa. Mae'n rhaid bod yn ofalus wrth bwy ac yn lle y gwnewch eich cwyn. Ond fûm i rioed yn un am siarad yng nghefnau cynhyrchwyr a chyfarwyddwyr. Os byddai gen i gŵyn, yna fe awn yn syth i lygad y ffynnon.

Dychmygwch fy niflastod felly pan ges fy hun yn darllen sgets am ganibaliaid mewn wigiau affro a sgertiau gwellt melyn a gwyrdd yn berwi dyn mewn crochan. Does gen i ddim cof be'n union oedd cynnwys y sgript gan 'mod i wedi colli fy limpin ymhell cyn hynny. Ruth Price oedd y cynhyrchydd ac roedd gen i feddwl y byd ohoni, ond fe erfyniais arni i gael gwared o'r math yma o ddeunydd gan ei fod yn amlwg yn gwbwl hiliol. Yn warthus o hiliol. Doedd pawb ddim yn gweld pethau mor ddu a gwyn bryd hynny ac roedd gan y byd adloniant ysgafn, drwy Brydain gyfan, arferiad a hanes hir o gyflwyno sgetsys cwbwl rywiaethol, hiliol ac oedraniaethol. Y gwir ydi nad oeddan nhw, ar y pryd, yn meddwl am eiliad eu bod yn brifo teimladau neb. 'Dan ni wedi symud ymlaen yn arw ers y dyddiau hynny ond methai Ruth yn lân â gweld dim math o reswm dros fy mhrotest ar y pryd a bu'n rhaid imi frathu bwled go nobl y bore hwnnw ac ildio i'm tynged.

Dwi rioed wedi bod mor anhapus mewn ystafell golur ag yr oeddwn y bore hwnnw yn cael fy ngholuro o'm corun i'm sawdl yn ddu. Gwn y byddwn wedi cerdded oddi ar y set tasa'r fath beth yn digwydd heddiw, ond mae'n gysur meddwl ei bod yn bur annhebygol y byddem ni'n ailadrodd yr un camgymeriadau ag a wnaethom yn y ganrif ddwytha – diolch i'r nefoedd. Er bod cyfresi *Hapnod* yn boblogaidd iawn yn eu dydd fyddwn i ddim, am bris yn y byd, am eu gweld yn cael eu hailddarlledu.

Ond y cur pen mwyaf oedd dychwelyd, ar ôl ffilmio, i weithio i Bara Caws ym Mangor. Poenwn beth fyddai actorion cydweithredol, sosialaidd a chenedlaetholgar oedd yn meddu ar gydwybod gymdeithasol lawer mwy blaengar na sgriptwyr a chyfarwyddwyr y BBC yn ei wneud o'n prancio Hapnodaidd wythnosol. Tawedog oeddan nhw'n fwy na beirniadol, a Val yn trio 'nghysuro falla nad oedd yna ryw lawer o'r cwmni yn ein gwylio.

Ond mi roedd yna. Fe wyddwn i hynny. Roedd *Hapnod* yn un o'r cyfresi mwyaf poblogaidd yn nyddiau cynnar y sianel. Ond er cymaint ei phoblogrwydd, mae'n rhaid imi gyfaddef nad oedd rhai o'r sgriptiau wrth fodd fy nghalon. Mae'n debyg mai dyna pam na fu trydedd gyfres, heb sôn am bedwaredd. Bu holi taer ar y pryd ac un o'r penawdau yn y papurau oedd 'Be Hapnodd i Hapnod?' Ddudis i ddim gair. Ond dyna adael y gath allan o'r cwd rŵan ac ychydig o bwysau oddi ar f'ysgwyddau wrth gael rhannu'n union pam y daeth cyfresi *Hapnod* i ben mor ddisymwth.

Antur . . .

Rhoddai Theatr Antur gyfle i Wilbert lwyfannu cynyrch-
iadau mwy arbrofol a mentrus. Golygai hyn na fyddai'r prif
gwmni ei hun yn cael ei feirniadu fod y 'petha ifanc 'ma'
weithiau'n gwthio'r ffiniau'n ormodol. Felly, a Siôn Eirian
wedi bod yn cnoi ei feiro dros syniadau ar gyfer y sioe
Cymerwch, Bwytewch, mi allwch fentro inni groesi sawl
ffin yn y sioe honno. Er inni dderbyn adolygiadau ffafriol
ar ein taith gyntaf gyda *Flora* a *Portread*, symol iawn oedd
niferoedd y cynulleidfaoedd yn y rhan fwyaf o'r theatrau.
Gydag ychydig mwy o farchnata cawsom well cefnogaeth i
Cymerwch, Bwytewch, ond roedd ambell un o'r golygfeydd
wedi peri dipyn o sioc i rai.

Fe ddaeth Emily Davies ac Elan Closs Stephens i'n
gweld ni yn Nolgellau, y ddwy'n ddarlithwyr yn yr Adran
Ddrama yn Aberystwyth ar y pryd. Roedd Wilbert wedi
gofyn i Emily gael sgwrs anffurfiol hefo ni ar ôl y sioe i roi
ychydig o adborth a chyngor. Mae gen i gof ohoni'n deud
wrthan ni fod ambell olygfa wedi rhoi'r fath sioc iddi nes
iddi hi'n llythrennol golli ei hanadl. Dywedodd ei bod yn
teimlo'i bod wedi cael cic yn ei stumog ac wedi'i lluchio
oddi ar ei hechel mewn ambell fan. A hithau, fel Jennie
Eirian Davies, yn wraig y mans, fe wyddai Siôn yn union
lle roedd o am droi'r gyllell galetaf. Ac fe danlinellodd
adolygiad Marged Pritchard yn *Y Faner* fod y gelpan wedi'i
theimlo'n llawer caletach gan rai carfanau o'r gynulleidfa:
'Diau fod rhai ohonom ni, selogion yr eglwysi, wedi
gwingo dan y driniaeth arw a gafodd y Cymun Sanctaidd

gan y perfformwyr, ond pam dylem ni gwyno mwy na'r seiciatryddion, neu'r addysgwyr academig a gafodd eu chwipio mor chwyrn?'

Mae'n rhyfedd meddwl fod yn agos i hanner canrif ers y perfformiad hwnnw. *Tempus fugit!* Mae meddwl am y peth yn ddychryn imi. Ond mae'n deg dweud fod y cynyrchiadau yma, fel y mae'r adolygiadau'n tystio, wedi torri tir newydd. Ac er bod Wilbert wedi rhoi lled braich rhwng prif gangen ei gwmni cenedlaethol a'r chwaer fach o gwmni anturus a greodd, roedd o hefyd yn destun balchder iddo yntau bob tro y byddai adolygiadau ffafriol yn dod i'n rhan.

Elan Closs, yn ei hadolygiad i'r *Cymro*, a groniclodd y sioe orau, yn fy marn i. Ysai Elan am weld y cwmni cenedlaethol yn torri'r mowld o gynhyrchu sioeau prif ffrwd, saff a fformiwläig. Gwelai fod yna le pwysig i wthio ffiniau, herio ac arbrofi:

Rydw i'n argyhoeddiedig fod yna nifer fawr o bobl yng Nghymru – ac yn Lloegr o ran hynny – sy'n credu fod theatr yn adeilad tebyg i amgueddfa a chapel wedi'u croesi gyda'i gilydd. Hynny ydi, yn fyr, lle urddasol yr ydach chi'n gwisgo'ch dillad gorau i fynd iddo er mwyn gweld clasuron yr oesau; lle, hefyd, sy'n creu emosiwn o barchedig ofn yn gymysg â bodlonrwydd o fod yn gwneud rhywbeth addysgiadol. Os ydach chi'n credu rhywbeth fel'na, gallwch gymryd fy ngair na wnewch chi ddim mwynhau *Cymerwch, Bwytewch* . . . Ar y llaw arall, os ydach chi'n credu fod theatr yn rhywbeth byw sy'n cyffwrdd â'ch bywyd bob dydd, sy'n medru difyrru a phigo, creu anesmwythyd a chwerthin yn gymysg, yna prysurwch, gwyliwch a gwrandewch.

Mrs Howells oedd ysgrifenyddes y cwmni bryd hynny, a hi fyddai'n teipio'n sgriptiau i gyd yn ei swyddfa ym

Mhendref. Ati hi yr awn yn wythnosol gyda fy negpunt mewn amlen i dalu'r rhent. Awn â Tirion efo mi yn ei Silver Cross ail-law gan y byddai Mrs Howells yn mopio efo babis. Byddai Osian a Mei Gwynedd yno'n rhedeg hyd y lle weithiau hefyd, gan fod eu tad, John Gwynedd, yn rhannu'r un swyddfa.

Byddwn weithiau'n gwarafun talu'r rhent gan fod ein stafell wely yn y fflat erbyn hynny'n ddu o damprwydd drewllyd, a dechreuodd madarch bychain ymddangos y tu ôl i'r wardrob. Tydi llond tŷ o actorion ifanc ddim yn mynd i fod yn lle tawel ar y gorau, ond ychwanegwch at hynny y nosweithiau hynny lle roedd yna gêm gartre yn Farrar Road a byddai'n amhosib cael y babi i gysgu, yn enwedig os byddai'r tîm cartre'n sgorio gôl.

Roedd gan Mrs Howells hiwmor tawel a gwên ddireidus iawn. Roedd ganddi gydymdeimlad llwyr â'n sefyllfa yn trio magu babi mewn tŷ oedd wedi gweld ei ddyddiau gwell ac nad oedd, mewn gwirionedd, yn ffit i fagu teulu ynddo. I ychwanegu at ein diflastod, ychydig wythnosau wedi i Tirion gael ei eni, bu'n rhaid rhuthro Rhian yn ôl i'r ysbyty. Roedd wedi gwanio ers dyddiau a theimlwn fod rhywbeth mawr o'i le. Pan godais un bore a chael fod ein gwely'n wlyb o waed a Rhian mor wan â phlyfyn fe ffoniais yr ysbyty'n syth.

Cael a chael oedd hi arnom gan fod rhan o'r brych yn dal yn y groth. Gallai hynny, o'i adael am ychydig oriau'n hwy, fod wedi gwenwyno'r corff yn gyfan gwbwl. Bu'n amser gofidus iawn a doedd ein fflat ddim yn lle saff i drio ymadfer o'r fath driniaeth. Er cymaint o foddhad a gawn yn fy ngwaith, roedd pethau'n anodd eithriadol yn ein bywyd personol a theimlwn yn euog pan fyddai'n rhaid imi fynd ar daith a gadael Rhian ar ei phen ei hun i fagu a chreu cartref inni'n dau. Doedd o ddim yn gychwyn da iawn i'n perthynas, a chawn fy rhwygo'n emosiynol bob tro y ffarweliwn â'm teulu bach. Fe'i caf yn anodd hyd yn oed i gofnodi'r cyfnod yma gan fod gen i sawl atgof digon diflas o'r blynyddoedd hynny.

Ond weithiau, gallwn ymgolli yn llwyddiant y fenter a'r cyfle newydd yr oedd Wilbert wedi'i gynnig inni. Er ei fod yn waith caled, ceisiwn ddarbwyllo fy hun 'mod i'n dal yn grediniol imi wneud y dewis iawn. Fe ddeuai pethau'n well unwaith y caem ni'n traed tanom, ac roedd darllen adolygiadau a chlywed y gynulleidfa'n adweithio mor dda i'n gwaith – gwaith yr oeddan ni ein hunain wedi'i ddyfeisio – yn rhoi'r hwb imi ddyfalbarhau drwy'r adegau anodd:

I mi, mae gwaith Theatr Antur yn un o'r elfennau mwyaf cyffrous a gobeithiol yn y theatr Gymraeg. Condemniad ohonom ni fydd o, os na fydd y tŷ yn llawn bob nos. — ELAN CLOSS

Comedi a Thrasiedi

Cychwynnodd y syniad o greu grŵp o'r enw Hapnod pan ges gynnig rhan mewn dwy ddrama hefo Cwmni Theatr Crwban (Cwmni Arad Goch erbyn hyn) 'nôl yn 1982. Roedd Jeremy Turner, cyfarwyddwr y cwmni, ar gyfnod sabothol, a ches wahoddiad i fynd i Aberystwyth i lenwi rhywfaint ar y bwlch. Rhannwn ystafell gyda'r actor John Glyn Owen, un o drigolion Lôn Cilbedlam a set *Rownd a Rownd* erbyn hyn. Llwyddai John i fyw ei fywyd ar gan milltir yr awr; roedd ganddo'r fath egni ac awch at fyw bywyd i'r eithaf ac, am a wn i, mae o'n dal i wneud hynny hyd y dydd heddiw.

Dwi fy hun wedi llosgi'r gannwyll o'r ddeupen yn achlysurol – ond roedd John yn dod o blaned arall. Hyd yn oed pan syrthiem yn glewt i'n gwlâu yn feddw dwll yn oriau mân y bore byddai JG (fel y gelwir ef) yn dal isio siarad, ac ambell waith fe godai gefn drymedd nos a mynd ar sgowt i chwilio am fflat lle byddai rhyw barti'n dal i fudlosgi. Falla'i fod o wedi 'rafu rywfaint erbyn hyn, does wybod. Gobeithio ddim – mae'n dda meddwl fod yna ambell un ohonan ni, Thesbiaid yr wythdegau, yn dal i fedru byw i'r eithaf. *Rage! Rage against the dying of the light!*

Aelod arall o'r cwmni y dois i'w hadnabod ar y daith honno oedd Ann Roberts, merch Wilbert Lloyd Roberts (a mam y gantores Alys Williams). Chwaraeai Ann y delyn a'r gitâr, a byddwn yn aml yn galw heibio'i fflat ar fy ffordd adre am baned a gwrando ar gerddoriaeth. Cantorion y Swingles, y King Singers a'r Manhattan Transfer oedd y dynfa – tri grŵp sydd, ar ryw ffurf neu'i gilydd, yn dal i fynd ers y chwedegau. Tipyn o gamp!

Yno, yn y fflat yn Aberystwyth, y dechreuodd Ann a finna greu'r cnewyllyn bach cyntaf o syniad am greu grŵp Cymraeg a fyddai'n cynnig rhywbeth ychydig yn wahanol i'r sin bop a roc oedd yn rhan o'r chwyldro cerddorol a fodolai yng Nghymru ar y pryd. Er i minnau brynu gitâr a dysgu cordiau fel slecs, ac er 'mod i'n ffan o gerddoriaeth Endaf Emlyn, Edward H, Bando, Geraint Jarman a'r Cynganeddwyr a holl esblygiad canu pop yng Nghymru yn y saithdegau, doedd gen i ddim math o awydd bod yn rhan o unrhyw fand – erioed. Ond *roedd* gen i ddiddordeb mewn archwilio'r modd y gellid cyfuno theatr, canu acapela a hiwmor i becyn a fyddai'n hawdd i'w deithio a'i lwyfannu. Yn wahanol iawn i deithio côr cyfan i gyngherddau a gwyliau, byddai teithio'n bedwar trwbadŵr, heb nac offeryn na phrops na dim, yn ysgafnu a hwyluso cymaint ar y trefnu. Dim ond lluchio ambell wisg, wigs a chydig o golur i fag oedd ei angen a ffwrdd â ni! Roedd yn swnio'n syml; roedd ei wireddu ychydig yn fwy cymhleth.

Yn syth wedi gorffen fy nghytundeb gyda Theatr Crwban yn Aber, dychwelais i Fangor i sgriptio, cyfar-wyddo, coreograffu, yn ogystal â chwarae'r brif ran yn y panto *Guto Nyth Cacwn* gyda Chwmni Theatr Cymru.

Hwn oedd y cyfnod lle byddwn yn cymudo o un pen o'r wlad i'r llall yn cyflwyno rhaglen blant o'r enw *Ffalabalam* i HTV, rhaglen sgwrsio wythnosol fyw ar Radio Cymru o'r enw *Ribidirês*, ffilmio'r gyfres ddrama *Dim Ond Heddiw*, ac yna mynd ymlaen i chwarae'r brif ran yn addasiad John Gwilym Jones o nofel Daniel Owen, *Gwen Tomos*.

Rasus Cymylau oedd y panto cyntaf imi ei sgwennu i Wilbert. Ar ôl imi fod yn holi a stilio am sbel fe ildiodd i'r 'swnyn' maes o law. Byddwn bob amser yn ei ben gyda rhyw syniad neu awgrym, ac yntau bob amser yn barod i wrando. Roeddwn yn olynu enwau profiadol iawn yn hanes y panto Cymraeg. Roedd Wynford Ellis Owen, Dewi Pws, Dyfan Roberts, Valmai Jones, Mei Jones, Tony ac Aloma, Rosalind Lloyd, Gaynor Morgan Rees, ac enwi dim ond dyrnaid, wedi bod yn braenaru tir y panto o fy mlaen. Roedd gen i res o esgidiau anferth i'w llenwi.

Er mai criw go ifanc o actorion craidd newydd Wilbert oedd cast *Rasus Cymylau*, roedd yn daith lwyddiannus iawn i'r cwmni. Daeth Rhys Parry Jones a Dafydd Dafis â rhyw arddull newydd, ifanc hefo nhw. Ac roedd Wilbert ar ben ei ddigon, cymaint felly nes iddo gomisiynu sgript newydd yn y fan a'r lle ar gyfer y flwyddyn ganlynol.

Erbyn hynny roedd yna actor newydd arall wedi ymuno â'r criw craidd: hogyn o Flaenau Ffestiniog o'r enw Gwyn Vaughan. Meddai ar lais tenor melfedaidd a deuai o gartre hynod gerddorol gan mai ei dad, Meirion Jones, oedd sylfaenydd Côr y Brythoniaid. Ac Ann hithau'n chwarae yn y band i'r panto newydd fe ddechreuodd ein syniad flaguro. Fe wnaethon ni wahodd Gwyn draw i'n cartref ym Mhenrhosgarnedd i ddechrau lluchio rhagor o syniadau o gwmpas a chanu ambell drefniant yn y parlwr. Ond roedd un peth ar goll – llais soprano.

A Rhian yn magu'r babi yn y stafell drws nesa, sut ar wyneb y ddaear na ddaru ni feddwl am ei gwadd hi aton ni o'r cychwyn cynta, dwi ddim yn gwbod. Oeddan ni mor ddiawledig o gul ein meddyliau yn ystod y cyfnod hwnnw i farnu na allai dynes a oedd yn magu plentyn wneud dim byd *ond* magu plentyn? Mae'n bosib iawn ein bod ni.

Roedd Tirion wedi cael ei lusgo hefo ni i bob man arall o'r diwrnod cyntaf iddo ddod adre o'r ysbyty. Byddai'r merched y tu ôl i'r swyddfa docynnau yn Theatr Gwynedd yn fwy na pharod i'w warchod pan fyddem yn mynd i wylio sioe neu ffilm, ac fe âi o luch i dafl yn y bar wedi'r sioe. Roeddwn hyd yn oed wedi'i bowlio yn y pram hefo mi i'r ymarferion ambell waith, os na fyddai Rhian yn teimlo'n dda – ond am ryw reswm, 'naethon ni rioed feddwl y byddai'r ddau ohonom yn gallu *cyd*weithio tan y diwrnod hwnnw. Toedd o'n beth amlwg i'w neud? Os oes 'na soprano yn y stafell drws nesa a chitha'n chwilio am soprano, pa ddiben chwilio dim pellach?

A dyna sut y dechreuon ni'n pedwar. Rhyw 'ddamwain a hap' felly a ddaeth â ni at ein gilydd. Canu yma ac acw mewn nosweithiau anffurfiol a dechrau cael ymateb ffafriol i'r ychydig ganeuon oedd ganddon ni yn ein *repertoire*. Roedd Ann wedi gweithio dipyn gyda'r cerddor Gareth Mitford, y cyfansoddwr ddaru symud y byd cerdd dant yn ei flaen gryn dipyn gyda'i waith arloesol gyda Chôr Pantycelyn yn y saithdegau. Llwyddodd Ann i'w berswadio i ddod atom i drefnu ambell gân ar ein cyfer, ac o fewn dim fe ddechreuom gael gwahoddiadau mwy swyddogol i gyngherddau a phobol yn dechrau ein cymryd o ddifrif.

Daeth y gwahoddiad cyntaf i Hapnod ymddangos ar deledu mewn ffordd annisgwyl, ond teimladau cymysg iawn sydd gen i o'r cyfnod hwnnw. Yng nghanol fy holl brysurdeb roeddwn i hefyd yn perfformio eitem gerddorol ar y gyfres *Rhaglen Hywel Gwynfryn* yn wythnosol. Caneuon ar bynciau oedd yn y newyddion gan amlaf, ac felly byddai'n rhaid sgwennu'r gân o fewn yr wythnos ac yna teithio i Gaerdydd i'w pherfformio'n fyw yn y stiwdio. Ar ddiwedd y drydedd gyfres fe'i cawn hi'n straen i feddwl am gân neu eitem amserol newydd bob wythnos, a dywedais wrth Ruth Price, y cynhyrchydd, fy mod am roi'r gorau iddi pan ofynnodd imi wneud y bedwaredd gyfres. Holodd Ruth a fyddwn yn fodlon rhannu'r eitem hefo rhywun arall a allai 'sgafnu'r baich o greu sgriptiau a chydberfformio neu berfformio am yn ail â'n gilydd ambell wythnos petai raid.

Yr enw amlwg ar y pryd oedd Mei Jones. Roedd nifer o gyfarwyddwyr wedi crybwyll y dylem ni'n dau droi'n ddeuawd gomedi wedi iddyn nhw ein gweld yng nghynyrchiadau Theatr Antur. Fel y gŵyr pawb sy'n gyfarwydd â'i waith, roedd gan Mei esgyrn digri o'i gorun i'w sawdl, a phan oeddem ar ein gorau fe gaem y gynulleidfa i ymateb yn syth. Be nad oedd neb yn ei wybod oedd fod Mei yn greadur anodd a chymhleth i weithio hefo fo. Roedd yn berffeithydd, a disgwyliai yr un safon ac ymroddiad gan y bobl a gydweithiai ag o bob amser. Yn hynny o beth, roedd y ddau ohonan ni'n debyg iawn i'n gilydd, ond roedd y ddiod gadarn yn newid Mei yn llwyr ar adegau. A than ddylanwad alcohol fe ddeuai ei holl rwystredigaeth ynglŷn â'n diffygion fel cyd-berfformwyr i'r wyneb. Gallai droi fel cwpan mewn dŵr.

Doeddwn i fy hun ddim wedi profi brath ei dafod bryd hynny, ond roeddwn wedi clywed eraill yn ei chael hi ganddo. Digon posib 'mod i wedi cael ambell gelpan eiriol ganddo ond nid yr un a allai eich llorio chi mewn ychydig funudau. Ar adegau felly gallai chwalu'r cyfeillgarwch â'r rhai a feddyliai'r byd ohono yn chwildrins. Bu'n ffrind agos a charedig iawn imi am flynyddoedd. Dyna pam y bu imi awgrymu ei enw i Ruth i gydweithio ag o, ac y gallem weithiau wneud eitemau'n unigol os nad oedd y naill neu'r llall ar gael. Golygai hynny y gallwn gael ambell benwythnos yn rhydd i ddal i fyny hefo nheulu – a 'nghwsg.

Roedd Ruth wrth ei bodd hefo'r syniad ac wedi gweld a chlywed ein bod yn cydweithio'n dda ar lwyfan hefo'n gilydd, a chawsom y cytuneb i wneud cyfres y gaeaf hwnnw ar ei hyd. Ar y pryd roeddwn yn byw yng Nghaerdydd yn gweithio ar y gyfres *Gwen Tomos* tra oedd Mei ar daith hefo'r sioe *Hwyliau'n Codi* i Theatr Bara Caws.

Hydref cynnar oedd hi a thros y ffôn y gwnaem y rhan fwyaf o'r ymarfer. Byddem yn dechrau ac yn gorffen y

rhaglen wedi ein gwisgo fel dwy ddynes llnau yn cwyno
am y llanast roedd *Rhaglen Hywel Gwynfryn* yn ei greu yn
wythnosol. Rhwng y coginio, y garddio a'r paldaruo, heb
sôn am y gynulleidfa'n dod â'u 'nialwch hefo nhw, byddai
yna wastad ryw lanast i'w glirio. Roedd Hywel wedi llusgo
baw ci i mewn dan ei sgidia ac mi oedd secwins Margaret
Williams yn rhemp hyd y stiwdio. Cyfle i'r ddwy ddynes
llnau fynd i ben caets o'r cychwyn yn cwyno am yr 'hogyn
bach o Langefni nad oedd byth yn sychu ei draed'. Dyna
fyddai byrdwn y sgetsys o wythnos i wythnos, a byddai
pwy bynnag fyddai Hywel yn ei 'lusgo' i mewn i'r stiwdio'n
westeion yn ei chael hi hefyd wrth gwrs.

Roedd ganddon ni ddwy ddynes go ddigri yn ein stoc
cymeriadau ers un o deithiau Theatr Antur o'r enw *Hanner
Munud*. Honno, dwi'n credu, oedd un o deithiau mwyaf
llwyddiannus y criw Antur, er i'r addasiad teledu fethu'n
rhemp. Ond stori arall yw honno.

Roedd *Rhaglen Hywel Gwynfryn* yn y dyddiau hynny'n
cael ei darlledu'n fyw, ac felly fe welai'r gynulleidfa adre
bob brycheuyn bach a mawr. Tipyn o her lle roedd yn *rhaid*
i'r sioe fynd yn ei blaen, doed a ddêl. Ac yn syth wedi'r
rhaglen fe gâi'r artistiaid i gyd wahoddiad i'r *hospitality* yn
un o'r goruwchystafelloedd rywle yng nghrombil adeilad
y BBC yn Llandaf – 'diod am ddim' mewn geiriau eraill.

Byddai'r cwrw a'r gwin yn llifo ar adegau felly ac
achlysuron fel hyn, dybiwn i, a gorddai'r colofnydd a'r
darlledydd Gwilym Owen i'r eithaf. Arian yn cael ei
dywallt o'r 'trên grefi' oedd wedi glanio yng Nghymru yn
dilyn dyfodiad S4C. Ac roedd y rhan fwyaf ohonan ni'n
euog o gyfranogi o'i haelioni ar y pryd. A ddaru Mei na
finna ddim dal yn ôl y noson honno. Fe neidiom ar y trên
gydag arddeliad ac fe lyncon ni'r rhan fwyaf o'r 'grefi'
oedd ar ôl ar y bwrdd. A fel tasa 'na ddim digon i'w gael, fe
aethom ar ein pennau wedyn i glwb y BBC i yfed mwy.

Yno, ar ganol chwarae gêm o *Space Invaders*, y cefais

i hi nes oeddwn i'n tincian. A hyd y dydd heddiw does gen i ddim syniad pam na sut y dechreuodd pethau fynd o chwith. Ond dwi'n cofio i Mei ddeud 'mod i wedi troi nghefn ar y theatr ac mai'r unig beth ar fy meddwl oedd gwneud arian ac enw i mi fy hun yr un pryd. Aeth ymlaen ac ymlaen am hynny, ac er 'mod i'n gwbod yn iawn mai'r cwrw oedd yn siarad, mi ddechreuais innau awgrymu falla mai eiddigedd oedd wrth wraidd y fath hyrddiad o gyhuddiadau. Roeddwn innau'n feddw dwll ac fe aeth fy nhafod innau i rwla lle na ddylai hi fynd erbyn y diwedd.

Yn sydyn, fe neidiodd dros y bwrdd a gafael yn f'ysgrepan. Roedd George Owen, cyfarwyddwr y gyfres *Gwen Tomos*, wrth y bar ac fe neidiodd hwnnw i geisio'n gwahanu. Clywais wich gan Margaret Williams o ben arall y clwb ac o fewn dim roedd llygaid pawb ar Mei a finna, yn llythrennol yng ngyddfau'n gilydd. Llwyddodd George i'm llusgo'n rhydd o afael Mei a chafodd ei anfon allan o'r clwb gan y rheolwr. Eisteddais yno'n syfrdan. Be yn y byd mawr oeddwn i'n mynd i' wneud? Roeddwn wedi cael y ffrae fwyaf tanllyd a gefais yn fy mywyd a hynny hefo un o'm ffrindiau gorau.

Roedd Rhian wedi mynd yn ôl i Fangor am y penwythnos ac, er mwyn hwylustod yr ymarfer, roedd Mei yn aros yn y fflat hefo fi yn Fairwater. Fy ofn mwyaf oedd y byddai wedi mynd yn ôl i'r fflat ac y byddai yno yn aros amdana i i barhau â'r ffrae. Yn fy embaras, gadewais y clwb yn fy nagrau a'm cynffon rhwng fy ngafl.

Cyn imi rentu fflat yng Nghaerdydd roedd gen i gylch o ffrindiau da yn y brifddinas lle cawn ddrws agored bob amser. Dwynwen Berry a Meic Povey oedd dau o'r cyfeillion hynny. 'Mond codi'r ffôn a deud 'mod i ar fy ffordd a chawn groeso diamod bob un tro. Codais y ffôn ar Dwynwen ac fe wyddwn fod Val yn aros yno hefyd gan ei bod hithau, fel Mei, ar daith *Hwyliau'n Codi*. Dau bâr o glustiau i wrando'm cri.

Drannoeth y ffair, roedd fy mhen fel meipen a'm calon mor drwm â'r bêl honno y buom yn ei lluchio i'n gilydd ar noson ola'r panto yn Ysgol y Berwyn slawer dydd – ond heb y chwerthin a'r cyfeillgarwch. Sut y daeth hi i hyn? Pam mae cecru mor rhwydd wedi chydig wydrau o win? Wyddwn i ddim lle i droi. Y trefniant oedd y byddai Mei a finna'n mynd ati'n syth i sgriptio'r sgets ar gyfer yr wythnos ganlynol. Lle yn y byd mawr y cawn i'r nerth i ailafael ynddi?

Mi wyddwn ym mêr fy esgyrn na allwn i wneud hynny o ddifri ac y byddai'n rhaid imi weithredu'n syth bìn y bore hwnnw. Er cymaint o feddwl oedd gen i o dalent a chyfeillgarwch Mei, roedd pethau wedi mynd yn rhy bell ac roedd meddwl am ailafael ynddi i ymarfer hefo fo y bore hwnnw yn fwrn na allwn ei wynebu.

Gwyddwn y byddai'n rhaid imi ffonio Ruth Price i ddweud wrthi na allwn barhau â'm cytundeb, ond yn gyntaf byddai'n rhaid ffonio Mei ei hun. Ffoniais y fflat gan feddwl efallai na fyddai yntau wedi mentro 'nôl yno i aros y nos. Ond fe atebodd y ffôn gyda 'helô' bach digon diniwed, ac fe siaradodd fel pe na bai'r ffrae wedi digwydd o gwbwl. Mae'n bosib iawn nad oedd o hyd yn oed yn cofio hynny ar y pryd ond fe es i i lygad y ffynnon a deud wrtho'n blwmp ac yn blaen na allwn gario mlaen â'n cytundeb wedi llanast y noson flaenorol. Bu tawelwch cyn iddo ymateb yn dawel – 'Ia, iawn.'

Erbyn heddiw dwi'n difaru f'enaid na fyddwn wedi gofyn iddo am gael sgwrs wyneb yn wyneb yn gyntaf. Dyna fyddwn i wedi'i wneud heddiw, ond ôl-ddoethineb ydi hynny, a fu peth felly'n dda i ddim i neb – erioed. Does neb yn ennill o roi baw dan y carped a thrio symud ymlaen heb glirio'r aer. O leia 'nes i ddim o hynny, ond dwi'n siŵr y byddai sgwrs wyneb yn wyneb wedi bod yn well.

Codi pais yw hyn i gyd erbyn hyn wrth gwrs, gan inni golli Mei yn 2021, ac ni fu cymod iawn rhyngom erioed. Er inni weithio hefo'n gilydd ar sawl achlysur wedi cyflafan Clwb y BBC, doedd pethau ddim yr un fath rhwng Mei a finna wedyn – tydyn nhw byth os nad yw'r awyr wedi'i chlirio'n llwyr.

Er imi geisio egluro'r gorau allwn i i Ruth beth oedd wedi digwydd, fe wrthodai'n llwyr â derbyn fy mhenderfyniad i dynnu fy hun allan o'r cytundeb. Roedd wedi clywed am y ffrae cyn imi ei ffonio (Cymru fach!) a mynnodd fy ngweld yn y clwb am sgwrs dros ginio y diwrnod hwnnw. Gwrthododd fy nehongliad i o'r sefyllfa mai fi oedd yn torri 'nghytundeb ac nid Mei. Nid felly y gwelai Ruth bethau. Roedd yn amlwg iddi hi nad oedd y cytundeb bellach yn weithadwy a'i bod yn terfynu'r trefniant hwnnw o'r funud honno mlaen. Ymddiheurais iddi am y sefyllfa gan ddiolch am y cyfle a meddwl y byddem yn ei gadael hi yn y fan honno pan ofynnodd: 'Reit! Beth arall sydd 'da ti i'w gynnig i mi, 'te?'

Roeddwn wedi fy lluchio odd' ar fy echel braidd, a dywedais wrthi nad oedd unrhyw ffordd y byddwn yn dychwelyd i greu eitem fy hun bob wythnos.

'Nid dyna ofynnes i,' atebodd Ruth, 'gofyn 'nes i os o's rhywbeth arall 'da ti i'w gynnig.'

Roedd gen i grŵp, dywedais, ond doedd ganddon ni ddim llawer o raglen eto – megis dechrau oeddan ni. Gwahoddodd ni i lawr am wrandawiad heb feddwl ddwywaith am y peth ac roedd wedi gwirioni ar ein sain. A dyna sut y cawson ni ein gwahoddiad cyntaf i ymddangos ar deledu, ac fe berfformion ni ar bob un o raglenni Hywel y flwyddyn honno.

Daeth gwahoddiadau i mewn o bob cyfeiriad wedi hynny a gofynnodd Ruth inni ystyried meddwl am syniadau i greu cyfres ein hunain ar gyfer lansiad y sianel. Yn dilyn llwyddiant y gyfres, cawsom wahoddiad i gynrychioli Cymru yn yr Indigenous People's Theatre Celebration yn Peterborough, Ontario.

Rhyw chydig ddyddiau cyn hedfan i Ganada ces alwad ffôn gan Gareth Wyn o Gwmni Ffilmiau'r Tŷ Gwyn yn cynnig rhan imi mewn ffilm o'r enw *Macsen*, y sgript yn seiliedig ar rai o ganeuon Geraint Jarman. Roeddwn wedi clywed dipyn o drafod am y ffilm ers misoedd ac wedi deall fod y castio wedi'i gwblhau. Beth, tybed, oedd gan Gareth i'w gynnig imi felly?

'Rhan fach ydi hi,' medda fo, 'un olygfa, ond mae'n gameo na chei di byth gynnig ei debyg eto.'

Eglurodd mai rhan artist drag yr oedd yn ei chynnig ac y byddwn yn ymddangos mewn clwb nos gyda Geraint, yn ceisio'i ddenu a'i swyno. Fe'i gwrthodais yn syth. Doedd gen i ddim byd yn erbyn y rhan na'r olygfa (na Geraint!), ond roeddwn newydd orffen taith gyda Chwmni Theatr Cymru yn chwarae rhan mewn drag; doeddwn i ddim yn awyddus i fynd o'r naill ran i'r llall mor agos i'w gilydd.

Ffars o'r enw *Pont Robert* oedd y ddrama yr oeddwn wedi'i theithio ychydig fisoedd ynghynt yn chwarae rhan mewn drag, ond doedd Gareth Wyn ddim yn barod i dderbyn 'na' ar chwarae bach. Roeddwn ar fin gadael am Ganada, ac erbyn y drydedd alwad roedd y ffi a gynigiai'n mynd yn uwch ac yn uwch. Ond fe'i gwrthodais bob tro a hedfan hefo Hapnod i Ganada ac wedi derbyn gwahoddiad gan Gwmni Hwyl a Fflag i sgwennu eu sioe Nadolig y flwyddyn honno. Roedd yna gyfres newydd o *Hapnod* i'r BBC yn yr arfaeth. Roeddwn yn dal i gyflwyno *Ribidirês* a *Ffalabalam*. Gallwn gadw'r blaidd o'r drws heb stwffio fy hun i ffrog arall, meddyliais.

Kevin!

Roedd Wilbert wedi bod yn yr Indigenous People's Theatre Celebration flynyddoedd ynghynt ac wedi penderfynu yn y fan a'r lle y byddai gan Gymru gynrychiolaeth yn y dathliad nesaf. Fe gynigiodd y syniad o ffilmio'r digwyddiad i S4C ac felly roedd cwmni ffilmio yn hedfan allan hefo ni i Peterborough yn Ontario, Canada, ym mis Awst 1982.

Grwpiau theatr, dawns a chanu oedd yn perfformio yn yr ŵyl, a chaem weithdai gan arweinwyr y grwpiau amrywiol hynny yn ystod y dydd gan rannu ein straeon, ein caneuon a'n hen arferion â'n gilydd. Ymhlith eraill buom yn dawnsio, yn canu, yn hela, a hyd yn oed yn reslo gyda phobl y Sámi, yr Inuit, pobl frodorol Awstralia, yr Ainu o Japan, a rhai o frodorion cynhenid Nicaragua, Ontario ac Oregon.

Pawaw anferth oedd y seremoni agoriadol, a chynrychiolwyr pob gwlad leiafrifol yn cael gwahoddiad i ddawnsio i sŵn drymio llwyth yr Ojibwe. Cynhelid y Pawaw ar Randir Hiawatha oedd wedi'i leoli ar lan Llyn Reis (Rice Lake). Daeth cannoedd yno i weld y seremoni ond doedd aelodau'r gynulleidfa eu hunain ddim yn cael ymuno yn y dawnsio. Roedden nhw yn eistedd ar ochr bryncyn yn edrych i lawr ar y rhai oedd yn cymryd rhan yn symud i rythmau anhygoel y drymwyr brodorol. A dyna pryd y sylweddolodd y pedwar ohonom ein bod yn cael edrychiadau digon rhyfedd gan y brodorion a rhai o'r perfformwyr o'r gwledydd eraill wrth ddawnsio o gylch yn y Pawaw.

Roedd camerâu Wilbert yn rowlio a ninnau prin wedi cael ein traed danom ar dir Ontario – a dyna lle roeddan ni'n dawnsio i guriad dieithr yn ein capiau pêl-fas a'n siorts, a bagiau British Airways dros ein sgwyddau. Roeddem yn edrych yn llawer tebycach i'r gynulleidfa ar y bryn na'r dawnswyr pluog a'u paent a'u ffwr a'u clychau a'u gemwaith. Roedd pobl wynion yn brin iawn yn y cylch ac roedd hyd yn oed y gweddill o'r rheiny wedi'u gwisgo'n dra gwahanol i'r gwylwyr ar y bryn. Pawb yn eu gwisgoedd traddodiadol – pawb ond ni'n pedwar.

Yn raddol, wrth inni gynnal a mynychu amrywiol weithdai, roedd ambell un yn dechrau cynhesu atom, ond chawson ni ddim ein derbyn yn llwyr am sbel go lew. Er hynny, roeddem yn dysgu mwy a mwy bob dydd: technegau a sgiliau dwi wedi'u defnyddio mewn gwersi a gweithdai byth ers hynny. Caneuon, harmonïau, seiniau a rhythmau byd-eang sy'n benthyg eu hunain i waith theatr yn berffaith.

Doedden ni ddim yn cyflwyno'n sioe ni tan tua hanner ffordd drwy'r ŵyl. Sioe wedi'i seilio'n fras ar araith Saunders Lewis, 'Tynged yr Iaith', oedd gennym gan oedi ennyd ar Frad y Llyfrau Gleision a'r Welsh Not. Agorai'r sioe hefo llais unigol yn canu llinellau agoriadol 'Myfanwy' a rhywun yn torri ar ei draws yn gweiddi, 'Shut up, you Welsh bastard!' Yna'r golau'n codi ar y pedwar ohonom yn edrych yn syfrdan, fel petaem wedi glanio ar y lleuad.

Buom yn ymarfer bob bore cyn diwrnod ein perfformiad ar gampws y brifysgol yn Peterborough, lle roeddem i gyd yn aros. Cawsom wybod mai ni fyddai'r olaf i berfformio o'r tri chwmni. Ond wyddwn i ddim y cawn y sioc ryfeddaf fel roedd y golau'n pylu cyn ein perfformiad.

Roedd y noson wedi dechrau'n annisgwyl. Cychwynnodd y digwyddiad y tu allan i'r neuadd lle roeddem yn perfformio gyda dyrnaid o gantorion o Randir Hiawatha'n canu rhai o hen ganeuon eu llwyth. Yn sydyn, glaniodd haid o lafnau bygythiol mewn dau gar yn sgrialu i stop o flaen yr Indiaid druan a dechrau cecru â hwy. Cipiwyd eu drymiau a'u pibau ac ambell arteffact hynafol oedd yn addurno'u gofod chwarae, cyn i'r llanciau redeg yn ôl am eu ceir a dianc. Safem ninnau'n syfrdan yn gwylio'r cyfan yn gegagored.

Roeddem newydd fod yn dystion i'r math o driniaeth a ddioddefai'r lleiafrifoedd yn aml yng Nghanada'r wythdegau. Bychanu, ymosod, dwyn a'u trin fel baw isa'r domen. Mae rhai o'r mân lwythau sy'n trio goroesi yn ninas Toronto ymysg y mwyaf difreintiedig yng Nghanada o hyd, ac mae ganddynt hefyd broblemau iechyd meddwl dwys.

Dim ond yn raddol y gwawriodd arnom ein bod yn gwylio rhan o berfformiad y cwmni a'n bod wedi sefyll yno'n syn heb symud gewyn. Falla fod y cyfan wedi'i goreograffu mor dda fel na chawsom gyfle i weithredu ac amddiffyn, ond dyna oedd byrdwn eu sioe – mai gwylio ar y cyrion a wnawn ni pan ydym yn dyst i gamwedd a chamdriniaeth.

Daeth ein cyfle ninnau mewn dim o dro a chyn ichi ddeud *doh-me-soh* roeddan ni ar y llwyfan a'r golau'n pylu. Dechreuais innau ganu'n dawel: 'Paham mae dicter, O Myfanwy, yn llenwi'th lygaid duon di?' Ond tra oeddwn yn canu'r frawddeg agoriadol, dyma 'na lais o'r gynulleidfa'n gweiddi:

'Kevin!'

Bu bron imi fethu canu'r ail linell heb sôn am gario mlaen hefo'r sioe. Roedd rhywun yn Peterborough, Ontario, wedi nabod fy llais – yn y tywyllwch. Gan fod y neuadd yn orlawn a'r golau'n fy nallu doedd dim modd imi nabod unrhyw un yn y dorf, a bûm i, a'r gweddill, yn trio pendroni drwy gydol y sioe pwy goblyn allai'r person yma fod?

Er gwaetha'r dryswch yn ein pennau fe aeth y perfformiad yn esmwyth a'r gynulleidfa'n ymateb yn union fel roeddan ni wedi'i obeithio. Roedd yr iaith, y caneuon a'n neges yn egluro wrthyn nhw yn union pwy oeddan ni. Er iddyn nhw dybio mai Prydeinwyr rhonc oeddan ni pan gyrhaeddom, mewn deugain munud o sioe roeddan nhw wedi newid eu meddyliau'n llwyr a'r adolygiadau clodwiw a gawsom yn y papur lleol y bore wedyn yn cadarnhau hynny, wedi iddo fod yn eitha beirniadol o'r ddwy sioe arall a lwyfannwyd yr un noson:

far more thoughtful is Hapnod, the Welsh production, whose brilliant performance Tuesday night received a standing ovation. Using music, Hapnod suggests the temptations of outside influence as well as dangers. Essentially a quartet of harmony singers, the group spoofs the stereotype of the Welsh as harmony singers while using that very technique to describe the Welsh's own ambivalent view of the outside world. A four part harmony of a fifties rock 'n roll song makes the point amusingly, and the thunderous applause it received indicates that the crazy quilt of nationalities in the audience understand the dilemma very well.

Felly roeddem yn ein huchelfannau yn gadael y llwyfan, fel tasan ni'n cerdded ar gwmwl, ac yn teimlo rhyddhad o wybod y byddai'r cwmnïau eraill yn yr ŵyl yn dod i'n deall yn well o hynny mlaen. Ond pwy goblyn oedd y llais yn y dorf?

Fel roeddan ni'n gadael y llwyfan i gymeradwyaeth fyddarol, roedd y camerâu yno'n ffilmio pob ebwch a Wilbert yn mynnu ein bod yn mynd yn ôl i roi un *bow* arall i'r dorf, a ninnau'n ufuddhau i'w gyfarwyddyd. Byddai'r camera wedyn yn ein dilyn i'r ystafell wisgo i ffilmio'n rhyddhad a'n llawenydd. Wedi diwrnodiau o bryderu y byddem yn cael derbyniad llugoer a chymeradwyaeth lipa roedd yna gryn dipyn o ddathlu y noson honno.

'O, gyda llaw, ma'ch Anti Mair yma,' meddai Wilbert, fel petaem ni newydd berfformio yn Neuadd Goffa Llanllyfni. Ond pa Anti Mair? Doedd gen i ddim Anti Mair, a fu gen i rioed Anti Mair. Wel, doedd gen i ddim Anti Mair oedd yn fodryb go iawn imi. Ond roedd gen i ddegau o'r lleill. Nid Mrs Roberts, Mrs Jones, Mrs Evans na Griffiths oedd hen ferched Llan i ni. Deuai pawb yn fodryb yn eu tro. Ond wedi gadael Llanllyfni ers ymron i ddeng mlynedd erbyn hynny, doedd gen i ddim syniad pa un ohonynt allasai'r Anti Mair hon fod.

Cyn imi allu hyd yn oed ddechrau dyfalu pa un oedd hi roedd Mrs Mair Parry, Gorwel, yn gafael yn dynn amdana i a dagrau'n powlio i lawr ei gruddiau.

'Anti Mair!' meddwn i. 'Be goblyn dach chi'n da'n fan hyn?'

'Sbio'n papur 'nes i,' medda hitha, 'a gweld fod "Wales" yn perfformio yma a dyma fi'n deud wrth Dic 'mod i awydd dŵad i fusnesu. Mi brynodd docynna a dyna lle ro'n i'n y twllwch pan glywis i dy lais di. Mi nabish i chdi'n syth.'

'A be ddoth â chi i Ganada?'

'Ailgynna tân ar hen aelwyd, yldi. Dic 'di gweld yn y papur bro 'mod i wedi dod yn wraig weddw a mi gododd y ffôn arna i a deud ei fod o ar ei linia yng Nghanada yn gofyn os byswn i'n 'i briodi o – a mi wnes.'

A dyna lle roeddan ni'r diwrnod wedyn yn cael cinio dydd Sul hefo Anti Mair yn Peterborough, Ontario. Cig eidion a thatws a grefi a phwdin reis – yn union fel tasan ni adra. Ond doeddan ni ddim adra. Roeddan ni yn Ontario yn cael agoriad llygaid na phrofais i mo'i debyg na chynt na chwedyn. Wyddwn i ddim fod profiad arall cwbl unigryw yn fy aros pan ddychwelwn i 'nôl i Gymru fach.

'Dim ond un gusan fach?'

Fy Anti Anna, gwraig Hefin, brawd ienga Mam, fu'n gwarchod Mirain inni tra oeddan ni yng Nghanada a Marian, chwaer Rhian, yn gwarchod Tirion (dwy fodryb go iawn y tro yma). Cafodd y ddau eu sbwylio'n rhacs a ninnau wedi teimlo mor euog tra oeddan ni i ffwrdd yn galifantio'r pen arall i'r Iwerydd am bythefnos. Ond roedd pethau ar fin troi'n brysurach i'r ddau ohonom, a bu'n rhaid inni gyflogi gwarchodwraig lawn amser y gaeaf hwnnw. Erbyn hyn roedd Tirion yn llawn amser yn yr ysgol gynradd ac os byddem yng Nghaerdydd am gyfnod go faith fe fyddai'n symud ysgol hefyd.

Glaniodd sgript drwy'r post a'r teitl *Macsen* ar y dudalen flaen. Roedd dyfalbarhad Gareth Wyn yn gryfach nag y tybiwn. Un frawddeg ddaeth gyda'r sgript: 'Rwbath iti ddarllen ar ôl dod adra – gweld be ti'n feddwl.' Wedi imi ddarllen y sgript sylwais fod Gareth wedi gadael un mater go bwysig allan o'r drafodaeth, sef fod Geraint (Jarman) a'r cymeriad y cynigid imi ei chwarae yn cusanu ar lawr y ddawns mewn clwb nos go amheus. Ond gwyddwn y byddai'n rhoi galwad imi'n weddol fuan i gael gwybod beth oedd fy marn.

Tŷ fferm ar gyrion Llanllyfni ydi Tŷ Gwyn. Yno roedd stiwdio Ffilmiau'r Tŷ Gwyn yn ogystal â chartref i Gareth ac Enid, ei wraig, a chefais sawl cyfle ganddynt mewn nifer o gynyrchiadau.

'Pryd w't ti'n Llan nesa?' holodd Gareth.

'I drafod y ffilm ti'n feddwl?' holais innau'n ôl.

'Ymysg petha erill, ia,' atebodd yntau.

Soniais 'mod i'n dod i weld fy rhieni dros y penwythnos a dwedodd wrtha i am bicio draw i'w weld pan gawn i gyfle. Byddai adre drwy'r penwythnos. Erbyn hynny roeddwn wedi darllen sgript *Macsen* ac er bod yna gynnwrf mawr fod Geraint Jarman yn gwneud ffilm yn seiliedig ar ei waith, doeddwn i ddim wedi 'narbwyllo y byddai chwarae rhan mewn drag yn syniad doeth. Nid am unrhyw reswm moesol, roedd elfen ffantasïol y ffilm wedi apelio'n arw ata i; ond ofnwn y byddwn yn cael fy nheipgastio os na fyddwn yn ofalus. Roedd Mei a finna wedi chwarae rheseidiau o ferched, tylwyth teg a *dames* mewn panto tra oeddem yn aelodau o Gwmni Theatr Antur a Chwmni Theatr Cymru. A byddai ysbaid o beidio gorfod gwasgu fy hun i mewn i ffrog ddim yn ddrwg o beth.

Newydd gyrraedd Cynlas oeddwn i pan glywais rhywun yn canu corn arna i, a'r peth nesa welwn i oedd Gareth yn neidio allan o'i *mobile home* anferth a 'ngwadd i i mewn am baned. Ac yno y buon ni'n sgwrsio ar Rhedyw Road, Llanllyfni, am wisgo ffrog, cusanu hefo Geraint Jarman ar gamera a faint yn union oedd hynny ei werth mewn arian gloywon. Roedd hyn i gyd yn ôl yn 1983, ymhell cyn i *Eastenders* hawlio mai nhw ddaru ddangos y gusan hoyw gyntaf ar deledu ym Mhrydain. A-hem! Esgusodwch fi?

Ac yno yr oeddwn i ar brif (ac unig) stryd Llanllyfni, mewn *mobile home* mawr yn trafod cusan hoyw gyntaf S4C dros wydriad o win gwyn. Gwydriad o win oedd 'paned' Gareth Wyn bob tro os caech eich gwahodd draw am sgwrs, ac fe ferwai degell ac agor potel yr un pryd, ond y gwin ddeuai gyntaf bob tro yn ddigwestiwn.

'Be oeddat ti'n feddwl?' oedd ei gynnig agoriadol i ddechrau trafod y rhan.

'Edrach yn ddifyr iawn, Gareth,' atebais innau, gan gymryd llwnc o win.

'Chdi 'di'r unig un fedra i ddychmygu'n chwara'r rhan.'

Tydi ffalsio byth yn gweithio arna i ond roedd y gwin yn blasu'n dda ac roedd gan Gareth sgript arall imi ei hystyried, sef *Blumenfeld*. Eglurodd fod Philip Madoc a J. O. Roberts eisoes wedi derbyn rhan yn y ffilm honno ac y byddem yn ffilmio yn Sir Fôn a Dulyn. Gwaith ar stepen fy nrws ac yn un o'm hoff ddinasoedd yn y byd. Blasai'r ail wydriad hyd yn oed yn well na'r cyntaf.

Gwnaeth Gareth ei gynnig ariannol olaf gan ddweud ei fod wedi gwthio'i gyllid i'r pen i'w alluogi i wneud hynny. Roeddwn ar fin cytuno pan ddigwyddodd grybwyll nad oedd ganddo adran golur na gwisgoedd. Gofynnais iddo sut fyddai'r cast yn gallu ymdopi â hynny ar ffilm mor gymhleth. Eglurodd mai modern a naturiolaidd iawn oedd yr edrychiad a bod yr actorion i gyd wedi cytuno i wneud y coluro a'r gwisgo ar eu liwt eu hunain. Ond roeddwn i'n chwarae rhan mewn drag – oedd o'n disgwyl i *mi* wisgo a choluro fy hun hefyd?

Tybiai fod gan Hapnod bob mathau o wisgoedd a wigiau, ond eglurais mai o storfa helaeth y BBC yr oedd y rheiny wedi dod a bod ein sioeau byw ar lwyfan yn llawer symlach na chyfresi drudfawr y rhaglenni teledu. Crafodd ei ben, tywallt gwydriad arall i mi ac edrych ar ei gyllid unwaith yn rhagor.

'Be taswn i'n cynnig merch wisgoedd a cholur i chdi am y dwrnod ti ar y set, fasa hynny'n 'i gneud hi?'

Gwenais i mi fy hun. Roedd meddwl am gerdded ar set hefo artist colur a gwisgoedd bob ochr i mi yn goglais. Dychmygais wynebau'r prif actorion oedd wedi bod yn ffilmio ers wythnosau'n fy ngweld i'n glanio ar y set hefo 'ngosgordd.

'Ti'n gwenu,' meddai Gareth yn obeithiol.

'Ydw i?' gofynnais innau.

''Di hynny'n golygu dy fod yn derbyn?'

Dwi ddim yn siŵr a lwyddais i lofnodi ar y llinell syth

yn y cytundeb ond yno, ar Rhedyw Road, Llanllyfni, yr arwyddais y cytundeb i chwarae'r rhan fyrraf a mwyaf proffidiol imi ei chwarae erioed.

§

Cyrhaeddais y set yn gynnar gan fod gen i sesiwn goluro go faith o mlaen. Roeddwn yn fy *fishnets* a'm staes ymhell cyn i weddill y cast gyrraedd a chefais groeso cynnes ganddynt i gyd. Roedd hi wastad yn bleser gweithio gyda Dafydd Dafis a Rhys Parry Jones. Fel Mei a finna, roedd ganddynt hwythau'r potensial i fod yn act ddwbwl lwyddiannus. Dau dynnwr coes heb eu hail a'r amseru yn eu cydchwarae ar lwyfan yn werth ei weld. Ond gwahanu ddaru llwybrau eu gyrfaoedd hwythau hefyd yn y diwedd a gwnaethant gyfraniad mawr yn eu hamrywiol feysydd.

Dechreuodd yr ecstras gyrraedd ar gyfer yr olygfa tra oeddan ni'n ymarfer ar y set. Roedd Gareth yn awyddus i Geraint a finna gael torri'r ias yn ein perthynas heb gael cannoedd o barau o lygaid yn edrych arnom yn ymarfer. Dyna pryd y cawsom wybod nad oedd am ddweud wrth yr ecstras y byddai Geraint a finna'n cusanu yn yr olygfa. Roedd yn awyddus i gael ymateb greddfol y dorf i'r hyn oedd yn digwydd o'u blaenau ar gamera. Ofnai y byddai rhai'n gorymateb petai'n gofyn iddyn nhw actio'r adweithiau i gusan hoyw gyntaf S4C. Fe arhosai i gael yr adwaith greddfol.

Dwn 'im a gafodd ei ddymuniad. Mae'r cyfan fel rhith gof imi erbyn hyn. Ond dwi'n cofio 'mod i wedi gofyn i Gwen Ellis oedd modd inni gael cyfarfod undeb cyflym yn ystod yr egwyl. Roeddwn wedi cael sgwrs gyda'r ferch golur a'r ferch wisgoedd, a'r ddwy wedi mynegi fod peryg i'w harbenigedd hwy gael ei danseilio os oedd cwmnïau ffilm yn mynd i lawr y llwybr o dorri corneli ar eu cynyrchiadau, a 'mod i'n awyddus i wneud safiad drostynt.

Trefnodd Gwen gyfarfod yn ôl fy ngofyn ac yno roeddwn i o'u blaenau'n deud 'mod i'n poeni am y sefyllfa ac y gallem, fel actorion, fod yn gorfod gwneud mwy na'n siâr o waith os na fyddem yn ofalus. Yn fwy na hynny, mi roeddan ni hefyd yn tanseilio gwaith adrannau nad oedd ganddon ni ddim math o arbenigedd ynddynt. Yn sydyn, torrodd Gwen allan i chwerthin, ac ambell un arall yn ymuno'n ei chysgod.

'Be sy mor ddigri, Gwen?' holais.

'Sorri, Cef,' medda hi, 'cytuno efo bob dim ti'n 'i ddeud ond fedra i jesd ddim dy gymryd di o ddifri'n pregethu mewn *fishnets* a staes.'

§

Bu gweddill yr wythdegau'n gyfnod o weithio bron yn ddi-dor fel actor llawrydd, ond wedi gwneud ein hail gyfres o *Hapnod* i'r BBC chawson ni ddim cynnig trydedd gyfres a thybiwn fod fy nghwyno achlysurol am gynnwys rhai o'r sgetsys a'r caneuon yn rhannol gyfrifol am hynny. Chafwyd dim tri chynnig i'r Cymro (na'r Gymraes) y tro yma. Ateb y BBC oedd eu bod yn gyfresi drud iawn, ac o bosib fod yna elfen o wirionedd yn hynny hefyd. Ac er fy anniddigrwydd, mae'r rhan fwyaf o'r atgofion sydd gen i o'r cyfnod o weithio hefo Hapnod yn rhai melys iawn. Ni fu 'run gair croes rhyngom ni'n pedwar drwy gydol yr holl gydweithio a chymdeithasu, ac mae'n braf clywed sawl un yn dweud wrthan ni gymaint ddaru nhw fwynhau'r cyfresi a wnaethom.

Gadawaf y gair olaf ar Hapnod i Edward Morgan, colofnydd teledu *Y Faner* 'nôl yn yr wythdegau:

Rhaglen arall sydd wedi hollti'r cocŵn artiffisial a fu'n ein hamgylchynu cyhyd fel Cymry Cymraeg ydi *Hapnod*. A'r hyn sydd wedi fy llonni i ydi'r modd y mae'r rhaglen yn cael ei gwerthfawrogi. Waeth lle mae dyn yn troi, yn wrywod a benywod, yn hen ac ifanc, canmoliaeth ddiddiwedd sydd i'r gyfres hon . . . diolch i Hapnod am ein llusgo fel cenedl gerfydd ein clustiau i chwarter olaf yr ugeinfed ganrif.

Bara Menyn a Bara Caws

Erbyn hynny, roeddwn yn actor craidd gyda Theatr Bara Caws, y cwmni a fu'n brif gyflogwr imi weddill yr wythdegau. Gan 'mod i wedi f'ymrwymo i'm cytundeb gyda Chwmni Theatr Cymru, fe gollais allan ar fod yn un o sylfaenwyr Bara Caws ychydig flynyddoedd ynghynt. Ond fe allaf hawlio rhyw fymryn o fod yn rhan o'r wariars cyntaf hynny a fustachodd i drio rhoi ambell sioe ymlaen pan nad oedd y cwmni'n cael dime o nawdd ac yn rhannu faint bynnag o elw a wnaem ar y drws.

Yn y dyddiau cynnar aem yn syth o ymarferion Cwmni Theatr Cymru yn y Tabernacl i un o'r tafarndai cyfagos, naill ai'r Skerries neu'r Duke of Wellington i ddyfeisio ail sioe Bara Caws. Wedi llwyddiant *Croeso i'r Roial* yn Eisteddfod Wrecsam (1977), roeddem yn awyddus i enw'r cwmni barhau yng nghof y cyhoedd ac i gadw'r momentwm i fynd, ac felly aethom ati i greu panto i oedolion o'r enw *Be Sa'n ti, Santa?*

O sefydlu Theatr Antur roedd Wilbert bellach wedi meithrin cnewyllyn o actorion oedd â digon o brofiad i lwyfannu eu sioeau yn ogystal â threfnu eu teithiau eu hunain. Bryd hynny roedd gan Gwmni Theatr Cymru swyddfeydd a stafelloedd ymarfer yn Waterloo, Bron Castell, Pendref a'r Tabernacl. Ond wrth i'r cwmnïau bychain dyfu a sefydlu eu hunain fe grebachodd nawdd y cwmni cenedlaethol gan fod Cyngor Celfyddydau Cymru bellach yn rhannu'r gacen rhwng nifer o gwmnïau llai, Bara Caws yn eu plith.

Pedair blynedd ar ôl sefydlu Bara Caws yn gwmni llawn amser fe adawodd Mei, a ches wahoddiad i lenwi'r bwlch ar ei ôl. Ar y pryd, roedd cartref Bara Caws wedi'i leoli yn hen adeilad Adran Gwyddor Cartref y Coleg Normal. Lleoliad perffaith mewn mwy nag un ffordd. Chewch chi ddim golygfa well na'r un dros y Fenai o gyfeiriad Ffordd Siliwen, ond y fefusen ar y gacen i mi oedd ei fod ryw chwarter milltir o ddrws ffrynt Cilrhedyn, ein cartref newydd ar Siliwen. Pum munud o waith cerdded ac roeddwn yn y stafell ymarfer yn berwi'r tegell cyn i'r gweddill gyrraedd.

Cwmni cydweithredol fu Bara Caws o'r cychwyn. Golygai hynny fod pob aelod o'r cwmni'n derbyn yr un cyflog, yr un hawliau a'r un llais yn y ffordd y gweithredai'r cwmni. Roedd cydraddoldeb yno ar draws yr holl agweddau o'n gwaith. Ro'n i wastad yn teimlo 'mod i yn y lle iawn pan oeddwn yn gweithio hefo'r cwmni.

A ninnau newydd brynu tŷ go nobl ar Lôn Siliwen doedd y cyflog ddim yn uchel, ond roedd yn un teg. Aeth Rhian yn ei hôl i ddysgu a llwyddwn innau weithiau i gyflwyno ambell gyfres a chawn gynnig comisiwn sgwennu'n achlysurol i gadw'r blaidd ryw hyd braich o 'nrws. Os llwyddem i roi bwyd ar y bwrdd a thalu'r morgais a'n biliau treth, roeddan ni'n hapus iawn ein byd.

Bûm yn aelod llawn amser o'r cwmni am chwe blynedd, ond roedd breuddwyd arall wedi bod yn mudlosgi yn fy meddwl byth ers streic yr athrawon 'nôl yn 1986. Dyna pryd y dechreuais fynd ati o ddifrif i hyfforddi plant a phobl ifanc gan ddeffro'r awydd hwnnw oedd gen i'n blentyn wedi imi weld y Girl Guides yn canu a symud yn y *church room* yn ôl yn Llan, flynyddoedd ynghynt.

Erbyn hynny roedd Tirion a Mirain yn ddisgyblion yn Ysgol y Garnedd a William Lloyd Davies yn brifathro arnynt. Roedd Wil hefyd yn Gadeirydd Pwyllgor Gwaith Eisteddfod Genedlaethol yr Urdd, Dyffryn Ogwen, y flwyddyn honno, a minnau wedi 'mhenodi'n gyfarwyddwr y sioe i ddisgyblion Blynyddoedd 7–9. Tan hynny doedd disgyblion y blynyddoedd hynny ddim wedi cael fawr o gyfle gan yr Urdd i wneud sioe ar raddfa genedlaethol. A phan ofynnodd yr annwyl Elvey MacDonald imi gyfarwyddo un o sioeau'r flwyddyn honno, dywedais nad oedd gen i ddiddordeb mewn gwneud y pasiant o gwbwl. Gwyddwn mai teithio o ysgol i ysgol fyddai'r gofyn mwyaf gyda phasiant, yn dibynnu ar ymroddiad athrawon i wneud y gwaith caled. Dim o'i le yn hynny, ond nid dyna oedd yr atyniad i mi. Dwi'n ei chael hi'n anodd dirprwyo gwaith i eraill – ofn colli rheolaeth, mae'n debyg, ac mae hi braidd yn hwyr i newid hynny yndda i bellach, mae arna i ofn.

Gofynnodd Elvey oedd gen i awydd cyfarwyddo'r opera roc i flynyddoedd 10 i 13, ond roeddwn i eisoes wedi cyfarwyddo sioe o'r enw *Ein Tref Fach Ni* gyda disgyblion y blynyddoedd hynny ar gyfer Eisteddfod yr Urdd, Pwllheli, 'nôl yn 1982. Roeddwn i'n awyddus i dorri tir newydd. Holais pam nad oedd disgyblion Blynyddoedd 7, 8 a 9 yn cael yr un cyfle â phawb arall. Cytunodd yn syth â'r syniad o roi cynnig arni, ac o fewn dim roeddwn yn arwyddo cytundeb i gyfarwyddo sioe o'r enw *Dan Oed* yn Theatr Gwynedd yn ystod wythnos yr eisteddfod.

Mei sgriptiodd *Dan Oed*, Gareth Glyn oedd y cyfansoddwr a'r cyfarwyddwr cerdd, a minnau'n cyfarwyddo, yn coreograffu, rheoli'r llwyfan, cynllunio'r goleuo a'r gwisgoedd yn ogystal â bod yn drefnydd llawn amser ar yr holl gynhyrchiad, a bod yn gwbwl onest. Cawn rywfaint o help gan Linda (Brown) yn Theatr Bara Caws i 'sgafnu ychydig ar fy maich, ond temlwn fy mod i'n cario mwy na phwysau cyfarwyddwr llwyfan y dyddiau hynny. Gwyddwn ers cyfnod *Ein Tref Fach Ni* fod yr Urdd, ar y pryd, yn dibynnu llawer, os nad gormod, ar allu a hyblygrwydd ambell unigolyn i 'sgwyddo'r baich o gynnal y sioeau mawr eu hunain. Ond ar yr un pryd fe fraenarodd y tir i mi ar gyfer sefydlu'r freuddwyd fawr oedd gan Rhian a finna yng nghefnau'n meddyliau ar gyfer y tymor hir. Dysgais wersi gwerthfawr drwy hyn i gyd.

Ar ganol ymarferion *Dan Oed* roedd streic yr athrawon yn cyrraedd ei hanterth. Poenai Wil na fyddai'r athrawon yn gallu ymroi i ymarferion a chystadlu yn yr Urdd y flwyddyn honno a galwodd fi i mewn am sgwrs i drafod oedd yna unrhyw syniadau y gallem eu dyfeisio i gael yr ysgolion i barhau â'r cystadlu. O fethu darganfod unrhyw ffordd amgen, byddai'n edrych yn ddu iawn ar Eisteddfod Dyffryn Ogwen, 1986.

'Be taswn i'n dod i mewn ar benwythnosa i ddysgu ambell beth?' cynigiais.

'Fasat ti?' holodd Wil, a'i lygaid yn gloywi.

'Dwi 'di bod yn torri 'mol isio gneud cân actol ers blynyddoedd,' atebais.

Ac, i raddau helaeth, dyna oedd cychwyn yr holl siwrne y bu Rhian a finna arni byth ers hynny yn hyfforddi plant a phobl ifanc. Ysgol y Garnedd oedd ein 'hymarfer dysgu' ar gyfer rhedeg ysgol berfformio a 'dan ni'n dau'n hynod ddiolchgar i Wil am gynnig drws agored inni dros gyfnod y streic – ac am flynyddoedd wedi hynny hefyd.

Ac fe ddilynodd nifer o ysgolion drwy Gymru esiampl Ysgol y Garnedd drwy gael gwirfoddolwyr, yn rhieni a chyfeillion, i fynd i mewn i'r ysgolion i hyfforddi'r plant ar gyfer yr Urdd y flwyddyn honno, gan arbed i unrhyw athro dorri'r streic. Diflannwn o stafell ymarfer Bara Caws dros fy awr ginio ac yn syth ar ôl oriau gwaith, a thrwy 'mhenwythnosau fe wibiwn yn f'ôl yno i drio cael y disgyblion yn barod ar gyfer yr eisteddfod gylch: yn bartïon unsain, deusain, llefaru a dawnsio creadigol, dawnsio disgo, cân actol, cerddoriaeth greadigol, cyflwyniad dramatig a chorau, fe wnaethom y cyfan oll – ein hunain. Diolch i fyddin o rieni a fu'n gwnïo a botymu, pwytho a glynu, fe gafwyd rhyw lun o siâp ar bethau, ac erbyn mis Mai roedd gennym resiad o gystadlaethau'n barod i fynd i'r rhagbrofion yn Nyffryn Ogwen.

Rhwng sgriptio i Bara Caws, cyfarwyddo'r sioe *Dan Oed* yn ogystal ag ambell brosiect arall ar y gweill, roeddwn yn byw bywyd ar gan milltir yr awr. Yna fe ddaeth ergyd a'n lloriodd yn y modd mwyaf annisgwyl. Rhyw chydig ddiwrnodiau cyn yr eisteddfod fe hyrddiwyd y pafiliwn i'r llawr gan storm anferth. Wedi'r holl waith caled a goresgyn cymaint o broblemau, fe ddaeth natur â'i dyrnod olaf i'n herio.

Ond ni roed yr un ffidil yn y to y diwrnod hwnnw. Rhwng dygnwch Wil a'i bwyllgorau a dyfalbarhad pobl Bangor Ogwen, fe aed ati i ailgodi'r pafiliwn, goresgyn streic yr athrawon a llwyfannu pasiant y plant, sioe Blynyddoedd 7, 8 a 9, yn ogystal ag opera roc i'r blynyddoedd hŷn fel tasa 'run storm na streic wedi bod ar gyfyl y dyffryn.

Teg yw dweud nad oedd y cystadlu mor niferus â'r arfer ond fe aeth pob dim yn esmwyth ryfeddol. A sylwodd yr un enaid byw pa mor galed yr oedd traed yr elyrch yn gweithio o dan y dŵr i gadw ysblander y digwyddiad yn nofio mor osgeiddig ag y gallai uwchben y dilyw.

Cyn cau'r llen ar y sioe *Dan Oed*, mae'n rhaid imi gyfeirio at dri o'r cast a lanwodd fylchau anferth imi yn y broses gynhyrchu dros y cyfnod yma. Gan nad oedd gen i fawr o gyllideb ar gyfer set a gwisgoedd, fe es ati i fenthyg a swnian i drio cael rhyw lun o gynllun i'r sioe. Roedd Mei wedi gosod y sgript mewn ffair oedolion yn llawn stondinau saethu, cyffuriau a thwnnel serch oedd yn arwain at ddiweddglo oedd ymhell o fod yn un hapus. Roedd angen set ffair arna i a doedd gen i ddim syniad sut y cawn i un hefo pwrs mor fychan.

'Chwilio am ffair dach chi?' holodd un o'r cast ifanc yn ystod brêc panad yr ymarferion yn Ysgol Dyffryn Ogwen.

'Ia, sgin ti un?' atebais innau â nhafod yn fy moch.

'Welis i un yn Neuadd JP ddoe,' medda fo, fel tasa fo'n gweld un bob dydd.

'Set ffair?' holais innau'n anghrediniol.

'Set ryw gwis i S4C ydi hi,' medda fo, 'ond ma' nhw'n gorffan ffilmio fory, felly 'nes i holi be oeddan nhw'n mynd i' neud efo hi wedyn.'

Rhys Bevan oedd yr hogyn 'ma oedd newydd gynnig ateb i 'ngweddïau. Form Two oedd o. Sorri, Blwyddyn 8. Hogyn tair ar ddeg wedi dod o hyd i set imi!

'Dach chi isio hi?' holodd wedyn. 'Ma' hi am ddim os newch chi ffonio nhw i ddeud cyn fory – ne' fyddan nhw wedi mynd â hi i'r dymp.'

'Sgin ti rif ffôn iddyn nhw?' holais yn daer.

'Gin i well na rhif ichi,' meddai Rhys, 'ma' gin i ffôn hefyd.'

'Be ti'n feddwl gin ti ffôn?' holais innau.

A dyma fo'n mynd i nôl briffces go nobl a thynnu teclyn na welais i erioed mo'i debyg yn fy mywyd o'r blaen a'i blygio i'r wal yn y neuadd. Edrychais yn wirion arno pan estynnodd am y derbynnydd a dechra deialu rhif cynhyrchydd y rhaglen gwis. O fewn dim roedd Rhys wedi taro'r fargen a chael set yn rhad ac am ddim imi os gallwn i fynd i'w phigo hi i fyny ben bore trannoeth.

Edrychais yn wirion arno. Sut goblyn oedd hogyn mor ifanc yn meddu ar friffces oedd yn llawn trugareddau a fyddai wedi herio unrhyw dechnegydd profiadol i feddu un gwell. Ond y *pièce de résistance* oedd y ffôn!

'Be 'di hwnna?' holais, yn sefyll yno'n syfrdan.

'*Mobile phone*,' medda fo, fel taswn i i fod i wbod yn iawn be oedd y teclyn rhyfedd 'ma oedd o mlaen i. Roedd hi'n fil naw wyth chwech! Byddai'n bymtheg mlynedd a mwy cyn y down i'n berchen ffôn symudol, a dwi'n dal ddim yn ei ddeall yn iawn!

O fewn dim roedd Rhys, ynghyd â'i ffrindiau, Iwan Llechid a Tony Williams, wedi trefnu fan ac wedi helcyd y set o Neuadd JP ym Mangor i Neuadd Ysgol Dyffryn Ogwen ym Methesda. A hyd yn oed yn well na hynny, roeddan nhw hefyd wedi dod i gytundeb â'r prifathro y cawn gadw'r set yno, ar lwyfan yr ysgol, am weddill yr ymarferion. Wedyn fe gynorthwyon nhw gyda'r *get in* yn Theatr Gwynedd a chael popeth yn ei le erbyn yr ymarfer technegol cyntaf.

Yn nyddiau cynnar Glanaethwy daeth Rhys i'n helpu gydag ambell daith i Lundain hefyd. Roedd o, erbyn hynny, yn dechnegydd ifanc yn gweithio ar ei liwt ei hun, ac ers hynny mae o wedi gweithio i'r BBC, S4C a nifer o gwmnïau teledu eraill. Roedd gan Iwan ei gwmni goleuo ei hun pan gychwynnodd Glanaethwy a fo ddaru osod ein rìg goleuo inni yn yr ysgol, ac mae'r un rìg yn union ganddon ni o hyd, dri deng mlynedd yn ddiweddarach. Mae Tony yn gymysgwr sain ar sioeau megis yr *One Show* a *Dragon's Den*.

Falla mai dyma 'nghyfle i i ddiolch iddyn nhw am fod yn gefn imi ar y cynhyrchiad hwnnw. A falla'i fod o hefyd yn cadarnhau mai mwy o gyfle i fod yn ymwneud â'u diddordebau mae pobl ifanc ei angen, ac nad ydi'r cyfle hwnnw bob amser ar gael iddynt. Daw i'n sylw'n ddyddiol erbyn hyn nad yw pob person ifanc yn gallu ffitio i mewn i'r system addysg fel ag y mae hi. Mi wn i o brofiad mai cael hyfforddwyr ac athrawon ysbrydoledig fel Glyn Owen, John Gwil, Matt Pritchard, Haydn Davies, Norah Isaac a Wilbert Lloyd Roberts a'm hysbrydolodd i, ac nid unrhyw bwnc a gafodd ei gyflwyno'n ailadroddus imi ar fyrddau duon a thudalennau gwynion. Mae angen y ddau, ond y math cyntaf o addysg sy'n meithrin unigolion a chreu mwy o gyfleon amgen fydd yn ein harwain at well cymdeithas – gyfartal a theg.

'Pan feddwn dalent plentyn'

Dwi ddim yn siŵr oedd Wil (Lloyd Davies) wedi meddwl, ymhell cyn i'r côr olaf ganu ar nos Sadwrn yr eisteddfod yn Nyffryn Ogwen, y byddai'n gwneud popeth o fewn ei allu i 'nghadw yn rhan o dîm Ysgol y Garnedd, ond fu dim rhaid iddo weithio'n galed iawn. Roeddwn wedi cael y ffasiwn flas ar ddysgu a hyfforddi fel nad oedd yn rhaid iddo ddim ond cynnig hanner cyfle i mi. Bûm yno am ddeng mlynedd a mwy yn sgriptio a hyfforddi ac yn dysgu mwy a mwy am y potensial creadigol di-ben-draw sydd ym mhob un plentyn 'i weld llais a chlywed llun'.

Dwi ddim yn gwybod pwy benderfynodd y byddai'r hen Form One yn troi'n 'Blwyddyn Saith' dros nos. Ond pan es i ati i lunio sgript ar gyfer disgyblion yr oedran yma ar gyfer Eisteddfod Genedlaethol yr Urdd, Dyffryn Nantlle, 1990, roedd y teitl *3,2,1* yn dechrau dangos 'i oed, hyd yn oed cyn i'r sioe weld golau dydd. Ond doedd gan *7,8,9* ddim yr un tinc iddo fel teitl rywsut, a dyna pam y glynais wrth y gwreiddiol.

Erbyn hynny roedd Elvey MacDonald wedi ymddeol o'r Urdd a Siân Eirian wedi cymryd yr awenau drosodd yn llwyddiannus iawn. Byth ers hynny mae Siân wedi 'mherswadio i arwain a dyfeisio sawl cynhyrchiad ac wedi rhoi cyfleoedd gwych imi. Ond roedd yr Urdd, bryd hynny, yn dal yn y cyfnod hwnnw pan na chyflogid na rheolwr llwyfan na choreograffydd na threfnydd ymarferion. Roeddwn ar fy mhen fy hun unwaith eto. Disgyblion ysgolion Dyffryn Nantlle, Syr Hugh Owen a Brynrefail oedd y cast, a chefais dros gant a hanner o bobl ifanc yn troi i fyny i'r clyweliadau.

Boed yn gynhyrchiad proffesiynol neu amatur, mae'r broses o gastio wastad yn un boenus. Waeth beth fo'r safon, mae gwybod eich bod yn mynd i siomi rhywun yn y pen draw yn pwyso ar feddwl dyn. Dyna un o'r pethau gorau am y drefn eisteddfodol; mae'n debyg iawn i glyweliad mewn cymaint o ffyrdd. Mae mynd drwy unrhyw eisteddfod gylch, sir a chenedlaethol, rhwng y rhagbrofion a'r llwyfan, yn golygu eich bod yn mynd drwy broses glyweld ac ail-glyweld chwech o weithiau, os byddwch chi'n lwcus. Ac fel yn y drefn broffesiynol, mae wynebu siom a chael eich gwrthod yn meithrin y gwydnwch yna y byddwch ei angen yn nes ymlaen os byddwch yn dewis y llwyfan fel gyrfa. Rhagbrawf = clyweliad. Clyweliad = siom neu lwyddiant. Fel yna mae hi – ac fel yna bydd hi hefyd, os ydan ni am weld y gorau ym mhawb.

Wrth gwrs fod camgymeriadau'n cael eu gwneud. Ac wrth gwrs fod chwaeth yn chwarae rhan allweddol yn y broses gymhleth yma o ddidoli talent a dawn. Fe ges i alwadau lu gan rai o bapurau newydd mwyaf Llundain yn holi sut oeddwn i'n teimlo fod Côr Glanaethwy wedi colli i gi oedd wedi twyllo ar *Britain's Got Talent*. Yr unig ymateb allwn i ei roi oedd ein bod wedi cael coblyn o amser da ar *BGT* ac mai'r cyhoedd oedd wedi pleidleisio i'r act roeddan nhw wedi'i mwynhau orau, nid panel o feirniaid. Pwy allai ddadlau yn erbyn hynny? Y ci (cŵn) gafodd y nifer uchaf o bleidleisiau, felly rhowch honna yn 'ych piball a smociwch hi.

Allan o'r cant a hanner a ddaeth i glyweliad 3,2,1, dim ond lle i chwe deg oedd gen i o safbwynt gofynion y sgript, gofod Theatr Gwynedd a chyllid ar gyfer gwisgoedd a bysiau. Doedd yr un o'r perfformwyr ifanc wedi cael gwers ddrama yn eu bywyd a 'nôl yn 1990 doedd yna fawr o ysgolion yng Ngwynedd yn cynnig Drama fel pwnc. Ond, fel yn achos *Dan Oed*, roedd y criw i gyd yn ymroddgar ac yn llawn cynnwrf.

Yn ychwanegol at yr holl agweddau o gynhyrchu a chyfarwyddo sioeau i'r Urdd, fe gytunais y byddwn yn sgriptio 3,2,1 hefyd. Gan mai Eisteddfod Dyffryn Nantlle oedd hon, mor agos i'm calon, trochais fy hun o'm corun i'm sawdl yn y prosiect. Lleolais y sioe ar lan Llyn Nantlle a chreu stori fodern am fachgen bach yn symud i'r dyffryn i fyw a dim pwt o Gymraeg ganddo a'i phlethu gyda chwedl Blodeuwedd – y bedwaredd, a fy hoff gainc, o'r Mabinogi, sydd wedi'i lleoli'n ddwfn rhwng Nant*lleu*, Tal-y-sarn a Dinas Din*lleu*.

Dyw'r dieithryn bach yn cael fawr o groeso gan blant yr ysgol nes iddo gyfarfod merch â'r llysenw 'Gwdihŵ'. Mae pen Gwdihŵ yn y cymylau y rhan fwyaf o'r amser, yn byw yn ei dychymyg er mwyn osgoi'r realiti creulon sydd o'i chwmpas: bwlio, diffyg parch a dim llawer o bethau i fynd â'i bryd. Pawb ag wynebau hirion yn cicio'u sodlau yn lladd amser a lladd ar ei gilydd yr un pryd. Dyna pam y mae Gwdihŵ yn dianc, weithiau, at lan Llyn Nantlle, i osgoi'r 'lleferydd' negyddol sydd o'i chwmpas:

> Weithia, dim ond weithia
> Mae 'na bethau'n dod yn fyw,
> Ar adega,
> Mond ar brydia,
> Fydda-i'n meddwl fod 'na ryw
> Swyn dros y dyffryn, hud ar y ddôl,
> A rhith o'r gorffennol yn ymwthio yn ei ôl.
> A gwn ym mêr fy esgyrn fod 'na rywbeth ar dro,
> A hen ledrith y gorffennol yn dal yma'n y fro.

Dwi'n meddwl fod yna fwy o'r Gwdihŵ yndda i nag unrhyw gymeriad arall dwi wedi'i greu erioed. Roedd glan y llyn yn Nantlle yn ddihangfa berffaith i mi yn blentyn. Chewch chi ddim gwell golygfa na honno o'r lan yn edrych draw am yr Wyddfa a mwg y trên bach yn stemio'i ffordd tua'r copa. 'Sgota ar y cwch hefo Yncs Hêfs a nofio yn y dŵr clir hefo fy mrawd cyn cerdded yn flinedig am swper i dŷ Nain. Yna gwau drwy gortyn hefo Megs, fy nghyfnither, ar stepan drws ffrynt Cynlas yn gwylio'r haul yn machlud. Gwyddwn yn iawn pwy oedd Gwdihŵ, a pham roedd yn rhaid iddi ddianc weithiau i'w 'nefoedd' fach ei hunan. O'r fan honno, yn rwla, y bûm yn tyrchu am ysbrydoliaeth i sgwennu *3,2,1*. Er cymaint rydw i'n caru fy ngwlad a'm hiaith, dwi erioed wedi deall yr agwedd lugoer a gaiff ambell Sais wrth symud i Gymru i fyw. Yn genedlaetholwr i'r carn, mae caru 'nghyd-ddyn yn uwch ar fy rhestr na hyd yn oed iaith a gwlad. Un felly oedd Gwdihŵ, yn teimlo i'r byw os gwelai hi unrhyw un yn cael cam.

Roeddwn hefyd yn dal i hyfforddi yn y Garnedd yn ystod y cyfnod yma, yn methu gollwng gafael ar yr hyn yr oeddwn i'n ei feithrin yno o flwyddyn i flwyddyn. Plant fyddai'n mynd ymlaen i'r ysgol uwchradd ac a fyddai, o bosib, yn cael y nesa peth i ddim gwersi drama yno. Rhian a finna wedi magu awyddfryd ynddynt ym myd perfformio ac yna'n mynd o'n gafael i addysg uwchradd a fyddai'n dysgu nemor ddim iddynt am y theatr.

Tua'r cyfnod yma y dechreuodd y ddau ohonom feddwl o ddifrif am fynd ati i wireddu ein breuddwyd. Roedd Rhian wedi bod yn dysgu ers rhai blynyddoedd ac wedi dechrau syrffedu ar rigol ei swydd dysgu. Er cymaint yr oedd yn mwynhau ambell elfen o'r gwaith, roedd hi hefyd wedi cael nifer o brofiadau ym myd perfformio a theithio fel nad oedd swydd athro naw tan hanner awr wedi tri yn diwallu'r dyheadau oedd ganddi. A dyna pryd, pan oedd ymarferion *3,2,1* yn tynnu at eu terfyn, y gofynnodd Rhian: 'Ti'n meddwl mai rŵan ydi'r amser iawn i roi cychwyn ar y freuddwyd 'na?'

Roeddwn innau'n mynd drwy gyfnod reit od yn fy ngyrfa innau ar ddiwedd yr wythdegau. Er imi wneud cyfres ddawns a chân hyfryd o'r enw *Traed yn Rhydd* gyda'r gantores Sioned Mair a'r talentog Delwyn Siôn yn cyfarwyddo, ffilmio cyfres gomedi gyda Sera Cracroft a sgrifennu cyfres ddrama ysgafn o'r enw *Merched Lasarus* gydag Angharad Jones, teimlwn, serch hynny, fod fy ngyrfa yn troi yn ei hunfan. Er gwaetha f'ymdrechion i gael gwaith fel actor, cawn gynnig llawer mwy o waith cyflwyno rhaglenni trafod, gemau cwis a rhaglenni talent. Dwi'n ddigon hen i gofio imi gyflwyno Non, Emma a Rachel ymhell cyn i ni glywed am y grŵp Eden. Merched ifanc yn Ysgol Glan Clwyd oeddan nhw ar y pryd, a Rhys a Gwen Parry Jones yn eu hyfforddi fel *ensemble* lleisiol hyfryd. Roedd hyd yn oed John ac Alun yn wynebau eitha newydd i'r sin pan gyflwynais hwy ar fy rhaglen dalent flynyddoedd maith yn ôl.

Er ei fod yn gyfnod prysur, doeddwn i ddim yn cael yr un blas ar gyflwyno ag a gawn yn actio a pherfformio, felly pam yn enw pob rheswm yr oeddwn yn derbyn gwaith nad oeddwn yn ei fwynhau? Mae'r ateb yn syml, wrth gwrs: mae unrhyw waith yn well na dim gwaith o gwbwl. Mae'r biliau angen eu talu a'r plant angen eu bwydo a'u dilladu. Ond yn waeth na dim, roedd yr ofn na chawn i gynnig unrhyw beth arall wastad yn llechu yn nghefn fy meddwl. Fe ŵyr y rhan fwyaf o berfformwyr am y profiad hwnnw.

Tua'r amser yma fe sgrifennais i sioe gerdd i Bara Caws o'r enw *Celwydd*. Sioe am griw o actorion yn bustachu i gadw'u gyrfaoedd i fynd gan ddilyn eu helbulon a'u treialon wrth iddynt drio cadw dau ben llinyn ynghyd. Roedd yna nifer o brofiadau personol yn y sgript honno oedd wedi deillio o'm cyfnod gyda Hapnod ac yn gweithio fel actor llawrydd. Y byw allan o gês, colli gafael ar realiti a cholli'm cyfeiriad yn aml. Teimlwn fy mod yn cael f'ystyried fel 'personoliaeth' yn hytrach nag 'actor' yn ystod y cyfnod yma.

Dwi'n cofio mynd i lawr i Gaerdydd un penwythnos i gael *fitting* ar gyfer gwisg *garden gnome*. Roedd cloch drom ar flaen ei het a wthiai'r hanner mwgwd i mewn i'm trwyn, a gwyddwn na fyddwn yn gyfforddus am weddill y gyfres er gwaetha'r ymdrech i'w addasu. Ond, dyna ni, roedd yn gyflog. Ac yno o'm blaen, wedi'u gwisgo fel potel lefrith a brwsh dannedd, yr oedd Christine Pritchard a Terry Dyddgen. Coffa da amdanynt.

Fe edrychodd y tri ohonom ar ein gilydd yn y drych a dechrau g'lana chwerthin. Yno roeddan ni, yn dri actor yn ein hoed a'n hamser, yn teimlo fel tri phishyn chwech. Os nad oeddech chi'n nabod Chris yn iawn, fe gâi rhai yr argraff ei bod fymryn yn ffroenuchel, ond nid dyna'r gwirionedd o gwbwl. Cymerai bob rhan a gâi, bach neu fawr, yn gwbwl o ddifri – hyd yn oed potel lefrith. Ond roedd ei hiwmor yn unigryw: y sbarc yn y llygaid a'r drygioni ar ymyl y wefus. Ces sawl pwl o chwerthin hefo hi ar amrywiol gynyrchiadau, ond bydd y ddelwedd o'i gweld yn colli ei balans mewn gwisg potel lefrith ac yn syrthio'n glewt i'r llawr yn atgof i'w drysori yn albwm y cof.

Does ryfedd felly mai un o'r caneuon a sgwennais ar gyfer *Celwydd* oedd 'Rhywbeth am Grystyn'. Wedi chwarae rhai o'r prif rannau i'r theatr yng Nghymru, roeddwn i bellach yn gorach gardd mewn gwisg oedd yn rhy fach imi a mwgwd oedd yn fy mrifo, yn sgwrsio hefo potel lefrith a brwsh dannedd!

> Mae'n rhaid 'mi 'neud rwbath am grystyn,
> So sdopia dy chwerthin di, mêt,
> Mae'n rhaid 'mi 'neud rwbath am grystyn,
> Dwi'n dallt na 'di'r gwaith ddim yn grêt
> Ond o leia dwi'n gweithio,
> O leia ma' mhen i uwch y dŵr,
> I'r diawl â safona,
> Ma' pres yn bwysicach yn siŵr.

Felly roedd y ddau ohonan ni, Rhian a finna, yn mynd drwy gyfnod eitha rhwystredig yn ein gyrfaoedd yr un pryd, a dyna pryd yr awgrymodd Rhian efallai mai rŵan oedd yr amser iawn i lansio'n syniad am greu ysgol berfformio.

Gwthio'r cwch i'r dŵr

Rhian, felly, a yrrodd y cwch i'r dŵr a dechreuom greu cynllun busnes (un digon bras) i weld a oedd y ffasiwn beth yn bosibl ac a fyddai gan blant a phobl ifanc ddigon o ddiddordeb mewn ymuno. Doedd neb wedi mentro ar y raddfa yma yn y Gymraeg o'r blaen. Oeddan ni'n mentro gormod i faes dieithr? Efallai'n bod ni'n lluchio'r tywel i'r cylch gyda'n swyddi ar y pryd yn rhy fuan. Nid gwneud incwm oedd y broblem – ond yr hyn roeddan ni'n ei wneud i dderbyn y cyflog hwnnw.

I ychwanegu at ein hofnau, roedd Bara Caws, ar un adeg, wedi trio cychwyn menter debyg pan oeddwn yn aelod o'r cwmni, ac roeddem wedi methu ar ôl dwy flynedd. Doedd dim digon o gysondeb yn y gwersi a chollwyd momentwm. Roeddwn yn dal i deithio, cyfarwyddo a sgriptio i'r cwmni ar y pryd ac fe fethais innau ymroi i'r gwaith yn iawn bryd hynny.

Wedyn fe es ati i guro ar ddrysau'r Swyddfa Addysg, Cyngor y Celfyddydau a'r WDA i ofyn am gefnogaeth, ond ces ddrysau caeedig ym mhob man. Er imi gael sgwrs gydag un o'r swyddogion addysg ar y pryd, y cyfan ges i'n ateb oedd fod y Cyngor wedi gwario miloedd o bunnau'n codi stiwdio Barcud yng Nghaernarfon ac nad oedd ganddynt ragor o arian yn eu coffrau i'w wario ar y celfyddydau. Ceisiais innau egluro nad oedd gwahaniaeth gen i tasan nhw'n codi neuadd ffilharmonig ym Morfa Nefyn fore trannoeth, ond byddai gofyn iddyn nhw hefyd greu rhaglen fyddai'n dwysáu hyfforddiant offerynnol yn y sir neu fyddai'r neuadd yn gweld dim byd o'i thalent leol ar lwyfan y neuadd. Dylai pob neuadd a theatr leol arddangos ei thalent leol, nid dim ond helcyd pobl o bell ddylai fod yma'n ein diddanu ond ein pobl ni ein hunain.

Maen nhw'n deud, yn tydyn, y dylen ni fwyta cynnyrch sydd wedi'i dyfu a'i feithrin yn lleol, bwyd sydd yn ei dymor yn ein milltir sgwâr, bod hwnnw'n well i ni o lawer na chynnyrch sydd wedi'i fewnforio a'i chwistrellu â chemegau i gael mymryn mwy o fywyd ar ein silffoedd. Ac mae talent yr un fath yn union. Er cymaint o amrywiaeth theatr a cherddoriaeth a dawns dwi'n ei fwynhau, does dim sy'n fwy llesol nac yn rhoi mwy o foddhad i mi na gweld fy mhobl fy hun yn perfformio yn fy iaith fy hun ar lwyfan ein theatrau.

Ond dwi ddim yn meddwl i'r dyn yn y swyddfa addysg ddeall yn iawn beth oedd gen i dan sylw, ac es adra'n bendrist a gwaglaw. Y cyfan oeddwn i ei angen oedd i Wynedd gefnogi'r syniad o hyfforddi talentau a chymryd y grefft o hyfforddi perfformwyr yn fwy o ddifri. Doedd y mwyafrif o ysgolion Gwynedd ddim yn cynnig Drama o fath yn y byd o fewn eu hamserlenni ac, yn wahanol i weddill Cymru, doedd ganddon ni ddim Theatr Ieuenctid yma yng Ngwynedd chwaith. Roedd hyd yn oed yr hen Gôr Sir wedi dod i ben yn ddisymwth, ac eto roedd cwmnïau theatr a theledu yn tyfu fel rheseidiau o bys dros y lle. Roedd tref Caernarfon yn dodwy cwmnïau teledu bryd hynny a ninnau'n rhoi dim hyfforddiant i'n pobl ifanc.

Pan es i weld y swyddog am yr eildro roedd yn wên o glust i glust a dywedodd fod ganddo newyddion da imi. Roedd siroedd Môn a Gwynedd, medda fo, wedi cychwyn cynllun lle roedd pob un o hen siroedd Gwynedd yn dod â thîm o athrawon at ei gilydd i ddatblygu rhai pynciau ymhellach ac yn ddwysach o fewn ysgolion. Os cofia i'n iawn, roedd tîm Môn yn gyfrifol am y pynciau Gwyddonol,

Arfon yn gofalu am Fathemateg a Meirion yn edrych ar y Celfyddydau, gyda'r bwriad o ddod ag athrawon Cerdd, Cymraeg ac Ymarfer Corff ynghyd i drafod y posibilrwydd o ddatblygu Adran Ddrama yn eu hysgolion.

Gwyddwn fod yna nifer o ysgolion uwchradd eisoes wedi dechrau cael athrawon Cymraeg a Saesneg i geisio cynnig Drama fel pwnc ychwanegol ar eu hamserlen, ac mai i'r cyfeiriad hwnnw y byddai Gwynedd yn mynd i'w galluogi i gynnwys mwy o ddrama ar y cwricwlwm yn yr ysgolion uwchradd.

I raddau, roeddwn yn croesawu hyn, gan fod cynnig rhywfaint o ddrama yn well na dim drama o gwbwl. Ond roedd gen i hefyd f'amheuon ynglŷn â'r cyfeiriad yr oedd Gwynedd yn anelu tuag ato. A fyddai arbenigwyr unrhyw bwnc arall yn derbyn y gallai athro iaith, dyweder, dros nos, droi ei law i ddysgu gwyddoniaeth? Pam oedd hi'n bosib i unrhyw athro arall ddysgu Drama fel pwnc, er mwyn dyn? Onid oedd angen arbenigedd i'w ddysgu, fel pob pwnc arall?

Fel yr oedd y swyddog yn cyflwyno'r ffeithiau yma imi ac yn gobeithio gweld fy wyneb yn goleuo, fe sylwodd mai i'r cyfeiriad arall yr oedd fy ngwep i'n disgyn. Ceisiodd fy nghysuro trwy ddweud eu bod wedi cael ymateb positif iawn i'r syniad a'u bod wedi cael nifer fawr o geisiadau gan athrawon Meirionnydd i ymrwymo i'r cyrsiau penwythnos a drefnwyd gan y sir. Holais pwy yn union fyddai'n cynnal y cyrsiau hynny.

'Dwi'm yn siŵr iawn,' oedd ei ymateb, 'ond mi fedra i ofyn i Mr Gwilym Humphreys (y prif swyddog addysg ar y pryd) os liciach chi ga'l mwy o fanylion.'

'Na, dim diolch,' atebais, gan 'mod i'n gwbod yr ateb yn barod. 'Fi fydd yn cynnal y cwrs i gyd.'

'O, wela i,' meddai, a syrthiodd ei wyneb yntau'n glewt.

Roeddwn wedi cael galwad ffôn gan y diweddar Derec Williams ryw wythnos ynghynt yn gofyn a fyddwn yn fodlon ymgymryd â'r dasg o arwain y cyrsiau. Cyfaddefodd Derec nad oedd yn siŵr iawn i ba drywydd yr oedd y sir am iddyn nhw fynd ond y byddai'n anfon ychydig rhagor o fanylion imi am y weledigaeth ac yn gwerthfawrogi unrhyw fewnbwn a allwn ei roi i'r datblygiad petawn i'n cytuno i'w helpu.

Ychwanegodd fod yna rai yn barod iawn i dderbyn yr her, ond fod eraill oedd yn amheus o'r datblygiad ac yn gyndyn i ymuno. A phan gyrhaeddais y neuadd yn yr hen Ysgol Dr Williams yn Nolgellau un bore Sadwrn 'nôl yn 1989, roedd yn gwbwl amlwg i mi pwy oedd yn barod i luchio'u hunain i mewn i'r arbrawf a phwy oedd yn sicr ddim am wneud.

'Gobeithio nad ydach chi'n mynd i neud ryw hen symud gwirion hefo ni,' oedd un cyfarchiad ges i dros y baned agoriadol. Er imi ofyn i bawb ddod i'r sesiwn wedi'u gwisgo mewn dillad cyfforddus, tracsiwt os yn bosib, fe safai fy nghyfarchwraig o mlaen yn gwisgo siaced a sgert dynn mewn esgidiau sodlau sgleiniog a thair rhes o berlau am ei gwddwg. Gwenodd Derec a throi ei lygaid yn anobeithiol. Ymestyn a stwytho oedd fy sesiwn cyntaf ond, o edrych o'm cwmpas, doedd gan ambell un ddim math o fwriad i symud o'i sedd.

Welwn i ddim bai ar yr un ohonyn nhw, ond fe wyddai Derec a minnau ein bod yn wynebu talcen digon caled. Wyddwn i ddim sut y gallwn i gael rhai o'r rhain i symud o'u seddau heb sôn am ddechrau dehongli â'u cyrff, trafod pwyslais, goslef ac ystyr brawddeg, clyfrwch dramodwyr a'r lliw mae goleuo, sain, set, gwisgoedd a phrops yn ei roi i gynhyrchiad. Athro mathemateg oedd Derec, ond roedd ei ymroddiad a'i gariad at y theatr yn ail i neb. Roedd yn deall gair ac ystum, ac yn ddyn drama o'i gorun i'w sawdl. Roedd Derec yn siampl perffaith o'r modd y gall unigolion groesi o'r naill bwnc i'r llall yn esmwyth iawn. Ond mae angen mwy na swyddfa addysg arnoch i ddweud eich bod yn gymwys i ddysgu Drama. Gall y pwnc, weithiau, gael ei ddefnyddio fel pwnc 'Tylwyth Teg', lle rhoir yr argraff ei fod yn dipyn o 'sgeif'.

Pan ddechreuon ni Glanaethwy roedden ni'n cynnig cymorth i ysgolion cynradd ac uwchradd os oeddent yn awyddus i gynnig mwy o ddrama o fewn eu hamserlen. Aem i'r ysgolion hynny i ddysgu Drama fel pwnc Lefel A a TGAU, i sgriptio, creu a chyfarwyddo caneuon actol a chyflwyniadau dramatig yn ogystal â chynnig gweithdai drama. Byddem yn mesur y wadn fel bo'r droed, gan roi rhyddid llwyr i benaethiaid pob ysgol ddewis cynnwys y gweithdai yn ôl eu hangen hwy.

Yn un o'r ysgolion uwchradd hynny fe aem i gynorthwyo pennaeth yr adran Gymraeg gyda'r cyrsiau Drama TGAU a Lefel A. O fewn ychydig flynyddoedd fe dyfodd yr adran o lond llaw i lond dosbarth o ddisgyblion. Ond fel y cynyddai'r niferoedd fe sylwom fod y brwdfrydedd yn troi'n llugoer. Gwyddwn, o edrych ar fynegiant ambell un, eu bod yno i ddiogi. Holais un hogyn ifanc yng ngwers gynta'r tymor pam ei fod yn edrych mor ddiflas.

"Im isio bod yma,' medda fo'n ddigon gonest.

'Ond pam ddewisis di Drama fel dy ddewis cynta, John?' holais.

'Dim Drama oedd *first choice* fi,' oedd ei ateb parod.

'Be oedd dy ddewis cynta di, 'ta?'

'CDT.'

'O, pam nad w't ti'n gneud CDT felly?'

'*Teacher* 'im isio fi.'

A phan holais am ei ail a'i drydydd dewis, sef Ymarfer Corff a Daearyddiaeth, yr un ymateb ges i'r ddau: '*Teacher* 'im isio fi.'

Es yn syth i weld y prifathro i fynegi fy marn a rhyddhau ychydig o stêm fy rhwystredigaeth. Fe leddfwyd ychydig ar fy mhryderon a chafodd y bachgen symud i wneud ei ddewis bwnc. Ond dwi ddim yn siŵr faint yn union mae pethau wedi newid ers y dyddiau hynny chwaith. Fydd 'na wastad ryw 'John' nad oes unrhyw *teacher* ei eisiau. Tasan ni'n medru datrys y broblem honno, a ffeindio lle i bob John, Jên a Harri yn y dosbarth lle maen nhw wir isio bod, a'r athro hefyd yn gallu gweld y potensial sydd ynddyn nhw, yna byddem hanner y ffordd i ddatrys y broblem sy'n llesteirio'r system addysg ar hyn o bryd.

Bûm innau'n rhyw fath o 'John' ar un amser hefyd. Cefais fy nyrnu a'm peltio gan athrawon, fy anfon at y prifathro i gael cerydd digon creulon a'm codi gerfydd fy sgrepan a rhwbio fy nhrwyn yn erbyn gair ar y bwrdd du y methais ei sillafu'n gywir gan yr athro Saesneg. Ac eto, fuo fy rhieni i erioed yn agos i'r ysgol i gwyno am unrhyw driniaeth a gefais. A phetaswn i wedi achwyn am y gosb a gawswn, dwi'n siŵr mai gweld bai arna *i* y byddai Mam wedi'i wneud ac ochri hefo'r athro. 'Eitha gwaith â chdi' fydda Nhad wedi'i ddeud hefyd a chario mlaen â'i waith. Mi ddilynon ninnau eu hesiampl, ond prin iawn y cawson ni achos i gwyno tra bu ein plant ni mewn byd addysg beth bynnag. Fe fuont yn ffodus iawn, diolch byth.

Gwn fod cael y balans rhwng cosb a disgyblaeth yn un anodd a sensitif, ond fedra i ddim llai na meddwl fod gan y disgybl a'r rhiant fwy o lais na'r athro erbyn hyn. Mae'r pendil wedi troi o ddyddiau'r gansen a'r waldio i ddyddiau bygwth a chyhuddo. Mae wedi diflasu'r wefr a'r her o fod yn ysbrydoli plant a phobl ifanc. Rhaid cyfiawnhau pob ebwch drwy lenwi ffurflen a thicio bocsys i blesio'r rhai mewn awdurdod y dyddiau yma. Mae'r pwysau ar athrawon yn andwyol i les eu hiechyd a lles ein plant.

Rhoesom ninnau ein dau y cyfan oll o'r materion hyn yn y fantol cyn mentro arni i sefydlu ein hysgol ein hunain: y diffyg cefnogaeth gan y sefydliadau a allai ein noddi, y gwrthwynebiad a'r beirniadu fyddai'n bownd o ddod (ac a ddaeth), y gost a'r aberth o roi'r gorau i ddwy swydd weddol saff a mentro ar drywydd cwbl ddieithr i'r ddau ohonom. Roedd y dyfroedd eisoes yn dechrau cynhyrfu cyn inni hyd yn oed wthio'r cwch i'r dŵr, a doedd dim tywydd teg ar y gorwel yn unman, chwaith.

Ond roedd gennym chwe deg o actorion ifanc, brwdfrydig oedd yn ysu am gael parhau i berfformio wedi i 3,2,1! ddod i ben. Gydag ymateb hynod o bositif ganddyn nhw, fe ddechreuodd y gaseg eira dyfu ac erbyn y diwedd bron nad oedd hi'n rowlio'n gyflymach na ni'n dau i lawr y bryn fel nad oedd dim posib troi'n ôl. Canai'r ffôn yn ddi-baid – rhywun wedi clywed ein bod yn cychwyn ysgol berfformio ac yn awyddus i'w plentyn ymaelodi. Roedd yn haws sglefrio i lawr a dilyn y gaseg eira na dringo 'nôl i'r copa, gan obeithio na fyddem yn dod yn glewt yn erbyn wal pan gyrhaeddem y gwaelod.

'O dwed wrth Mam'

Erbyn diwedd gwyliau'r haf 1990 roedd gennym dros gant a hanner o enwau ar ein rhestr a chwech o ysgolion yn awyddus inni gynnal gweithdai drama i'w disgyblion. Roedd y ddau ohonom yn rhuthro hyd y wlad yn cynnal sgyrsiau a thrafodaethau, yn trefnu neuaddau i gynnal ymarferion, heb sôn am gynllunio beth yn union yr oeddan ni'n bwriadu ei wneud yn yr ysgol berfformio gyntaf o'i bath drwy gyfrwng y Gymraeg.

Y cyfan oedd gennym, mewn gwirionedd, oedd profiad o hyfforddi, cyfarwyddo a dyfeisio dyrnaid go dda o sioeau cerdd a chaneuon actol – a'r freuddwyd honno ges i'n gwylio'r Girl Guides drwy ffenest y *church room* yn Llanllyfni flynyddoedd ynghynt. Ond roedd y ddau ohonom yn athrawon trwyddedig hefyd, gyda phrofiad eang o berfformio a sgriptio, a'r ddau ohonom wedi astudio Cerdd am dair blynedd. Rhyngom, roeddwn yn weddol hyderus y gallem gael y maen i'r wal.

Ond roedd yna un cwmwl oedd wedi bod yn casglu uwch ein pennau ers rhai blynyddoedd. Roedd Mam yn gwaelu a'r madredd yn lledaenu'n gyflymach bob dydd. Roedd hi eisoes wedi cael trychu pedwar neu bump o fodiau ei thraed ac roedd pryder rŵan y byddai'n rhaid iddi golli un o'i choesau hefyd. Ar y naill law, roeddan ni ar fin lansio un o brosiectau mwyaf ein bywydau ac ar y llaw arall roedd Mam yn edwino o flaen ein llygaid.

Roedd blynyddoedd ers iddi gael torri ei bodyn cyntaf,

ac roedd gweld Mam yn cael y fath boen ag y mae madru'n
ei achosi yn loes calon imi. Bu i mewn ac allan o'r ysbyty
ers wyth mlynedd a mwy, yn trio achub rhywfaint ar ei
thraed ac yna ei choesau. Ond roeddem yn brwydro yn
erbyn yr anochel ac fe wyddem fod y cloc yn ein herbyn.

Mae gen i gof clir o'r diwrnod cyntaf y cafodd hi
dorri ei bodyn cyntaf. Roeddwn yn cyflwyno *Ribidirês*
ar y pryd, rhaglen sgwrsio i blant oed cynradd ar Radio
Cymru. Roedd yr hen Ysbyty C&A ym Mangor yn dal ar
ei draed bryd hynny, a chan ein bod ninnau'n byw ym
Mangor Uchaf gallwn bicio i mewn i'w gweld yn rhwydd.
Gwyddwn y byddai ei chlust yn sownd i'r radio bob tro
y byddwn i ar unrhyw un o raglenni Radio Cymru, a
gofynnodd tybed a fyddwn i'n rhoi cyfarchion iddi hi ar y
Sadwrn canlynol.

A minnau wedi gwneud adduned i mi fy hun *na* fyddwn
yn sôn am fy nheulu na'm ffrindiau pan fyddwn yn
sgwennu unrhyw erthygl neu'n cyflwyno unrhyw raglen,
fe'i cawn hi'n anodd meddwl sut y down dros y broblem
heb frifo teimladau Mam. Pe bawn yn westai ar unrhyw
raglen arall a'r cyflwynydd yn fy holi i amdanynt, yna
doedd dim modd osgoi siarad amdanynt wrth gwrs. Ond
fi oedd cyflwynydd *Ribidirês* ac roeddwn wedi gwneud
adduned na fyddwn yn manteisio mewn unrhyw fodd i
hyrwyddo a sôn am fy nheulu na'm busnes fy hun.

Dois dros y broblem drwy ddweud fod Tirion a Mirain
yn anfon coflaid a sws anferth i'w Nain Llan, oedd ar y pryd
yn aros am lawdriniaeth yn Ysbyty'r C&A ym Mangor, ac
y bydden nhw draw yno mewn rhyw awr hefo anrheg i
Nain. Falla na phlesiodd hynny Mam yn llwyr, ac mae gen
i ddarlun o lond ward o gleifion wedi'u gorfodi i eistedd o
gwmpas y radio i wrando ar *Ribidirês* y bore hwnnw.

Ac felly yr oedd Mam hyd ei hanadliad olaf. Drwy
gydol yr holl amser y bu hi i mewn ac allan o'r ysbyty
(am ddeng mlynedd a mwy) fe siaradai amdana i'n ddi-

baid hefo'i chyd-gleifion. Erbyn i mi gyrraedd y ward i edrych amdani, roedd pawb yn gwybod pwy oeddwn i, lle roeddwn i wedi bod a beth fyddwn i'n ei wneud nesaf. Hyd yn oed y rheiny nad oedd ganddyn nhw unrhyw fath o ddiddordeb yn fy ngyrfa – fe gaent wybod pob manylyn o'm hanes. Synnwn i damaid na chaent wybod be oeddwn i wedi'i gael i frecwast hyd yn oed!

Ceisiwn ddal pen rheswm hefo hi weithiau mai dod yno i'w gweld hi yr oeddwn i ac nid i ddiddanu'r ward gyfan. Ond doedd dim symud arni. Ei theulu oedd popeth iddi. Wedi byw drwy amseroedd mor galed, rwy'n sylweddoli erbyn hyn mai drwyddan ni a'n llwyddiannau a'n methiannau yr oedd Mam druan yn byw. Er mor rhwystredig oedd cyrraedd y ward a'i chlywed yn cyhoeddi i'r byd a'i frawd fod 'Cefin wedi cyrraedd', rwy'n difaru erbyn hyn imi fod mor bigog hefo hi ar adegau. Ond yn rhy hwyr, mae arna i ofn.

Hyd yn oed pan fu'n rhaid torri ei hail goes 'nôl yn 1992, roedd hi'n dal i'm gweld i drwy sbectol wahanol i bawb arall. Roedd un o'r nyrsys ar Ward Dulas wedi gofyn imi a allwn i fod yno wrth erchwyn ei gwely pan ddeuai'n ôl wedi'r llawdriniaeth olaf a gafodd. Rhoddodd ryw syniad o amser imi pryd y byddai'n debygol o ddeffro gan y byddai'n dda iddi gael rhywun yno'n gwmni.

Mae'r ysbyty'n gallu bod yn lle unig iawn yn aml, ond gallwn ddychmygu fod dod atoch eich hun wedi colli un o aelodau eich corff yn brofiad trawmatig ac emosiynol iawn. Wedi bod drwy'r ffasiwn boen gyda'r cyflwr ei hun, mae ambell un yn deffro ac yn dal i deimlo'r boen gwreiddiol ar ôl y trychu – *phantom pain* yw'r term, os cofia i'n iawn. Y cyngor oedd trio cysuro'r claf fod popeth wedi mynd yn iawn ac yn sgil hynny eu hatgoffa hefyd o'r hyn a oedd wedi digwydd.

Roedd hi'n ddau o'r gloch pan ddechreuodd Mam stwyrian a dod ati ei hun. Anwesais ei llaw gan drio dweud wrthi mai fi oedd yno a bod popeth wedi mynd yn weddol esmwyth.

'Fi sy 'ma, Mam. Dach chi'n nabod 'yn llais i?'

Mi how nodiodd a deud, 'Cefs'.

'Bob dim 'di mynd yn iawn, medda'r doctor.'

'Ma ssy dy shi otso,' bwnglerodd.

'Dach chi'n gyfforddus, Mam? Sgynnoch chi boen?'

'Mad glewu ds ffo'sh o otso,' ymdrechodd wedyn.

'Dwi'm yn 'ych deall chi, Mam. Be dach chi'n ddeud?'

Agorodd ei llygaid ac edrych yn syth i fyw fy rhai i, ac meddai: 'Ma'r dyn yn y gwely dros ffor' isio dy otograff di.'

Drwy ei phoen ac wedi'r holl dreialon, yn un o oriau tywyllaf ei bywyd, fi oedd ar ei meddwl!

Fe rown y byd am fod wedi cael Mam a Dad yn bresennol ym mharti agoriad swyddogol adeilad newydd yr ysgol ym Mharc Menai 'nôl yn 1995. Ddaru 'run o'r ddau ohonan ni freuddwydio y byddem, ryw ddiwrnod, yn *adeiladu* ysgol ar ein liwt ein hunain. Ond byddai'r achlysur wedi bod yn llawer mwy cyflawn i mi pe bai fy rhieni wedi cael byw i weld y busnes, yn llythrennol, yn sefyll ar ei draed ei hun.

Cropian cyn cerdded

Ar y dechrau, cynhaliem y rhan fwyaf o'n gwersi yn Ysgol David Hughes, Porthaethwy, a theithiem i'r amrywiol ysgolion dyddiol yn ystod y dydd. Roedd ein gweithdai yng Nglanaethwy wedi'u rhannu i oedrannau gwahanol a'r gwersi'n cael eu cynnal wedi oriau'r ysgolion dyddiol. Arferai'r Côr Iau gyfarfod ar nosweithiau Mercher a'r Côr Hŷn ar nosweithiau Gwener. Mae'r drefn wedi newid ychydig dros y blynyddoedd, ond mae'r patrwm cyffredinol fwy neu lai wedi aros yr un fath.

Roedd rhyw dri deg ym mhob dosbarth ac fe wyddem o'r cychwyn mai'r her fwyaf fyddai trio dyfeisio deunydd ar gyfer pob dosbarth. Penderfynom o'r dechrau'n deg nad gweithdai yn unig y byddem yn eu cynnig. Er y gallem yn hawdd fod wedi cadw at y patrwm syml hwnnw o ddysgu amrywiol sgiliau perfformio yn unig i'n disgyblion, teimlem na fyddai hynny'n rhoi'r profiad llawn iddynt o berfformio heb roi troed ar lwyfan a chlywed ymateb cynulleidfa. Rhaid oedd anelu am berfformiad lle byddai pobl yn dod yno i'w gwylio a'u gwerthfawrogi. I mi, mae cymeradwyaeth yn fwy o wefr i berfformiwr nag unrhyw wobr neu gyflog. Adwaith y dorf sy'n rhoi'r pleser mwyaf i unrhyw un ohonom sy'n mwynhau bod ar lwyfan. Tydi addysg y perfformiwr ddim yn gyflawn hebddo.

Rwy'n cofio fy niweddar ffrind Iola Gregory yn gofyn imi unwaith pam yn y byd mawr yr oeddwn i'n mynd â'r disgyblion i gystadlu. Doedd hi ddim yn or-hoff o'r elfen gystadleuol, yn enwedig yn ein heisteddfodau yma yng Nghymru. Mae sawl perfformiwr yn teimlo'r un fath, ac fe ddof at hynny yn y man. Ond roedd Iola yn ddarpar riant ac yn un nad oedd byth yn fyr o ddweud ei meddwl yn blwmp ac yn blaen wrthoch chi. Fe wnâi hynny weithiau er mwyn tynnu'n groes a chreu trafodaeth. Ond fe wyddwn, y tro hwn, ei bod o ddifrif yn gofyn ei chwestiwn.

Roedd Rhian a finna wedi meddwl llawer am hyn ymlaen llaw, ymhell cyn anfon ffurflenni allan yn 'sgota am ddisgyblion. Felly, roedd fy ateb yn syml, ac fel pob pregethwr gwerth ei halen roedd iddo dri phen.

Yn gyntaf, mae trefnu cynulleidfa yn gymaint o waith ag ydi paratoi eich deunydd ac ymarfer – mae hefyd yn gostus. Rhaid llogi neuadd, creu posteri a thocynnau, chwilio am nawdd a gwneud cyfweliadau radio a theledu. Mae'n beiriant ynddo'i hun sy'n cymryd amser ac egni – ac roeddem yn barod i wneud hynny ac *wedi* gwneud hynny gannoedd o weithiau dros y blynyddoedd. A chredwch chi fi, mae'n waith caled dros ben. Ond os rhowch eich enw i lawr i gystadlu mewn unrhyw gystadleuaeth, boed honno yn Tsieina neu yn Llanllyfni, yn Llundain neu yn Llanbidinodyn, mae popeth, ar wahân i'r ymarfer, wedi'i wneud drosoch chi. Mi gewch hefyd feirniadaeth sydd, saith gwaith allan o bob deg, yn werth ei darllen.

Ail ben yr ateb oedd ein bod ni hefyd yn ymwybodol yr aem i rigol os na fyddem yn amrywio ein patrwm rŵan ac yn y man. Dyna pam rydan ni bob amser yn newid ein rhaglen ambell flwyddyn wedi inni ddarganfod fod cymaint o amrywiaeth o wyliau cerdd a drama allan yna sy'n cynnig eu profiadau unigryw eu hunain. Mae gennych chi Music for Youth, y Barclays Music Theatre Awards, Llangollen, yr Urdd a'r Genedlaethol, Musica Mundi, yr Ŵyl Ban Geltaidd, Côr Cymru, Choir of the World, *BBC Choir of the Year*, *Last Choir Standing* a *Britain's Got Talent*, i enwi dim ond rhai.

Cystadlu roddodd y cyfle inni deithio i'r Eidal ac Wcráin, Bwlgaria, y Weriniaeth Tsiec ac Iwerddon, Patagonia a'r Alban, Buenos Aires ac Efrog Newydd. Ein llwyddiant ar *BGT* a'r gyfres *Last Choir Standing* ddaeth â'r gwahoddiadau inni deithio i rai o'r lleoliadau mwyaf yma ym Mhrydain. Neuaddau fel yr Albert Hall a Chanolfan y Mileniwm, y Bridgewater Hall a'r Lowry ym Manceinion, y Liverpool Philharmonic a'r Birmingham Symphony Hall, Canolfan yr O2 a'r Festival Hall yn Llundain. Profiadau a gwahoddiadau a ddeilliodd bob amser o gystadlu.

Yn dilyn ein llwyddiant ar rai o'r cystadlaethau mawr, mae YouTube hefyd wedi chwarae ei ran o'n plaid yn aml. Unwaith mae eich perfformiadau'n cael eu llwytho ar hwnnw mae miliynau ar filiynau'n dod i'ch nabod bron dros nos. Mae'r ymatebion ddaw yn sgil hynny o bob cwr o'r byd wedi bod yn anhygoel, a fyddai gan Rhian na finna ddim clem sut i fynd ati i greu'r fath beirianwaith ein hunain. Mae cystadlu wedi gwneud y gwaith hynny drosom ni o'r cychwyn yn deg.

A'r trydydd pen i fy ateb oedd nad oes dim o'i le ar golli. Os oedd rhai o'n disgyblion yn mynd i ddewis perfformio fel gyrfa, a dyna oedd ein gobaith wrth gwrs, yna byddai'n rhaid iddyn ddysgu cynefino â cholli'n rheolaidd. Naw gwaith allan o bob deg mae hyd yn oed y perfformwyr mwyaf llwyddiannus yn gorfod derbyn 'Na' fel ateb. Mae pob actor, canwr, dawnsiwr ac offerynnwr yn byw gyda chlywed y gair bach yna yn gyson. Mae 'na gannoedd bob amser yn ymgeisio am yr un rhan, a dim ond un, maes o law, fydd yn clywed y gair 'Ie'. Mae'r gweddill yn mynd adre i fwytho'u hunandosturi ac i ailadeiladu eu hunain eto ar gyfer y clyweliad nesaf. Mae cystadleuaeth yn rhan annatod o fywyd perfformiwr. Amen!

Dwi'n credu i Iola ddeall beth oedd gen i ar ddiwedd ein sgwrs. Bu'n gefnogol iawn inni o'r dechrau cyntaf a chawsom y fraint, dros y blynyddoedd, o ddysgu ei merched, Angharad a Rhian Blythe, ac rydan ni bellach yn dysgu ei hwyrion a'i hwyresau. Ac fel roedd yn arfer gan Iola ar ddiwedd sawl trafodaeth, a hynny yn oriau mân y bore, ei hadwaith i gloi yn amlach na pheidio fyddai: 'Difyr!'

Doedd yr un eiliad yng nghwmni Iola nad oedd yna ryw ddifyrrwch o'i gwmpas. Beth bynnag fyddai'r achlysur, sgwrs neu gynhyrchiad, fe fyddai pawb isio gwbod 'be oedd Iola'n feddwl?' Doedd o ddim bob amser yr hyn a ddisgwyliech nac y gobeithiech ei glywed ond roedd o *bob amser* yn . . . ddifyyyyyr!

'Dal fi'

Roedd y flwyddyn gyntaf yn galed eithriadol a chydag ôl-ddoethineb dwi'n argyhoeddedig inni roi gormod o bwdin yn ein powlen yn y blynyddoedd cynnar. Mae'n bosib mai'r rheswm dros y gorlenwi oedd ein bod yn ofni y byddai rhai elfennau o'r busnes yn methu ac y gallem ganolbwyntio ar yr hyn oedd yn gweithio wrth inni fynd yn ein blaenau. Fel y bydd ambell fwyty'n rhoi gormod o ddewis ar eu bwydlen a dim digon o le yn y gegin i gadw popeth, roeddem ninnau wedi llenwi'r amserlen fore, pnawn a nos heb sylweddoli fod angen amser i baratoi, trefnu a sgriptio, heb sôn am fagu teulu a chymdeithasu a gorffwys.

Roedd y ddwy flynedd gynta'n un gybolfa o redeg a rhusio, o gropian a baglu, ac weithiau o syrthio'n glewt. Er 'mod i'n amau y byddai gwrthwynebiad i'r hyn yr oeddan ni ar fin ei gychwyn, doedd yr un ohonan ni wedi paratoi ein hunain am y fath elyniaeth a'r geiriau cas a gawsom ar y dechrau. Llythyrau dienw ac ambell adolygydd a chyflwynydd radio yn chwilio am unrhyw gyfle i dynnu blewyn o'n trwynau.

Daeth y gelpan gyntaf, ac o bosib y galetaf, i'n rhan ar ddiwedd yr ail dymor pan aethom ag un dosbarth i gystadlu yn Eisteddfod Sir yr Urdd yn Ysgol John Bright yn Llandudno. Roeddan ni'n cystadlu ar y gân actol, a phan gyrhaeddom a gweld ambell wyneb cyfarwydd yn troi eu cefnau arnom yn y coridorau, cyn inni hyd yn oed fynd i mewn i'r neuadd, roedd o fel petaem ni wedi cerdded i mewn i ryfel oer, yn alltud yn ein bro ein hunain. Roedd fy nghalon fel y plwm a'm hysbryd yn deilchion. Daethom yn drydydd allan o dri a chawsom feirniadaeth lugoer. Ar fy ffordd allan fe ddaeth ambell un ata i'n methu deall y dyfarniad ac yn teimlo drostan ni. Ond nid y canlyniad oedd ar fy meddwl, na'r feirniadaeth; 'rhydd i bawb ei farn' oedd peth felly. Yr hyn a'm blinai oedd fy mod i'n teimlo fel estron ar fy nhiriogaeth fy hun.

Aethom am baned i'r dref a dyna pryd y sylweddolais fod Rhian yn llawer cryfach na fi. Mae ganddi hi well asgwrn cefn na f'un i o beth mwdril. Tybed oeddwn i wedi disgwyl y byddai'r eisteddfodwyr wedi'n derbyn ni â breichiau agored ac wedi gwerthfawrogi'r cyfle roeddan ni'n ei gynnig i'r rhai na fyddai wedi cael unrhyw gyfle o gwbwl i gystadlu oni bai am Glanaethwy? Roeddem wedi sicrhau o'r cychwyn yn deg nad oedd unrhyw ddisgybl oedd wedi'i ddewis i gymryd rhan gyda'i ysgol ddyddiol i gael cystadlu dan enw Glanaethwy. Roedd pawb i roi blaenoriaeth i'w hysgol, ac os nad oeddynt wedi'u dewis gan eu hathro, yna byddai croeso iddynt gystadlu dan enw Glanaethwy.

Roeddem, o'r dechrau, yn cynnig hyfforddiant yn rhad ac am ddim i blant a phobl ifanc a ddeuai o gefndiroedd difreintiedig. Doeddan ni ddim am gau'r drws ar unrhyw un oedd yn awyddus i ymuno â'r ysgol. Ond doedd yr un cyflwynydd na phapur newydd fel pe baen nhw'n rhoi lle i ffeithiau fel hyn ymddangos a byddai'n cael ei olygu o unrhyw raglen neu erthygl, waeth faint y ceisiem ledaenu'r wybodaeth. Roedd creu dadl yn bwysicach na thawelu unrhyw storm a bu'n rhaid byw gyda'r math yna o agwedd o'r cychwyn cyntaf.

Ond fe hitiodd y profiad cyntaf hwnnw yn Ysgol John Bright fi fel gordd. Cymaint felly nes imi fethu meddwl yn glir am sbel. Wrth lwc, roedd hi'n wyliau'r Pasg a mynnodd

Rhian ein bod yn mynd ar wyliau i geisio tawelu'r holl amheuon oedd yn mynd drwy fy meddwl. Wedi rhoi ein gyrfaoedd i fyny ac wedi buddsoddi yn y busnes, heb sôn am dalu'r biliau dyddiol, doedd gen i 'mo'r awydd lleiaf i gario mlaen wedi profiad mor chwerw a chlywn lais Iola'n canu yn fy mhen: 'I be dach chi isio cystadlu?'

Dwi ddim yn credu i'r gwyliau leihau dim ar y felan a deimlwn ac roedd meddwl am ailafael yn y gwersi wedi'r gwyliau'n teimlo fel dringo mynydd anferth a minnau ddim yn y gêr iawn, heb sôn am wybod pa ffordd i fynd. Heb Rhian, dwi'n gwybod yn iawn na fyddwn i wedi medru cario mlaen. Roedd yn trio f'atgoffa i drwy'r amser mai lleiafrif yw'r rhai sy'n gwrthwynebu a bod ymateb y disgyblion a'r rhieni i'r gwersi wedi bod yn gadarnhaol drwy'r ddau dymor a phawb yn edrych ymlaen i barhau â'r gwersi.

Fe sgwennais i gân iddi. Wyddwn i ddim ar y pryd y byddai'r geiriau hynny'n cael eu defnyddio mewn sioe o'r enw *Breuddwyd Roc a Rôl* ymhen ychydig flynyddoedd ac y byddai'r ysgol wedi symud yn ei blaen yn go bell erbyn hynny. Fy ffordd fach i o ddiolch i Rhian yn achlysurol ydi'r cerddi a'r caneuon fydda i'n eu sgwennu iddi, ar gardiau pen blwydd a chardiau Dolig yn bennaf. Dwi'n ei chael hi'n llawer haws mynegi 'nheimladau ar fydr ac odl nag ydw i drwy siarad, fel y rhan helaethaf o bobl. Hen, hen reddf na alla i 'mo'i newid bellach:

> Peth hawdd 'di rhoi i fyny,
> Peth hawdd 'di troi dy gefn,
> Peth hawdd 'di rhoi y ffidil yn y to.
> Mae meddwl am gael ildio,
> Mae meddwl am gael peidio
> Yn troi a throsi yn fy mhen ers tro . . .
>   Ond
> Dwi'shio cario mlaen,

Dwi'shio cael y maen i'r wal.
Weithia dwi'm yn saff,
Weithia does dim rhaff i'm dal.
  Wo-o-o
Dal fi,
Rhag 'mi
Ildio yn llwyr.
Wo-o-o
Dal fi
Cyn 'ddi
Fynd yn rhy hwyr.

Y bore canlynol, ar ôl sgwennu'r gân, daeth llythyr drwy'r blwch post o Lundain yn deud ein bod wedi mynd drwodd i'r rownd derfynol yng nghystadleuaeth Music for Youth mewn tri chategori, sef y Côr Cynradd, y Côr Hŷn a chategori'r Juniors at the Festival – categori lle caech gyflwyno unrhyw arddull o gerddoriaeth ac eithrio canu corawl neu gerddorfaol, categori oedd yn chwilio am fwy o lwyfaniad gweledol neu arbrofol.

Cynhaliwyd y gwrandawiadau ar gyfer y gystadleuaeth mewn amrywiol ganolfannau drwy Brydain. Wigan oedd y man agosaf i ni o Fangor, ac mi gofiaf i dri llond bỳs ohonom ei chychwyn hi am ogledd Lloegr un bore Sadwrn ym mis Chwefror 1991. Pob un â'i becyn bwyd a'i wisg, yn union fel y byddem yn arfer mynd i Eisteddfod yr Urdd pan oeddem yn blant, a phawb yn canu ar dopiau'u lleisiau.

Ceisiodd Rhian f'atgoffa o'r gwrandawiad hwnnw pan oeddwn ar fy man isaf yn Efrog. Pawb yn gefnogol, hyd yn oed y corau a'r grwpiau oedd yn cystadlu yn ein herbyn yn dod atom i ddweud cymaint roeddan nhw wedi mwynhau ein rhaglen ac am wybod mwy amdanom. Cawsom feirniadaeth ac ymateb arbennig ond 'nes i erioed freuddwydio y byddai'r tri grŵp yn cael gwahoddiad i'r ffeinal yn Neuadd y Queen Elizabeth a'r Festival Hall ar y South Bank. Darllenais y llythyr ddwy neu dair o weithiau i wneud yn siŵr 'mod i wedi cael y ffeithiau'n iawn.

Roedd pethau'n dechrau edrych yn well yn barod. Wedi teimlo fel alltud yn fy ngwlad fy hun ychydig wythnosau ynghynt, roedd gennym newyddion da i'r disgyblion ar ddechrau tymor yr haf. Ac wedi cael gwrandawiad ar gyfer y Barclays Music Theatre Awards y mis Mai canlynol, cawsom wybod hefyd ein bod wedi ein dewis allan o ugeiniau o grwpiau theatr eraill i fod yn un o wyth oedd i ymddangos yn y ffeinal yn y Queen Elizabeth Hall yn yr hydref. Roedd y grŵp iau a'r grŵp hŷn wedi'u dewis – byddai'n rhaid trefnu mwy o fysys a mwy o westai. Ond yn gyntaf roedd angen agor potel o win i ddathlu. Trefnwyd barbeciws a boreau coffi rif y gwlith i godi arian ar gyfer yr holl deithiau. Roedd olwynion Glanaethwy'n dechrau symud i'r cyfeiriad iawn o'r diwedd a phawb wedi cynhyrfu'n lân.

Dwi'n cofio torri'r newyddion i'r dosbarth dan ddeuddeg ar ddechrau'r tymor. Roedd hi'n ganol mis Ebrill, ac fe'u holais oedd gan unrhyw un ohonyn nhw gwestiwn. Rhoddodd dwy ohonynt eu dwylo i fyny, a dwi'n meddwl bod y ddau gwestiwn yn rhoi darlun eitha clir ichi o'r amrywiaeth cefndiroedd y daw ein disgyblion ni ohonynt.

'Fydd 'na *room service*?' holodd un. Cwestiwn nad oedd gen i ddim math o ateb iddo ar y pryd. Yna holais y llall beth oedd ei chwestiwn hi.

''Sisio dŵad â bechdana?' holodd hithau.

'Wel, ma' siŵr bysa hynny'n syniad da, Lowri,' atebais. 'Ond fyswn i'm yn rhuthro i'w gneud nhw am sbel eto, cofia.'

Newid gêr

Chafodd yr un copa walltog ohonan ni *room service* ar y daith gyntaf honno i Lundain, wrth gwrs, ond fe gafwyd tunelli o 'fechdana'. Does dim un trip yn gyflawn heb i rywun ar y bỳs ofyn, 'Gymith rywun fechdan yma? Dwi 'di gneud gormod braidd.' Ond y cwestiwn mwyaf poblogaidd mewn unrhyw gar neu fỳs, wrth gwrs, ydi, 'Pryd 'dan ni'n ca'l stopio?'

Un o uchafbwyntiau *pob* trip y buom arno oedd stopio yn y gwasanaethau rywle yng nghyffiniau Birmingham. Roedd gan bob gyrrwr ei ffefryn ond doedd affliw o wahaniaeth gan neb arall, 'mond fod yno doilet, panad go dda, tsips a Diet Coke . . . a siop. Byddai rhai o'r plant wedi mynd drwy hanner eu pres gwario ymhell cyn inni gyrraedd y ddinas fawr ei hun.

Dwi'n cofio cychwyn o un o'r gwasanaethau ar un trip a holi 'Ydi pawb yma' a llond bỳs o leisiau'n gweiddi 'Ydan!' dros y lle. Cyfri penna'r disgyblion a gofyn oedd pob dim ganddyn nhw. Yna, fel roeddan ni'n gadael, un llais bach yn dod o'r cefn. Llais Gwyneth Glyn ddengmlwydd yn gweiddi 'Taid!' Roedd 'Taid' wedi dod ar y trip i gadw llygad ar Gwyneth, ond dwi'n credu mai fel arall oedd hi drwy gydol y daith.

Yng ngwesty'r Cadogan roeddan ni'n aros, y rhataf y gallem ei ffeindio o fewn cyrraedd i'r South Bank. Dwi'n cael ar ddallt ei fod yn dipyn crandiach lle erbyn hyn ac yn bum seren, yn ôl y sôn. Ond roedd yno ddigon o awyrgylch hyd yn oed bryd hynny. Mae'n debyg y byddai Lillie Langtry yn arfer mynychu'r gwesty yma pan oedd hi'n byw yn yr ardal. Roedd y bar ei hun yn dal i gadw peth o hen nodweddion y cyfnod hwnnw ac felly roedd naws theatrig iawn iddo. Rhad a theatrig – perffaith.

Ond hwn oedd ein profiad cyntaf o gyrraedd gwesty â llond tri bỳs o ddisgyblion a rhieni angen eu hallweddi i gael dadbacio, setlo i mewn a rhyw 'un bach' yn y bar. Fe ddysgom yn gyflym iawn y byddai rhoi rhestr o enwau pawb i'r dderbynfa wedi hwyluso dipyn ar y broses. Dysgom hefyd fod plant a phobl ifanc yn llawer mwy amyneddgar na rhieni ac oedolion. Fe gymerodd sbelan go lew i ddidoli'r cyfan, a doedd o ddim math o help pan ddaeth un o'r rhieni oedd wedi cael ei hallwedd hi'n gyntaf i lawr y grisiau i'r dderbynfa a chyhoeddi: 'Gin i gocrotsian yn fy stafall!'

Doedd nifer o'r disgyblion erioed wedi bod yn Llundain cyn eu trip cyntaf hefo Glanaethwy, ac edrychwn ymlaen at weld eu hymatebion gwahanol wrth inni basio ambell adeilad neu siop go enwog. Ond yr hyn a dynnai sylw'r disgyblion fwyaf oedd y trueiniaid oedd yn cysgu wrth fynedfeydd y siopau mewn bocsys a sachau cysgu. Roedd y ddinas gardfwrdd ar y South Bank yn ei hanterth yr adeg honno a phan gyrhaeddon ni'r Festival Hall roeddan nhw yno yn eu cannoedd.

Sioe am hunanoldeb dyn a'i awch am wario oedd testun ein rhaglen yn y categori Juniors at the Festival. Tlotyn unig oedd y prif gymeriad, a hwnnw'n gwylio'r siopwyr gwallgof yn mynd heibio iddo a 'run adyn yn sylwi ar ei drueni. A dyna lle roedd yr wynebau bach cegrwth yn edrych allan drwy ffenest y bỳs yn gweld stori eu sioe yno'n fyw o'u blaenau.

O'r diwedd, fe deimlwn fod ein gweledigaeth yn dechrau dwyn ffrwyth. I hyn, wedi'r cyfan, yr aethom ati i sefydlu'r ysgol: i roi profiadau nad oedd wedi bod ar gael iddyn nhw yn unman arall cyn hynny i blant a phobl ifanc – a hynny yn Gymraeg. Profiad o baratoi, teithio, aros mewn gwesty, perfformio yn rhai o'n prif neuaddau, beirniadaeth gan banel o feirniaid rhyngwladol. I goroni'r cyfan, fe gawsom y brif wobr o blith pum cwmni ar hugain oedd wedi'i gwneud hi i'r ffeinal. Ond fel y soniais ynghynt, eisin ar y gacen yw pob gwobr.

Diolchodd un fam imi yn ystod y daith am fod ei mab wedi cael bod yn rhan o dîm am y tro cyntaf yn ei fywyd. Doedd o ddim yn bêl-droediwr nac yn chwarae rygbi, felly Glanaethwy oedd ei dîm o wedi hynny. A byth ers hynny mae ein cyn-ddisgyblion yn dal i ddeud mai yng Nglanaethwy ddaru nhw wneud y rhan fwyaf o'u ffrindiau gorau. Ffrindiau am oes.

Ychydig wythnosau cyn y ffeinal ces alwad ffôn gan Peter Elias Jones, Rheolwr Adloniant HTV ar y pryd. Roedd wedi clywed ein bod yn mynd i gystadlu i Lundain a'n bod mewn tair ffeinal, ac yn awyddus i ffilmio'r holl daith. Felly, i ychwanegu at yr holl firi o deithio efo tri llond bỳs o blant a phobl ifanc, rhieni a neiniau a theidiau i'r brifddinas bell, roedd gennym hefyd ddau griw camera'n ein dilyn ar hyd y daith.

Roedd yn sylw ardderchog i ni wrth i'n menter ddod i ddiwedd ei blwyddyn gyntaf ac yn sbardun i mi wedi'r siom a deimlais dros wyliau'r Pasg. Roedd hefyd yn gofnod o'r garreg filltir gyntaf yn hanes yr ysgol pan ddarlledwyd rhaglen ddogfen awr o hyd ar S4C yn ystod gwyliau'r haf. Roedd mwy a mwy o enwau'n dod ar ein rhestr aros a ninnau eisoes yn orlawn.

Daeth y Côr Iau yn fuddugol yn eu categori hwythau hefyd ac er na ddaeth y Côr Hŷn i'r brig y flwyddyn honno fe gawson nhw wobr 'highly commended' a chanmoliaeth uchel iawn gan y beirniaid.

§

A'r Eisteddfod Genedlaethol yn dynn wrth sodlau'r ŵyl roedd yn rhaid mynd ati'n syth i fireinio'r criw hŷn ar gyfer honno. Roedd Gwobr Richard Burton newydd ei sefydlu y flwyddyn cynt a buddugoliaeth Daniel Evans wedi rhoi statws i'r gystadleuaeth o'r cychwyn cyntaf.

Roedd tair o ddisgyblion y dosbarth hŷn yn awyddus i gystadlu, sef Bethan Atherton a Fflur Owen o Ysgol Eifionydd a Non Llywelyn o Ysgol Brynrefail. Roedd y tair yn lled ifanc i fod yn cystadlu dan bump ar hugain, ond pwy oeddwn i i luchio dŵr oer ar awyddfryd actorion ifanc, brwdfrydig?

Cawsom wahoddiad hefyd i lwyfannu awr o adloniant yn Theatr Fach y Maes ar ddydd Mercher y Steddfod. Rhoddodd hyn gyfle inni berfformio'r holl eitemau llwyddiannus fu yn Llundain, yn ogystal â'r cyflwyniad llafar oedd wedi dod i frig y gystadleuaeth yn yr Eisteddfod ar y dydd Llun blaenorol.

Fel roeddwn i'n casglu 'mhraidd y tu allan i'r theatr, pwy welwn i'n dod tuag ata i ond Norah, yn wên o glust i glust. A minnau, yr actor oedd wedi troi'n athro – o'r diwedd – yn ei chyfarch. Er nad oeddwn mewn stafell ddosbarth, yn athro mewn ysgol arferol, o leia roeddwn yn dysgu plant – a dwi'n siŵr fod hynny'n ddigon da i Norah. Mae'n bosib ei fod hyd yn oed yn well, o ystyried ei bod hithau wedi torri tir newydd yn ei dydd. Fel prifathrawes yr Ysgol Gymraeg gyntaf erioed, fe wyddai Norah'n iawn beth oedd mentro, wynebu gwrthwynebiad a thorri eich cwys eich hun.

Roedd yna giw anferth y tu allan i Theatr Fach y Maes, ac fel sy'n arferol yn y perfformiadau ymylol yn ystod wythnos y Steddfod, gall y ciw nadreddu am sbelan go faith. Er ei gwydnwch, dynes eiddil iawn oedd Norah, a mynnais ei bod yn dod i mewn drwy ddrws y cefn ac eistedd yn ei sedd yn y theatr cyn i'r drysau agor. Hi oedd y gyntaf i sefyll ar ei thraed ar ddiwedd y perfformiad ac roedd y gymeradwyaeth yn fyddarol. Mor wahanol i'r oerni roeddan ni wedi'i deimlo chydig fisoedd ynghynt. Does dim byd fel teimlo gwres cynulleidfa yn lapio amdanoch chi. Roedd Norah ar ben ei digon, a daliodd fy llygaid wrth i Rhian a finna gydnabod y gymeradwyaeth. A ches gip o winc werthfawrogol yn ei llygaid hefyd.

J. O. Roberts oedd beirniad Gwobr Richard Burton y flwyddyn honno. Yn syth wedi'r rhagbrawf yn Theatr Fach y Maes, fe safodd ar ei draed a cherdded i'r blaen i gyhoeddi pwy oedd i ymddangos ar y llwyfan, sef Bethan, Fflur a Non, fy nhair disgybl. Rhoddodd air o gyngor i bawb oedd wedi cystadlu ac egluro'r rheswm dros ei ddewis. Dywedodd ei bod yn bwysig eich bod yn dewis monologau cymeriadau sydd o fewn eich cyrraedd a'ch dealltwriaeth. Nid meistroli a mireinio techneg sy'n bwysig ond nabod a byw eich cymeriad hefyd. Bethan, Fflur a Non, yn ei dyb ef, oedd yr unig rai i wneud hynny y flwyddyn honno a dyna pam nad oedd am oedi cyn cyhoeddi'r enwau.

Yn syth ar ôl perfformiad Glanaethwy ar y maes fe anelais am gefn y pafiliwn i gael gair sydyn â'r tair cyn eu cystadleuaeth. Wrth frasgamu tua'm cyrchfan gwelais Tudur Dylan wrthi'n sgwennu'n brysur wrth ei ddesg, oedd ar ganol y maes yn yr awyr agored. Lle rhyfedd i fod yn sgwennu, meddyliais. Fe'i holais pam oedd o'n chwilio am awen yn y fan honno o bob man yn y byd. Eglurodd ei fod yn codi arian at ryw elusen ac yn derbyn comisiynau gan eisteddfodwyr i lunio englyn ar gyfer pa achlysur bynnag a gymerai eu ffansi. Lle gwell gaech chi i osod eich desg i chwilio am gomisiwn i lunio englyn, meddyliais. Fe'i heriais yn y fan a'r lle i sgwennu englyn i Glanaethwy, talu'r ffi a'i hanelu hi am y pafiliwn. Ychydig wythnosau'n ddiweddarach fe gyrhaeddodd yr englyn hyfryd yma drwy'r post:

Nid ei dysg ydyw desgiau – na gweithio
　　Yn gaeth i sŵn clychau,
　　Ond doniau gwych plant yn gwau'n
　　Gariad at gân a geiriau.

Fydda i wastad yn rhyfeddu at ddawn cynganeddwyr; yn enwedig englynwyr. Sut yn y byd mawr maen nhw'n llwyddo i grynhoi cymaint mewn cwta dri deg o sillafau? Fe ymunais ag Ysgol Farddol Dylan a Mererid (Hopwood) flynyddoedd yn ddiweddarach, pan fûm yn byw yng Nghaerfyrddin am sbel. Er cystal y gwersi ac er imi ennill y gadair mewn ambell eisteddfod leol am f'ymdrechion cynganeddol, dwi ddim eto wedi llwyddo i fireinio dim ond un englyn rydw i'n gwbwl hapus â fo. Mwy am hynny yn nes ymlaen.

　　Non Llywelyn oedd yn fuddugol ar y gystadleuaeth, ac ers hynny mae rhesiad go dda o'n disgyblion wedi dod i'r brig yng Ngwobr Richard Burton, a nifer fawr ohonyn nhw'n dal i actio a chyfrannu'n helaeth i fyd y theatr a'r cyfryngau: Nia Cerys, Rhys ap Trefor, Mirain Haf, Owain Edwards, Dyfan Dwyfor, Carwyn Llŷr, Cedron Siôn a Cai Fôn, i enwi dim ond rhai.

　　Ac felly y daeth ein blwyddyn gyntaf i ben yn ystod haf '91. Blwyddyn ryfedd, anodd a chofiadwy iawn am nifer o resymau. Wedi sawl tolc a siom, fe edrychodd Rhian a finna i fyw llygaid ein gilydd a holi'n onest oeddem ni wir am gario mlaen. Doedd ganddon ni ddim dewis rhoi'r gorau iddi'n syth gan fod gennym ddwy gystadleuaeth go fawr yn Llundain yn yr hydref. Ond mwya'n y byd yr oeddan ni'n ei wario ar wisgoedd a phrops a marchnata a'r rhestr aros yn tyfu, byddai'n rhaid gwneud penderfyniad yn hwyr neu'n hwyrach. Yr 'hwyrach' aeth â hi yn y diwedd, a dewis gohirio'r penderfyniad – am y tro.

Aildanio

Rheswm arall pam y gwyddem ym mêr ein hesgyrn y byddai'n rhaid inni roi blwyddyn arall o leia o dreial iddi oedd ein bod wedi dechrau gweithio ar sgript ar gyfer llwyfannu sioe gerdd gynta'r ysgol y gwanwyn canlynol. Roeddwn wedi clywed cân gan Tudur Dylan i Fair Magdalen ar y teledu ac wedi fy swyno ganddi. Wedi gweld Dylan ar Faes y Steddfod a darllen ei englyn i'r ysgol, fe'i holais a fyddai ganddo ddiddordeb mewn cydsgwennu sioe efo fi. Mi dderbyniodd y gwahoddiad ac fe fentrais ei wthio ymhellach am gân agoriadol. Holais Gareth Glyn a fyddai ganddo ddiddordeb mewn cyfansoddi'r caneuon a derbyniodd yntau'n syth. Felly roedd y wagen wedi dechrau symud yn barod a rhaid oedd ei dilyn.

Wedi gweithio efo Gareth ar sawl cynhyrchiad i Bara Caws a'r Urdd yn y gorffennol, gwyddwn fod gen i bâr o ddwylo saff. Gareth hefyd gyfansoddodd y gerddoriaeth i raglen o'r enw *Dawn Cefin* wnes i i HTV flynyddoedd ynghynt – un o bedair rhaglen mewn cyfres ar ddoniau unigol diddanwyr Cymraeg ar y pryd. Gareth hefyd oedd arweinydd corau Aelwyd yr Urdd, Caerdydd, pan oeddwn i yno yn y coleg. Roedd ein partneriaeth yn mynd yn ôl yn bell iawn ac roeddem yn deall ein gilydd yn dda. Dwi ddim yn meddwl i Gareth gyfansoddi'r un gân a'm siomodd i erioed. Mae'n ddyn yr alaw gofiadwy, ac mae'n rhaid i gân gael alaw dda i 'mhlesio i, yn enwedig mewn sioe gerdd.

Waeth pa mor glyfar a mentrus yw'ch harmonïau, heb alaw, heb ddim.

Dros y blynyddoedd dwi wedi cael y fraint o weithio gyda sawl cerddor sy'n gallu dodwy caneuon cofiadwy, a hynny heb fod yn rhy fformiwläig: John Quirk, Geraint Cynan, Einion Dafydd, Delwyn Siôn ac, yn ddiweddar, Al Lewis a Steven Evans, un o'n cyfeilyddion yng Nglanaethwy. Ychydig iawn o ganeuon dwi wedi'u cyfansoddi fy hun erioed. Daw'r geiriau imi'n weddol rwydd a dwi wedi cyfieithu cannoedd o ganeuon o sioeau cerdd i sawl canwr dros y blynyddoedd. Mi alla i glywed rhyw gilcyn o alaw rŵan ac yn y man a dwi'n gwbod yn union lle dylai gair orffwys ac i ble y dylai llif y frawddeg fynd, ond prin y clywaf alaw drwyddi hyd ei diwedd. Ond gwn yn union os bydd cân yn taro deuddeg. Mae 'nhu mewn i'n deud 'Ia!' a dwi'n ddyn hapus iawn.

Aethom allan i wlad Groeg fel teulu ddiwedd haf '91 am wyliau i Parga, pentre bach hyfryd yng ngogledd-orllewin y wlad lle roedd y criciaid yn rhincian y tu allan i'r ffenestri a'r genau-goegiaid yn dod at y drws i fusnesu. Yno y dechreuais weithio o ddifrif ar *Magdalen*. Os oeddem am roi'r gorau iddi ar ôl dwy flynedd, yna rhoi'r gorau iddi hefo bang.

Ddechrau tymor yr hydref fe aethom ati ar unwaith i logi Theatr Gwynedd dros wythnos olaf gwyliau'r Pasg, paratoi a sgriptio prosiectau bychain eraill i'r dosbarthiadau iau a chreu deunydd addas i'r holl ysgolion yr oeddem yn ymweld â nhw yn ystod y dydd. Dyna pryd y dechreuodd wawrio arnom o ddifrif y fath gowlaid yr oeddan ni wedi'i chychwyn a pha mor feichus yw'r gwaith o redeg ysgol berfformio.

§

Buan iawn y daeth hi'n hydref a'r ail daith i Lundain yn agosáu. Llogwyd y gwestai a'r bysiau a mireiniwyd y sioeau. Bu'n rhaid i Rhian a finna fynd i lawr o flaen y disgyblion i gyfarfod technegwyr yr ŵyl. Gan mai cystadleuaeth i ddetholiadau o sioeau cerdd oedd y Barclays Music Theatre Awards, roedd gan bob ysgol, mudiad a chwmni eu gofynion technegol gwahanol. Fe wnâi'r trefnwyr yn siŵr fod pob cwmni'n cael 'perffaith chwarae teg' ac fe wnaent eu gorau i ateb gofynion pob un ohonom.

Wrth fynd i lawr ar y trên fe deimlem ychydig bach yn nerfus gan nad oeddan ni'n siŵr be'n union fyddai'n ein haros ar ben arall y daith mewn stafell grand yn y Festival Hall. Sioe am y Brenin Meidas oedd gennym gyda'r criw iau a chyflwyniad ar yr ymfudwyr cyntaf i Batagonia oedd gan y criw hŷn.

Roedd yna fwrdd anferth yn y stafell gyfarfod. Roeddan ni wedi dechrau ymgyfarwyddo â'r South Bank erbyn hynny gan mai yno y cynhaliwyd rowndiau terfynol Music for Youth hefyd. Ond profiad gwahanol oedd cerdded i mewn i stafell yn llawn technegwyr a chyfarwyddwyr y grwpiau eraill. Chwe grŵp yr un yn y ddau gategori oedd yna, ond gan fod ganddon ni sioe yn y ddau gategori roedd yno un ar ddeg o gwmnïau i gyd.

Aed o gwmpas y bwrdd yn trafod faint o feics radio a meics i'r offerynwyr oeddan ni eu hangen. Oeddan ni wedi diogelu'r set rhag tân? Oeddan ni wedi cael hawlfraint i'n caneuon? Ribidirês o gwestiynau a wnaeth inni deimlo fymryn yn ddibrofiad wrth wrando ar atebion a hyder gweddill yr arweinwyr. Ni oedd y cwmni olaf i nodi ein hanghenion i bob cwestiwn a theimlem braidd yn lletchwith pan oeddem yn ateb: 'no radio mics', 'no instruments', 'only piano', 'no set'. A chan fod ein sioeau'n wreiddiol (ar wahân i un gân) doedd dim angen fawr o hawlfreintiau arnom chwaith. Ar ddiwedd y cyfarfod fe ofynnodd un o'r technegwyr imi â'i dafod yn ei foch,

'Glanaethwy, are you sure you've *got* a show?' Chwarddodd pawb arall ond fe welwn fod y prif dechnegydd yn edmygu symlrwydd ein hatebion.

Ond roedd clywed y cwmnïau eraill yn trafod eu setiau a'u cerddorfeydd a'u hunawdwyr â'u meics personol wedi gwneud i Rhian a minnau amau nad oeddem wedi bod y ddigon uchelgeisiol yn ein llwyfaniad. Wel, byddai'n ysgol brofiad go dda inni'n dau, roeddem yn eitha siŵr o hynny.

Fe gyrhaeddodd y perfformwyr a'u teuluoedd y diwrnod wedyn, a'r tro yma roeddan ni wedi didol yr allweddi i bob ystafell yn y gwesty ymlaen llaw. Roeddan ni'n dysgu fesul taith ac yn ennill ychydig o hyder wrth ffeindio'n bod ni'n cael croeso twymgalon gan bawb, o'r technegwyr i'r gynulleidfa a'r cystadleuwyr eraill. Dwi ddim yn credu inni ddod ar draws unrhyw elfen o gythraul canu yn yr ŵyl yma tra buom yn ei mynychu.

Y diddanwr a'r darlledydd Richard Stilgoe oedd arweinydd y panel beirniaid ac fe gawsom feirniadaeth wych ganddo yn y ddau gategori. Dywedodd ei fod yn teimlo fod y Cymry'n ynganu fel yr Eidalwyr a bod ein cytseiniaid yn clecian yn debyg iawn iddyn nhw. Roedd wedi deall pob gair, medda fo. Pan ddywedodd o hynny daeth rhyw don fechan o sŵn amheus o'r gynulleidfa. Cymerodd yntau sylw o hynny gan ychwanegu fod y cwmni o Gymru wedi hitio pob cytsain yn glir a chan fod neges y sioe mor amlwg ar eu hwynebau ac yn eu lleisiau, roedd o *wedi* deall pob gair. Anghofia i fyth 'mo'i gyngor i'r grwpiau hynny lle roedd ynganiad yn ddiffyg go amlwg yn eu techneg:

Imagine that your vowels are like colourful clothes hanging out on the line. The wind blows them this way and that way and they catch your eye immediately. The vowels create the colour in our singing; whether loud or soft, without the vowels, you have no emotion

in your performance. Then imagine your consonants
are the pegs on the clothes line. Without them, all
your clean and colourful vowels will be blown from
the line and fall to the ground where they will get dirty
and lose all their colour and splendour.

Roedd y dyn yn llygad ei le. Mae ynganiad yn holl-
bwysig. Pa ddiben mynd i'r theatr i wrando ar unrhyw
sioe os nad ydach chi'n deall be mae'r actor neu'r canwr
yn ei ddeud? Cyngor doeth gan ddyn hynod brofiadol a
thalentog.

Fe adawon ni'r South Bank yr hydref hwnnw ar ben ein
digon. Dyfarnwyd gwobr y Best Theatrical Performance
i'r criw iau, a'r Best Musical Performance i'r criw hŷn.
Hwn, gyda llaw, oedd y cynhyrchiad ddaeth yn drydydd
allan o dri yn Eisteddfod Sir Eryri chydig fisoedd ynghynt.
Enillodd Dylan Eurig y wobr am y Perfformiwr Mwyaf
Addawol ac enillodd y criw iau hefyd y brif wobr yn eu
hoedran, sef y Best Overall Production, a swm sylweddol
o arian yn ei gysgod.

Galwodd Richard Stilgoe fi i'r llwyfan am air ar
ddiwedd yr ŵyl. Tra oedd pawb yn cael tynnu eu lluniau
gyda'r beirniaid a'r trefnwyr, holodd fi a oeddwn i wedi
cael hawlfraint i gyfieithu'r gân 'Jellicle Cats' allan o'r
sioe enwog am gathod gan Lloyd Webber. Dywedais
'mod i wedi cael hawlfraint i'r alaw ond nad oeddwn yn
ymwybodol fod angen imi gael hawlfraint i'r geiriau
gan mai addasiad oeddan nhw o eiriau T. S. Eliot a bod
T. S. Eliot wedi marw. Dywedodd yn ddigon caredig nad
oedd y bardd wedi marw ers dros saith deng mlynedd ac
felly byddai'n rhaid cydymffurfio ag amodau hawlfraint.
Wyddwn i ddim ar ba droed i sefyll arni a ches fy rhoi yn
fy lle yn fwy fyth pan eglurodd *nad* T. S. Eliot oedd wedi
ysgrifennu'r geiriau i gân agoriadol y sioe *Cats*. Roeddwn
wedi fy lluchio oddi ar fy echel yn llwyr erbyn hynny, a

phan ofynnais iddo pwy oedd yn berchen y geiriau fe'm hatebodd â hanner gwên ar ei wyneb.

'A guy called Richard Stilgoe,' medda fo, gan roi tap ar fy ysgwydd.

'Well done you, Cefin,' medda fo wrth adael. 'You have a remarkable school, and you did a great job.'

Wyddwn i ddim lle i roi fy wyneb. Meddyliwch mewn difri calon – roedd gweddill y sioe yn gwbwl wreiddiol, ac o'r holl ganeuon yn y byd y gallaswn fod wedi'u dewis, fe ddewisais un a gyfansoddwyd gan brif feirniad y gystadleuaeth! Ond mae hi'n stori go ddoniol erbyn hyn, ddeng mlynedd ar hugain yn ddiweddarach.

Daeth y gŵr ffraeth yn gefnogwr mawr i Glanaethwy wedi hynny. Roedd yn arwain Proms yr Ysgolion yn yr Albert Hall yn gyson a chaem groeso twymgalon ganddo ar bob achlysur. O'r flwyddyn honno ymlaen fe ddaethom i'r brig yn flynyddol yn y Barclays Music Theatre Awards a Mr Stilgoe yn ffeindio mwy a mwy o gyfle inni berfformio mewn sawl digwyddiad arall yn y brifddinas.

Un o'r gwahoddiadau mawr oedd y cyfle i fynd i'r Festival Hall yn 1992 i ddathlu daucanmlwyddiant W. H. Smith. Brilliance of Youth oedd enw'r cyngerdd a'r syniad y tu ôl i'r weledigaeth oedd y byddai perfformiwr enwog yn cyflwyno gwahanol grwpiau ieuenctid oedd ar frig y sîn berfformio ym Mhrydain ar y pryd. Roedd Côr Cenedlaethol a Cherddorfa Genedlaethol Prydain yno yn cynrychioli cerddoriaeth, a chwmni'r National Youth Ballet yn cynrychioli dawns. Cleo Lane a Johnny Dankworth oedd yn cyflwyno'r cantorion a Wayne Sleep oedd yn cyflwyno'r dawnswyr. Cawsom wahoddiad i gynrychioli'r gorau drwy Brydain mewn sioeau cerdd a byddai Prunella Scales yn ein cyflwyno.

Roeddwn yn ffan anferth o *Fawlty Towers* ers blynyddoedd, a Sybil, gwraig Basil Fawlty, oedd fy hoff gymeriad. Ac mae'r gwaith anhygoel a wnaeth Prunella

Scales yn ystod ei bywyd dros yr amgylchfyd yn ei gosod yn uchel iawn yn fy meddwl i. Profiad rhyfedd felly oedd cael fy ngalw draw i'w hystafell wisgo i'w dysgu i siarad Cymraeg! Roedd yr actores wedi deud na fynnai wneud eitem unigol yn y cyngerdd, dim ond cyflwyno sioe Glanaethwy i'r gynulleidfa – yn Gymraeg! Fe gâi rhywun arall wneud y fersiwn Saesneg gan na fwriadai siarad gair o'r iaith fain os oedd yn cyflwyno cwmni Cymraeg o Gymru.

Roeddwn wedi sgwennu'r cyflwyniad ar fydr ac odl, a dysgais y fersiwn Saesneg i un o'r disgyblion. Roedd Prunella Scales wrth ei bodd â'r syniad a ches groeso tywysogaidd i'w stafell wisgo i ymarfer yr ynganiad. Roeddwn i eisoes wedi anfon ati beth feddyliwn i oedd fersiwn ffonetig o'r sgript, ac roedd hi'n syndod o agos ati o'r ymarfer cyntaf a phob sill yn ei le erbyn y perfformiad nos.

Pan gerddodd ymlaen gyda'r criw i'r llwyfan fe allech glywed y gynulleidfa'n cynhesu ati'n syth. Un o 'ddarlings' y West End wedi'i hamgylchynu â chorws o blant mewn dillad lliwgar yn llawn egni ac yn barod i berfformio. Ond yna, pan agorodd ei cheg i siarad yn uniaith Gymraeg, fe newidiodd wynebau'r dorf o fod yn fynegiant o eilunaddoliad i gyfleu dryswch a phenbleth. Be goblyn oedd eu harwres yn ei wneud? Ddaru hi ddim hyd yn oed deud 'Good evening' wrthyn nhw. Yn Lloegr! A gwaeth fyth, yn Llundain! Yn y South Bank! Fel roedd yn gadael y llwyfan fe roddodd winc arna i gystal â deud 'That'll teach them'. Munud fach i'w thrysori oedd honno.

Un flwyddyn fe ddaethom i'r brig yn y Barclays Music Theatre Awards gyda sioe am hanes y Welsh Not. Wedi perfformio sawl gwaith yn Llundain erbyn hynny roeddwn yn benderfynol o ddweud y stori am Frad y Llyfrau Gleision ar lwyfan yn y South Bank. Roedd Richard Stilgoe wrth ei fodd a dyfarnodd y rhan fwyaf o'r gwobrau inni y noson honno. Ond fe ddywedodd un peth yn ei feirniadaeth nad aeth i lawr yn rhy dda efo'r garfan Gymraeg yn y Queen Elizabeth Hall. Dywedodd nad y 'Welsh Not' oedd hi yng Nghymru bellach: 'I suppose it's more a case of "English Not" there nowdays.'

Fe gafodd ymateb eitha da gan y rhan helaethaf o'r gynulleidfa ond dwi'n credu iddo glywed ambell un o'r Cymry yn gwneud synau i'r gwrthwyneb, fel tasa fo wedi mynd fymryn yn rhy bell hefo'i ddamcaniaeth. Y flwyddyn honno, pan aethom i'r llwyfan i dynnu lluniau, dywedodd wrtha i ei fod yn gobeithio nad oedd wedi tramgwyddo'r Cymry yn y gynulleidfa mewn unrhyw fodd. Fe'i cysurais nad oedd neb wedi'i gythruddo o bell ffordd ond, fel y clywodd o, doedd pawb ddim wedi cytuno â'r hyn ddywedodd o. Ces gyfle i brofi 'mhwynt iddo chydig fisoedd yn ddiweddarach wedi iddo, yn garedig iawn, gytuno i ddod i rannu llwyfan hefo ni yng Ngŵyl Gerdd Cricieth o bob man.

Larry Westland oedd y sylfaenydd a'r ysbrydoliaeth y tu ôl i ŵyl Music for Youth a'r Barclays Music Theatre Awards, a chawsom hwb anferth ganddo fo a Richard Stilgoe yn ystod y blynyddoedd cynnar hynny pan oeddem yn gosod seiliau'r ysgol. Tua 1994 oedd hi pan gytunodd y ddau i roi teyrnged imi ar y rhaglen *Penblwydd Hapus* gydag Arfon Haines Davies, rhyw fath o fersiwn o *This is Your Life* yn Gymraeg yn nyddiau cynnar S4C. Ac mi dybiwn i mai ar y rhaglen honno y gwelodd Lady Cecilia Mary Elizabeth Chance, un o sylfaenwyr yr ŵyl gerdd yng Nghricieth, y cysylltiad rhwng Mr Stilgoe a ninnau, a chodi'r ffôn i'n gwahodd – Mr Stilgoe a ninnau – i gynnal un o gyngherddau'r ŵyl y flwyddyn honno. Eglurais wrthi nad oedd gen i unrhyw fodd o gysylltu â'r cyflwynydd ond y byddem wrth ein boddau'n rhannu llwyfan ag o petai'n cytuno i ddod. O fewn ychydig wythnosau roedd Lady Chance yn fy ffonio i ddeud fod Richard Stilgoe wedi cytuno ac yn edrych ymlaen yn arw i'n gweld i gyd unwaith eto.

Fe aeth y noson fel wats ond fe gafodd Mr Stilgoe agoriad llygad go fawr y noson honno hefyd. Un o'r eitemau a gyflwynon ni oedd ein sioe am y Welsh Not, yr un yr oedd Richard Stilgoe wedi'i gwobrwyo yn Llundain ychydig fisoedd ynghynt. Cyrhaeddodd y cyngerdd ei uchafbwynt gyda'r côr yn canu ychydig eitemau a Richard Stilgoe yn ymuno hefo ni i ganu 'Hen Wlad fy Nhadau' ac yna 'Hôm Jêms', meddyliais – pawb ar y bỳs. Ond wrth imi sefyll yn yr esgyll yn diolch ac yn ffarwelio â Stilgoe daeth dwy ddynes fach i fyny ato a gofyn am ei lofnod. Yna, gan droi ata i, fe newidiodd eu hagwedd yn syth. Yn yr iaith fain fe ddywedon nhw eu bod wedi'u siomi 'mod i'n dysgu'r fath eithafiaeth i 'nisgyblion. Roeddwn, yn eu tyb hwy, yn llygru eu meddyliau ifanc ac yn dylanwadu arnyn nhw mewn modd oedd yn meithrin atgasedd, a hyd yn oed Ffasgiaeth. Roedd hynny, medden nhw, yn amlwg ar wynebau'r plant drwy gydol y sioe a rhad arna i am wneud y fath beth. Fe'i cefais hi nes oeddwn i'n tincian.

Edrychai Richard Stilgoe yn hurt ar y ddwy, ac wrth iddyn nhw droi ar eu sawdl a'n gadael ni yno'n fud fe gafodd weld drosto'i hun pam y cafodd ymateb tra gwahanol gan y Cymry i'w feirniadaeth yn Llundain ychydig fisoedd ynghynt. 'English Not'? Choelia i fawr.

Pan oedden ni'n adeiladu ein hysgol ein hunain ym Mharc Menai yn 1995, fe gyfrannodd Richard Stilgoe yn hael tuag at y costau. O Loegr y deuai'r holl gefnogaeth yn y blynyddoedd cynnar. Rhoddodd y gwyliau hynny yn Llundain brofiadau amhrisiadwy inni yn ystod y nawdegau – a'r nerth i gario mlaen.

Magdalen

Ond 'nôl yn 1992 bu'r sioe *Magdalen* yn llwyddiant hefyd. Llanwyd Theatr Gwynedd i'r ymylon am bedair noson yn olynol. Ac er nad ydi hi byth yn beth braf gorfod troi cynulleidfa am adre, mae'n gymaint haws na gorfod chwarae i dai gweigion.

Roedd yna rwbath am yr hen Theatr Gwynedd na ellid ei ailgodi yn unman arall. Does neb yn gallu rhoi ei fys arno'n iawn ond mae pawb a gafodd y cyfle i berfformio yno yn dweud yr un peth. Roedd yr acwsteg yn garedig, y gynulleidfa'n agos atoch chi (mewn mwy nag un ystyr), y bar wastad yn groesawgar, ond yn fwy na dim arall roedd hi'n teimlo fel theatr Gymraeg.

Dwi'n cofio holi athrawes Ddrama a ddeuai'r holl ffordd o'r pen arall i Glwyd unwaith pam roedd hi'n dod yr holl ffordd i'r pen yma o'r wlad a pherfformiadau o'r un sioe i'w cael yn nes ati o beth mwdril. 'Er mwyn i'r plant gael profiad Cymraeg o'r dechrau i'r diwedd,' oedd ei hateb. O'r swyddfa docynnau i'r ddynes oedd yn gwerthu'r rhaglenni ac o'r sgwrsio yn y bar i'r dyn oedd yn gwerthu'r hufen iâ, dim ond y Gymraeg oedd i'w chlywed yn Theatr Gwynedd pan geid cynhyrchiad yn iaith y nefoedd.

Roedd hynny'n wir gefn llwyfan hefyd. Siaradai'r rhan fwyaf o'r technegwyr Gymraeg, y glanhawyr, y rheolwr, y swyddfa farchnata – pawb. A doedd hyd yn oed yr ychydig prin nad oedd yn gallu'r iaith ddim yn elyniaethus nac yn dangos unrhyw agwedd negyddol o gwbwl. Roedd bod yno fel bod yn rhan o un teulu mawr a doedd gan neb air drwg i'w ddweud am y lle.

Ac mae'n debyg gen i fod llwyfannu *Magdalen* yn un o'r atgofion gorau a ges i yno rioed. Er imi berfformio yno fy hun ar gannoedd o achlysuron a chynyrchiadau, dwi'n meddwl mai eistedd yn y rhes gefn yn gwylio sioeau Glanaethwy a roddodd y wefr fwyaf imi – *Magdalen* yn bennaf, am mai hon oedd ein sioe gyntaf. Gwyddwn, wrth eistedd yn yr awditoriwm yn gwylio llond llwyfan o berfformwyr ifanc yn perfformio i dŷ llawn a'r gynulleidfa'n cymeradwyo'n fyddarol ar ôl pob sioe, 'mod i wedi cyflawni'r freuddwyd. Allen ni ddim stopio rŵan. Nid hon oedd yr unig genhedlaeth o ieuenctid Cymraeg oedd yn haeddu cyfle. Bob blwyddyn, o hynny allan, clywn fy hun yn canu'n dawel i mi fy hun: 'Ond bugeiliaid newydd sydd / ar yr hen fynyddoedd hyn.'

Gwnaed fersiwn deledu o *Magdalen* gan Gwmni Ffilmiau'r Bont, aethom â hi ar daith fer i Aberystwyth a Chrymych, recordiwyd casét o'r caneuon a pherfformiwyd detholiad ohoni yn y Barclays Theatre Awards hefyd. Ond roedd y profiad hwnnw'n gymysgedd o hunllef a breuddwyd. Efallai mai'r gystadleuaeth honno a'm hysgogodd i sgwennu'r sioe *Pedair Hunllef a Breuddwyd* ychydig flynyddoedd yn ddiweddarach.

Erbyn hynny roedd Einion Dafydd wedi ymuno efo ni ar y staff ac roeddwn yn awyddus iddo drefnu band bychan i fod yn gefndir i'r detholiad y flwyddyn honno. Er bod y beirniaid wedi crybwyll sawl gwaith fod yna rinwedd mawr mewn peidio gorgymhlethu'r llwyfaniad yn dechnegol, roeddan nhw hefyd wedi crybwyll y byddai ychydig mwy o offerynwaith yn ychwanegu at anghenion arddull y sioe gerdd. Drymiau, efallai?

Y flwyddyn honno fe gymeron ni eu cyngor a chael drymiau, gitâr fas, piano a sacs. Trefnodd Einion y cyfan a daeth y 'band' bychan i lawr hefo ni ar y bỳs. Roedd y criw iau wedi perfformio sioe go ysgafn yn y pnawn yn adrodd hanes clinig bach lleol yn cau a dyn drwg o'r enw Bil Biwpa'n cymryd drosodd ac yn gwneud ei filiynau – pwnc llosg y cyfnod. Wedi cipio'r prif wobrau bron i gyd yn sesiwn y prynhawn, fe aeth pawb am egwyl cyn dychwelyd ar gyfer sesiwn yr hwyr lle byddai'r criw hŷn yn perfformio *Magdalen*.

Galwyd y cast i gefn y llwyfan i baratoi gan mai ni oedd yr ail gwmni i berfformio. Wrthi'n cyfri pennau'r disgyblion oeddwn i pan ofynnais i Einion oedd y band yn ei le.

'Pryd y'n ni mla'n 'te?' holodd yn hollol cŵl.

''Mhen rhyw chwartar awr,' atebais.

Aeth Einion yn welw a diflannu cyn i mi gael cyfle i'w holi i le roedd o'n mynd. Gofynnais i Rhian fynd ar ei ôl pan ymddangosodd Gareth Glyn o'r awditoriwm; fo oedd yn chwarae'r piano a'r allweddellau. Galwyd y cwmni cyntaf i'r llwyfan a chawsom ninnau ein symud i'r ystafell y drws nesaf i'r esgyll yn barod i fynd ymlaen nesaf.

Glaniodd Einion yn ei ôl yn welwach nag roedd o pan aeth allan, a doedd dim golwg o'r drymiwr. Roedd hwnnw wedi holi Einion oedd ganddo amser i fynd i chwilio am rywbeth i'w fwyta rhwng sesiwn y pnawn a'r nos, a thybiodd Einion y byddai ganddo ryw awran. Ond nid felly mae pethau'n gweithio mewn gwyliau o'r math yma. Mae'r amserlen yn dynn, gan fod costau llogi unrhyw neuadd yn Llundain yn grocbris y funud. A tydi chwilio am ddrymiwr sy wedi picio allan am baned yn y South Bank ddim cweit mor syml â mynd i chwilio amdano ar gae Steddfod.

Roeddem ar y llwyfan a dim lliw o'n drymiwr yn unman, ond roedd yn rhaid i'r sioe fynd yn ei blaen. Suddodd fy nghalon a chlywais eiriau'r beirniaid yn dweud yn eu beirniadaeth yn gynharach y byddai'n dda clywed criw Glanaethwy yn cael cymorth set o ddrymiau yn eu sioe rywbryd. Byddai'n rhoi'r gic ychwanegol honno iddynt i gyrraedd tir hyd yn oed yn uwch. Dyna oedd yn canu yn fy mhen pan glywais fysedd Gareth Glyn yn taro'r allweddellau a'r cast yn ymlwybro i'r llwyfan.

Mae pawb sy'n cofio Gareth yn cyflwyno *Post Prynhawn* ac yn arwain Lleisiau'r Frogwy yn gwybod ei fod yn greadur egnïol iawn. Rhowch chi o ar lwyfan yn Llundain lle mae'r arweinydd newydd gyhoeddi ein bod ddrymiwr yn brin ond am drio cario mlaen hebddo, ac roedd o fel petai wedi'i weindio i fyny i gêr na fuo fo ynddi erioed o'r blaen. Curai'r llawr â'i droed, cliciai ei fysedd, waldiai ochr y piano pan nad oedd yn defnyddio'i law chwith a gwnâi sŵn drwm *hi-hat* rhwng ei ddannedd er mwyn rhoi mwy o gic i'r cyfeiliant. Yn wir, fe wnaeth wyrthiau.

Aethom adre hefo llond ein hafflau o wobrau y noson honno, a dwi'n cofio Larry Westland, sylfaenydd Music for Youth, yn galw ar f'ôl gan ddweud y byddai angen imi archebu bỳs ychwanegol y tro nesa i gario'r holl dlysau yn ôl adre. Digon tawedog oedd y drymiwr druan ar y ffordd yn ôl i'r gwesty, ond roedd pawb yn rhy brysur yn dathlu i sylwi ryw lawer arno. Gobeithio'n wir iddo fwynhau ei baned. Ond roedd ein band un dyn mewn hwyliau da iawn, a'r cyfansoddwr bianydd wedi cael canmoliaeth uchel gan y beirniaid. 'We didn't even notice the lack of percussion. The piano player became the percussionist.' Diolch, Gareth!

Ces wahoddiad gan yr Urdd i gyfarwyddo *Magdalen* gyda Theatr Ieuenctid yr Urdd yng Nghlwyd ar gyfer Eisteddfod Genedlaethol Abergele, 1995, a chafodd ei pherfformio gan nifer o ysgolion uwchradd drwy Gymru gyfan wedi hynny. Er bod iddi nifer o is-destunau a straeon, y cwestiwn syml mae'r sioe yn ei ofyn ydi: pe buasai dyn da yn glanio ar y ddaear yma fory nesa a bloeddio am heddwch, fel y gwnaeth Gandhi, Martin Luther King Jr., John Lennon ac Iesu Grist, fasan ni'n ei ladd o unwaith eto? Mae'r ateb yn syml: wrth gwrs y basan ni.

Branwen, Bendigeidfran a ballu

Dros y blynyddoedd dwi wedi troi'n gyson i fyd chwedloniaeth am ysbrydoliaeth, yn enwedig y Mabinogi. Mae Blodeuwedd, Gwydion, Branwen a Lleu yn aml wedi bod yn destun sioe, cân neu gyflwyniad gennym. Mi es i â Bendigeidfran i lawr i'r Albert Hall unwaith ac roedd o'n rhy fawr i fynd i mewn drwy'r fynedfa i'r llwyfan.

Roeddan ni wedi cael gwahoddiad i Broms yr Ysgolion ar ôl dod i'r brig unwaith eto yn Music for Youth yng nghategori'r Juniors at the Festival. Roedd Larry Westland wedi gwirioni hefo'r sioe ac fe ddefnyddiodd y ddelwedd o'r cawr ar gyfer ei boster i'r Proms y flwyddyn honno.

Daeth Rhys Bevan i'r adwy unwaith eto drwy ddod draw i Neuadd Albert i'n cynorthwyo gyda'r anghenfil ar olwynion oedd yn gallu cario deg o fechgyn ar ei gefn drwy Fôr Iwerydd o lwyfan. Yn ystod yr ymarferion fe aeth Bendigeidfran yn styc yn y fynedfa i'r llwyfan a bu'n rhaid creu lle parcio arbennig iddo o flaen y llwyfan er mwyn hwyluso'i fynedfa yn ystod y perfformiad ei hun.

Bydd rhai ohonoch yn gyfarwydd â blaen y llwyfan yn yr Albert Hall os ydach chi'n arfer gwylio'r *BBC Proms*. Yno mae'r promenadwyr yn mynd i hwyl yn chwifio baneri Jac yr Undeb i'r 'Pomp and Circumstance' gan Edward Elgar ac yn morio 'Land of Hope and Glory' (fwy nag unwaith) pan ddaw eu cyfle. Ond chawson nhw ddim dod yn agos at flaen y llwyfan y tro hwn gan fod Bendigeidfran wedi'i barcio yno!

Yn Neuadd Dewi Sant y cynhelid Proms Ysgolion Cymru bryd hynny, a chawsom sawl gwahoddiad i berfformio yn y fan honno hefyd. Byddem ni ac Ysgol Gerdd Ceredigion yn cael ein dewis yn aml gan fod Islwyn Evans hefyd yn mynychu Music for Youth yn rheolaidd. Dwi'm yn amau nad yno 'nes i gyfarfod Islwyn am y tro cyntaf. Er i'r cyfryngau, ar adegau, drio awgrymu fod yna ryw fath o ymryson rhwng Ysgol Gerdd Ceredigion ac Ysgol Glanaethwy ar un adeg, fe allaf eich sicrhau na fu erioed yr un gair croes rhwng Islwyn a finna o'r cychwyn cyntaf. Buom yn cystadlu yn erbyn ein gilydd yn rheolaidd yng ngwyliau Llangollen, Music for Youth, BBC Choir of the Year, Sainsbury's Choir of the Year, Côr Cymru, yr Eisteddfod Genedlaethol a'r Ŵyl Cerdd Dant, a does gen i ddim byd ond edmygedd mawr o'i waith a'i gyfraniad i godi safon canu corawl yng Nghymru. Mae'n ddyn deallus ac, fel finna, ddim yn or-hoff o gyflwynwyr sy'n gofyn i'r plant 'Ydach chi'n mynd i ennill?' neu 'Pwy sy'n mynd i ennill heddiw?' Mae cystadlu'n beth iach, ond peidied y cyfryngau â'i chwipio cymaint nes rhoi'r argraff mai dod i'r brig yw'r unig beth sy'n ddigon da. Mae pob côr, parti a chwmni wastad ar siwrne, yn enwedig corau plant a chorau ieuenctid. Weithiau mae gennych dipyn go lew o leisiau newydd sydd yn y broses o ddatblygu o safbwynt aeddfedrwydd a chrefft. Fedrwch chi ddim anelu am y brig y flwyddyn honno, dim ond rhoi profiad a magu hyder. Felly gair i gall: peidiwch byth â gofyn i unrhyw blentyn ydi o'n meddwl ei fod o neu hi yn mynd i ennill. Dio'm yn cŵl a dio'm yn iawn. Diwedd ar y bregeth, ac yn ôl at Bendigeidfran.

Ar y ffordd adre o Gaerdydd ar ôl ein perfformiad yn Neuadd Dewi Sant, roedd yna fwy o aelodau'n dychwelyd ar y bỳs nag oedd wedi mynd o Fangor i Gaerdydd. Roedd ambell un wedi bod yn aros hefo'u teuluoedd am ychydig ddyddiau ac un neu ddau arall wedi dod i lawr yn gynt ar y trên er mwyn cael gwneud mymryn o siopa. Felly byddai enwau ychwanegol yn aml ar y bỳs adre. Rhwng y cesys a'r gwisgoedd a'r cyrff ychwanegol doedd dim lle i ben Bendigeidfran yn y bŵt, ac felly fe ddywedais wrtho y byddai'n rhaid iddo ddod hefo ni yn y car. Daeth Bethan Williams (Marlow erbyn hyn) efo ni i gadw cwmni i Mirain, gan wneud lle i un bach arall ar y bỳs, a ffwrdd â ni.

Pan oeddem ar fin cyrraedd Llanidloes ac yn edrych ymlaen na fuo rotsiwn beth am baned a thamaid i'w fyta, fe'm goddiweddwyd gan gar gwyn a golau glas yn fflachio arno. Doedd hynny ddim yn beth diarth i mi o bell ffordd. Fel un sydd wastad ar frys i gyrraedd pob man mewn pryd, dwi wedi cael sawl dirwy a chasgliad go dda o bwyntiau yn fy nydd. Ond bloeddio canu ar dopiau ein lleisiau roeddan ni y diwrnod hwnnw a finna ddim yn sylweddoli 'mod i fymryn dros y cyflymder cyfreithiol.

Agorais fy ffenest ac aros i'r heddwas ddod ata i i holi sawl milltir yr awr o'n i'n feddwl oeddwn i'n ei wneud. Ond roedd golwg fymryn yn ddryslyd arno hefyd. Er iddo fynd drwy'r drefn arferol o holi a rhybuddio, roedd o'n edrych fel tasa fo mewn penbleth.

'And may I inquire,' medda fo, 'who's that you've got on your roof rack?'

'Ah!' cofiais yn sydyn. 'That's Bendigeidfran.'

'And who might he be?'

Atebais innau (nid yn fy Saesneg gorau) fymryn yn nerfus, 'A very famous Welsh giant who lost his head in a battle in Ireland. He's on his way home.'

Gan i'r plismon edrych yn fwy dryslyd fyth arna i wedyn, es innau mlaen i adrodd chwedl Branwen iddo ac egluro lle roeddan ni wedi bod. Dechreuodd wenu a dweud wrtha i am gymryd pwyll am weddill fy siwrne. Ie'n wir. Pwyll, Bendefig, pwyll!

Mi fuom yn chwerthin am hir iawn dros y baned yn Llanidloes y pnawn hwnnw yn dychmygu'r hyn aeth drwy feddwl y plismon pan welodd o Bendigeidfran ar ben y *roof rack* a'i wallt yn chwyrlïo yn y gwynt. Dwi'n siŵr ei bod yn olygfa i'w rhyfeddu.

Gwyddel, Sais, Cymro
– a'r Americanes

Yn dilyn ein llwyddiannau yn y blynyddoedd cynnar roeddem yn cael gwahoddiadau di-rif i berfformio ym mhob cwr o'r wlad yn ogystal â theithio dramor i Fwlgaria, Wcráin, y Weriniaeth Tsiec, Brwsel a'r Eidal. Ond doedd yr un o'r gwahoddiadau wedi plesio'r plant yn fwy na chael gwahoddiad i ymddangos ar *Blue Peter*. Ynghanol cyfnod ofnadwy o brysur fe aethom i lawr i Lundain i berfformio'r sioe *Meidas* yn fyw ar un o raglenni plant mwyaf poblogaidd y BBC ar y pryd. Gan ein bod yn perfformio *Branwen* mewn cyngerdd yn Llundain mewn ychydig fisoedd, roedd y *Times Ed* yn awyddus i dynnu lluniau o'r cynhyrchiad arbennig hwnnw yr un pryd – lladd dau dderyn, fel petai.

Pan ofynnwyd inni gael y plant yn barod yn nerbynfa'r gwesty yn eu gwisgoedd *Branwen* ben bore, roedd ambell un fymryn yn y niwl gan mai dod yno i berfformio *Meidas* ar *Blue Peter* roeddan nhw: pam felly roeddan nhw wedi'u gwisgo fel Cymry a Gwyddelod yn hytrach na'u gwisgoedd *Meidas* aur?

Gallwch ddychmygu fod 'na hen holi a thrafod yn y dderbynfa y bore hwnnw tra oeddan ni'n aros i'r ffotograffydd o'r *Times Ed* gyrraedd. Roedd y 'Cymry' mewn tabards coch a'r 'Gwyddelod' mewn tabards gwyrdd. Roedd pen Bendigeidfran wedi gwneud ymddangosiad arall yn Llundain, yn ogystal â Branwen, Efnisien a Matholwch. Llusgo'r cyfan i lawr ar gyfer un llun i'r *Times Ed.*

Sylwais ar ŵr a gwraig hyderus yr olwg yn sefyll yn stond ar ganol y grisiau ar eu ffordd i lawr i'w brecwast, y ddau'n edrych yn gegrwth ar blant bach wedi'u gwisgo'n rhyfedd yn parablu mewn iaith oedd yn gwbl ddieithr i'w clustiau.

Rydw i wedi crybwyll y stori yma o'r blaen, ond dwi'n siŵr y maddeuith Bethan Mair i mi am ei hailadrodd yma gan ei bod yn un o'm hoff straeon am Glanaethwy ac yn un y bydda i'n ei dweud yn aml. Roedd gan Bethan lond pen o wallt melyn, disglair ac wyneb a gwên fel heulwen haf. Does ryfedd fod yr Americanes wedi anelu'n syth tuag ati i'w holi.

'Excuse me, my dear. May I ask why are you dressed in those kimonos?' holodd yn ddigon clên.

'We're doing a *cân actol*,' atebodd Bethan. 'An action song,' cofiodd wedyn.

'So why are you wearing kimonos? Are you supposed to be Chinese?'

'Oh, no,' mynnodd Bethan, 'we're not Chinese.'

'So, what's that language you're speaking? Is it German?'

'No, no,' atebodd. 'We're speaking Welsh.'

'So why are you dressed in green?'

'Oh!' meddai Bethan. 'That's because I'm Irish!'

§

Roedd ein cyfrifoldeb dros y plant yn fawr a'r trefnu'n mynd yn llawer mwy cymhleth wrth inni geisio'u paratoi ar gyfer yr amrywiol wahoddiadau a ddeuai i'n rhan. Hwn oedd y cyfnod lle roedd ymosodiadau cyson gan yr IRA yn Llundain ac ambell waith byddai'r rhieni'n ofni anfon eu plant i lawr i'r brifddinas oherwydd y bygythiadau niferus ar rai o brif adeiladau Llundain. Wedi derbyn gwahoddiad i berfformio, roedd y straen o drio dyfalu a fyddai gennym ddigon o aelodau i wneud cyfiawnder â'r her o'n blaenau yn anodd. Ond dwi'n falch o ddeud inni lwyddo i gyrraedd Llundain a pherfformio pob sioe yn ei chyfanrwydd yn ystod y cyfnod hwnnw. Welwn i ddim bai ar y rhieni a ddewisodd gadw'u plant adre, ond i mi mae'n *rhaid* i'r sioe fynd yn ei blaen drwy'r cyfan i gyd. Er, fe fu bron iddi beidio â mynd yn ei blaen ar y rhaglen *Blue Peter* 'nôl yn 1993.

O'r stiwdios yn White City y darlledwyd y rhaglen, lleoliad y daethom yn gyfarwydd iawn ag o rai blyn-yddoedd yn ddiweddarach ar y rhaglen *Last Choir Standing*. Ond hwn oedd y tro cyntaf inni fod mewn stiwdio deledu yn Llundain ac roedd pawb yn eitha nerfus wrth gael ymarfer sain a goleuo ac efo'r camerâu.

Roedd y stafelloedd gwisgo i lawr yn isloriau'r adeilad. Bron na allech chi deimlo'r tymheredd yn newid wrth i'r lifft ein cario ni a'n gwisgoedd i'r dyfnderoedd seleraidd eu naws yn nwnjwn yr adeilad crand.

Wedi rhannu'r stafelloedd gwisgo i'r bechgyn a'r merched, fe aeth y rhieni ati'n syth i glymu gwalltiau'r merched yn ddigon tyn i'w galluogi i wisgo'r mygydau aur ar gefn eu pennau pan fyddai Meidas yn eu cyffwrdd. Hwn oedd uchafbwynt gweledol y sioe; byddai'r gwesteion yn y ddawns i gyd yn troi'n aur pan ddeuai Meidas i ddawnsio efo nhw. Roedd blaen eu gwisgoedd yn lliwiau amrywiol ond eu cefnau'n aur. Gyda'r mygydau aur ar gefn eu pennau hefyd, y cyfan oedd raid iddyn nhw ei wneud i droi'n aur oedd troi eu cefnau ar y gynulleidfa ac aros yn stond fel delwau. Roedd yn swnio'n rhwydd mewn egwyddor ond roedd y coreograffu yn fwy o her nag a feddyliais. Ond fe edrychai'n effeithiol iawn. 'Pure gold from Wales' oedd dyfarniad Richard Stilgoe yn ei feirniadaeth yn y Barclays Music Theatre Awards.

Roedd yna dipyn o waith ar wall'tiau'r merched a chan 'mod i wedi gorfod mynd i drafod un neu ddau o fanylion gyda'r cyfarwyddwr roedd y bechgyn yn rhydd i ymlacio yn eu stafelloedd gwisgo. Ond pan gerddais allan o'r lifft wrth ddychwelyd o'r cyfarfod fe glywais sŵn panig yn stafell wisgo'r bechgyn. Agorais y drws ac roedd ambell un yn crio a gwaed dros wisg un ohonynt. Roedd gweddill y bechgyn yn wlyb diferol. Bachgen ifanc oedd Tirion ar y pryd ac wedi dod hefo ni am y trip. Ganddo fo y ces i'r manylion am yr hyn oedd wedi digwydd.

Roedd y bechgyn wedi dechrau lluchio hangers at ei gilydd ac yn cael modd i fyw yn rhedeg o'r naill biler i'r llall yn ceisio cuddio rhag y 'taflegrau' metel. Cynigiodd rhywun y byddai'r gêm yn llawer gwell petaent yn diffodd y goleuadau. Gan eu bod yng ngwaelodion y ddaear doedd yna ddim pwt o olau yn treiddio i'r ystafell, ac yn y croes-saethu roedd Huw Owen druan wedi cael hanger ar flaen ei drwyn a hwnnw wedi pistyllio dros ei wisg.

Gwyddai un o'r bechgyn mai dŵr oer oedd y peth gorau ar gyfer golchi gwaed. Yr hyn na wyddent oedd fod grym pwysedd y dŵr yng ngwaelodion y BBC yn llifo fel y Niagara drwy'r tap. Trochwyd pob un wan jac ohonynt, ac i ychwanegu at y panig daeth yr alwad inni fynd i fyny i'r stiwdio i ganu ar raglen oedd yn mynd allan yn fyw ar yr awyr o fewn y deng munud nesaf.

Pan ddaeth Rhian a'r mamau allan o stafell newid y merched roedd pawb yn edrych yn hollol ddryslyd ar y bechgyn. Doedd dim amser i egluro, dim ond gwneud y penderfyniad mai'r bechgyn fyddai'n mynd i'r lifft yn gyntaf ac yn syth i'r stafell wisgo. Anghofiwyd pob balchder ac yno y safent yn eu tronsiau tra oedd merched y gwisgoedd a'r mamau'n smwddio pob pilyn gan eu sychu yr un pryd. Daeth rhywun i edrych ar drwyn Huw gan stopio'r gwaedu a'r crio yr un pryd.

Eiliadau, yn llythrennol, oedd ganddon ni cyn mynd yn fyw ar yr awyr a pherfformio'r sioe.

'Five, four, three, two, one. Cue piano!'

A dyna lle roeddan ni'n canu ac yn dawnsio ar filoedd o setiau teledu dros y wlad fel tasa dim oll wedi digwydd. Do, fe aeth y sioe yn ei blaen unwaith yn rhagor, ond roedd gan y plant stori well i'w hadrodd wrth eu rhieni ar y bỳs ar y ffordd adre.

'Adeiladu tŷ bach'

Ym mis Hydref 1995 y symudon ni i'r adeilad newydd ym Mharc Menai, ein cartref newydd. Daethom i'r penderfyniad na allem gario mlaen i rentu stafelloedd mewn adeiladau benthyg. Wrth i'r busnes ddatblygu deuai'n fwy amlwg na allem symud gam ymhellach oni bai ein bod yn cael cartref i ni ein hunain – adeilad pwrpasol i gynnal gweithdai cerdd a drama a dawns.

Gan ein bod hefyd yn magu teulu ar y pryd – roedd Tirion yn bymtheg a Mirain yn un ar ddeg – roedd ein cartref wedi dechrau cael ei feddiannu gan wisgoedd a phrops, sgriptiau a ffotogopïwr yng nghornel y parlwr. Roeddwn innau'n sgwennu ac yn coreograffu hyd y tŷ a Rhian ar ei phiano'n mynd dros y cyfeiliannau a'r cyfansoddiadau newydd i'r sioe. Doedd o bellach ddim yn gartre lle câi'r plant lonydd.

Roeddan ni byth a hefyd yn gadael rhyw dâp neu sgript adre yng Nghilrhedyn, neu'n eu gadael yn Ysgol David Hughes ar ôl y gwersi. Dwi'n cofio imi adael ffioedd y disgyblion i gyd yno un noson, a doedd yna ddim trefn ar ein hamserlen. Roedd angen rhywle lle gallem adael props a wigs, gwisgoedd a sgriptiau – ac os collem unrhyw beth, yna naw gwaith allan o bob deg byddai yn yr ysgol ar ein cyfer y bore wedyn.

Ond, o wneud hynny, byddai'n rhaid gwario'n sylweddol. Byddai angen prynu adeilad a'i addasu: cynnal a chadw a llnau; talu trethi a biliau nwy a thrydan. Pe byddem yn gwneud y fath beth, yna byddem yn ein clymu ein hunain yn y busnes am sbel go faith. Oeddan ni wir angen ymrwymo'n hunain i'r graddau hynny ai peidio? Cawsom ein hunain, unwaith eto, yn pendilio rhwng y naill ddewis a'r llall. Pe baem yn dewis rhoi'r gorau iddi, yna byddai'n rhaid gwneud hynny'n weddol fuan, gan nad oedd gennym yr awydd i wynebu blwyddyn arall o helcyd stwff rhwng y cartref ac Ysgol David Hughes. Pe baem yn dewis buddsoddi, yna byddem yn gorfod ymroi i'r gwaith am flynyddoedd maith i ddod. Yr ail ddewis a wnaethom ni, fel mae ein hanes wedi'i brofi, dros ddeng mlynedd ar hugain yn ddiweddarach.

Wedi hir chwilio o gwmpas hen gapeli ac eglwysi oedd wedi cau ac yn llawn pydredd heb unman call i barcio, fe roesom y syniad hwnnw o'r neilltu. Yna, un diwrnod, cawsom alwad ffôn gan ein cynghorydd lleol, Freda Eames. Roedd yn gwybod ein bod yn chwilio am gartref a gofynnodd a oeddem wedi ystyried Parc Menai fel ateb. Roeddwn wedi clywed am y parc busnes newydd yr oedd y WDA ar y pryd yn ei ddatblygu, ond tan hynny doeddan ni rioed wedi meddwl am brynu darn o dir ac adeiladu ysgol arno. Chroesodd y syniad mo'n meddyliau ni hyd yn oed.

Cynghorydd Plaid Cymru oedd Freda a diddordeb mawr ganddi yn y celfyddydau. Aethom hefo hi i Barc Menai i weld un neu ddau o blotiau oedd ar werth. Dwi'n credu mai eu pris ar y pryd oedd tua £50,000. Roedd hynny'n swm go lew o ystyried mai dim ond am ddarn o dir yr oeddan ni'n talu amdano. Ond roedd gan y safle fanteision hefyd. Roedd o ar ymyl yr A55, yn union cyn ichi fynd ar Bont Britannia. Mae'n barc braf gyda llynnoedd a choedwigoedd, elyrch a hwyaid, gwiwerod a ffesantod yn gyson o gwmpas y lle. 'Dan ni wedi cael ambell garw yn picio draw hefyd, yn edrych i mewn drwy'r drws pan awn yno cyn codi cŵn Caer.

Roedd cymaint i'w ddweud o blaid y safle, felly fe aethom i weld ein pensaer, Alun Meirion, un bore a gofyn iddo ddod i weld y safle hefo ni. Roedd yn llawn brwdfrydedd, a syniadau'n dechrau dod i'w ben yn syth. Ac er bod cost adeiladu'r ysgol yn anferthol (ar ben costau'r pensaer), roeddem yn dal yn gwbl benderfynol o fwrw mlaen â'n cynllun. Roedd ein dychymyg ninnau'n dechrau rasio erbyn hyn ac yn meddwl am bob math o syniadau y gallem eu cynnal yn ein cartref ein hunain. Gallem gael swyddfa a llyfrgell i ddisgyblion TGAU a Lefel A, stafell golur, stafell wisgo, storfa i'r gwisgoedd a'r setiau a'r props. Wedi sawl cyfarfod gydag Alun roedd y cynlluniau'n barod ac fe edrychai'n addawol. Er mwyn ein galluogi i'w fforddio, byddem yn codi'r adeilad mewn dau gam. Neuadd, swyddfa, stafell ymarfer, toiledau a storfa i gychwyn, ac yna'r ail stafell ymarfer, dwy storfa arall a stafell goluro fel yr ail gam, pan allem ei fforddio.

Wedi'r breuddwydio ac i'r cynlluniau fynd i mewn, ces alwad ffôn gan Gwyn Hughes, Prif Swyddog Cynllunio Arfon ar y pryd. Dywedodd wrtha i nad oedd yn mynd i gymeradwyo'r cais ac y byddai'n well imi ystyried prynu hen gapel, ysgol neu eglwys. Eglurais wrtho ein bod wedi codi pob carreg ar y trywydd hwnnw ond doedd nunlla i'w weld yn addas ac fe gostiai fwy i addasu hen adeilad na chodi un o'r newydd.

'Be am yr hen ysgol yn y Garth ym Mangor?' holodd.

'Tydi hi ddim ar werth,' atebais innau.

'Mi fydd yn *mynd* ar werth cyn bo hir,' oedd ei ateb parod.

Ysgol jiwdo arferai fod yn yr hen ysgol ar un adeg, ac roedd wedi'i lleoli ar un o'r conglau mwyaf peryglus a phrysuraf ym Mangor, y ffordd sy'n troi i lawr am y pier wrth ddod o gyfeiriad y pwll nofio. Doedd dim math o le i barcio yno a doedd yr ysgol ddim ar werth, felly pa fath o ateb oedd hwnna, dudwch i mi?

Pen draw'r stori oedd inni fynd i apêl ar y cais cynllunio gwrthodedig. Roeddan ni'n methu deall be yn union oedd gwrthwynebiad y prif gynllunydd, ond yn amlwg roedd rhywbeth ym mhrint mân rheolau'r parc oedd yn peri ychydig o gur pen. Ond doedd y cynghorwyr y bûm i'n siarad â nhw ac yn eu holi am gyngor ddim yn gweld beth oedd achos y gwrthwynebiad. Ond apelio fu'n rhaid, a throi i fyny i gyfarfod yn Neuadd y Ddinas ryw noson go oer ym mis Tachwedd.

Fel roeddan ni'n cyrraedd, roedd camerâu *Newyddion Saith* yn ein haros a Siân Pari Huws yn ein holi oeddan ni'n teimlo'n hyderus. Doeddan ni ddim, wrth gwrs, a gofynnodd a fydden ni'n fodlon cael gair efo hi ar ddiwedd y cyfarfod, beth bynnag fyddai'r canlyniad. Cytunais i wneud hynny, ond pam roedd y fath ffocws cenedlaethol arnon ni, tybed? Dim ond pwt o ysgol berfformio oeddan ni, yn apelio am gais cynllunio. Oedd o'n destun prif newyddion S4C ar y pryd? Dyma'r math o bwysau roeddan ni'n trio'i osgoi fel y pla, ond roedd yn ein dilyn i bobman, waeth faint y ceisiem ei osgoi.

Pan gerddon ni i mewn i'r neuadd roedd y cynghorwyr un ai'n cael seibiant neu heb ddechrau'r cyfarfod. Dipyn o ryw fân siarad oedd yn mynd ymlaen. Trafod ein cais ni ymysg ei gilydd, tybed? O'm blaen fe eisteddai'r Cynghorydd Pat Larsen yn gwau. Mi wenodd arna i'n ddigon clên, a gwnaeth hynny inni feddwl falla fod o leia un yno o'n plaid.

'Rhyw *fifty-fifty* ydi hi yma ar hyn o bryd, dwi'n meddwl,' meddai Pat.

Gwelais fod Freda Eames hefyd yn bresennol, a'm hen brifathro yn yr ysgol gynradd, Mr Glyn Owen. Wynebau dieithr iawn oedd y gweddill i Rhian a finna nes i Alun Ffred Jones gerdded i mewn. Dyn theatr a drama. O leia fe deimlem fod yno fwy nag un o'n plaid, efallai.

Agorwyd y cyfarfod drwy i'r Prif Swyddog Cynllunio

egluro'i wrthwynebiad i'n cais ac nad oedd yn gweld unrhyw fodd lle gallai'r cynghorwyr ein cefnogi. Yna agorodd y llawr i'r gweddill ddweud eu dweud.

Freda Eames gododd ar ei thraed yn gyntaf gan nodi yn fyr ac yn gryno pam ei bod hi'n gefnogol i'r cynllun. Roedd Parc Menai yn anferth a doedd busnesau ddim yn rhuthro yno i'w lenwi. Be'n union oedd o'i le ar i ysgol ddrama adeiladu yno; fyddai o ddim yn effeithio ar unrhyw fusnes arall ar y parc. Y ddadl bennaf, os cofia i'n iawn, oedd y byddem yn creu sŵn a miri. Bu bron imi chwerthin ar y pwynt yma gan y gwyddwn o'r gorau pa mor dawel yw gwaith theatr. Nid band roc oedd ganddon ni, a hyd yn oed tasa ganddon ni fand, roedd lleoliad yr ysgol yn bell iawn oddi wrth weddill yr adeiladau oedd ar y parc. Ychwanegwch at hynny mai yn oriau'r nos fyddai'r ysgol ar agor pan fyddai pob busnes arall yn cau am y dydd, a fedrwn i ddim deall o gwbwl i ble roedd dadl y Prif Swyddog Cynllunio yn mynd

Fy nghyn-brifathro, Glyn Owen, a safodd ar ei draed wedyn. Dechreuodd drwy adrodd am ein llwyddiannau a'r enw da oedd wedi dod i Fangor, ac yn wir i Gymru, yn sgil ein perfformiadau. Roeddan ni, erbyn hynny, wedi teithio trwy Brydain, ac wedi dechrau cael gwahoddiadau i'r Cyfandir hefyd.

'Sut yn y byd mawr fedrwn ni wrthod cwpwl ifanc sydd yn rhoi eu holl amser i hyfforddi pobl ifanc ac yn rhoi cymaint o bleser i lawer?' gofynnodd i'r Cyngor.

Edrychodd Pat Larsen arna i a deud fod pethau'n edrach yn eitha addawol gan na chododd neb o blith y cynghor-wyr i wrthwynebu. Ond roedd y Prif Swyddog yn gwingo yn ei sedd ac yn dechrau edrych yn filain iawn yr un pryd. Wedi gair neu ddau arall o gefnogaeth fe aethpwyd yn syth i bleidlais, a chododd pob cynghorydd ei law o blaid caniatáu'r cynllun i godi'r ysgol. Rhuthrodd y Prif Swyddog a'i ddynion allan o'r ystafell gan glepian drysau ar eu hôl.

Fel roeddan ni'n mynd allan roedd Pat Larsen wrthi'n castio'i phwyth olaf oddi ar ei gweill gan ychwanegu, 'Dyna'r tro cynta imi weld pob pleidlais yn mynd gant-y-cant yn erbyn y Prif Swyddog. Dach chi 'di creu hanas yma heno, Cefin. Pob lwc ichi'ch dau!' Ac allan â ni i wynebu'r camerâu a'r cwestiynau.

'Dan ni wedi dysgu, erbyn hyn, i beidio â dathlu'n rhy fuan wedi unrhyw fuddugoliaeth. Bydd rhywun bownd o drio lluchio dŵr oer ar ben y cyfan. Ac fe ddaeth y diwrnod canlynol o'r cyfeiriad roeddan ni'n ei ddisgwyl ac yn barod amdano. Roedd Gwilym Owen o flaen ei feic unwaith eto, a heb lyfu ei dafod ers clywed y newyddion am ein cynlluniau wedi mynd ati'n syth i baratoi ei lith ar gyfer eitem i *Taro'r Post*. Dwi am ddyfynnu ei gyfraniad yn llawn ac efallai y byddwch chi'n cytuno â'r dyn. Ond yr hyn *nad* ydi o'n ei ddeud am y cyfarfod sy'n dal i fy nghorddi i. Ond dyma oedd ei union eiriau ar y rhaglen:

Yn ddiweddar rydw i 'di ca'l agoriad llygad. Wyddoch chi be, tydi'r cynghorwyr, y bobol sy'n gosod y gorchmynion yn y lle cynta ddim ond yn rhy barod i'w torri nhw pan mae o'n 'i siwtio nhw'n bersonol. Ac maen nhw'n barod i wneud hynny'n amal pan yw 'u prif swyddogion yn argymell cadw at lythren 'u deddfau'u hunain. Ac fe gawson ni esiampl berffaith o hynny, os mai perffaith ydi'r gair priodol yn y cyswllt yma, yn ystod yr wythnos a aeth heibio.

Nos Fercher dwytha roedd cais o flaen pwyllgor cynllunio Bwrdeistref Arfon, cais gan Ysgol Berfformio Glanaethwy. Cais oedd o am ganiatâd cynllunio i godi adeilad newydd sbon ar Barc Menai, parc busnes sy'n eiddo i Awdurdod Datblygu Cymru, ar lannau'r Fenai, rhyw dair milltir y tu allan i ddinas Bangor. Ysgol breifat ydi Ysgol Glanaethwy sydd wedi bod, hyd yma, yn cynnal dosbarthiada mewn llefaru, dawnsio a pherfformio yn adeiladau Ysgol David Hughes ym Mhorthaethwy. Mae'r ysgol, sy'n eiddo i Rhian a Cefin Roberts yn denu plant o Glwyd i Ben Llŷn ac o Fôn i Feirion. Ar hyn o bryd mae 'na ddau gant a hanner o ddisgyblion rhan amser yn mynychu gwersi a degau o rai eraill ar y rhestr aros. Does dim dwywaith nad ydi'r ysgol yn llwyddiant mawr.

Ond y cwestiwn i bwyllgor cynllunio Arfon nos Fercher oedd: 'A ellid caniatáu datblygiad o'r fath ar stad sydd i fod yn ganolfan diwydiant a busnes? Sut gellid caniatáu codi ysgol breifat ar stad o'r fath?'

'Allwch chi ddim caniatáu'r cais,' meddai Prif Swyddog Cynllunio'r Cyngor. 'Rydach chi'n torri'ch rheola'ch hunan,' medda fo wedyn. Ond be ddigwyddodd? Chymrodd y pwyllgor ddim sylw o argymhelliad y Prif Swyddog. Onid oedd pawb sydd yn rhywun o bwys yn y Gymru sydd ohoni wedi anfon llythyr at y pwyllgor yn cefnogi'r cais. Ac wele pob rheol a chynllun a daflwyd o'r ffordd a chododd pob llaw yn unfryd, unfarn i droi clust fyddar i argymhelliad y Prif Swyddog. 'Wel, be 'di rheola rhwng ffrindia, yntê?'

A gair bach cyn tewi am y pentwr llythyra cefnogol gyrhaeddodd swyddfeydd Cyngor Arfon. Roedd 'na un oddi wrth Eisteddfod Genedlaethol yr Urdd. Ffwl marks, bois. 'Da chi wedi canfod ffordd ardderchog o gynilo'ch arian prin. Falla na fydd angan ichi drefnu Steddod Sir ym mro Eryri cyn hir, fydd 'na fawr o bwrpas i bartïon ysgolion y cylch i gystadlu. Mi fydd yr hufen i gyd yn cynrychioli Ysgol Breifat Glanaethwy. A does 'na neb yn mynd i gystadlu pan ma' nhw'n gwbod 'u bod nhw'n mynd i golli; hyd yn oed pobol ifanc yr *underclass*.

Fe wyddai Gwilym yn iawn nad oeddan ni'n potsio dim un disgybl o'u hysgolion dyddiol. Fel y soniais eisoes, roedd yn rhaid i'n disgyblion ni roi'r flaenoriaeth i'w hysgol ddyddiol cyn y caent feddwl cystadlu dan enw Glanaethwy. Os na fyddai'r ysgolion yn eu dewis, yna caent gymryd rhan yn ein cyflwyniadau ni â chroeso. Roedd hynny'n creu mwy o gyfle i bawb. Ond mae'n bosib fod hynny wedi cynddeiriogi ambell athro yn waeth fyth. Os deuem ni i'r brig yn eu herbyn gyda'r disgyblion hynny nad oedd wedi'u dewis ganddyn nhw, byddai hynny'n eu cynddeiriogi fwy fyth. Ond doeddwn i'n hidio dim ffeuen am hynny. Sicrhau fod pawb oedd *am* gystadlu yn *cael* cystadlu oedd ein nod ni o'r cychwyn.

Ac o fewn ychydig wythnosau wedyn fe gawsom lythyr gan y Cyngor yn dweud y byddai'n rhaid inni ddefnyddio llechi ar do'r ysgol yn hytrach na tho o fetel. Byddai hynny'n golygu y byddai pris y toi yn dyblu dros nos ac yn glec arall i'n cynilion. Ond, oddigerth un adeilad arall ar Barc Menai, doedd gan yr un o'r lleill do llechi. Be oedd y tu ôl i hyn i gyd, tybed? A pham roedd adran Celfyddydau Perfformio Coleg Menai yn gallu rhoi cartref i'w myfyrwyr hwy a gwrthwynebu i ni fynd yn agos i'r lle? Ac ar hyn o bryd, fel rydw i'n sgwennu'r bennod arbennig yma, mae Coleg Menai yn adeiladu safle newydd i'r coleg, *reit* drws nesa i Ysgol Glanaethwy. Ysgwn i a gawson nhw yr un drafferth i gael caniatâd cynllunio? Dwi'n ama'n fawr.

'Mam yn marw munud yma'

Dyna oeddan ni'n 'i ddeud wrth dyngu llw i unrhyw un ers talwm. 'Nes i rioed licio'i ddeud o, ond pan oeddwn yn blentyn, byddech yn cael eich cornelu a'ch gorfodi i wneud hynny ar adega. 'Deud o! Dos ar dy lw a'i ddeud o!' 'Deud be?' 'Mam yn marw munud yma.' Ac yn erbyn eich 'wyllys weithiau byddai'n rhaid deud, 'Mam yn marw munud yma.' Am beth creulon i orfodi plentyn i'w ddeud.

Ychydig fisoedd cyn agor yr ysgol ym Mharc Menai y bu Mam farw. Wedi diodde strôc a thrawiad ar ei chalon, er mor benderfynol yr oedd hi o fyw, fe roddodd ei chorff y frwydr i fyny ymhell cyn i'w henaid ddewis mynd. Doedd yna fawr ohoni hi ar ôl erbyn y diwedd i frwydro, ac fe aeth fel diffodd cannwyll frwyn mewn storm. *Rage!* Mam, *Rage!* Mi ddaru chi hynny, 'ndo.

Bu farw Nhad ryw ddwy flynedd cyn hynny ac mae cofio'r tensiynau oedd rhwng y ddau bryd hynny yn loes. Roedd fy nhad yn aros efo ni yng Nghilrhedyn ac wedi fy siarsio i beidio â deud wrth Mam fod cancr arno. Roedd o am osgoi'r emosiynau mawrion i gyd – dim rhyw hen lol botas o wylofain a maldod. Roedd o am fynd yn dawel, ond gwyddai mai i'r pegwn arall yr âi Mam pe deuai i wybod a dod i'w weld.

Erbyn hynny roedd Mam yn cael ei nyrsio mewn cartref yn Llanberis ac yn gaeth i'w gwely ar ôl colli ei hail goes. Ar y dechrau roedd Nhad yn ddigon cryf i fynd i fyny i'w gweld yn achlysurol, ond pan aeth yn rhy wan i fedru ei gwneud hi o'r tŷ i'r car fe aeth ei ymweliadau â Llanberis yn llai ac yn llai. Byddai Mam hithau'n holi lle roedd o, a chawn hi'n anodd i wneud esgusodion drosto. Yn y diwedd bu'n rhaid imi ddeud wrthi fod fy nhad yn wael iawn.

Tan hynny, methai Mam â deall pam yr oedd Dad yn cael byw acw a hithau'n gaeth i gartref. Oni fyddai Nhad yn medru edrych ar ei hôl tra oeddan ni yn yr ysgol, ac unwaith y meistrolai'r gadair olwyn drydan gallai'r ddau fynd yn ôl i Llan i fyw? Cyfnod trist iawn oedd hwn. Yng nghanol holl firi'r caniatâd cynllunio a'r cystadlu, y teithio a'r paratoi, gwelwn nid yn unig iechyd fy rhieni'n breuo, ond eu perthynas hefyd.

Unwaith y dywedais wrthi am gyflwr fy nhad, fe fynnai Mam ddod i'w weld. Ond roedd fy nhad yn gwbwl styfnig hefyd ac yn erfyn arna i i ddeud wrth Eirian Mali, rheolwraig y cartref, ei fod yn rhy sâl i gael ymweliad. Wnaeth hynny ddim ond gwneud Mam yn fwy penderfynol fyth o'i weld, ac un bore fe laniodd yn y dreif a gwelwn Eirian yn ei phowlio i mewn i'r gegin yn ei chadair olwyn a Rhian yn eu cyfarch.

'Ma' Mam yma,' dywedais wrth Dad pan es â phaned i fyny iddo.

'Jesus!' ebychodd.

'Dowch, Dad, meddyliwch be ma' hi 'di bod drwyddo fo. Be ma' hi'n *mynd* drwyddo fo.'

'Ti'n gwbod be dwi'n mynd drwyddo fo?' holodd.

I'r sawl nad oedd yn nabod fy nhad, gall hyn i gyd swnio'n galongaled. Ond ysbryd rhydd fu ganddo erioed, a dwi'n gwbod na chafodd o fyw'r bywyd yr oedd o *am* ei fyw. Dwi erioed wedi meddwl mai adra ar yr aelwyd yr oedd o am fod mewn gwirionedd. Ei ddymuniad o fyddai bod wedi cael mynd ar ei foto-beic i ble bynnag y byddai ei olwynion wedi mynd ag o. Ond nid fel 'na buo hi. Dwi'n eitha siŵr ei fod o wedi'n caru ni i gyd – fi ac Alan – a Mam.

Ond nid dyna'r bywyd fyddai o wedi'i ddewis petai wedi cael ei ffordd ei hun. Petai'r rhyfel heb ddigwydd. Petai wedi aros yn India. Petai priodas gyntaf Mam wedi bod yn un hapus. Petai o a Mam ddim wedi trio ailgynnau tân ar hen aelwyd. Petai. Petai. Petai.

'Deud wrthi 'mod i'n cysgu,' mynnodd, ac es i lawr y grisiau i gyfarch fy mam.

'Dos â fi i fyny i'w weld o,' gorchmynnodd hithau.

'Mae o'n cysgu'n sownd, Mam.'

'Glywis i chi'n siarad.'

Anwybyddais ei sylw a mynd allan i'r ardd gan ddeud wrthi am orffen ei phanad yn gynta. 'Mhen sbel es i fyny eto i weld lle roedd o arni. Roedd yn gorwedd yn ei wely yn syllu ar y nenfwd.

'Gin ti gôsd yn yr atic 'na,' medda fo.

'O!' meddwn inna. 'Sut gwyddoch chi?'

'Newydd fod yn siarad hefo fo.'

'Be ddudodd o wrthach chi?'

'Deud mai fo oedd yn byw yna ers sbel.'

'Be ddudoch chi wrtho fo?'

'Deud wrtho fo am 'i bygro hi o'na, achos dwi'n mynd yna ar ôl imi farw.'

Mi ddudodd wrtha i un tro, pan oedd o'n orweddog, 'i fod o wedi ca'l cynnig joban yn peintio Pont Borth, ond nad oedd o am ei derbyn hi achos nad oeddan nhw'n talu digon.

Gwyddwn fod y cyffuriau'n siarad dipyn go lew pan gawn i'r sgyrsiau yma efo fo, ond poenwn faint o'r cyffuriau fyddai'n siarad pan welai fy mam. Gofynnodd am bum munud bach arall i ddod ato'i hun, ond wrth imi fynd i lawr y grisiau fe welwn Mam druan yn stryffaglio i ddod i fyny'r grisiau ar ei phen-ôl. Doedd hi ddim am ddisgwyl rhagor ac fe'i cariais yn fy mreichiau i stafell fy nhad. Roedd hi'n gwisgo siwt fach *burgundy* a choler hufen ac roedd wedi cael gwneud ei gwallt yn y cartref. Roedd yn hynod o ysgafn yn fy mreichiau a gallwn deimlo'i thensiwn hithau hefyd. Gŵr a gwraig wedi colli cysylltiad ar ddiwedd eu hoes oherwydd bod salwch wedi'u gwahanu yn y modd mwyaf creulon, a minnau'n dyst i'r cyfan. Ymestynnodd Mam ei braich am ei wddw.

'O, Tomos bach,' meddai'n ddagreuol a'i gofleidio'n dynn. Ond oherwydd 'mod inna'n ymestyniad o gorff fy mam, gan mai fi oedd yn ei chario at y gwely, gallwn deimlo Nhad yn tynnu'n ôl o'i choflaid. Rhois hi i eistedd ar gadair gyferbyn â'r gwely ac edrychodd fy nhad ar ei gwisg, ei cholur a'i gwallt.

'Ti 'di dŵad yn dy fowrning,' meddai.

Ar hynny fe'u gadewais gan ddeud wrthyn nhw am roi bloedd os oeddan nhw am banad. Ac yno y buon nhw am sbel yn sgwrsio. Sgwn i be gafodd 'i ddeud rhwng y mudandod a'r crio? Dyna lle roeddan nhw, y ddau berson yma a roddodd fagwraeth arbennig iawn i 'mrawd a finna mewn sawl ffordd, yn syllu'n fud drwy ffenest Cilrhedyn ar y niwl yn cau dros y Fenai.

§

Yn Lerpwl yn ffilmio addasiad o'r ddrama *Brad* oeddwn i pan fu farw Nhad. Roeddwn i'n chwarae rhan Caesar von Hofacker, y gŵr oedd yn rhan o'r cynllwyn i frad-lofruddio Hitler ar 20 Gorffennaf 1944. Ces neges ganol nos yn dweud fod fy nhad yn gwaelu, ond gan mai hon oedd fy ngolygfa olaf fe ddywedais wrth y tîm cynhyrchu yr arhoswn nes cael y cyfan yn y can.

Roeddwn wrthi'n gwisgo fy lifrai milwrol pan ddaeth criw o fechgyn i mewn a chael siafio'u pennau ar gyfer bod yn ecstras yn yr olygfa. Pan oedd pawb yn barod aethom i barc cyfagos lle roedd 'na artist yn rhoi'r cyffyrddiadau olaf i ddelwedd o Dŵr Eiffel ar wydr.

O saethu drwy'r gwydr o ongl arbennig fe gaech yr argraff eich bod ym Mharis, gan mai yno, ar 26 Gorffennaf 1944, y cafodd Hofacker ei arestio. Roedd y gwaith peintio yn hynod o gywrain a'r is-gyfarwyddwr yn cerdded y bechgyn a minnau drwy'r symudiadau i ffilmio'r siot bwysig fyddai'n ein lleoli ym Mharis ac nid yn Lerpwl. Unwaith y gallem dorri i'r siots agos, fydden ni ddim wedi ein cyfyngu cymaint i weld Tŵr Eiffel ar ôl hynny. Yr holl waith yna i greu siot neu ddwy i osod yr olygfa yn ei phriod le. Ond o edrych arni drwy lens y camera roedd yn edrych yn effeithiol iawn.

Fel roeddan ni'n barod i saethu, ces neges fod Rhian wedi ffonio'r gwesty yn trio cael gafael arna i. Gareth Wyn o Ffilmiau'r Tŷ Gwyn oedd yn cyfarwyddo unwaith eto, a chynigiodd dacsi imi fynd adra'n syth.

Dywedais yr arhoswn i wneud y siot yma, gan ystyried y byddai'r bechgyn bach oedd wedi torri eu gwalltiau i'r bôn yno i ddim pwrpas o gwbwl petawn i'n gadael. A be am y dyn bach oedd wedi peintio Tŵr Eiffel, be ddeuai o'i holl waith yntau? Na, byddwn yn aros i orffen yr olygfa ac yna'n neidio i'r tacsi.

Pan gyrhaeddais westy'r Adelphi daeth y ferch o'r dderbynfa ata i a deud fod neges imi ffonio adra'n syth pan gyrhaeddwn. Ces ddefnyddio ffôn y dderbynfa, a chlywais lais Rhi yn deud, 'Sorri, Cefs.' Doedd dim angen deud mwy.

Bûm yn gyrru o gwmpas Lerpwl am allan o hydion gan fod fy llygaid yn boddi mewn dagrau a minnau'n methu ffeindio'r fynedfa i Dwnnel Merswy dros fy nghrogi. Er na fyddwn i wedi cyrraedd adra mewn pryd ac er bod fy nhad wedi bod mewn trwmgwsg dwfn ers oriau, roeddwn yn dal yn edifar na fyddwn wedi neidio i'r car a mynd pan ges i'r cyfle. Dim cymaint felly erbyn heddiw, gan 'mod i'n gwbod na allwn i fod wedi gwneud dim byd. Mam a Rhian a Mirain oedd hefo fo pan gymerodd ei anadl olaf.

Y merched i gyd. Ac roedd hynny'n OK. A dwi'n siŵr y byddai Nhad wedi cytuno. Roedd ganddo feddwl y byd o Rhian – neu 'Rhei', fel y galwai o hi bob amser. 'Rhi' i bawb arall; 'Rhei' i Nhad.

Mileniwm Newydd

Fe wibiodd gweddill y nawdegau'n gorwyntoedd o brysurdeb. Adeiladwyd ysgol a daeth Wilbert Lloyd Roberts i'w hagor ar 2 Hydref 1995. Roedd ein ffrindiau a'n teulu yno'n dathlu a Rhian a finna ar ben ein digon – byddai gennym le rŵan i gadw'r holl drugareddau oedd wedi mygu ein cartref ers blynyddoedd. Roedd yn achlysur meddw iawn a'r straglars oedd wedi tin-droi hyd y diwedd yn llusgo i'w tacsis yn oriau mân y bore. Ar wahân i'r gacen siocled anferth a daflwyd am ben Bryn Fôn gan y cynllunydd coluro Meinir Jones-Lewis ar ddiwedd y parti a'r llanast arferol sy'n dod yn sgil parti meddw, roedd gennym ysgol newydd sbon danlli i ddysgu ynddi: lle i hongian gwisgoedd a chadw props, droriau a silffoedd i gadw llyfrau a chopis canu. Waliau a chabinets i hongian tystysgrifau a lluniau ac arddangos tlysau a chofroddion.

Ond roedd y beirniadu'n dal i ddripian o'r tap cyfryngol, a phob nawr ac yn y man fe'm llusgid i mewn i ryw stiwdio neu gyfweliad yn ddirybudd ar Faes Steddfod i holi beth oeddan ni'n ei feddwl o'r cwyno a'r drwgdeimlad oedd yn dal i fudferwi a chodi i'r wyneb amdanom.

Yn 1995 cefais wahoddiad i weithio hefo Robin Evans a Sue Waters ar y gyfres *Rownd a Rownd*. Roedd S4C yn chwilio am gyfres sebon i blant ac roedd cwmni Ffilmiau'r Nant yn awyddus i roi cynnig am y tendr. Roedd angen creu fframwaith i ryw bum neu chwe phennod a sgript o'r bennod agoriadol.

Os ydi 'nghof i'n iawn, dwi'n credu iddi ddod i lawr i restr fer o dri chwmni a gwahoddwyd y cwmnïau hynny i ffilmio pennod yr un. Canlyniad yr holl waith caled oedd i Ffilmiau'r Nant ennill y tendr ac mae'r cwmni, sydd bellach yn gweithio dan y teitl Rondo, yn dal i gynhyrchu'r gyfres boblogaidd i S4C.

Bûm yn creu'r straeon i'r gyfres ar fy mhen fy hun am wyth mlynedd a ches goblyn o foddhad yn cyflawni'r gwaith. Ers hynny dwi wedi gweithio ar nifer o gyfresi drama i Rondo ac wedi cael profiadau hynod o ddifyr yn gweithio yno dros y blynyddoedd.

Ond fe ddaeth y cyfan i ben pan ges i gynnig swydd yn Gyfarwyddwr Artistig cyntaf Theatr Genedlaethol Cymru, a chychwyn ar y bennod anoddaf a mwyaf unig yn fy mywyd. O edrych yn ôl, dylwn fod wedi sylweddoli o'r dechrau 'mod i'n derbyn her nad oedd modd imi ei choncro, waeth beth fyddwn i wedi ceisio'i wneud.

Bu trafod a dadlau maith ar y cyfryngau a oedd angen theatr genedlaethol ai peidio, a dwi'n cofio imi wrando ar drafodaeth ar y radio rhwng nifer o gyfarwyddwyr ac actorion oedd yn daer yn erbyn y syniad. Roeddent yn unfryd unfarn fod dyfodol y theatr Gymraeg yn nwylo'r cwmnïau bychain oedd eisoes yn bodoli trwy Gymru. Fedrwn i ddim deall beth yn union oedd pwrpas y drafodaeth ar y pryd gan fod Cyngor Celfyddydau Cymru eisoes wedi penderfynu fod y cynllun yn mynd i ddigwydd, a fyddai dim troi 'nôl.

Roedd y cyllyll allan o'r cychwyn, ond roedd awydd her newydd arna i ac fe dderbyniais wahoddiad gan y Bwrdd Rheoli i fynychu cyfweliad yng ngwesty Llety Parc yn Aberystwyth. Roeddwn yn un o dri ar y rhestr fer am y swydd: fi, Jeremy Turner o gwmni'r Arad Goch a Bethan Jones, oedd ar y pryd yn gweithio i'r BBC yng Nghaerdydd.

Pan anfonwyd y swydd-ddisgrifiad imi'n wreiddiol, roedd yn nodi y byddai'r cwmni'n cael ei leoli un ai yn y gogledd-orllewin neu yn y canolbarth. Ychydig ddyddiau cyn fy nghyfweliad clywais mai yn Llanelli y byddai cartref newydd y cwmni wedi'r cwbwl, gan obeithio symud, maes o law, i adeilad newydd sbon danlli ar gampws Coleg y Drindod yng Nghaerfyrddin. Roedd hyn yn newid popeth o'm safbwynt i a bu bron imi â thynnu'n ôl cyn mynd i lawr i'r cyfweliad. Hyd yn oed pe bai'r cwmni wedi symud i Aberystwyth, byddai wedi gwneud pethau'n llawer ysgafnach o safbwynt cymudo, ond doedd Llanelli ddim yn agos at ganolbarth Cymru, heb sôn am y gogledd.

Person wedi'i rwygo oeddwn i'n cerdded i mewn i'r cyfweliad. Wedi byw efo'r cynnwrf o greu cwmni newydd ers wythnosau, roeddwn yn dal i weld yr atyniad. Ond fel un oedd yn rhedeg busnes efo 'ngwraig i fyny yn y gogledd, roedd y newid munud olaf a wnaed gan y Bwrdd wedi fy lluchio oddi ar fy echel yn llwyr. Wyddwn i ddim o'n i'n mynd 'ta dŵad, a theimlwn 'mod i'n sefyll reit ar ganol croesffordd yn fy mywyd ac na wyddwn i ba gyfeiriad i fynd.

Mi es am y cyfweliad a ches alwad ffôn gan Lyn T. Jones, cadeirydd y Bwrdd, cyn diwedd y dydd yn cynnig y swydd i mi. Yng nghanol y corwynt o emosiynau fe'i derbyniais. Yn gymysgfa o gynnwrf a siom, ofn a balchder, fe gollais gwsg am wythnosau, cymaint fy ansicrwydd oeddwn i wedi gwneud y penderfyniad iawn ai peidio. Roeddwn wedi rhoi'r gorau i swydd dda yn *Round a Rownd* a byddwn yn cymryd y sedd gefn gyda'm busnes fy hun am sbel go hir.

Erbyn hynny roedd hyfforddwraig arall wedi ymuno â ni yng Nglanaethwy ers chydig flynyddoedd, sef Lowri Hughes. Gwyddwn y byddai Lowri yn gefn aruthrol i Rhian gan ei bod yn ferch gwbwl ymroddedig a thriw. Bellach mae Lowri ei hun ar dîm sgriptio *Round a Rownd* a minnau 'nôl yng Nglanaethwy'n llawn amser ers pymtheg mlynedd. Mae'r hen olwyn wedi troi gryn dipyn ers hynny, credwch chi fi.

Codwyd ail ran yr ysgol yn y flwyddyn 2000 a chafodd yr estyniad ei agor yn swyddogol ar 28 Rhagfyr gan Bryn Terfel. Roedd honno'n noson i'w chofio hefyd ac roedd yn braf medru gweld yr adeilad gorffenedig bellach ar ei draed. Dadorchuddiwyd yr ail englyn i nodi'r achlysur. Nid un gan Tudur Dylan y tro hwnnw, ond gan ei dad, y Parchedig John Gwilym Jones. Mae hwn hefyd wedi plesio'n arw:

> Rhodied y cymeriadau – i'r neuadd
>   Dowch â'r newydd leisiau
> A storom oes ei dramâu,
> A'n llên a droir yn lluniau.

§

Roeddwn yn colli Glanaethwy'n fawr yn ystod y saith mlynedd y bûm i i lawr yn gweithio yn Llanelli a Chaer-fyrddin. Yn colli 'nheulu a'm ffrindiau. Roedd Rhian a finna wedi gweithio hefo'n gilydd yn ddi-dor ers pymtheg mlynedd, wedi byw a magu teulu hefo'n gilydd, ac wedi bod yn canlyn ers pan oeddan ni yn ein harddegau cynnar. A rŵan, dyma fi'n ei heglu hi i ben arall y wlad i sefydlu cwmni cenedlaethol newydd, ac yn llawn amheuon.

Roeddwn i hefyd yn gadael ar ôl mynd drwy gyfnod tu hwnt o anodd gyda'n ffrindiau. Cychwynnodd yr hunllef pan gawsom ni alwad ffôn gefn drymedd nos a'n sobrodd yn y fan a'r lle. Un o'n ffrindiau agos, Nerys (Williams) oedd yna a Rhian atebodd yr alwad. Ond fe wyddwn yn syth o ymateb Rhian fod rhywbeth difrifol wedi digwydd ac mai Nerys oedd y pen arall i'r ffôn.

'Ddown ni yna rŵan, Nerys. 'Dan ni ar ein ffor',' meddai Rhian, gan neidio allan o'i gwely yr un pryd. Roedd Gethin (Rhys), mab Nerys, wedi marw yn dilyn damwain yn Magaluf lle roedd ar ei wyliau, ac roedd Nerys wedi codi'r ffôn ar ei ffrindiau yn syth. Roedd Rhian a finna wedi newid a neidio i'r car cyn ichi ddeud Bangor Ucha ac yn gyrru tuag at fferm y Gilfach, ger Abergwyngregyn.

Gethin! Un o'n disgyblion anwylaf. Y bachgen a chwaraeai'r brif ran yn y sioe ddaru Prunella Scales ei chyflwyno yn y Festival Hall flynyddoedd ynghynt. Fy Nhubalt i'm Romeo a Sam ar y gyfres *Rownd a Rownd*. Atgofion hyfryd am hogyn hawddgar yn cael eu chwalu mewn un alwad ffôn.

Fel roeddan ni'n cyrraedd y Gilfach roedd y plismyn yn gadael y tŷ, a Susan a Carys, ffrindiau eraill Nerys ac Emrys, yn glanio yr un pryd â ni. Yn amlwg roeddan nhwtha wedi rhuthro yno mor gyflym â ninnau i estyn breichiau a chynnal ffrindiau. 'Nôl yn 2002 y digwyddodd hyn i gyd, flwyddyn union cyn i mi adael am y de, ac roedd yr ysgol gyfan wedi teimlo'r golled.

Fe ofynnodd Nerys imi'r bore wedyn a fyddwn i'n cymryd yr awenau yn y cynhebrwng. Roedd Gethin yn hogyn poblogaidd tu hwnt, gyda ffrindiau ysgol, ffrindiau Glanaethwy, ffrindiau *Rownd a Rownd* a ffrindiau yn y byd amaeth i gyd yn meddwl y byd ohono. Byddai'n angladd mawr. Cytunais yn syth os na fyddai yna unrhyw wrthwynebiad gan y Deon, gan mai yn y gadeirlan y bwriadai gynnal y cynhebrwng.

Yna, daeth cais oedd yn mynd i fod fymryn yn anos i'w wireddu. Roedd am i'r Côr Hŷn ganu yn yr angladd. Roedd Nerys hefyd wedi cael achlust ein bod wedi penderfynu peidio mynd i gystadlu yn Llangollen y flwyddyn honno fel arwydd o barch tuag at y teulu. Ond doedd Nerys ddim yn mynd i gymryd y fath nonsens. Doedd marwolaeth Gethin ddim yn mynd i fod yn achos canslo unrhyw beth yn ei enw o, yn enwedig lle roedd Glanaethwy yn y cwestiwn. Ceisiais esbonio na fyddai calon neb yn y canu, a doeddwn i chwaith ddim isio mynd i Langollen i wneud sioe wael ohoni.

'Newch chi ddim, siŵr!' oedd ei hymateb yn syth. 'A plis 'nei di ofyn yn neis iddyn nhw ganu yn y cnebrwn hefyd. Dyna fysa Geth isio.'

Y nos Wener ganlynol oedd yr ymarfer cyntaf inni gael ers ei farwolaeth ac o mlaen i roedd pedair rhes o wynebau gwelwon yn syllu'n gwbwl ddifynegiant arna i. Ambell un yn sychu deigryn, a fedrwn i ddim meddwl am ganu. Gofynnais oeddan nhw isio siarad, a dyna ddaru ni am sbel go lew. Pawb yn hel atgofion ac yn cofleidio'i gilydd rŵan ac yn y man.

Dywedais wrthynt fod Nerys yn mynnu ein bod yn mynd i Langollen yr wythnos ganlynol a 'mod i'n fodlon ufuddhau iddi os oedd digon yn meddwl y gallen nhw wynebu'r her. Cytunodd pawb – 'am fod Nerys wedi gofyn'.

Oni fyddai'n braf medru deud yma i'r Côr Hŷn ennill yn Llangollen y flwyddyn honno? 'Nôl yn 1994 yr aethom i gystadlu yn Llangollen am y tro cyntaf a dod yn bedwerydd ar ddeg allan o ddeunaw o gorau. Ninnau'n meddwl ein bod wedi gwneud dipyn o strocan ohoni'n osgoi dod yn olaf mewn gŵyl o safon canu corawl mor uchel.

Roedd synau Llangollen yn addysg i mi o'r cychwyn cynta. Bûm yn cystadlu yno fy hun yn hogyn ifanc ac fe syrthiais mewn cariad â lledrith y lle yn syth; roedd medru mynd â chôr yno i ganu yn gwireddu breuddwyd go fawr. Yn raddol bach roeddan ni'n llwyddo i ddringo i fyny ystol y canlyniadau ac roedd y Côr Iau wedi dod i'r brig yno unwaith neu ddwy cyn 2002. Ond honno oedd blwyddyn y Côr Hŷn – y flwyddyn ddaru Nerys fynnu ein bod ni'n mynd yno yn enw Geth i gystadlu drosto. Do, fe gawsom y wobr gyntaf yn adran y Corau Ieuenctid.

Mae Llangollen wedi rhoi llawer o foddhad i ni fel ysgol: yr un ŵyl yng Nghymru lle na chawn ni ddim byd ond croeso a llawenhau yn llwyddiannau ein gilydd fel corau a phartïon dawns. Beth bynnag feddyliwch chi o rai o elfennau eraill yr ŵyl, mae gen i lot fawr i'w ddeud wrth Langollen: 'Gwyn fy myd bob tro y dêl.' Wedi ein llwyddiant ar y gyfres *Last Choir Standing* fe gafodd y côr cyfan eu gwneud yn llysgenhadon yr ŵyl. Teitl rydan ni'n falch iawn o'i arddel, credwch chi fi.

Ond ennill yn 2002 fydd un o uchafbwyntiau'r ŵyl i mi am byth. Ac i chdi mae'r diolch am hynny, Geth. Ac i ti 'nes i sgwennu'r unig englyn y medra i fod yn wir falch ohono hefyd. Dwi'n eitha da ar yr hen hir-a-thoddaid, cofia, ac wedi ennill bwyell Ysgol Farddol Caerfyrddin sawl gwaith gyda'm hymdrechion ar y mesur hwnnw. Dwi'm yn *bad* am gywydda chwaith, pan bicith yr hen Awen draw i edrych amdana i ryw unwaith yn y pedwar amser. Ond englyn! Naddo, 'rioed, nes – nes – imi sgwennu hwn i chdi. Wel, na, tydi hynna'm yn hollol wir. Dwi 'di sgwennu ambell gadwyn o englynion y medra i ddeud 'mod i'n eitha balch ohonyn nhw. Ond yr englyn go iawn. Yr un sy'n sefyll ar ei ben ei hun, lle nad oes dim angen ail un arnat ti i ddeud yr hyn sydd gen ti i'w ddeud. Felly roeddwn i'n teimlo pan 'nes i lunio hwn. Yma rwyt ti wedi dy gladdu, yndê Geth? Ym mynwent Eglwys Llanfaglan. A fel ti'n gwbod, mae Emrys a Nerys wedi symud i'r ardal i fyw erbyn hyn. Gyferbyn â'r eglwys lle w't ti wedi dy gladdu. Bron na ddudat ti eu bod nhw yn y cae drws nesa. Ac yn y fynwent y sgwennis i hwn i chdi. Dan y coed 'na sy'n dy gysgodi di drwy bob storm:

> Af i Eglwys Llanfaglan yn y coed,
>   lle y caf, yng nghilfan
>   y gwynt ac yn nodau'r gân,
>   ennyd i mi fy hunan.

§

Fe recordion ni CD gyda Sain o'r enw 'I Gyfeillgarwch' er cof am Gethin. Gosodiad Gwennant Pyrs ar eiriau

W. Rhys Nicholas 'I Gyfeillgarwch' yw'r gân agoriadol ac a roddodd y teitl i'r albym. Er inni gael ein torri allan o sawl cystadleuaeth cerdd dant am inni gamddehongli neu gamosod rhyw air yma ac acw, dwi'n eitha hoff o hwn, yn ogystal ag un neu ddau arall o'n cynigion dros y blynyddoedd. Dwi'm yn amau nad ni ydi'r unig gôr ysgol i ennill cystadleuaeth y côr cerdd dant a'r parti cerdd dant agored yn yr Ŵyl Cerdd Dant erioed. Falla nad ydan ni wedi bod mor wael â hynny wedi'r cwbwl.

Ond y gosodiad y bu mwyaf o drafod arno, ac eithrio rhai o osodiadau Gareth Mitford, yw gosodiad Einion Dafydd i eiriau Rhiannon Ifans yn seiliedig ar chwedl Culhwch ac Olwen. Gŵyl Cerdd Dant Aberystwyth oedd hi, a ddaethon ni ddim yn gyntaf, yn ail na thrydydd yn y gystadleuaeth, ond bu mwy o holi a thrafod ar ein dehongliad ni nag unrhyw gôr arall. Roedd Einion wastad yn gwthio'r ffiniau gyda Glanaethwy, ac er na chawsom wobr o fath yn y byd, gosodiad Einion a dehongliad Glanaethwy a ymddangosodd ar CD Sain o Oreuon Cerdd Dant o'r cyfnod hwnnw. Falla *fod* y cerdd dantwyr yn eitha hoff o'n dehongliadau ni wedi'r cwbwl. Fyswn i'n licio meddwl hynny, licio meddwl mai ni ydi *guilty pleasure* ambell un o'r glewion.

§

A thra dwi ar y pwnc o gerdd-danta. Mi ges alwad ffôn gan un o'r glewion hynny, sef y ddiweddar, ddifyr Haf Morris ar ddiwedd y nawdegau. Roedd ganddi ffafr i'w gofyn. Roedd hi wedi digio hefo pwyllgor cerdd dant Eisteddfod Genedlaethol Môn 1999, eglurodd. Roedd hi wedi cynnig i'w phwyllgor araith enwog Alys allan o'r ddrama *Siwan*, Saunders Lewis, fel darn gosod i'r côr cerdd dant y flwyddyn honno ac wedi cael ymateb digon negyddol. Sawl un wedi deud, yn ôl Haf, nad oedd posib gosod araith allan o ddrama i gerdd dant a gwrthodwyd ei chynnig.

Ar y pryd roedd hi wrthi'n trefnu sesiwn cerdd dant yn y Pagoda ar fore dydd Sul cynta'r Steddfod. Roedd gan Ynys Môn draddodiad hir o gynhyrchu rhai o fawrion y byd cerdd dant dros ddegawdau, o'r ddeuawd Pat a Margaret i Barti'r Ynys, o Leah Owen i Anwen a Nia, ac o Gareth Mitford i Myra Jones – a Haf ei hun, wrth gwrs; roedd y Monwysion fel petaent yn dodwy cerdd dantwyr ar un cyfnod. Byddai'r sesiwn, yn bennaf, i drafod cyfraniad a datblygiad cerdd dant ar Ynys Môn, ond tybed a fyddai gan Glanaethwy ddiddordeb mewn derbyn yr her o osod araith Alys i gerdd dant?

Wrth gwrs y gwnawn ni oedd yr ateb, mi ellwch fentro. Ac mi aeth Einion a finna i grafu'n pennau ynglŷn â sut yr aem ati i ddehongli'r ddrama a gosod cyfalaw i eiriau dramatig Saunders, lle mae Alys yn disgrifio'r dyrfa wawdlyd yn poeri ar Gwilym Brewys, sydd ar fin cael ei grogi. Be gewch chi well yn destun i'w osod ar gerdd dant? Roedd y detholiad yn ein dwylo ni:

> Y dorf sy'n gweiddi.
> Mae'r milwyr yn sgwâr 'rwan o gwmpas y crocbren
> A'r dyrfa'n dylifo o'u cylch.
> Angau iddo . . .
> I'r crocbren â'r Brewys . . .
> I lawr â'r Ffrainc . . .

Cyfansoddodd Einion ei alaw ei hun ar gyfer yr her. Un alaw gyfan nad oedd yn ailadrodd ei hun, fel sy'n arferol wrth osod geiriau i gerdd dant. Doedd hynny ddim yn torri unrhyw reol yn ôl Haf ac roedd gennym ddigon o raff i chwarae hefo hi; digon o raff i grogi'n hunain arni petaen ni mewn cystadleuaeth wrth gwrs. Ond trafodaeth, nid cystadleuaeth, oedd hon.

Ac, fel y dywed Alys, wedi i Gwilym Brewys syrthio i'w angau yn urddasol:

'Mae'r dorf yn fud,
Wedi'u syfrdanu.'

Ac felly'n union yr oedd tyrfa'r Pagoda y bore Sul gwlyb
hwnnw yn Llanbedr-goch, hefyd. Hyd yn oed pan agorodd
Haf y drafodaeth i'r llawr, doedd neb am ddeud dim byd.
Mi deimlais i Einion yn gwingo yn ei sedd mewn siom.
Wedi misoedd o baratoi, doedd gan neb affliw o ddim
i'w ddweud am ein hymdrechion. Er y gymeradwyaeth
wresog, doedd neb am roi eu pen ar y bloc – neb, 'blaw
am Einion. Gofynnodd iddynt, i gychwyn, a oedd yr hyn a
glywson nhw, yn eu tyb hwy, *yn* gerdd dant.

'Oedd,' unsill a gafodd yn ateb.

'Oedd o'n torri unrhyw reol yn eich llyfrau chi?'
mentrodd Einion yn ei flaen.

'Na,' oedd yr ateb eto.

Mentrodd Haf ofyn oedd rhai'n meddwl y dylai cerdd
dant fod yn arbrofi mwy ac yn rhoi cyfle i osodwyr wthio
ffiniau. Doedd dim ymateb, nes i Einion ei fynnu. Dan Puw
oedd yr unig un oedd yn ddigon dewr i ddweud unrhyw
beth.

'Wel,' medda fo, 'os mai i'r cyfeiriad yna y bydd cerdd
dant yn mynd, yna dim ond Glanaethwy fydd yn cystadlu
mewn blwyddyn neu ddwy.'

Ac felly y daeth y cyfarfod i ben. Pawb wedi mwynhau'r
canu a hel atgofion am y cyfnod pan oedd cerdd dant yn ei
anterth ar Ynys Môn. Ond mi welais un cyfansoddwr bach
yn gadael y Pagoda'n ddyn nad oedd wedi'i blesio. Tydi
Einion ddim yn ddyn chwerw, ddim o bell ffordd. Ond
mae o'n un hoff iawn o drafod. Chafwyd dim trafodaeth, a
chafodd Einion siom.

Ond mi roeddwn i wedi fy mhlesio. Yn ddistaw bach mi
dwi'n ffan mawr o gerdd dant, yn enwedig pan mae o ar ei
orau. Bu Rhian yn aelod o Gôr Seiriol am flynyddoedd a
ches y fraint o ddilyn y côr o steddfod i steddfod yn ystod

y cyfnod hwnnw. Mae Seiriol bellach yn ymarfer yn Ysgol Glanaethwy, ac felly dwi'n dal i gael clywed eu sain hyfryd hyd y coridorau acw bob nos Fawrth am hanner awr wedi saith. Cyngerdd rhad ac am ddim.

Roeddwn i wedi 'mhlesio'n bennaf achos mi wyddwn fod gan y darn cerdd dant yma draed. Gallwn fynd â hwn i unrhyw ŵyl yn y byd heb deimlo'i fod yn rhy ailadroddus i glustiau rhyngwladol, fel y byddai peryg i gerdd dant ei wneud i glust na ddeallai'r geiriau. Ar ein taith i'r Swistir i ŵyl gerdd yn ninas Basel fe gawson ni ymateb anhygoel i'r darn. Gwnaeth argraff hefyd ar y llwyfan yn Llangollen a Llundain. Dyma ymateb Barry Russell, un o feirniaid cyson yr ŵyl Music for Youth, i'r darn:

> The simplicity of the staging/choreography is an object lesson – it adds so much. But this is just one element in what is a total *performance* in which all elements are astounding. Language is no barrier. The drama is so clear. This needs to be seen countrywide. Outstanding. Amazing. Fantastic. Beautiful. You perform as an unit. Astonishing.
>
> Some of the best youth music making . . . forget the 'youth' – some of the best music making I have ever seen.

Dwi'n dyfynnu'r feirniadaeth yn bennaf er mwyn dangos yr ymateb a'r croeso roeddan ni bob amser yn eu derbyn dros y ffin yn ystod y cyfnod yma. Mae clywed pobl o wledydd eraill yn cael yr hyn rydan ni wastad wedi trio'i gyflawni wedi'n hysbrydoli ni o'r cychwyn. Fe wnes i ei gynnwys i'w roi ar y CD deyrnged i Gethin am fy mod i'n ei gofio yntau'n ei ganu hefo ni cyn ei farwolaeth annhymig.

Wrth i Rhian a finna yrru am stiwdio Sain i recordio'r albym deyrnged roedd 'na fachgen ifanc yn pydru mynd ar gefn sgwter troed o'n blaenau. Roedd ganddo fatri ar y sgwter ac roedd yn mynd ar dipyn o sbid.

'Huw 'di hwn?' holais Rhian. Roedd hithau'n amau hynny hefyd. Ond mae'r lôn i stiwdio Sain yn gul iawn ac yn llawn troeon, a does dim posib pasio yn unman bron, felly buom yn ei ddilyn am sbel go hir. Ac ia, Huw Rowlands oedd y bachgen ifanc o'n blaenau. Fe'i galwn yn 'fy ngofalwr' yn yr ysgol gan y byddai Huw bob amser yn gofyn ar ddiwedd y wers, 'Dach chi'sio i mi gadw cadeiria?' Un da oedd Huw am helpu ac yn un o'r rhai gwenog hynny oedd wastad yn deud 'Helô'. Hyd yn oed y tu allan i oriau'r ysgol, os gwelem ni Huw ar y stryd fawr neu mewn siop, doedd yr hen letchwithdod llencynnaidd yna ddim wedi cyffwrdd ag o. Byddai'r rhan fwyaf o ddisgyblion yn eu harddegau yn barod i redeg milltir cyn deud 'Helô' wrth oedolyn – yn enwedig athro, ond ddim Huw. Fe'ch gwelai yn unrhyw le, unrhyw bryd.

Ychydig fisoedd wedi'r sesiwn recordio yn Sain, fe syrthiodd Huw yn farw ar gae pêl-droed ym Mhwllheli, cyn iddo roi cic i 'run bêl. Rhyw ddiffyg ar falfiau'r galon a achosodd ei farwolaeth, lai na blwyddyn ar ôl inni golli Gethin. Mab fferm, un o ddau frawd, tu hwnt o annwyl, a'r côr yn canu yng nghadeirlan Bangor am yr eildro y flwyddyn honno. Roedd fel hunllef o *déjà vu* erchyll.

Mae gennym ni ddwy neuadd ymarfer yng Nglan-aethwy ac mae'r ddwy bellach wedi'u henwi ar ôl y bechgyn: Neuadd Gethin Rhys a Neuadd Huw Rowlands. Coffa da amdanynt ill dau.

Brwydr a Bradwr

Yr wythnos y cefais fy mhenodi'n Gyfarwyddwr Artistig cyntaf y Theatr Genedlaethol ces ymweliad annisgwyl iawn yn yr ysgol. Roeddwn yn gweithio yn y swyddfa fy hun rhyw brynhawn pan welais bennau dau berson yn pasio'r ffenest. Dim digon imi eu gweld yn iawn, ond roedd rhywbeth yn gyfarwydd yn y ddau.

Daeth cnoc ar ddrws y swyddfa a galwais hwy i mewn. Elfed Roberts a Hywel Wyn Edwards o'r Eisteddfod Genedlaethol oedd f'ymwelwyr. Gofynnodd Elfed imi oeddwn i wedi anfon nofel i mewn i gystadleuaeth y Fedal Ryddiaith y flwyddyn honno. Dywedais fy mod i ac eglurodd fod ganddo newyddion da iawn imi; roedd fy nofel wedi dod i frig y gystadleuaeth ac roeddwn wedi ennill Medal Ryddiaith Eisteddfod Genedlaethol Meifod 2003. Er 'mod i'n clywed ei eiriau'n iawn, roeddwn yn argyhoeddiedig mai breuddwydio o'n i. Fe gymerodd funudau lawer i mi eu credu'n iawn a hyd yn oed pan sefais ar fy nhraed i sain yr utgyrn ym Meifod yr haf crasboeth hwnnw roeddwn yn dal i orfod pinsio fy hun bob hyn a hyn.

Wedi ennill y Fedal Ddrama yn Eisteddfod Môn ac yn Eisteddfod Genedlaethol Tyddewi yn 2002, roeddwn yn lled gyfarwydd â sefyll ar fy nhraed ar ôl ennill cystadleuaeth lenyddol. Ond sefyll i fyny ar sain utgyrn mewn pafiliwn ac aelodau Gorsedd y Beirdd yn fy nghroesawu i'r llwyfan? 'Nes i erioed feddwl y cawn i'r ffasiwn fraint.

Pleser a dihangfa fu sgwennu i mi erioed, hobi a ddaeth â llawer iawn o bleser i mi dros y blynyddoedd. Ers cyhoeddi'r nofel *Brwydr y Bradwr*, dwi wedi cyhoeddi dwy nofel arall, sef *Cymer y Seren* i Wasg Gwynedd ac *Os Na Ddôn Nhw* i'r Lolfa. Dwi hefyd wedi cyhoeddi cyfrol o hwiangerddi, *Taro Deuddeg*, a chasgliad o lythyrau, *Cofion Cefin* i Wasg y Bwthyn, yn ogystal â chyfrol o fonologau dan y teitl *Sgin Ti Fonolog?* Mae nifer o'm cerddi i blant wedi'u cyhoeddi mewn amrywiol gyfrolau gan Wasg Carreg Gwalch, yn ogystal â chyfrol ar hanes Glanaethwy, *Perffaith Chwarae Teg*, fel rhan o'r gyfres Syniad Da gan Garreg Gwalch.

Sian Northey, fy ngolygydd ar y gyfrol *Cofion Cefin* i Wasg y Bwthyn a'm perswadiodd i ymuno â'r cwrs Ysgrifennu Creadigol ym Mhrifysgol Bangor. Ers imi ennill y Fedal Ryddiaith, roeddwn i wastad wedi bwriadu mynd ar fwy o gyrsiau sgwennu gan 'mod i wastad wedi mwynhau'r sesiynau a gefais yn yr ysgolion barddol y bûm yn eu mynychu dros y blynyddoedd. Enillais bedair cadair mewn eisteddfodau lleol wedi imi feistroli ychydig ar y gynghanedd, ond mae amser wedi mynd yn brin yn ddiweddar a minnau'n mynd allan o bractis. Ar ôl imi ymddeol, efallai? Ymddeol? Ymddeol? Pwy soniodd am ymddeol?

§

Roedd hi'n bnawn poetha'r Steddfod ym Meifod pan godais ar fy nhraed i sain yr utgyrn. Cael a chael oedd hi imi gyrraedd fy sedd mewn pryd gan i un o'r stiwardiaid wrth y drws fynnu 'mod i a Rhian yn mynd i eistedd yn y rhes flaen yn y pafiliwn. I beth fyddai rhywun oedd wedi cystadlu gymaint dros y blynyddoedd yn 'ishte yn y cefen'? 'Dewch 'da fi,' medda fo. 'Wi'n gwbod ble bydd seddi gwag i'w cael bob amser. Dilynwch fi!'

Fedrwn i ddim rhannu'r gyfrinach efo fo a deud 'mod i wedi ennill ac y byddai'n rhaid imi eistedd yn y sedd a glustnodwyd ar fy nghyfer. Felly, fe ufuddhaodd Rhian a finna i'w orchymyn a'i ganlyn i res flaen y pafiliwn. Ac yno y buom ni am sbel yn ceisio dyfalu sut y gallem sleifio i'r seddi cywir heb iddo'n gweld. Gan ein bod mor hwyr yn cyrcydu'n ffordd tua'n seddi, erbyn inni gyrraedd pen y grisiau roedd yr Arwyddfardd yno'n barod i gychwyn y seremoni ac yn sbio'n wirion arna i'n cyrraedd mor hwyr i fy sedd. Seiniodd y cyrn gwlad a suddais i fy sedd yn chwys diferol a'r ddau ohonon ni'n cwffio i beidio chwerthin allan yn uchel.

Wedi cyrraedd y llwyfan dim ond Mam welwn i ym mhobman. Ymddangosai o bob twll a chornel yn ei chadair olwyn gan godi ei bawd arna i 'run pryd. Mae'n rhaid bod fy meddwl wedi crwydro'n go bell pan glywais Geidwad y Cledd, y diweddar arwr Ray Gravell, yn sibrwd rhywbeth tebyg i 'ishte' yn fy nghlust. Mae'n gwbwl amlwg imi erbyn hyn nad dyna ddudodd o gan i Robyn Llŷn, yr Archdderwydd, gyhoeddi o'r llwyfan 'mod i wedi eistedd cyn iddo 'ngwahodd i wneud. Ond roedd fy meddwl ymhell yn rhywle arall ac mae'r seremoni i gyd fel rhith imi erbyn hyn.

Ond dwi'n cofio Mirain yn darllen o'r nofel fel rhan o'r seremoni'n glir iawn. Roedd hi wedi ennill y Llwyd o'r Bryn, Gwobr Richard Burton, Ysgoloriaeth Wilbert Lloyd Roberts ac Ysgoloriaeth Bryn Terfel ychydig flynyddoedd cyn hynny, felly pwy gewn i well? Ac mi glywais yr hen Ray yn snwffian yn dawel pan gyhoeddodd yr Archdderwydd mai merch y Prif Lenor fyddai'n darllen ei waith. 'O jiw, jiw!' meddai o dan ei wynt a deigryn yn ei lygaid. Munud i'w thrysori.

Ond roedd yna gysgod go fygythiol wedi 'nilyn i Feifod yn 2003, cysgod y ceisiwn ei osgoi orau ag y gallwn er mwyn cael ymlacio ychydig, gan mai gweddill mis Awst,

ar wahân i'r Dolig, yw'r unig wyliau a gawn ni'n dau'n
flynyddol. Felly, ar ôl wythnos y Steddfod, awn yn syth
am adre a rhoi ein traed i fyny ac ailjarjio'r batris. Ond
wedi 'mhenodiad i'm swydd newydd fe ddechreuais gael
fy anwybyddu mewn rhai mannau a chan rai actorion. Fe
ymddangosai ambell flog a cholofn go bigog a'm bychanai
yn ddigon milain ac ar adegau'n ddigon i wthio fy ysbryd
i'r gwaelodion. Teimlai fel petai rhyw glic cyfrin yn
rhywle'n cynllwynio yn fy erbyn ac yn fy nhynnu i lawr.
Caiff nifer ohonom baranoia tebyg yn achlysurol, ond
lledrith a chamargraff yw paranoia; roeddwn i'n darllen ac
yn gweld hyn i gyd â'm llygaid fy hun ac roedd yn fy mrifo
a'm blino. Cedwais y cyfan i mi fy hun ac er bod Rhian
yn ymwybodol o beth ohono fe'i cawn hi'n anodd i rannu
'ngofidiau bryd hynny. Byddwn yn symud i'r de i weithio
wedi'r haf a doeddwn i ddim am iddi boeni mwy nag oedd
yn rhaid. Efallai y byddai'n distewi. Dewisais fyw mewn
gobaith a mwynhau'r haf hirfelyn ym Meifod.

Doedd gennym ni 'run gystadleuaeth ar ddydd Sul
cynta'r ŵyl a'n bwriad oedd mynd i Gastell Powys am
de. Codi gyda'r wawr a gwneud yn fawr o'r tywydd braf.
Roeddem wedi rhentu tŷ fferm yng nghanol y wlad
ac ymhell o bobman. Llond tŷ o ffrindiau ac wythnos
go ddifyr o'n blaenau rhwng y cystadlu, y seremoni a'r
addewid am wythnos o heulwen.

Mae clywed ffôn yn canu yn gynnar yn y bore'n codi
pryder arna i byth ers inni golli Gethin. Dwi wastad,
bellach, yn amau mai newyddion drwg sy'n fy aros. Tydi
hynny ddim yn wir y rhan fwyaf o'r amser, wrth gwrs, ond
mi roedd o'n wir y bore hwnnw. Y BBC oedd yna yn fy
hysbysu fod Norah wedi marw. Dydd Sul yr Eisteddfod.
Wel, ia siŵr. Pa ddiwrnod arall fyddai Norah'n ei ddewis i
ymadael â'r fuchedd? Collais ddeigryn a gwenu 'run pryd.

Roeddem wedi picio i'w gweld ychydig fisoedd cyn y
Steddfod. Mi wyddwn fod ei hiechyd yn llesgáu ond ei

bod yn gyndyn *iawn* o symud i gartref gofal. Er yn ddall ac yn gaeth i'w chadair, mynnai y gallai ymdopi'n iawn yn Llwybrau gyda chymorth gofalwr a charedigrwydd cymdogion. Fe gadwai ei drws ffrynt ar agor a chloch fechan yn crogi o'r glicied, a byddai honno'n tincial yn ysgafn pan agorid y drws. Mae'r gloch gen i yng Nglan-aethwy erbyn hyn, ar gadwyn o gwmpas penddelw o Norah.

Gwrando ar Eisteddfod yr Urdd ar Radio Cymru oedd hi ac mewn hwyliau da. Diffoddodd y radio a dweud wrthan ni mor hapus oedd hi o glywed 'mod i wedi fy mhenodi'n Gyfarwyddwr Artistig y Theatr Genedlaethol. Ar ei gorchymyn, eisteddais ar y llawr wrth ei hymyl gan fod ei chlyw yn pylu. A dyna pryd y torrais reol aur yr Eisteddfod Genedlaethol drwy ddweud wrthi 'mod i wedi ennill y Fedal Ryddiaith y flwyddyn honno. Cododd ei breichiau crydcymalog i'r awyr mewn llawenydd gan addo cadw'r gyfrinach pe bawn innau'n addo cadw'i chyfrinach hi. Roedd i dderbyn Cymrodoriaeth yr Eisteddfod ym Meifod. Hwnnw fyddai'r tro olaf imi weld yr annwyl Norah Isaac.

Gofynnodd yr ymchwilydd o'r BBC a allwn i ddod i Faes y Steddfod i dalu teyrnged i Norah ar y radio y bore hwnnw. Fy unig ddiwrnod rhydd. Ein te pnawn yng Nghastell Powys. Yr unig ddiwrnod lle nad oedd yn rhaid imi fynd i'r maes. Ond 'myned oedd rhaid i minnau'. Wrth gwrs y byddwn i yno. Sut y gallwn i wrthod? Fasa Norah byth wedi gadael imi beidio mynd i Faes yr Eisteddfod ar fy unig ddiwrnod rhydd!

Cyrhaeddodd Mererid Hopwood a minnau y stiwdio yr un pryd. Roedd Mererid yn gyfaill triw i Norah a bu'n hynod garedig wrth yr hyfforddwraig ymroddgar yn ystod blynyddoedd olaf ei bywyd. Roedd y ddau ohonom yn hynod o drist a chawsom gyfle i hel atgofion amdani dros baned ar y maes.

Yr wythnos ganlynol, yng nghynhebrwng Norah, roeddwn yn eistedd wrth ochr Mererid unwaith eto. Llongyfarchais hi ar ennill coron Eisteddfod Meifod a holais a oedd hi wedi deud wrth Norah am ei llwyddiant. 'Do,' meddai. 'Wedes di wrthi am y Fedal?'

Wrth gwrs fy mod i.

Llwybrau'r lleiafrif hyglyw

Ychydig wythnosau wedyn roeddwn yn symud i'r de i weithio'n llawn amser. Chwilio am fflat yng nghyffiniau Caerfyrddin yr oeddwn i pan ges alwad ffôn gan Dewi James, brawd Carwyn James, yn holi oeddwn i wedi cael lle i fyw.

"Sdim whant arnoch chi i byrnu tŷ Norah, o's e?' holodd.

Eglurais nad oeddwn yn chwilio am eiddo cweit mor fawr â Llwybrau ond diolchais iddo am feddwl amdana i. Ychwanegodd y byddai Norah wrth ei bodd yn meddwl fy 'mod yn mynd i fyw i Llwybrau fel Cyfarwyddwr Artistig y Theatr Genedlaethol a dymunodd yn dda imi yn fy swydd newydd.

Yn syth wedi'r alwad eglurais wrth Rhian mai cyfreithiwr Norah oedd wedi fy ffonio, a phan ddywedais wrthi beth oedd byrdwn ei sgwrs mi ddudodd hi'n syth wrtha i am ei ffonio'n ôl i gael mwy o fanylion. Pen draw'r stori, ar ôl hir ystyried a chyfri ceiniogau, oedd inni brynu Llwybrau a bûm yn byw yno am saith mlynedd dda.

Ond roedd y cysgod wedi fy nilyn i yno hefyd. Fe glywn y lleisiau croch yn dal i ddadlau nad oedd angen cwmni o'r fath ar Gymru, ac roedd y farn honno'n ffyrnigo mewn ambell fan. Lleolid y cwmni, ar y cychwyn, mewn hen ffatri ar arfordir Tre'r Sosban, ac er 'mod i'n gyfarwydd iawn â'r ardal roedd yr adeilad ei hun ymhell o fod yn addas i sefydlu Cwmni Theatr Cenedlaethol. Weithiau byddai'r rheolwr, John Gwynedd, a minnau yn gwrando ar gyfweliad radio gan ambell actor yn cwyno: "So nhw wedi ffono fi hyd yn oed, a 'wi 'mond yn byw i lawr yr hewl.' Ac yno roeddan ni yng nghanol weiars o bob lliw a llun fel Spaghetti Junction amryliw yn trio cael trydan a chêbl ffôn i weithio. Roedd y cwyno wedi cychwyn cyn inni hyd yn oed gael swyddfa.

Ces amser caled o'r diwrnod cyntaf y cyrhaeddais Lanelli. Rhwng y negyddiaeth a gweithio mor bell o adre, roedd fel petawn i'n brwydro yn erbyn yr amhosibl o'r anadliad cyntaf. Codi'n uwch wnaeth y lleisiau fel roedd amser yn mynd yn ei flaen: lleisiau'r 'lleiafrif hyglyw', fel y byddai Aled Jones Williams yn eu galw. Ond waeth pa mor lleiafrifol oedd y lleiafrif, yr oedd yn ddidrugaredd. Cawsom ein beirniadu unwaith am wario dwy fil o bunnau ar siandelïer ar gyfer cynhyrchiad. Hwnnw oedd canolbwynt gweledol y set ac roedd yn hynod drawiadol. Ond roedd yn destun trafodaeth hirfaith ar y radio a chafwyd llun o'r setiau ar dudalen flaen un wythnosolyn Cymraeg i dynnu sylw at wariant 'anghyfrifol' y Theatr Genedlaethol. Chawson ni ddim math o gyfle i amddiffyn y gwariant gan neb a soniodd neb ein bod eisoes wedi cael prynwr i'r celficyn arbennig hwnnw ac na fyddai, ar ddiwedd y daith, ond wedi costio ychydig gannoedd inni.

Fe'i ces hi am fod yn rhy boblogaidd, yn rhy arbrofol, yn rhy feiddgar, yn rhy afrad, yn rhy *mainstream* ac am lwyfannu cyfieithiadau o'r Saesneg. Weithiau fe allwn dderbyn y feirniadaeth os oedd iddi sylwedd a phan gyflwynid hi'n deg ac yn gytbwys. Caem drafodaeth fanwl ar ddiwedd pob taith i gloriannu pob adborth a beirniadaeth, os nad oedd yn amlwg ragfarnllyd a di-sail. Ond fe gafodd y rhagfarn lwyfan go solat tra oeddwn i'n gyfarwyddwr a chawn fy hun o flaen y meic hefo Gwilym Owen unwaith eto. Helô? Oedd hyn yn canu rhyw gloch yn rhywle?

Daeth penllanw fy nhrafodaethau hefo Gwilym dros yr hen feicroffon ym Mryn Meirion ar ddiwedd fy nghyfnod gyda'r cwmni. Roeddem yn llwyfannu drama newydd sbon danlli gan Meic Povey o'r enw *Tyner yw'r Lleuad Heno*. Adolygiadau cymysg gafodd y ddrama ar y cyfan ond tydi hynny ddim yn beth annisgwyl nac anarferol ym myd y theatr. Pam felly oedd angen i mi fynd i amddiffyn cynhyrchiad oedd wedi'i ysgrifennu a'i gyfarwyddo gan un o'n prif ddramodwyr?

Daeth y 'lleiafrif hyglyw' allan gydag arddeliad yn ystod y cyfnod hwnnw a dwi'n gwybod i hyn dorri calon Meic ar y pryd. Eisteddais gydag o yn y gynulleidfa drwy'r perfformiad olaf o'r ddrama yn Theatr Mwldan, ac roedd yr ymateb y noson honno yn un tu hwnt o gynnes a chefnogol. Roedd i'r ddrama ei gwendidau a byddai Meic yn cyfaddef hynny ei hun. Petai o wedi bod mewn lle cryfach yn ei fywyd personol, dwi'n siŵr y byddai wedi addasu a thocio yn ystod y broses o ddatblygu'r sgript. Roedd yn dal i alaru ac yn mynd drwy gyfnod tu hwnt o gymhleth. Am resymau cyfreithiol, alla i ddim datgelu mwy na hynny. Digon yw dweud yma iddo fo a minnau fynd drwy'r felin drwy gydol y cynhyrchiad yma.

Ond pam yn y byd mawr yr oeddwn i'n cael fy ngalw, unwaith eto, i Fryn Meirion i drafod safon cynhyrchiad a gawsai adolygiadau cymysg? Ond yno yr oeddwn i, unwaith eto, yn wynebu Mr Owen a'i gwestiynau rhagweladwy ac anniddorol. Does *neb*, na chynt na chwedyn, wedi gorfod wynebu'r fath groesholi cyson. Tydi'r math yma o geisio cornelu cyhoeddus ar gyfarwyddwr *byth* yn digwydd yn unman. Teimlwn fod Gwilym, ac i raddau'r BBC, yn ceisio fy nal mewn trap.

'Wedi clywed' oedd Gwilym gan 'rywun' nad oedd y cynhyrchiad yma wedi plesio pawb a thybed beth oedd gan y Cyfarwyddwr Artisig i'w ddeud am hynny. Gan i'r drafodaeth ddechrau troi yn ei hunfan fe'i holais pryd y buo fo'n gweld y cynhyrchiad. Aeth yn reit ffrwcslyd gan fwnglera rhywbeth dan ei wynt. Beth bynnag y ceisiodd ei ddeud, roedd yn eitha amlwg nad oedd o wedi bod ar gyfyl unrhyw theatr ers sbel go lew, heb sôn am fod i weld drama Meic. Roedd fel anifail wedi'i gornelu.

Llenwais y bwlch yn y sgwrs drosto drwy sôn am y rhaglen yr oeddan ni wedi'i chynnig dros y ddwy flynedd ddwytha a'r ymateb clodwiw yr oedd rhai o'n cynyrchiadau wedi'i gael. Fe'i gwyliais yn mynd i'w gwman yn llwyr wrth i mi gyfeirio at gynyrchiadau fel *Iesu!* gan Aled Jones Williams, *Bobi a Sami* gan Wil Sam, cynhyrchiad arbennig Daniel Evans o *Esther*, Saunders Lewis, a chynhyrchiad Judith Roberts o *Tŷ Bernarda Alba*, cyfieithiad newydd gan Mererid Hopwood o ddrama wych Lorca, a *Porth y Byddar*, cyd-gynhyrchiad gyda Theatr Clwyd gan Manon Eames. Na, doedd Gwilym Owen ddim wedi gweld yr *un* o'r cynyrchiadau hyn. 'Be am *Sundance*, 'ta?' holais, ond torrodd ar fy nhraws gan ddweud rhywbeth tebyg i: 'A chyn ichi holi dim mwy, dwi ddim wedi gweld yr un o'ch cynyrchiada chi.'

Roeddwn i'n syfrdan erbyn hynny. Be ar wyneb y ddaear o'n i'n 'i neud yn trafod theatr yng Nghymru hefo dyn nad oedd byth yn t'wyllu'r lle? Bu bron imi â gofyn hynny iddo yn fyw ar yr awyr, a dwi'n difaru f'enaid erbyn heddiw na fyddwn i wedi bod yn ddigon dewr i wneud. Ches i ddim gwahoddiad i drafod dim byd ar unrhyw bwnc hefo Gwilym Owen byth ar ôl hynny.

Wrth edrych yn ôl dros y cyfnod cymysglyd ac anodd yma yn fy ngyrfa, dwi'n eitha sicr fod yr amrywiaeth a gynigiais yn y rhaglen yr un mor safonol â gwaith unrhyw gwmni; mae pawb yn chwythu'n boeth ac yn oer ac mae gan *bawb* yr hawl i fethu. Ond pan fo'r 'lleiafrif hyglyw' hynny yn eich erbyn, does dim byd allwch chi ei wneud ond gyrru drwy'r storm. 'Blow, winds, and crack your cheeks! rage! blow!' ys dywed yr hen Frenin Llŷr.

Ond nid dan gwmwl y bu i mi adael y Theatr Genedlaethol. Codais fy mhen yn uchel gan gofio'r frwydr a orchfygais sawl gwaith yn erbyn talcen caled iawn i gael cynyrchiadau Cymraeg i brif theatrau Cymru ar bob un o'n prif deithiau. Ein cylchdaith arferol oedd Theatr Gwynedd, y Sherman, y Mwldan, y Werin, Clwyd, Taliesin a Hafren. Doedd pob un o'r chwaraedai yma ddim yn gefnogol i'r Gymraeg ac fe âi'n drafodaeth danbaid ar adegau, yn enwedig felly yn Theatr Clwyd a Thaliesin.

Dwi'n cofio i'r gyfarwyddwraig a'r awdures Branwen Davies ddeud wrtha i unwaith iddi gael ei siomi o glywed rhywun yn nerbynfa Theatr Clwyd yn trafod gyda chwsmer y pen arall i'r ffôn. Roedd Branwen ar daith gyda'r sioe *Dominos* ar y pryd, sioe wedi'i dyfeisio gan ein hactorion craidd a dyrnaid o actorion ifanc eraill. Roedd y sioe yn cael ei llwyfannu yn Theatr Emlyn Williams, sef y gofod stiwdio yn y ganolfan. Eglurai'r dderbynwraig, yn Saesneg, mai'r panto blynyddol (hynod boblogaidd) oedd ymlaen yn y brif theatr, sef Theatr Anthony Hopkins. Roedd yn amlwg nad oedd y cwsmer ar ben arall y ffôn yn berson panto, ac mae'n rhaid ei bod wedi holi beth oedd ymlaen yn yr Emlyn Williams. Yr ateb a gafodd oedd, 'Oh, some Welsh thing.' Do, ces dalcen anodd iawn. Dwi'm yn credu fod fawr neb yn curo ar y talcen hwnnw bellach. Mae cylchdaith y cynyrchiadau Cymraeg wedi crebachu rywfaint ac mae rhai o'n caerau theatrig, fel Castell Caernarfon gynt, wedi cau eu dorau ar y Cymry. Neu efallai fod Cyngor y Celfyddydau wedi arwain y cynyrchiadau Cymraeg i fod yn gynhwysol ac arbrofol, ac nad yw theatr brif ffrwd bellach yn rhan o'u blaenoriaeth? Cwestiwn heb ateb iddo ydi hwnna ar hyn o bryd. Ond mae'n bwysig fod gennym gynyrchiadau Cymraeg prif ffrwd neu fe fydd ein prif gaerau wedi'u cloi yn llwyr i'r Gymraeg os na fyddwn ni'n ofalus.

'Oh, what's that singing and dancing thing in the bottom of that field?'

'That? Oh, that's just some Welsh thing.'

§

Yn 2010 dychwelais i Fangor gyda chryn ryddhad a'm pen yn dal yn uchel. Erbyn hynny roedd y Theatr Genedlaethol wedi symud i adeilad newydd sbon danlli ar gampws Coleg y Drindod, Caerfyrddin, er na fu'r trawsnewid o Lanelli i Gaerfyrddin yn un esmwyth o bell ffordd. A'r bore cyntaf, wrth imi deithio'r siwrne flinderus honno o'r gogledd i'r de ar hyd yr arfordir, y cynnwrf o symud i'n cartref newydd a'm cadwai'n effro. Dychmygwch fy siom, felly, pan gerddais i lawr isaf yr adeilad, lle roedd ein hystafelloedd technegol a'n hystafell werdd, a gweld Wyn, ein rheolwr technegol yn rhydio trwy lyn o ddŵr mewn pâr o welingtons. Roedd rhyw gamgynllunio wedi bod ar lif y dŵr glaw a'r cyfan wedi dod i lawr i isloriau'r adeilad newydd. Bu'n rhaid symud yn ôl i swyddfeydd dros dro yr oeddan ni wedi bod yn eu llogi yng nghanol tref Caerfyrddin ers rhyw flwyddyn, ac yn ôl i'r hen rigol o logi neuaddau i gynnal yr ymarferion. Siom go iawn. Roedd hyd yn oed yr hen fam natur yn bod yn dan din hefo ni bryd hynny.

Roedd yn chwith gen i adael ffrindiau a theulu Caerfyrddin pan adewais i Llwybrau am y tro olaf. Roedd gen i feddwl y byd o Nesta, ysgrifenyddes y cwmni, a fu'n gyfaill triw iawn imi drwy 'nghyfnod yn y de. Ffarwelio hefyd â'm cyfeillion yn yr ysgol farddol, ac roedd yn gyd-ddigwyddiad hyfryd mai yn 2010 yr enillais i'r gadair yn ein heisteddfod flynyddol – awdur yr englyn cyntaf i Glanaethwy'n gosod y testun, ac awdur yr ail englyn yn feirniad. A na, doedd o ddim yn *fix*!

Roedd Alan a Vilma, fy mrawd a'm chwaer yng nghyfraith, yn byw yng Nghaerfyrddin hefyd, a Marian a Hawys, chwaer a nith Rhian, yn rhedeg busnes yn y dref. Hynny oedd y chwith mwyaf gen i. Gallwch ffeindio llais i'ch creadigrwydd yn unrhyw le, ond allwch chi byth symud y bobl yr ydach chi'n agos atyn nhw hefo chi bob tro. Dwi'n dal i golli'r gwmnïaeth, ond yn colli *dim* ar y pwysau a'r straen a ges am y saith mlynedd hir a dreuliais yno yn trio gosod seiliau cwmni na chafodd fawr o groeso gan ambell un. Ac er i Arwel Gruffydd wneud diwrnod arbennig o waith yno fel f'olynydd, mae yna ambell gnonyn go bigog yn dal allan yna'n chwilio am gyfle i droi'r llwy bren. Ond dwi'n llongyfarch y cwmni ar benodi Steffan Donnelly yn gyfarwyddwr newydd i'r cwmni. Cefnogwch o, da chi, boed hynny mewn congl cae neu ar lwyfan un o'n caerau. Mae pob 'Welsh thing' eich angen – eich angen yn fawr.

Rhyfel y corau olaf

Er 'mod i wedi bod yn cymudo'n gyson i barhau i arwain y Côr Hŷn yng Nglanaethwy bron yn ddi-dor ers cychwyn ar fy swydd gyda'r Theatr Genedlaethol, roedd symud yn ôl i ddysgu'n llawn amser yn newid arall y bu'n rhaid imi ymgyfarwyddo ag o. Roedd cymaint wedi newid dros y saith mlynedd y bu imi newid trywydd y patrwm gwaith, ac felly doedd hi ddim mor hawdd â hynny i ddod yn ôl i sedd y bu Lowri'n ei chadw'n gynnes imi tra bûm i ffwrdd.

Pan oeddwn i'n gadael, roeddan ni newydd wneud y penderfyniad i beidio â chystadlu yn eisteddfodau'r Urdd o hynny mlaen ac felly bu'n rhaid newid rhyw fymryn ar gyfeiriad y drefn arferol a chwilio am syniadau newydd. Dyma'r cyfnod pan ddaru ni gystadlu mwy ar y Cyfandir yng ngwyliau Musica Mundi a'r Choir of the World, ac yn 2008 fe anfonom ein henwau i mewn i ryw gystadleuaeth newydd i gorau yr oedd y BBC newydd ei chyhoeddi dan yr enw *Choir Wars*! Doedd ganddon ni ddim syniad beth yn union oedd o'n blaenau pan gyrhaeddom Cadogan Hall ar Sloane Square yn Llundain.

Mi wnaethon ni aros ein tro yn y stafell aros, a chorau'n dod i mewn a chorau'n mynd allan, yn union fel y mynd a'r dod ar blatfform stesion Waterloo. Rhai'n sgrechian mewn llawenydd a'r lleill yn dod allan yn reit benisel. Roeddan ni i ganu dwy gân a gwrando ar yr adborth y byddai'r tri beirniad – Russell Watson, Sharon D. Clarke a Suzi Digby – yn ei draddodi inni. Wedi inni ganu'r gân gynta, 'Rhythm of Life' yn Gymraeg, gofynnodd Sharon D. Clarke oeddan ni'n gallu canu'r gân yn Saesneg. Dywedais nad oeddan ni ond fod yr ail gân oedd ganddon ni yn Saesneg, sef 'Bridge Over Troubled Water', a dywedodd nad oedd hi am glywed ein hail gân, diolch yn fawr, fod y panel wedi sgwrsio a dod i'r penderfyniad fod un yn ddigon. Suddodd ein hysbryd yn syth. Wedi dod i lawr yr holl ffordd i ganu dim ond un gân a chael ein hanfon adra ar y trên nesa. Am ddigalon. Gwn fod actorion yn gorfod dygymod â hyn yn wythnosol: troi i fyny i glyweliad a chael eu stopio ar ganol cân a llais yn deud 'Thank you' ac adra â nhw heb na bw-na-be yn rhagor am eu hymrechion. Ond roedd i hynny ddigwydd i gôr o gantorion ifanc oedd wedi colli diwrnod o'u hysgol i ddod yr holl ffordd i lawr i Lundain i gystadlu braidd yn annheg.

'Well,' meddai Ms Clarke, 'aren't you glad that you don't have to sing another song?'

Mi ddudis inna'n bod ni wedi edrach ymlaen i ganu mwy iddyn nhw pan ddudodd Suzi Digby, 'I thought you'd be jumping and dancing for joy that you're through to the next round.'

Ond doedd neb ohonan ni wedi deall hynny'n iawn a bu'n rhaid i'r tri ddeud unwaith eto eu bod wedi'n mwynhau ni'n canu cymaint fel nad oeddan nhw am glywed ein hail gân. *Wedyn* ddaru ni ddathlu. *Wedyn* y daeth y bloeddio. Ac *wedyn*, wedi inni fynd allan o'r neuadd, y dechreuodd pawb ofyn, 'Be sy'n digwydd nesa?'

Be ddigwyddodd nesa oedd inni dreulio haf cyfan 2008 yn teithio rhwng Bangor a Llundain yn mynd o'r naill rownd i'r nesa yn trefnu, dysgu, coreograffu a pherfformio'r caneuon yn fyw ar nosweithiau Sadwrn drwy fis Gorffennaf ac Awst. Erbyn hynny roedd teitl y gyfres wedi newid i *Last Choir Standing* gan fod y cynhyrchwyr yn teimlo falla nad oedd y teitl gwreiddiol yn ddigon 'PC', a ches dipyn o ryddhad o glywed hynny.

Roedd gofyn inni baratoi dwy gân, dim un ohonyn nhw i fod yn hwy na dau funud a deg eiliad. Wedi inni ddewis ein dwy gân, byddai'r trefnydd cerdd yn ein cynorthwyo i olygu'r caneuon i'r hyd priodol a hefyd yn anfon trefniant o ddwy gân arall inni, y naill drefniant i agor a'r llall i gloi'r rhaglen. Gallwch ddychmygu eu bod yn wythnosau llawnion bob un. Y côr yn dychwelyd i Fangor ar y dydd Sul ar ôl dewis y ddwy gân ar gyfer yr wythnos ganlynol a Rhian a finna'n gweithio hefo'r trefnydd cerdd i gwtogi'r caneuon. Byddai Mirain yn rasio o gwmpas Llundain i ddod o hyd i'r gerddoriaeth ac yna'n canu llinell yr alaw ar y trac i'w anfon i'n trefnwyr. Ninnau wedyn yn neidio ar y trên ben bore Llun gan ddechrau dysgu'r ddwy gân ychwanegol yn gyntaf nes y caem ein trefniannau arbennig ninnau wedi'u gwneud. Dydd Mawrth yr un fath, dysgu'r caneuon a'u dehongli cyn y byddai'r coreograffydd yn cyrraedd ar y dydd Mercher i ddysgu symudiadau'r pedair eitem. Recordio'r pedair cân nos Fercher i'w hanfon i lawr i'r cyfarwyddwr yn Llundain, mireinio dydd Iau ac yn ôl i lawr i Lundain ben bore Gwener ac yn syth i'r stiwdio i ymarfer. Ymarfer wedyn drwy'r bore a phnawn Sadwrn, a'r rhaglen yn mynd allan yn fyw bob nos Sadwrn am hanner awr wedi saith. Er mai ar y nos Sul y darlledwyd sioe'r canlyniadau, roeddem yn ei recordio yn hwyr ar y nos Sadwrn wedi iddyn nhw gyfrif canlyniadau'r bleidlais ffôn. A'r un olwyn yn cychwyn wedyn bore trannoeth fel peiriant wythnosol.

Erbyn heddiw dwi ddim yn siŵr sut ddaru'r côr lwyddo i gynnal yr egni a'r dyfalbarhad drwy un o'r cystadlaethau mwyaf heriol imi fod yn rhan ohoni erioed. A chan inni gyrraedd y ffeinal a dod yn ail i Only Men Aloud, bu'n rhaid i'r côr ddysgu'r holl waith yna, sef 27 o ganeuon dros gyfnod o saith wythnos solat. Dwi'n ddiolchgar i *bob un* aelod o'r côr ddaru ymroi i'r her honno gydag arddeliad a balchder, a chyrraedd ffeinal a oedd, erbyn y diwedd, bron mor Gymreig â'r Ŵyl Cerdd Dant ei hun! A chan na fu 'run gyfres arall wedi hynny, dwi'n diolch i'r nefoedd inni fod yn ddigon hirben i fynd amdani ar y cynnig cyntaf gan na fu 'run cyfle tebyg byth wedyn. Rhaid taro'r haearn tra mae o'n boeth bob amser, a mynd amdani. Oni bai fod ganddon ni'r dygnwch hwnnw, yna dwi ddim yn meddwl y byddem ni wedi para cyhyd.

Yn ystod y *noughties* buom allan i ŵyl gerdd yn yr Eidal yn Riva del Garda, aethom allan i Hwngari, ac fe deithion ni i bob cwr o'r wlad wedi ein llwyddiant ar *Last Choir Standing*. Yn dilyn ein llwyddiant yn ennill categori'r Côr Ieuenctid yn Budapest, fe gawsom wahoddiad i fynd i'r World Choir Games yn Shaoxing yn Tsieina yn 2010, lle'r enillon ni ddwy fedal aur ac un fedal arian.

Oherwydd f'ymrwymiadau gyda'r Theatr Genedlaethol byddai'n rhaid imi hedfan yn ôl i Gaerdydd yn aml, neidio i mewn i dacsi a'i sgrialu hi'n ôl i Gaerfyrddin gan adael Rhian yn llythrennol i ddal y baton pan fyddai galw arnom i ganu yn y cyngerdd i gloi'r ŵyl. Mae'n gas gen i'r term 'Theatr Gen' gyda llaw – i be? Arferai rhai alw canolfan ymarfer Cwmni Theatr Cymru, sef y Tabernacl ym Mangor, yn Tabz hefyd. Ach! Go damia!

Byd ar ei bedwar

Wrth ailafael ynddi yn 2010 fe roddodd Rhian a finna ein hunain mewn gêr wahanol wrth inni symud ymlaen i'r hyn a debygem, ar y pryd, fyddai degawd olaf yr ysgol. Fe fyddwn i wedi hen basio fy chwe deg pump erbyn hynny a Rhian yn weddol agos at oed pensiwn hefyd. Arafu, troed ar y brêc ambell waith a gwneud llai.

Ond roedd y cymylau'n dal i'm dilyn i ba le bynnag yr awn. Dim mor ddu ag y buon nhw, falla, ond deuent yn eu tro gyda'u gwyntoedd croesion. Roeddem wedi cael tolc digon hegar cyn imi gychwyn yn y Theatr Genedlaethol a phan oeddwn yn gadael am y de roedd y clais hwnnw'n dal i fynafyd. Teimlwn yn euog 'mod i'n gadael Rhian a Lowri i dendiad yr ysgol ar gyfnod mor fregus a thra oeddan ni'n dal i ddod at ein hunain wedi cyfnod anodd arall.

Yn ystod y flwyddyn 2000 y cychwynnodd yr annifyrrwch ac Eisteddfod yr Urdd Conwy a'r Cylch newydd ddod i ben. Eistedd yn fy swyddfa'n gweithio oeddwn i pan ges i alwad ffôn gan Eifion Glyn, un o gynhyrchwyr *Y Byd ar Bedwar* ar y pryd. Roedd wedi clywed fod cwyn swyddogol wedi'i gwneud amdanom gan brifathro Ysgol y Berwyn ar y pryd, yn dilyn y ffaith fod Glanaethwy wedi ennill Tlws yr Ysgolion Uwchradd yn yr adran dan bymtheg oed am yr ysgol a dderbyniodd y marciau uchaf am waith llwyfan y flwyddyn honno. Roeddan ni wedi ennill y tlws ar sawl achlysur o'r blaen ac er 'mod i wedi gofyn i Elvey sawl gwaith a gaem ni beidio ymgiprys am dlysau o'r fath, roedd o o'r farn mai dan Adran yr Ysgolion Uwchradd y dylem ni fod yn cystadlu ac nid fel Adran Bentref. Wnes i ddim dadlau, ond bob tro roeddan ni'n ennill y tlws fe ddeuai'r mân gecru a sibrydion rownd corneli unwaith eto. Ond y tro yma fe wnaed y gŵyn yn ffurfiol a daeth y gynnau mawr ar ein holau. Roedd *Y Byd ar Bedwar* am wneud rhaglen ar ysgolion perfformio . . . wel . . . ar Glanaethwy mewn gwirionedd. Ddaeth neb arall dan y lach.

Suddodd fy nghalon pan ges i'r alwad. Roeddan ni newydd ddathlu pen-blwydd yr ysgol yn ddeg oed ac roeddd y cyfryngau yn *dal* i gorddi'r dyfroedd. Er mai'r hyn sy'n cael ei drafod bob tro yw mai plant breintiedig yw disgyblion Glanaethwy i gyd a minnau'n dadlau i'r gwrthwyneb, mae'r hen grachen yn dal i gael ei hagor ar adegau. Mi ddudis i ganwaith o'r blaen ac mi dduda i o yma eto: mae'r drws yn agored i *bawb* sydd yn awyddus i ymuno yn yr ysgol. Dwi'n casáu'r term *underclass* a ddefnyddiodd Gwilym Owen flynyddoedd yn ôl, ond os mai felly y dewiswch ddisgrifio eich hunain mae lle i chithau hefyd.

Gwyliais y rhaglen eto'n ddiweddar a chofio fod y tîm cynhyrchu wedi chwilio'n fanwl am gyn-ddisgyblion a fyddai'n fodlon cwyno mewn unrhyw fodd am y gweithdai. Cawsant afael ar un yn y diwedd: hogyn o Gaernarfon a ddywedodd ei fod yn teimlo fel '*lump* o *left out* yna' ac na chafodd groeso gan Rhian na finna na gweddill y disgyblion yn ei ddosbarth – am ei fod yn dod o Gaernarfon! Dyna oedd yr unig reswm y gallai feddwl pam ein bod wedi'i adael ar y cyrion. Un o Gaernarfon ydi Rhian a dwi'n meddwl y byd o'r Cofis; a dwi'n hollol dawel fy nghydwybod ein bod wedi croesawu a thrin *pob* plentyn yn gwbwl deg a phroffesiynol yng Nglanaethwy o'r dechrau un. Cyfaddefodd y bachgen mai dim ond am dymor y buo fo'n dod i'r gwersi a bod rhywun arall yn talu'r

ffi drosto bob wythnos. Ac er i'r person hwnnw dalu am y
tymor cyfan drosto, dim ond tair gwers y trafferthodd eu
mynychu. Ond wnaeth y rhaglen ddim mynd i'r drafferth
o grybwyll hynny chwaith.

Y cyflwynydd Kate Crockett oedd yn fy nghyf-weld.
Roedd hi wedi mynegi fisoedd ynghynt yn y cylchgrawn
Barn gymaint yr oedd hi'n casáu'r ysgol: 'Byddai'n well
gen i wneud tair rownd lefrith cyn mynd i'r gwaith bob
bore na dweud unrhyw beth da am Glanaethwy' oedd
ei brawddeg swta amdanom. Pa mor deg a diduedd allai
person felly fod yn fy holi am yr ysgol, dudwch i mi?
Ond fe'm rhybuddiwyd gan Eifion Glyn, os na fyddwn
yn cytuno i wneud y rhaglen, y byddai'r *Byd ar Bedwar*
yn mynd ymlaen i wneud y rhaglen beth bynnag fyddai
'mhenderfyniad i. Ac mi eglurais innau wrth Eifion y
cytunwn iddo ddod i'r ysgol i ffilmio gwers ac i 'nghyf-
weld os cytunai o i beidio golygu dim o f'atebion i, ac fe
gytunodd i hynny.

Wrth i Kate Crockett fy holi, fe rois ychydig o ddŵr oer
ar y sefyllfa trwy ddeud fod y datrysiad i'r gynnen yn syml:
fyddai Glanaethwy ddim yn cystadlu yn eisteddfodau'r
Urdd o hynny ymlaen. 'Fedri di'm deud hynna,' torrodd
Eifion ar fy nhraws. A ninnau wedi cytuno y byddai
f'atebion yn cael eu cynnwys yn ddi-dor ar y rhaglen,
roedd o, mwy neu lai, wedi torri'r cytundeb a wnaed
rhyngom. Gwyddwn yn iawn pam roedd o mewn ychydig
o gyfyng-gyngor gan fod holl destun ei raglen wedi'i
ddatrys cyn inni gychwyn.

Fe deimlwn nad oedd o, yn wir, ddim *am* inni wneud y
penderfyniad yma ond roedd hi'n rhy hwyr; roedd Rhian
a finna wedi penderfynu, ymhell cyn iddyn nhw gyrraedd,
mai dyna oedd yr unig ateb a doedd yna ddim troi'n ôl
i fod. Nhw oedd yn corddi'r dyfroedd a ninnau'n ceisio'u
tawelu. Roedd cwyn swyddogol *un* prifathro yn ddigon
iddyn nhw fynd amdani gydag arddeliad i greu ffrae.

Y Byd ar Bedwar yw ein *Panorama* ni yma yng Nghymru ac roedd Glanaethwy'n cael ei rhoi dan chwyddwydr ar ein prif raglen materion cyfoes. Doedd o ddim yn brofiad cyfforddus.

Wedi iddynt adael yr ysgol, fe aethant ati'n syth i feddwl o ba ogwydd y bydden nhw'n creu'r ddadl rŵan, a ninnau wedi gwneud ein penderfyniad. Roedd hi'n amlwg o gyflwyniad agoriadol Kate Crockett eu bod wedi trio troi'r ddadl i'w melin eu hunain. Dyma'i geiriau agoriadol: 'Ers blynyddoedd mae llwyddiant Glanaethwy yn Eisteddfod yr Urdd 'di achosi dadle. Nawr maen nhw'n bygwth peidio cystadlu byth eto os yw'r cecru'n parhau.'

Fe fu'n rhaid iddyn nhw grafu gwaelod casgen go chwerw i ddod o hyd i bobl fyddai'n cyfrannu i'r rhaglen, a ches alwad ffôn gan un neu ddau yn ymddiheuro ac yn dweud eu bod wedi difaru eu henaid iddyn nhw gytuno i wneud y rhaglen yn y lle cyntaf. Ond er clyfred yw golygyddion i droi pob ebwch a mynegiant a rowch i gamera i ddweud eu hefengyl hwy o'r stori, mae'n rhaid i ninnau gofio mai ni sydd wedi dweud ein dweud, waeth faint bydd y golygydd yn chwarae hefo'i siswrn.

Pan oeddwn yn blentyn, mi fydda Mam yn trio fy nysgu i ddeud 'Sticks and stones will break my bones, but names will never hurt me'. 'Nes i rioed ddefnyddio'i chyngor am nad oeddwn i'n cytuno â hi. *Mae* geiriau'n brifo a dyna'i diwedd hi.

Ychydig wythnosau wedi i'r rhaglen gael ei dangos fe ddaeth Rhian a finna allan o'n heisteddfod sir olaf yn y cyfnod hwnnw a chael fod rhywun wedi crafu enw Glan-aethwy ar ein fan gyda chyllell finiog. Cawsom ambell alwad dienw hefyd yn deud y pethau cas arferol. Ond un o'r pethau ddywedwyd a wnaeth yr argraff ddyfnaf arna i oedd yr hyn ddywedodd beirniad go amlwg wrtha i amdanom.

Wedi teimlo drostan ni oedd hi ar ôl gweld y rhaglen ac yn ein hannog i gario mlaen. Gan i'r rhaglen rygnu ar yr un hen dôn gron fod Glanaethwy'n ennill pob dim ac nad oedd gan neb obaith o ennill, mi deimlodd fod y rhaglen wedi rhoi sbin anffarfriol a chelwyddog o'r sefyllfa. O leia fe gafodd Jim O'Rourke gyfle i ddweud *nad* oedd Glanaethwy yn ennill popeth yn yr Urdd ac mai dim ond mewn pum cystadleuaeth roedden ni'n cystadlu'n flynyddol. Ond fe ddaeth sylw'r beirniad anhysbys â dipyn mwy o oleuni ar y cwmwl hwnnw oedd yn ein dilyn i bobman yma yng Nghymru.

'Dwi jest am iti wbod 'mod i wedi bod ar banel o feirniaid yn y Genedlaethol unwaith lle dwedodd un ohonyn nhw wrthan ni ei fod yn awyddus inni chwilio am rywbeth i beidio rhoi'r wobr i Glanaethwy.'

Doedd o'n ddim cysur imi ar y pryd ond roedd o'n gwneud llawer o synnwyr. Nid fod math o ots gen i am ganlyniad erbyn hyn gan nad dyna 'nghymhelliad wrth gystadlu, beth bynnag; fy myrdwn i yw mai profiad sy'n bwysig a dim byd arall. Ac mae pob un gystadleuaeth yn brofiad. Hyd yn oed pan wnewch chi'r camgymeriad mwya, canu'n fflat, anghofio'ch geiriau, methu dod i mewn ar y curiad cywir, ysgol brofiad yw pob un ohonyn nhw – 'mond inni fod wedi rhoi *perffaith* chwarae teg i *bawb* – hyd yn oed y tybiedig freintiedig. Pawb.

Arafu? Troed ar y brêc? Gwneud llai?

Dyna ddudis i gynna, dudwch? Deud falla y byddan ni'n arafu? Ymddeol? 'Nes i ddeud rwbath felly? A ninna'n dal wrthi fel lladd nadroedd, dwi'm yn gweld hynny'n digwydd yn fuan iawn. Ac yn sicr ddaru ni *ddim* arafu wedi imi ddod yn ôl i'r gogledd i weithio. Yn syth wedi dychwelyd o Tsieina a'r World Choir Games fe aethom i lawr i Eisteddfod Glyn Ebwy am ryw lun o seibiant. Roeddwn yn beirniadu'r Fedal Ddrama yno yn 2010, a chan 'mod i'n aelod o Fwrdd yr Orsedd roedd gen i nifer o gyfarfodydd i'w mynychu yno hefyd. Ond o'i chymharu â'n hwythnos arferol yn yr Eisteddfod roedd hynny, mwy neu lai, yn wyliau i ni'n dau.

Dwi ddim yn bwyllgorddyn a wnes i rioed ddeall eu defod a'u moes yn iawn. Serch hynny, dwi ar fwy o bwyllgorau nag y gallech eu cyfrif ar ddwy law. Mae wir angen y tatŵ yna arna i! Ta waeth, un o reolau aur bod ar bwyllgor ydi na ddylech chi fod yn bresennol pan mae 'na swydd wag ar gael. Wyddwn i ddim o'r rheol honno pan es i gyfarfod Bwrdd yr Orsedd yng Nglyn Ebwy yn 2010 a chael fy ethol yn un o swyddogion yr Orsedd. Roedd Allan Fewster newydd ymadael â'i swydd fel Cyfarwyddwr Cerdd yr Orsedd a'r Archdderwydd ar y pryd oedd Jim Parc Nest. Roedd wedi clywed am ein llwyddiant yn Shaoxing ac fe awgrymodd nad oedd yn rhaid chwilio'n rhy bell am y Cyfarwyddwr Cerdd nesaf gan fod yna un yn eistedd nid nepell oddi wrtho. Sut allwch i wrthod Jim, dudwch i mi?

Dwi wedi cael profiadau arbennig iawn fel Cyfar-wyddwr Cerdd yr Orsedd, a ches y cyfle i addasu rhyw-faint ar y seremoni dros y blynyddoedd ac yn arbennig felly dros gyfnod Covid-19. Mae hi wir yn fraint cael croesawu ein prif feirdd a'n llenorion i'w hanrhydeddu'n flynyddol gan 'mod i fy hun wedi cael yr un wefr o sefyll ar fy nhraed yn y pafiliwn ar alwad y Corn Gwlad. Mae'r seremoni'n sbloets y dylem i gyd fod yn falch iawn ohoni. Mae pum seremoni a dau gyfarfod swyddogol yn dipyn o waith paratoi – a hynny ar ben y cystadlu a'r gwahoddiadau arferol i annerch, sylwebu a phaneli trafod.

Mae'r Eisteddfod, ar hyn o bryd, yn mynd drwy gyfnod o newid mawr, a phawb ohonom yn dal ein gwynt i weld a chlywed be sy'n mynd i ddigwydd nesa. Mae'r corau'n uno'n gresiendo yn erbyn rhai newidiadau, y cerdd dantwyr a'r dawnswyr a chantorion gwerin yn dal eu hanadl na fydd eu traddodiadau'n crebachu'n ddim. Does gen i ddim llais ar y panelau hynny ar hyn o bryd gan mai ar banel llefaru'r Eisteddfod ydw i – ac yn teimlo'n reit unig yno weithiau. Peidiwch â ngham-ddallt i: 'dan ni'n griw digon cyfeillgar, ond 'mod i'n gwahaniaethu'n go arw yn fy marn a'm daliadau. 'Llef un yn llefain yn y diffeithwch' ydw i weithiau, yn trio cadw'r 'gwyn eu byd' a'r 'pur o galon' yn weddol hapus er bod yr Eisteddfod a'r panel yn pendilio tuag at gael gwared ar y 'Llefaru o'r Ysgrythur' yn llwyr maes o law. Mae crefydd wedi mynd yn daten go boeth mewn sawl man a ninnau'r selogion yn teimlo'r drysau'n cau arnon ni o bob cyfeiriad.

Ond tybed ydan ni, Gristnogion, hefyd yn dueddol o gadw ein crefydd i ni'n hunain ac yn gyndyn o'i rhannu â'r anffyddiwr, yr agnostig a'r ansicr? Dwi wedi nabod sawl cwpwl sy'n priodi lle mae gan y naill bartner ryw ddolen yn dal i'w clymu i'w magwraeth Gristnogol o hyd, a'r partner arall yn hidio fawr y naill ffordd neu'r llall. Tueddiad cyplau felly fyddai priodi y tu allan i gapel neu eglwys, ond be yn y byd mawr sy'n nadu'r math yma o briodas rhag cynnwys ychydig o ganu emynau yn y seremoni? Mae'n debyg fod y gwaharddiad yma'n tarddu o ddeddfau Llywodraeth y Deyrnas Unedig. Meddyliwch fod ganddyn nhw'r grym i'n gwahardd rhag canu'n hemynau a darllen ein hoff adnodau. Falla nad ni, Gristnogion, sydd i'n beio wedi'r cwbwl.

Mi gafodd fy merch a'i gŵr, Mirain a Jak, briodas oedd ymhlith yr hapusaf imi fod ynddi erioed. Fe aeth *popeth* yn union fel roedd y ddau wedi'i obeithio ac fe ganon ni 'Can't take my eyes off you' nerth esgyrn ein pennau i ddathlu. Ond dwi'n gwbod y byddem hefyd wedi mwynhau canu rhyw emyn go dda fel y gallem gynnwys yr hyn fyddai wedi uno cefndiroedd y ddau mewn un dathliad. Amharodd o 'run gronyn ar ein llawenydd y diwrnod hwnnw ond mae o wastad wedi gwneud imi feddwl ein bod ni, fel cenedl, wedi rhoi ein crefydd yn dwt mewn bocsys bach i hel llwch mewn rhyw gornel anghysbell o'n bywydau. Nid gwthio crefydd i lawr corn gwddw neb yw peth felly, dim ond gadael iddi anadlu rhywfaint, a'i bod ar gael i bawb os ydyn nhw'n dewis hynny. Rhwydd hynt iddynt wrthod; mae hynny'n hanfodol mewn cymdeithas iach a theg. Ond ar hyn o bryd mae 'Duw mewn bocsys' ganddon ni. Teitl am gân newydd i Bryn Fôn falla? Be amdani, Bryn?

A chyn 'mod i'n neidio oddi ar y bocs arall hwnnw sydd yn ein cornel ni o'r tŷ'n wastadol, sef y bocs sebon, 'sgwn i be ddaw, pan ddaw trafodaethau'r Steddfod i'n clyw? A glywn ni 'Teilwng yw'r Oen' o lwyfan y pafiliwn byth eto? A fydd nodau'r 'Tangnefeddwyr' yn canu yn y cof? A rydd Duw ei nawdd pan eisteddith y bardd yn 'hedd' yr Eisteddfod? A fydd heddwch?

> 'Gwyn eu byd tu hwnt i glyw,
> Dangnefeddwyr, plant i Dduw.'

Tua Phen y Mwdwl

Mi fyddwn i wastad yn rhoi ochenaid fechan o ryddhad pan fydda'r gweinidog yn dod i ben olaf ei bregeth yn Salem ers talwm ac yn dechra meddwl am swper neu gyfres deledu go dda i gloi'r penwythnos. Y *Forsyte Saga* neu *Upstairs, Downstairs* sy'n dod i'r cof. Cyfresi dramâu cyfnod. Mae'n siŵr eich bod chitha'n gweld bellach 'mod inna'n tynnu at ryw derfyn hefo'r gyfrol yma – ond tydi o'm yn teimlo felly i mi. Mae cymaint o fylchau yma, cymaint o achlysuron pwysig ac atgofion na ddaru mi 'mo'u cyffwrdd hyd yn oed. Fel y noson honno y dawnsiodd Sue Roderick a finna hyd oria mân y bore yn y Glen Ballroom yn Llanelli. Roeddan ni ar fin gadael yn weddol ddesant pan ddaeth un o'r bownsars ar ein holau a gofyn lle oeddan ni'n mynd. Ninna'n deud ein bod yn mynd adra i'n gwlâu. 'But you can't go home now,' medda fo, 'you're in the final of the disco dancing competition.' Wydden ni'n dau ddim fod yna gystadleuaeth ymlaen hyd yn oed.

Cymaint o ddŵr wedi mynd dan y bont ers hynny. Dwi ddim hyd yn oed yn gwbod ydi'r Glen Ballroom yn dal yno bellach. Yn sicr, tydi'r ysgol Gymraeg ddim yng nghanol tref Llanelli, na drysau'r hen sinema, lle ces y newydd gan Rhian ei bod yn feichiog hefo Mirain, yn dal ar agor. Tydi'r Theatr Genedlaethol ddim yno chwaith, na nifer o'r capeli lle cynhaliwyd rhagbrofion Llwyd o'r Bryn a'r Rhuban Glas yn ôl yn y flwyddyn 2000. Ac yn sicr tydi'r Gymareg ddim i'w chlywed mor aml yn yr hen farchnad ag yr oedd hi pan oeddwn i yno'n fyfyriwr ar fy ymarfer dysgu yn 1974.

§

Atgof arall sy'n codi mewn aml sgwrs ydi'r tro hwnnw pan aethon ni i'r Carnegie Hall yn Efrog Newydd i ganu yn 2017 a'r ddynes yn y maes awyr ym Manceinion yn deud na chawn i ddim mynd. Stori hir iawn ynglŷn â fy ESTA. I'r rhai ohonoch chi sy ddim yn gyfarwydd ag ESTA, yn syml fisa arbennig i ymweld ag America ydi o, a doedd un rhif ar fy ESTA i ddim yn paru'n gywir â'r rhif oedd ar fy mhasbort. Dychmygwch fy mhanig yn gweld y côr i gyd yn mynd drwy'r tollau a minnau'n dal i drio cael fy ESTA ar gyfrifiadur y maes awyr – i ddim diben. Canlyniad y sefyllfa oedd y byddai'n rhaid imi aildrefnu i gael tocyn i hedfan o Heathrow yn hwyrach yn y dydd, oedd yn golygu y byddai'n rhaid imi wibio i lawr i Lundain tra byddai Mirain yn mynd ati i drio cael yr ESTA cywir imi. Sôn am strach oherwydd un rhif bach anghywir.

Ond dyma oedd yn od: erbyn imi neidio ar y trên cyflym, y Dart, o'r maes awyr i stesion Picadilly ym Manceinion roeddwn wedi cael galwad ffôn gan y *Daily Post*, y *Western Mail*, *Golwg* a *Radio Cymru* yn holi oedd y stori'n wir 'mod i wedi methu mynd ar yr awyren. Rŵan 'ta, sut meddech chi yr oedd y stori fach yna wedi sleifio allan mor gyflym? Doedd y côr ei hun ddim hyd yn oed wedi gadael Manceinion eto ac roedd y stori'n mynd o gwmpas y wlad fel tân gwyllt. 'Nes i ddim ymlacio nes i Mirain fy ffonio i ddeud ei bod wedi derbyn yr ESTA cywir ac imi fynd yn syth o Euston i gael cinio efo hi yng Nghlwb Cymry Llundain a'i bod wedi trefnu tacsi imi i'r maes awyr mewn da bryd i ddal f'awyren. 'Rŵan, dos i nôl gwydriad o win ac ymlacia, Dad!' A dyna 'nes i – ac wedyn g'lana chwerthin dros y trên pan edrychais ar fy nghyfrif Trydar.

Roedd rhywun clyfar a chyflym iawn wedi bachu un siot fer allan o'r ffilm *Home Alone* lle mae'r actores Catherine O'Hara yn y maes awyr yn sylweddoli fod un o'i phlant ar goll ac yn troi at y camera a sgrechian: 'Kevin!'

§

Ac yng nghanol yr holl dreialon, cystadlu, cymudo, cynhyrchu, hyfforddi a chymdeithasu fe ddaethom yn Nain a Taid i ddau o hogia sy'n werth y byd. Direidus, drygionus a digri, maen nhw wedi llenwi ein bywydau â'u cwmni a'u cariad. Mae Efan Jac a Noa Jac bellach yn aelodau llawn o Glanaethwy ac yn cyfannu un arall o'r cylchoedd yna sydd wastad yn dal i droi. Mi anfonodd ein ffrindiau Eirlys a Cliff gerdyn aton ni pan anwyd Efan Jac, yr ŵyr cyntaf, hefo cwpled bach arno nad oeddwn i wedi'i glywed tan hynny: 'Nis gwirionir yn llwyr / nes gweled yr ŵyr.' Gwir pob gair.

§

A dyna i chi bnawn y rownd gyn-derfynol o *Britain's Got Talent* pan ddaeth y rheolwr llawr i chwilio amdanom yng nghanol miloedd ar filoedd o gefnogwyr pêl-droed oedd wedi heidio fel fflyd o deirw gwyllt tuag at fynedfa Stadiwm Wembley. Roeddan ninnau'n trio croesi am y stiwdio, oedd yn golygu mynd yn groes i'r fflyd meddw, a'r rhai lleiaf 'mond yn wyth a naw oed. Ambell waith byddai'n rhaid rhedeg gyda rhyw un neu ddau pan welem ein cyfle a thrio ymgasglu a chyfrif pennau cant saith deg o gantorion cyn mynd i mewn drwy seciwriti – a fynnai'r rheiny ddim gadael yr un ohonan ni i mewn nes oedd y côr cyfan yn y ciw. Ac yng nghanol yr holl helbul mi ofynnodd rhywun lle roedd Gwion, Awen a Mared gan nad oedd neb wedi gweld arlliw o'r tri. Roeddwn i ar ganol gwneud cyfweliad byw ar fy ffôn symudol gyda *Radio Wales* ar y pryd pan ddaeth Rhian allan o'r gwesty a dweud fod y tri yn styc yn y lifft. Buont yno yn y lifft am dri chwarter awr nes i frigâd dân gyrraedd i'w cael nhw allan. Roeddan ni awr a hanner yn hwyr i'n hymarfer ac er bod y tîm cynhyrchu yn deall yn iawn nad oedd dim bai o gwbwl arnon ni, roedd y tensiwn yn y stiwdio pan gyrhaeddon ni yn pingio. Pnawn i'w gofio a stori dda i'w deud ar ôl cyrraedd adra.

Erbyn diwrnod y ffeinal does ryfedd mai un o'r penawdau yn y papur (yn y *Sun* os cofia i'n iawn) oedd fod Simon Cowell wedi defnyddio'r geiriau 'my logistical nightmare' i'n disgrifio. A ninna'n griw mor fawr, mi fedra i ddeall yn iawn pam gawson ni'n bedyddio'n hynny. Rhwng y cant saith deg ohonan ni, mi fu'n rhaid llogi tri gwesty i'n ffitio ni i gyd i mewn. Roeddwn i'n teimlo fatha'r Pibydd Brith bob tro roedd arnon ni angen ymgynnull i fynd i ymarfer neu ffilmio. 'Dan ni 'di cael ein galw'n sawl peth dros y blynyddoedd ond dwi'n meddwl mai 'logistical nightmare' ydi un o'r goreuon. Cymerwch drueni felly dros Rhian, sydd wedi gorfod datrys yr hunllefau yna o drefnu gwestai a bysys, gwisgoedd a chynhaliaeth, amserlennu a negydu dros y côr am ymron i dri deg a phump o flynyddoedd.

§

A dowch imi grybwyll yn sydyn imi *wir* fwynhau cyfarwyddo'r cyfieithiad Cymraeg o *Les Miserables* i Gwmni Theatr Ieuenctid Cymru yn 2015 hefyd, er ei fod yn amseru digon anodd ar y pryd gan ein bod ar ganol cystadlu ar *BGT*. Cyd-gynhyrchiad rhwng yr Urdd, Canolfan y Mileniwm, y Drindod Dewi Sant a Glanaethwy oedd y sioe, a dwi 'mond am nodi iddi fod yn fraint aruthrol cael gweithio gyda rhai o ieuenctid disgleiriaf ein cenedl bryd hynny. Fedra i ddim deud imi gynhesu at Cameron Mackintosh ei hun serch hynny; fe'i ces i o'n ddyn hunanbwysig ac yn llawn ohono'i hun pan wnaeth o ymweliad byr â'r ymarferion. Ond synnais o weld rhai Cymry'n ymgreinio iddo bob tro y cerddai i mewn i'r ystafell. Gallwn yn hawdd fod wedi cerdded allan sawl gwaith o weld y ffordd yr oedd yn trin pobl ac yn bloeddio gorchmynion ar bawb o'i gwmpas. Mae'n rhaid imi ddeud na welais i *neb* mor ddigywilydd â Cameron Mackintosh.

Ond dwi'n dal i gilwenu o'i gofio'n gweiddi yn wyneb dynes fach ddiniwed iawn oedd yn eistedd yn yr awditoriwm noson cyngerdd dathlu pen-blwydd *Les Mis* yn y West End. Roedd y cwmni ieuenctid wedi cael gwahoddiad i ganu yn y cyngerdd – medli o rai o ganeuon corws y sioe. Un o'r caneuon oedd 'Drink with Me', sy'n gân eitha trist a hiraethus yn ei chyd-destun, ond roedd Cameron isio i'r corws ei chanu hi'n fwy llawen i ddathlu'r pen-blwydd. Ac felly mi redodd at un o'r merched oedd yn eistedd yn yr awditoriwm yn gwrando arnyn nhw gan floeddio, 'Tell them to fuckin smile!' Roedd y ddynes fach wedi dychryn am ei hoedal ac fe ddwedodd yn onest wrtho: 'I'm only a chaperone.' Eitha gwaith â'r cena blin.

§

Neu be am y tro hwnnw pan gawson ni wahoddiad i berfformio mewn cyngerdd go arbennig yn Derry? Tua 2005 oedd hi pan aethom draw i'r ddinas oedd yn dod i ddiwedd cyfnod cythryblus arall yn ei hanes hir. Roedd yr ymfyddino bron â dod i ben yno ond roedd yna ambell sgerbwd o dyrau'r fyddin yn dal i daflu'u cysgodion dros y strydoedd. Er inni gyrraedd ein gwesty yn weddol hwyr roedd y rhai hynaf ymysg y côr, fel y maen nhw bob gafael, ar dân isio darganfod eu hamgylchfyd newydd. Llŷr Gwyn Lewis, os cofia i'n iawn, gafodd ei benodi i ddod atom i ofyn am ganiatâd i gael mynd am ryw awran i'r bar carioci rownd y gornel. Gan ein bod wedi trefnu i gerdded hen waliau'r ddinas yn y bore, y cyrffyw i'r rhai hynaf oedd un ar ddeg o'r gloch.

A'u gwynt yn eu dwrn fe gyrhaeddodd y dyrnaid olaf yn eu sachlïain a lludw ryw hanner awr yn hwyr ac yn llawn cynnwrf. Catholigion sy'n byw yr ochr yna o ddinas Derry ac roedd y disgyblion wedi cael modd i fyw yn eu cwmni ac wedi cael holl hanes y ddinas rhwng y canu a'r gyfeddach mewn cwta ddwyawr. Roeddan nhw'n holi'n daer ym mha gadeirlan y byddem yn canu ynddi'r noson wedyn a dywedais nad oeddwn yn cael ein hamserlen iawn tan y bore.

Gan eu bod yn llawn o'u hanesion a'u gwybodaeth frys, roeddan nhw'n daer nad oeddan nhw am ganu yn yr eglwys Brotestannaidd o gwbwl. Doeddan nhw ddim am fynd ar gyfyl y lle, a dyna'i diwedd hi. Gwenais a deud wrthyn nhw am fynd i'w gwlâu a chadw hynny o leisiau oedd ganddyn nhw ar ôl bod yn bloeddio 'Hen Wlad fy Nhadau' yn y bar carioci.

Wrth gerdded waliau'r hen ddinas fore trannoeth roeddan ni'n pasio Eglwys Sant Columb. Crogai baneri Jac yr Undeb o'i cholofnau cadarn. Aeth pawb yn dawel. Yna dywedodd ein tywysydd yr hyn yr oeddwn yn ei ofni sef mai yn yr eglwys hon y byddem yn canu y noson honno. Teimlwn dros yr aelodau ac addewais y byddwn yn cael gair â'r trefnydd i egluro ein bod dan yr argraff ein bod wedi dod i ŵyl Geltaidd a bod y grwpiau eraill i gyd yn perfformio yn ardal weriniaethol Derry. Daeth hanner gwên i'w wefus fel petai'n cyfleu ei fod yn deall fy nghyfyng-gyngor yn iawn. Edrychodd arna i'n angerddol â'i lygaid gwyrddion yn siarad cyfrolau a dweud:

Cefin, I am a member of the IRA. I feel your dilemma. What we are hoping is that your choir will help us heal this old city. Tomorrow night's concert will have three choirs. A Protestant girl's choir, your choir and a small choir from Bogside. It will be the first time in its history that a Catholic choir and their families will have entered the Saint Columb's Cathedral. It is part of our peace process here in Derry. We chose your beautiful young choir in the hope that you can unite us in song. These three choirs of youthful voices are part of our 'process' and healing.

Dwi'm yn meddwl fod angen deud mwy na hynny. Mae'n un o'r cyngherddau pwysicaf inni ganu ynddo rioed.

Dwi'n heddychwr i'r carn. Mae'n gas gen i ffraeo. Er 'mod i wedi cael fy hun mewn sawl dadl a dwi ddim yn fyr o ddeud fy marn – ond ffraeo? Byddwn yn ei osgoi am fy mywyd. Yn anffodus, fe all dadl ambell waith droi'n ffrae – ac fe ddigwyddodd hynny ar ambell achlysur. Dwi ddim yn foi hawdd i fy nabod, fel y mae sawl un wedi deud wrtha i drwy fy ngyrfa, ond mae gen i galon feddal a hawdd iawn i'w brifo. Ac mae gen i un neu ddwy o greithiau na ddangosa i ddim i neb.

Os ewch i Derry fyth – os na wnewch chi ddim byd arall – cerddwch yr hen furiau ac fe gewch ddigon i gnoi cil arno am weddill eich gwyliau yno. Ar ôl cerdded waliau'r ddinas ar ymweliadau eraill wedi hynny, fe alla i'ch sicrhau chi nad oes gan y Gwyddelod ddim un cyfarwydd gwan. Fe ddysgwch eich bod yn cerdded ar un o greithiau mawr ein byd. Hen, hen graith sy fel petai hi byth yn cael cyfle i fendio. Roedd yr ymweliad hwnnw â Derry yn un o'r rhai hynny sy'n uchel iawn ar fy rhestr o ffefrynnau. Roedd yn ticio pob un bocs o'r weledigaeth pan aethom ati i sefydlu'r ysgol: rhoi profiadau, cyfleoedd, addysg, atgofion a hwyl i'n pobl ifanc.

A phwt bychan arall. Fe ges fy ngwneud yn gymrawd o dri choleg yng Nghymru yn ystod yr ugain mlynedd diwethaf: y Coleg Cerdd a Drama, Coleg y Drindod, a chafodd y ddau ohonom, Rhian a finna, Gymrodoriaeth Prifysgol Bangor. Rydan ni hefyd wedi ein derbyn yn Llysgenhadon Eisteddfod Ryngwladol Llangollen ac yn 2016 fe dderbyniais fy noethuriaeth yma yn y brifysgol ym Mangor. Dwi'n hynod falch o'r anrhydeddau hyn, yn ogstal â'm medalau a'm cadeiriau eisteddfodol. Ond y wobr fwyaf oedd y disgyblion ymroddgar a diolchgar a gawsom dros y blynyddoedd. Wedi'r cyfan, nhw sydd wedi creu Glanaethwy a fydden ni'n ddim heb eu talent a'u ffyddlondeb o'r cychwyn cyntaf un. Mae ein dyled ni'n fawr iddyn nhw a'u rhieni.

'Hen derfyn nad yw'n darfod'

Mae'r cysgodion i'w gweld yn cilio ryw fymryn erbyn hyn er 'mod i'n gwbod yn iawn mai hen beth digon anwadal ydi'r tywydd bob amser. Weithiau fe ddaw ambell storm o hyd. Ond dwi wedi dysgu mordeithio drwyddyn nhw'n weddol erbyn hyn ac wedi dod yn dipyn o giamstar wrth y llyw. Ond gan Rhian mae'r map o hyd. Fe fydda i'n mynd yn sâl môr wrth edrych arno'n rhy hir ac felly dwi byth yn siŵr iawn pa mor bell o'r lan ydan ni.

Ond dwi ddim cweit yn barod i ddod â'r llong i'r harbwr eto – hyd yn oed gyda'm hunangofiant. Dwi'n ymwybodol y bydd rhai ohonoch chi'n meddwl nad ydw i wedi dweud y cyfan yma. Rhai ohonoch yn meddwl pam na soniodd am hyn, neu'r llall neu'r arall hwnnw y clywsoch neu y gwelsoch â'ch clustiau a'ch llygaid eich hunain? Mae tri rheswm cyflym:

Mae Cymru'n fach –
    yn rhy fach o lawer i fwrw holl gynnwys fy mol rhwng dau glawr. Bu stori yn y *Western Mail* ar un adeg yn dweud 'mod i'n mynd â pherson i'r llys am drydar rhywbeth cas amdana i ar y we. Nid fi aeth at y *Western Mail* nac at gyfreithiwr. Ac os yw'r hen 'gadno' yn dal i 'nilyn ac yn darllen hyn o eiriau, yna cysyllta, ac mi dduda i'r hanes i gyd wrthat ti. Mi fydda i ym Mhontcanna'n reit amal. Mi fydda bwrw 'mol dros beint yn dda.

Mae Cymru'n hoff o stori –
ac os caiff rhai pobl afael ar un, fe rônt lathen at
y fodfedd a phupur hefo'r halen ar y briw. Mae
hi'n beryg bywyd yma ar adegau. Ac i'r rheiny a
gychwynnodd stori yn Eisteddfod Caerdydd fod
Rhian a finna wedi gwahanu – mi fasa'n dda eich
cyfarfod chitha hefyd ryw dro. Tydw i ddim yn un
dialgar, ond rydw i *yn* llawn chwilfrydedd.

Mae Cymru wedi gwylltio –
ac mae pethau pwysicach i'w dilyn na'r sgwarnogod
uchod erbyn hyn. Hon ydyw'r afon, ond nid hwn
yw'r dŵr. Beth am symud ymlaen a gweithio am
well a saffach byd i bawb? Mae hi'n siwrne bell,
'mond megis dechra fedrwn ni – ond deuparth
gwaith . . .

'Llwch i'r llwch'

Fe godon ni'n pac yn 2020 a symud yma i Bentir i fyw. Mae Tirion a'i bartner, Sioned, ac Efan a Noa yn byw i fyny'r lôn yn Rhiwlas, ac mae 'na gysur mawr i'w gael o symud yn agosach at deulu. Mae Rhian a Tirion a Mirain yn dal i hiraethu am Cilrhedyn, yr hen gartref ym Mangor, lle cawson ni gymaint o ddiddanwch dros y blynyddoedd. Bu'n dŷ hapus a bydd sŵn y partïon a'r dathliadau yn canu o'i furiau am flynyddoedd i ddod, dwi'n siŵr.

Ond i mi, roedd hi'n braf symud yn ôl i bentref i fyw, wedi blynyddoedd o fyw mewn trefi a dinasoedd. Mae hi'n ddifyr bod yn ôl yng nghanol cymuned bentrefol unwaith eto. 'Dan ni'n colli'n cymdogion ar Siliwen yn arw, ond fedra i'n bersonol ddim deud 'mod i'n colli Bangor ryw lawer – dim ers i'r Thesbiaid symud allan yn un fflyd o Fangor Uchaf yn ystod y nawdegau. Dwi'm yn amau nad ni oedd yr olaf ond un o'r giwed theatraidd i fudo o 'Fangyr Aye' a throi cefn ar y ddinas a ystyrid yn grud y theatr Gymraeg ar un adeg. John Ogwen a Maureen Rhys, neu John a Mo i ni, yw'r 'Last of the Mohicans', hyd y gwn i. Yn sicr, does yr un adyn o aelodau Theatr Bara Caws yn byw yno bellach. Chwith meddwl.

Dwi wedi dechra mynd i'r eglwys yma yn y pentref, Eglwys Sant Cedol, ac yn cael llawer iawn o fendith yno yng nghwmni'r aelodau. Does ganddon ni ddim capel ym Mhentir ond does dim affliw o wahaniaeth gen i am hynny. 'Nes i erioed ddeall enwadaeth a'r holl firi sy'n dod yn ei gysgod. Dwi'n licio symlrwydd ein heglwys a does 'na 'run ohonan ni'n cael ei ystyried yn uwch nac yn is na'i gilydd. Tydi'r *underclass* ddim yn bod yn Eglwys Cedol, pan gerddwn ni i mewn drwy'r drws 'dan ni i gyd ar yr un gwastad o'r cychwyn – felly dylai hi fod.

Mi ddigwyddodd 'na un peth digon od imi wrth inni hel ein pac yn Cilrhedyn. Hel meddyliau ac atgofion oeddwn i am yr holl amseroedd da roeddan ni wedi'u cael yno dros y blynyddoedd, ac roedd gen i, mewn un cabinet, resiad o betheuach oedd yno er cof am fy nhad a'm mam. Dau bâr o'u sbectolau, lluniau, a dau botyn bychan arian yn dal dyrnaid o lwch y ddau. Dwi ddim yn siŵr ydi sentiment felly'n beth call ai peidio, ond un felly fûm i rioed. Methu gollwng gafael yn llwyr ar ddim byd. Cawn drafferth hyd yn oed i luchio rhyw hen waith ysgol i'r plant – a choeliwch fi, dwi ddim wedi gadael pob un o'r rheiny o 'ngafael chwaith. Mae'r hen sentiment 'ma'n glwy arna i.

Ond wrth geisio cario'r ddau botyn llwch i'r bocs fe'u gollyngais ar y llawr nes bod eu llwch yn daen llwyd dros y carped. Ac, wrth gwrs, fedrwn i bellach ddim deud p'run oedd p'run. Pa ddewis oedd gen i felly? Brwsh? Hwfyr? Llwch dan carped? O na, dim byd mor syml. Mi estynnais am y brwsh briwsion a chasglu'r cyfan yn gymysgfa ar y rhaw a rhannu'r cyfan rhwng y naill flwch a'r llall. Dyna ni, meddyliais, mi gewch ddod i Bentir hefo'ch gilydd rŵan, a dim dadla!

Mae Mam yma'n edrych dros f'ysgwydd i wneud yn siŵr 'mod i wedi cael y manylion yna i gyd yn iawn. Ac o leia mae *hi'n* hapus. 'Jesus!' medda Nhad. Ond dwi'n meddwl 'i fod o'n OK am y peth hefyd. Mi fedra hi fod yn llawer iawn gwaeth arno na dod i Bentir am sbel. Mae 'na fwy o heddwch yn fan hyn. A dyna 'dan ni isio rŵan. Heddwch. Perffaith chwarae teg . . . caewch y drysa yn y cefn, os gwelwch yn dda. A oes heddwch? . . . Heddwch!

§

Mae sgwennu hunangofiant fel trio cwpanu dŵr yn eich dwylo fesul atgof gan wbod y bydd peth ohono wedi hen ddiferu drwy'r bysedd cyn ichi groniclo'r cyfan. Ac wrth feddwl eich bod yn tynnu at ryw derfyn yn gweld pyllau eraill nad oeddech yn cofio'u bod yno nes i amser fynd yn drech na chi.

Fel y sgarffiau hynny y byddwn yn eu gweu yn nhŷ Nain ers talwm, mae'r gyfrol yma'n llawn tyllau a chraciau. Ond . . .

There is a crack in everything, that's how the light gets in.
— LEONARD COHEN

Os sathrais i gyrn ambell un rhwng y cloriau yma, yna pharith y boen ddim yn hir – 'nes i'm rhoi fy mhwysa i gyd wrth wneud. Ac os gadewais i ambell enw allan, yna rhowch y bai ar y golygydd; roeddach chi i gyd yma yn y fersiwn gwreiddiol. Ac os na chawsoch eich plesio gan y cynnwys, yna chewch chi 'mo'ch pres yn ôl – mae o wedi'i wario'n barod ar sioe nesa Glanaethwy. Ond da iawn chi am gyrraedd y paragraff olaf, serch hynny – dach chi'n sgut am stori, raid gin i. A diolch am brynu llyfr Cymraeg! Dach chi werth eich pwysa mewn aur.

Da bo!